D1582953

Vleugels

DANIELLE STEEL

Vleugels

POEMA
POCKET

Oorspronkelijke titel: *Wings*
Vertaling: Anna Vesting
Omslagontwerp: T.B. Bone / Twizter.nl
Omslagbeeld: Corbis

ISBN 978 90 210 1230 8
NUR 343

www.boekenwereld.com
www.poemapocket.com
www.watleesjij.nu

Het was een tijd waarin de wereld zich op de rand van oorlog bevond en avontuur in de lucht hing...

Voor de Ace van mijn hart
de piloot van mijn dromen...
de vreugde van mijn leven,
de rustige plaats waar ik heen ga
in het donker van de nacht
de heldere ochtendzon
van mijn ziel
bij dageraad...
de schitterende ster
aan mijn firmament,
voor mijn geliefde,
mijn hart,
mijn alles,
beminde Popeye,
met heel mijn hart en al mijn liefde,
voor altijd de jouwe,

Olijfje.

1

De weg naar O'Malley's Airport was een lang, stoffig en smal spoor dat eerst naar links en toen naar rechts leek te buigen en traag langs de korenvelden liep. Het vliegveld was een klein, droog stuk land in de buurt van Good Hope in McDonough County, op zo'n driehonderd kilometer ten zuidwesten van Chicago. Toen Pat O'Malley het voor het eerst zag, in de herfst van 1918, was dat kale stuk grond van 32 hectare het mooiste dat hij ooit had gezien. Geen boer met een beetje verstand had het willen hebben, en het was dus nog te koop. Het stuk land was spotgoedkoop geweest en Pat O'Malley had er het grootste deel van zijn spaargeld in gestopt. De rest besteedde hij aan de aanschaf van een kleine, gedeukte Curtiss Jenny, een overblijfsel uit de oorlog. Het was een two-seater met dubbele bediening, die hij gebruikte om vlieglessen te geven aan de zeldzame bezoeker die zich een paar lessen kon veroorloven, om af en toe een passagier naar Chicago te vliegen en om kleine ladingen vracht te vervoeren naar welke bestemming dan ook.

Door de Curtiss Jenny had hij vrijwel geen cent meer over, maar Oona, al tien jaar zijn mooie, kleine, roodharige vrouw, was de enige persoon die hij kende die niet vond dat hij volkomen gek was. Ze wist hoe graag hij altijd had willen vliegen sinds hij op een klein vliegveld in New Jersey voor het eerst een vliegshow had gezien. Om genoeg geld te hebben voor zijn vlieglessen had hij twee banen gehad, en hij had haar in 1915 helemaal meegesleept naar de Panama-Pacific Tentoonstelling in San Francisco, zodat hij Lincoln Beachey kon ontmoeten. Beachey had Pat meegenomen voor een rondvlucht, waardoor het voor Pat nog pijnlijker was toen Beachey twee maanden daarna verongelukt was. Beachey had net drie adembenemende loopings in zijn experimentele vliegtuig gemaakt toen het misging.

Op de tentoonstelling had Pat ook de beroemde vliegenier Art Smith ontmoet en een bataljon andere vliegfanaten als hijzelf. Ze vormden een broederschap van waaghalzen, van wie de meeste eigenlijk niets anders wilden doen dan vliegen. Ze leken pas tot leven te komen wanneer ze vlogen. Vliegen was alles. Ze leefden ervoor, praatten erover, droomden ervan en ademden de vliegerij. Ze wisten alles wat er maar te weten viel over elke vliegmachine die ooit was gebouwd en hoe ze het best gevlogen konden worden. Ze vertelden verhalen, wisselden adviezen uit en gaven elkaar informatie over de nieuwste vliegtuigen en de oudere, en over bijna onmogelijke mechanieken. Het was niet verrassend dat de meeste van hen niet geïnteresseerd waren in iets anders dan vliegen en er niet in slaagden een baan te houden die weinig of niets met vliegen te maken had. En Pat was er altijd bij. Hij vertelde over iets ongelooflijks dat hij had gezien of beschreef een of ander bijzonder vliegtuig dat er op de een of andere manier in geslaagd was de prestaties van zijn voorganger te overtreffen. Hij zei altijd dat hij op een dag zijn eigen vliegtuig zou hebben en misschien wel een hele vloot. Zijn vrienden lachten om hem en zijn familie zei dat hij gek was. Alleen Oona, die schat, geloofde in hem. Ze volgde alles wat hij zei en deed dat met totale loyaliteit en aanbidding. En toen hun dochtertjes geboren waren, probeerde Pat haar niet te laten merken hoe teleurgesteld hij was dat er geen zoons waren.

Maar hoeveel hij ook van zijn vrouw hield, Pat O'Malley was geen man om zijn tijd aan zijn dochters te verspillen. Hij was een echte man, een man die over grote vaardigheden beschikte. De investering in zijn vlieglessen haalde hij er al snel uit. Hij was een van die piloten die van bijna elke machine instinctief weten hoe deze gevlogen moet worden, en niemand was verbaasd toen hij zich als een van de eerste Amerikanen als vrijwilliger aanbood, nog voor de Verenigde Staten betrokken waren geraakt bij de Eerste Wereldoorlog. Hij vocht in het Lafayette Escadrille en ging toen het gevormd werd over naar het 94ste Aero Squadron, waar hij met Eddie Rickenbacker als commandant vloog.

Het waren spannende jaren geweest. Toen hij zich in 1916 als vrijwilliger meldde, was hij dertig jaar, ouder dan de meeste anderen. Ook Rickenbacker was ouder dan de meeste anderen. Dat en hun liefde voor vliegen hadden Pat en hij gemeen gehad. En ook net als Rickenbacker wist Pat O'Malley altijd wat hij deed. Hij was hard en slim en zeker van zichzelf. Hij nam eindeloze risico's en de mannen zeiden dat hij meer lef had dan alle anderen. Ze vlogen graag met hem en Rickenbacker zelf had gezegd dat Pat een van de grootste piloten ter wereld was. Na de oorlog probeerde hij Pat over te halen ermee door te gaan, want er waren grenzen om te verkennen, uitdagingen om aan te gaan en nieuwe werelden om te ontdekken.

Maar Pat wist dat dat soort vliegen voor hem voorbij was. Hoe goed hij als piloot ook was, hij had zijn grote jaren gehad en ze lagen achter hem. Hij moest nu voor Oona en de meisjes zorgen. Toen de oorlog in 1918 eindigde, was hij tweeëndertig en was het tijd om aan de toekomst te denken. Zijn vader was intussen gestorven en had hem wat spaargeld nagelaten. Bovendien was het Oona gelukt wat geld opzij te leggen. En dat was het geld geweest dat hij meenam toen hij ten westen van Chicago op zoek ging naar een stuk land. Een van de mannen met wie hij had gevlogen, had hem verteld dat het land daar spotgoedkoop was, vooral als het niet geschikt was voor landbouw. En zo was het allemaal begonnen.

Hij had 32 hectare armzalige landbouwgrond gekocht, voor een goede prijs, en zelf het bord geschilderd dat er achttien jaar later nog stond. Er stond alleen maar O'MALLEY AIRPORT op en in die achttien jaar waren een L en de Y zo ongeveer verdwenen.

Met het laatste geld dat hij in 1918 over had gehad, had hij de Curtiss Jenny gekocht, en het was hem gelukt Oona en de kinderen met Kerstmis over te brengen. Aan de rand, dicht bij een riviertje en in de schaduw van een paar oude bomen, stond een kleine hut. Daar woonden ze, terwijl hij in zijn oude Jenny iedereen vloog die een charter wilde betalen en regelmatig post vervoerde. Het was een betrouwbare kleine machine en hij spaarde elke cent die hij kon. In het voorjaar was hij in staat een de Havilland D.H.4.a te kopen, waarmee hij post en vracht vervoerde.

De overheidscontracten die hij kreeg om post te vervoeren, waren winstgevend, maar hij was daardoor veel van huis. Soms moest Oona in haar eentje niet alleen voor de kinderen, maar ook voor het vliegveld zorgen. Ze had geleerd hoe ze de vliegtuigen moest voltanken en telefoontjes moest afhandelen over contracten en charters. Het gebeurde vaak dat Oona een vliegtuig moest binnenloodsen op de smalle landingsbaan, terwijl Pat onderweg was met post, passagiers of vracht.

De gebruikers van het vliegveld waren meestal verbaasd als ze zagen dat ze binnengeloodst werden door een mooie, jonge vrouw met rood haar, vooral dat eerste voorjaar toen ze zichtbaar zwanger was. Ze was die keer ontzettend zwaar geweest en had eerst gedacht dat het misschien een tweeling was, maar Pat wist zeker dat het geen tweeling was. Het was zijn droom die uitkwam… een zoon om met hem te gaan vliegen en hem te helpen met het runnen van het vliegveld. De zoon waarop hij tien jaar had gewacht.

Pat deed de bevalling zelf, in het kleine huis dat hij langzaam aan het uitbreiden was. Ze hadden inmiddels hun eigen slaapkamer en de drie meisjes deelden de andere kamer. Er was een warme, gezellige keuken en een ruime woonkamer. Het huis had niets wat op luxe leek en ze hadden maar weinig dingen meegenomen. Al hun inspanningen en alles wat ze hadden, werd in het vliegveld gestopt.

Hun vierde kind was gemakkelijk gekomen, op een warme voorjaarsavond. Het had nauwelijks een uur geduurd, nadat ze een lange, rustige wandeling hadden gemaakt langs het korenveld van hun buurman. Hij had gepraat over het kopen van een ander vliegtuig en zij had verteld hoe opgewonden de meisjes waren over het idee van een nieuwe baby. De meisjes waren toen vijf, zes en acht geweest en hadden de baby meer gezien als een nieuwe pop dan als een echt broertje of zusje. Oona had het ook een beetje zo gevoeld. Het was vijf jaar geleden dat ze een baby in haar armen had gehouden en ze verlangde naar de komst van deze baby. En die kwam, kort voor middernacht, met een lange, krachtige schreeuw. Oona had een scherpe kreet laten horen toen ze de baby zag. Daarna was ze in tranen uitgebarsten omdat ze wist wat een teleurstelling dit voor Pat zou zijn. Het was niet Pats lang verwachte zoon; het was weer een meisje. Het was een groot, dik, prachtig meisje van negen pond, met grote blauwe ogen, een roomwitte huid en koperkleurig haar. Maar hoe mooi ze ook was, Oona wist hoe hij naar een zoon had verlangd en hoe teleurgesteld hij nu moest zijn.

'Het is niet erg, lieveling,' zei hij toen hij zag hoe ze zich van hem afwendde terwijl hij zijn jongste dochter in een doek wikkelde. Ze was mooi, misschien wel de mooiste van allemaal, maar ze was niet de zoon waarop hij had gehoopt. Hij streek zijn vrouw over haar wang, en pakte haar toen bij haar kin om haar te dwingen hem aan te kijken. 'Het is niet erg, Oona. Ze is gezond en zal op een dag een bron van vreugde voor je zijn.'

'En jij dan?' vroeg ze ongelukkig. 'Je kunt dit bedrijf niet eeuwig in je eentje blijven doen.' De tranen stroomden over haar wangen en hij lachte om haar bezorgdheid. Ze was een goede vrouw en hij hield van haar, en als ze niet voorbestemd waren om zoons te krijgen, moest het maar zo zijn. Maar hij voelde een vage pijn in zijn hart op de plaats waar de droom over een zoon had gezeten. En hij durfde niet aan nog een kind te denken. Ze hadden nu vier kinderen en deze mond erbij maakte het al moeilijker voor hen. Hij werd niet rijk van zijn vliegveld.

'Dan zul jíj me gewoon moeten blijven helpen met het voltanken van de vliegtuigen, Oonie, dat is dan niet anders,' zei hij plagend, terwijl hij haar een kus gaf en de kamer uitliep om een whiskey te nemen. Hij had het verdiend. En terwijl hij naar de maan stond te kijken, nadat zij en de baby in slaap waren gevallen, vroeg hij zich af welke gril van het lot hem vier dochters en geen zoon had gezonden. Het leek hem niet eerlijk, maar hij was geen man die tijd verspilde aan de dingen die nu eenmaal waren zoals ze waren. Hij had een vliegveld te runnen en een gezin dat gevoed moest worden. De volgende zes weken had hij het zo druk, dat hij nauwelijks tijd had om bij zijn gezin te zijn, laat staan tijd om te rouwen om een zoon die een prachtige, gezonde dochter bleek te zijn.

De volgende keer dat hij haar echt zag, leek ze al twee keer zo groot te zijn en had Oona haar meisjesfiguur weer terug. Hij dacht met bewondering aan de veerkracht van vrouwen. Zes weken daarvoor was ze zo zwaar en kwetsbaar geweest, zo vol van belofte en zo gigantisch. Nu was ze weer jong en mooi en was de baby al een kleine roodharige deugniet met een eigen willetje. Als haar moeder en zusjes niet onmiddellijk op haar behoeften ingingen, was dit in de hele staat Illinois en het grootste deel van Iowa te horen.

'Volgens mij is ze de luidruchtigste van allemaal, denk je niet?' zei Pat op een avond, vermoeid van een lange retourvlucht naar Indiana. 'Ze heeft een geweldig paar longen.' Over zijn glas Ierse whiskey heen grinnikte hij tegen zijn vrouw.

'Het was heet vandaag en ze heeft wat uitslag.' Oona had altijd wel een verklaring als de kinderen wat uit hun doen waren. Pat bewonderde haar eindeloze geduld, maar ook tegenover hem was ze zo geduldig. Ze was een van die rustige mensen die weinig praten, veel zien en zelden iets onvriendelijks zeggen. In de bijna elf jaar van hun huwelijk hadden ze weinig ruzie gehad. Ze was zeventien geweest toen hij haar trouwde en ze was de ideale partner voor hem. Ze was tenslotte omgegaan met al zijn grillen en plannen en zijn eindeloze passie voor vliegen.

Later die week hadden ze een van die hete, windstille dagen in juni gehad. De baby had hen de hele nacht wakker gehouden en Pat moest vroeg in de ochtend op voor een snelle vlucht naar Chicago. Toen hij die middag thuiskwam, hoorde hij dat hij twee uur later weer zou moeten vertrekken voor een niet-geplande postvlucht. Het waren moeilijke tijden en hij kon het zich niet veroorloven om werk af te wijzen. Het was een dag waarop hij meer dan ooit wenste dat er iemand was die hem kon helpen, maar er waren maar weinig mensen aan wie hij zijn kostbare vliegtuigen zou toevertrouwen en die mensen had hij al tijden niet meer gezien. Hij vertrouwde ze zeker niet toe aan een van de mensen die om werk waren komen vragen sinds hij zijn vliegveld had geopend.

'Nog vliegtuigen te huur, vriend?' bromde een stem tegen hem, terwijl Pat naar zijn logboek zat te staren en zich door de papieren op zijn bureau heen werkte. Zoals gewoonlijk stond hij op het punt om uit te leggen dat ze hem konden huren en niet zijn vliegtuigen toen hij opkeek van zijn werk en verbaasd begon te grijnzen.

'Wel allemachtig,' zei Pat. Hij glimlachte verrukt naar een jongen met een fris gezicht, een brede glimlach en een lok donker haar die voor zijn blauwe ogen hing. Het was een gezicht dat hij heel goed kende en waarvan hij was gaan houden in die roerige tijd die ze samen in het 94ste Aero Squadron hadden doorgebracht. 'Wat is er aan de hand, joh? Geen geld voor de kapper?' Nick Galvin had stijl zwart haar en het opvallende knappe uiterlijk van de blauwogige, zwartharige Ier. Nick had onder Pat gevlogen en was toen bijna als een zoon voor hem geweest. Hij was op zijn zeventiende in dienst gegaan en hoewel hij nu maar een jaar ouder was, was hij een van de beste piloten van het eskader geworden en een van Pats meest betrouwbare mannen. Hij was twee keer neergeschoten door de Duitsers, maar was erin geslaagd zijn beschadigde kist nog binnen te brengen, zonder motorvermogen, ofwel *dead stick* te landen en zo zichzelf en het vliegtuig te redden. De mannen in het eskader hadden hem daarna de bijnaam 'Stick' gegeven, maar hij had hem meestal 'jongen' genoemd. Hij vroeg zich ineens af of dit misschien de zoon was waarnaar hij zo hevig had verlangd, nu zijn laatste kind ook weer een meisje was geworden.

'Wat doe jíj hier?' vroeg Pat, terwijl hij achteroverleunde in zijn stoel. Hij grinnikte tegen de jongen die de dood bijna net zo vaak getrotseerd had als hij.

'Ouwe vrienden opzoeken. Eens even kijken of je niet dik en lui bent geworden. Is dat jouw Havilland daar?'

'Ja, die heb ik vorig jaar gekocht in plaats van nieuwe schoenen voor de kinderen.'

'Dat zal je vrouw leuk gevonden hebben,' grinnikte Nick, en Pat werd herinnerd aan alle smachtende meisjes die hij in Frankrijk had achtergelaten. Nick Galvin was een knappe jongen en bijzonder overtuigend als het om de vrouwen ging. Hij had het in Europa uitstekend gedaan. Hij zei meestal dat hij vijfentwintig of zesentwintig was en ze leken hem altijd te geloven.

Oona had hem één keer ontmoet, in New York, na de oorlog, en had hem heel charmant gevonden. Ze had, blozend, gezegd dat ze hem bijzonder knap vond. Wat zijn uiterlijk betreft kon Pat niet tegen hem op, maar hij had iets aantrekkelijks en stevigs dat meer dan genoeg compensatie was voor het gebrek aan een Hollywoodachtig filmsterrenuiterlijk. Pat zag er goed uit. Hij had lichtbruin haar, warme bruine ogen en een Ierse glimlach die Oona's hart had veroverd. Maar Nick had een uiterlijk dat de harten van jonge meisjes deed smelten.

'Is Oona al verstandig genoeg geworden om jou te verlaten? Ik dacht dat ze dat wel snel zou doen nadat je haar naar deze uithoek had gesleept,' zei Nick terloops, terwijl hij zich in een stoel tegenover Pats bureau liet vallen. Hij stak een sigaret op, terwijl zijn oude vriend lachte en zijn hoofd schudde.

'Om je de waarheid te zeggen, ben ik er wel eens bang voor geweest. Maar ze heeft het niet gedaan, vraag me niet waarom. Toen we hier kwamen, woonden we in een hut waar mijn grootvader zijn koeien nog niet in zou hebben gezet en ik had nog geen krant voor haar kunnen kopen als ze dat had gewild, maar dat wilde ze niet. Goddank. Ze is echt een fantastische vrouw.' Tijdens de oorlog had hij dat ook altijd over haar gezegd, en nadat Nick haar had ontmoet was hij het met hem eens geweest. Zijn ouders waren dood en hij had helemaal geen familie. Sinds de oorlog voorbij was, had hij maar wat rondgezworven en baantjes gehad op verschillende kleine vliegvelden. Op zijn achttiende jaar had hij geen thuis, geen plek om te zijn en geen plaats om naartoe te gaan. Pat had altijd wat medelijden met Nick gehad wanneer de mannen over hun familie praatten. Nick had geen zusters of broers en zijn ouders waren gestorven toen hij veertien was. Hij had in een weeshuis gezeten tot hij zich voor het leger had aangemeld. De oorlog had zijn hele leven veranderd en hij had het geweldig gevonden. Maar nu had hij geen enkele plaats om naartoe te gaan.

'Hoe is het met de kinderen?' Nick was lief voor hun geweest toen hij ze had ontmoet. Hij hield van kinderen en had er in het weeshuis genoeg meegemaakt. Hij was altijd degene geweest die aandacht had voor de jongere kinderen, die hun 's avonds verhaaltjes voorlas of een spannend verhaal vertelde en ze troostte wanneer ze midden in de nacht wakker werden en om hun moeder huilden.

'Het gaat goed met ze.' Even aarzelde Pat. 'Vorige maand is de vierde geboren. Weer een meisje. Een grote deze keer. Ik dacht dat het een jongen zou zijn, maar dat bleek niet zo te zijn.' Hij probeerde zijn teleurstelling te verbergen, maar Nick hoorde het aan zijn stem en begreep het.

'Het ziet ernaar uit dat je je dochters zult moeten leren vliegen, niet, Ace?' zei hij plagend, en Pat liet zijn ogen rollen in duidelijke afkeer. Zelfs van de beste vrouwelijke vliegeniers was Pat nooit onder de indruk geweest.

'Dat denk ik niet, joh. Maar hoe zit het met jou? Wat vlieg jij tegenwoordig?'

'Eierdozen. Oorlogsrotzooi. Alles wat ik maar te pakken kan krijgen. Er is heel wat oorlogsmateriaal over en er zijn heel wat kerels die willen vliegen. Ik heb een beetje op vliegvelden rondgehangen. Heb je hier iemand aan het werk?' vroeg hij gespannen, in de hoop dat het niet zo was.

Pat keek hem aan en schudde zijn hoofd. Hij vroeg zich af of dit een teken was, alleen maar toeval of gewoon een kort bezoek. Nick was nog erg jong en had tijdens de oorlog voor heel wat opschudding gezorgd. Hij had veel risico genomen en was vaak op het nippertje ontsnapt. Hij was hard voor zijn kist geweest en nog harder voor zichzelf. Nick Galvin had niets te verliezen en niemand om voor te leven. Voor Pat waren die vliegtuigen alles wat hij bezat en hij kon het zich niet veroorloven om ze kwijt te raken, hoe graag hij de jongen ook mocht en hoe graag hij hem ook wilde helpen.

'Ben je nog steeds gek op risico's, zoals vroeger?' Eén keer had Pat hem bijna vermoord nadat hij hem tijdens een storm te laag over de grond had zien binnenkomen. Hij had hem door elkaar willen schudden tot zijn tanden zouden klapperen, maar was zo opgelucht geweest dat Nick het overleefd had dat hij hem alleen maar een stevige uitbrander had gegeven. De risico's die hij nam waren onmenselijk, maar het was wel wat hem groot had gemaakt. Maar dat was in oorlogstijd geweest. In vredestijd kon niemand zich zijn bravoure veroorloven. Vliegtuigen waren te duur om als speelgoed te gebruiken.

'Ik neem alleen maar risico als het niet anders kan, Ace.' Nick hield van Pat. Hij bewonderde hem meer dan alle anderen die hij ooit had gekend of met wie hij ooit had gevlogen.

'En als het niet nodig is, Stick? Heb je dan toch de neiging om er een spel van te maken?' De twee mannen keken elkaar aan en hielden elkaars blik vast. Nick wist wat hij bedoelde en wilde niet tegen hem liegen. Hij hield er nog steeds van risico's te nemen. Hij hield van het gevaar en van het spel, maar hij had een groot respect voor Pat en zou nooit iets doen wat schadelijk voor hem kon zijn. In die zin was hij wel iets volwassener geworden. Bovendien was hij voorzichtiger nu hij met vliegtuigen van anderen vloog. Hij hield nog steeds van de spanning, maar niet genoeg om Pats toekomst in gevaar te brengen. Met de laatste dollar die hij had was Nick hierheen gekomen, helemaal uit New York, in de hoop dat Pat hem zou kunnen gebruiken.

'Ik kan me gedragen als dat nodig is,' zei hij rustig, terwijl zijn staalblauwe ogen de vriendelijke bruine ogen van Pat geen moment loslieten. Nick had iets jongensachtigs en vertederends, maar ook iets heel mannelijks. Ooit waren ze bijna als broers geweest. Die tijd konden ze geen van beiden vergeten. Het was een band die altijd zou blijven en dat wisten ze allebei.

'Als je je niet gedraagt, gooi ik je op 3000 meter uit de Jenny zonder er ook maar twee keer over na te denken. Dat weet je, nietwaar?' zei Pat ernstig. 'Ik laat niemand kapotmaken wat ik hier probeer op te bouwen.' Toen zuchtte hij. 'Maar om eerlijk te zijn, het is bijna te veel werk voor één man. En het wordt echt te veel voor één en misschien zelfs voor twee als die postcontracten zo blijven doorgaan. Ik heb het gevoel dat ik voortdurend in de lucht zit. Ik kan mezelf niet meer bijhouden. Ik kan wel iemand gebruiken om wat van die vluchten over te nemen, maar ze zijn lastig en lang. Soms heb je behoorlijk slecht weer, vooral in de winter. En dat kan niemand iets schelen. Niemand wil horen hoe moeilijk het soms is. De post moet bezorgd worden. En dan hebben we de rest nog, de vracht, de passagiers, de korte vluchten hier- en daarheen, de mensen die wat spanning willen en alleen maar omhoog willen om naar beneden te kunnen kijken, en af en toe een vliegles.'

'Het klinkt alsof je het druk hebt,' zei Nick grinnikend. Hij genoot van elk woord dat hij hoorde. Hier was hij voor gekomen. Hiervoor en voor zijn herinnering aan de Ace. Nick had echt werk nodig en Pat wilde hem graag hebben.

'Dit is geen spelletje. Dit is een echt bedrijf dat ik hier probeer op te bouwen, en op een dag wil ik O'Malley's Airport op de kaart hebben staan. Maar dat zal me nooit lukken als jij al mijn vliegtuigen uit de lucht haalt, Nick, of zelfs maar één ervan. Alles wat ik heb zijn die twee vliegtuigen en dit stuk kale grond met dat bord dat je gezien hebt toen je hierheen reed,' legde Pat uit. Nick knikte. Hij begreep alles wat hij zei en hield meer van hem dan ooit. Er was iets met vliegeniers. Ze hadden een band die je nergens anders zag. Het was iets wat alleen zij begrepen en het was gebaseerd op eergevoel.

'Wil je dat ik wat van die lange vluchten van je overneem? Op die manier kun jij meer tijd hier doorbrengen, met Oona en de kinderen. En ik kan misschien ook de nachtvluchten doen. Ik zou daarmee kunnen beginnen en dan kun jij kijken of het bevalt,' zei Nick gespannen. Hij wilde wanhopig graag voor hem werken en was bang dat het misschien niet door zou gaan. Maar het ging er niet om dat Pat O'Malley hem niet wilde. Hij wilde alleen zeker weten dat Nick de basisregels begreep. Pat zou hem alles willen geven, een thuis, werk, hij zou hem zelfs adopteren als het moest.

'Je zou met de nachtvluchten kunnen beginnen, hoewel...' Hij keek zijn jonge vriend met een wat spijtige blik aan. Ze scheelden veertien jaar, maar door de oorlog was dat verschil vergeten. 'Er zijn van die nachten waarin de lucht de rustigste plaats is waar ik kan zijn. Als die baby van ons binnenkort niet gaat slapen 's nachts, ga ik haar een dosis whiskey geven. Oona zegt dat het door de hitte en de uitslag komt, maar ik zweer je dat het dat rode haar en het bijpassende karakter is. Oona is de enige roodharige die ik ooit ben tegengekomen die rustig en vriendelijk is. Dat kind van ons is echt een kleine feeks.' Maar ondanks zijn geklaag, leek Pat echt gek op haar te zijn en was zijn teleurstelling over het feit dat ze geen zoon was al grotendeels verdwenen. Vooral nu Nick er was. Zijn komst was precies het godsgeschenk waarom hij had gevraagd.

'Hoe heet ze?' vroeg Nick geamuseerd. Vanaf het moment waarop hij het gezien had, had hij van dat gezin gehouden en van alles wat erbij hoorde.

'Cassandra Maureen. We noemen haar Cassie.' Pat keek op zijn horloge. 'Ik breng je naar huis. Dan kun je straks eten met Oona en de meisjes. Ik moet hier om halfzes weer zijn.' Hij keek hem verontschuldigend aan. 'Je zult onderdak moeten zoeken in de stad. De oude mevrouw Wilson verhuurt een paar kamers. Ik heb hier geen plaats voor je, behalve een veldbed in de hangar waar de Jenny staat.'

'Voorlopig is dat prima. Het is tenslotte warm genoeg. Als het moet slaap ik op de landingsbaan.'

'Er is een oude douche aan de achterkant en hier is een wc, maar het is een beetje primitief,' zei Pat aarzelend, maar Nick grinnikte en haalde zijn schouders op.

'Dat geldt ook voor mijn budget totdat je me gaat betalen.'

'Je kunt ook bij ons op de bank slapen, als Oona er geen bezwaar tegen heeft. Ze heeft in elk geval een zwak voor je. Ik krijg altijd te horen hoe knap je bent en hoeveel geluk de meisjes hebben met een jongen als jij. Ik denk dat ze het niet erg vindt als je op de bank slaapt tot je eraan toe bent om een kamer bij mevrouw Wilson te huren.'

Maar hij had geen van beide gedaan. Hij was meteen in de hangar getrokken en een maand later had hij een kleine hut voor zichzelf gebouwd. Het was nauwelijks meer dan een afdak, maar het was groot genoeg voor hem. Het was er netjes en schoon en hij bracht alle tijd die hij had in de lucht door. Hij vloog voor Pat en hielp hem zijn bedrijf opbouwen.

Het volgende voorjaar waren ze in staat er weer een vliegtuig bij te kopen, een Handley Page. Dit vliegtuig had een groter bereik dan de Havilland of de Jenny en kon meer passagiers en vracht vervoeren. Hun samenwerking was voor beiden een succes. Het was alsof alles wat ze deden met een toverstokje was aangeraakt. Het bedrijf liep fantastisch. Hun naam was al snel bekend in het hele Midwesten. Het bericht dat twee geweldige vliegers vanuit Good Hope opereerden, leek iedereen te bereiken die belangrijk was. Ze deden vracht, passagiers, lessen en post en begonnen na niet al te lange tijd een behoorlijke winst te maken.

En toen werd hun geluk compleet. Dertien maanden na de geboorte van Cassie, verscheen Christopher Patrick O'Malley, een kleine, gerimpelde, schreeuwende en broodmagere baby. Maar iets mooiers hadden zijn ouders nog nooit gezien en zijn vier zusjes staarden in stomme verbazing naar die voor hen nog onbekende anatomie. De wederkomst van Jezus Christus op aarde had geen grotere beroering kunnen geven dan de komst van Christopher Patrick O'Malley op O'Malley's Airport.

Er werd met een grote blauwe vlag gevlogen en een maand lang kreeg elke piloot die langskwam een sigaar van de stralende vader. Het was de moeite waard geweest om op te wachten. Na bijna twaalf jaar huwelijk was zijn droom eindelijk uitgekomen: hij had een zoon om zijn vliegtuigen te vliegen en zijn vliegveld te helpen leiden.

'Nou, het ziet ernaar uit dat ik net zo goed kan vertrekken,' zei Nick de dag nadat Christopher was geboren op een wat spottend mistroostige toon. Hij had net een order binnengehaald voor een grote vracht die zondag aan de Westkust moest worden afgeleverd. Het was de grootste opdracht die ze ooit hadden gehad en het was een geweldig succes.

'Hoe bedoel je, vertrèkken?' zei Pat, met een vreselijke kater van het vieren van de geboorte van zijn zoon en een blik van paniek in zijn ogen. 'Wat moet dàt betekenen?'

'Nou ja, ik denk dat mijn dagen hier geteld zijn nu Chris er is,' zei Nick grinnikend. Hij was blij voor hen allebei en vond het fantastisch dat hij Chris' peetvader was. Maar degene die vanaf het moment waarop hij haar zag zijn hart had gestolen, was Cassie. Ze was precies zoals Pat haar beschreven had, een kleine feeks. Ze voldeed aan alle beschrijvingen die ooit over roodharigen waren gemaakt, en Nick aanbad haar. Soms had hij bijna het gevoel dat ze zijn jonge zusje was. Hij kon niet meer van haar gehouden hebben als ze zijn eigen dochter was geweest.

'Ja, jouw dagen zijn geteld,' zei Pat grommend, 'voor zo ongeveer de volgende vijftig jaar. Dus zet die luie kont van je in beweging, Nick Galvin, en controleer de post die ze net op onze landingsbaan hebben gedumpt.'

'Ja, mijnheer… mijnheer Ace… uwe genade… uwe hoogheid…'

'Hé, hou dat geslijm maar voor je!' schreeuwde Pat tegen zijn rug, terwijl hij voor zichzelf een kop zwarte koffie inschonk en Nick over de landingsbaan naar de piloot rende voordat die weer zou vertrekken. Nick was precies wat Pat van het begin af aan gehoopt had, een godsgeschenk. En in het voorgaande jaar waren er geen rare dingen gebeurd. Hij had zijn risico's genomen als hij in de winter bij slecht weer moest vliegen, en ze hadden allebei hun risico's genomen in de vorm van noodlandingen en noodreparaties. Maar er was niets gebeurd waarover Pat zich zou kunnen beklagen, niets wat Nick had gedaan dat hij zelf niet zou hebben gedaan, niets wat een van Pats kostbare vliegtuigen in gevaar had gebracht. En Nick hield net zoveel van die vliegtuigen als Pat. De waarheid was dat Pat zijn bedrijf echt had kunnen opbouwen doordat Nick er was.

En dat was precies wat ze de volgende zeventien jaar waren blijven doen. De jaren waren sneller voorbijgevlogen dan de vliegtuigen die opstegen van de vier zorgvuldig onderhouden landingsbanen op O'-Malley's Airport. Drie ervan waren aangelegd in de vorm van een driehoek en de vierde, die van noord naar zuid liep, liep daar dwars doorheen. Dit betekende dat ze bij vrijwel elke wind konden landen en het vliegveld nooit hoefden te sluiten wegens problemen met vliegtuigen die een van de landingsbanen blokkeerden. Ze hadden nu een vloot van tien vliegtuigen. Nick had er twee gekocht en de rest was van Pat. Nick was alleen bij hem in dienst, maar Pat was altijd royaal geweest. In de loop van hun lange jaren van samenwerking en het opbouwen van het vliegveld waren ze echte vrienden geworden. Pat had Nick een paar keer voorgesteld om partner te worden, maar Nick zei dan altijd dat hij de zorgen niet wilde die daarbij hoorden. Hij wilde gewoon ingehuurd worden, zoals hij zei, hoewel iedereen wist dat Pat O'Malley en hij zo ongeveer een eenheid waren en dat je de één niet kwaad moest maken als je de ander niet op je nek wilde hebben. Pat O'-Malley was speciaal, en Nick hield van hem als van een vader, een broer, een vriend. Hij hield van zijn kinderen alsof ze de zijne waren. Hij hield van alles wat met hem te maken had.

Maar anders dan voor Pat gold, waren familie en relaties niet Nicks sterke punt. Hij was één keer getrouwd, in 1922, toen hij eenentwintig was. Het huwelijk had zo'n zes maanden geduurd en toen was zijn achttienjarige bruid teruggegaan naar haar ouders in Nebraska. Nick had haar, tijdens een postvlucht, laat op een avond ontmoet in het enige restaurant van het stadje, dat het eigendom was van haar ouders.

Het enige dat ze meer had gehaat dan Illinois was vliegen en alles wat daarmee te maken had. Elke keer dat Nick haar mee de lucht in nam werd ze misselijk, elke keer dat ze een vliegtuig zag huilde ze en elke keer als Nick vertrok om er een te gaan vliegen jammerde ze. Het was duidelijk dat ze niet bij hem paste, en toen haar ouders haar kwamen halen, was Nick nog opgeluchter geweest dan zijn bruid. Hij was van zijn leven niet zo ongelukkig geweest en had gezworen dat hem dat nooit meer zou overkomen. Er waren sinds die tijd wel vrouwen geweest, maar Nick vertelde nooit over hen. Er waren geruchten geweest over Nick en een getrouwde vrouw in een andere stad, maar niemand wist of ze waar waren en Nick had er tegen Pat nooit over gepraat. Nadat hij zijn jongensachtige uiterlijk had verloren, was hij in een knappe man veranderd, maar niemand wist veel van zijn persoonlijke leven. De vrouwen met wie hij omging bleven altijd op de achtergrond.

Er was niets waar mensen over konden praten, behalve het feit dat hij hard werkte en vaak bij de O'Malley's was. Hij bracht een groot deel van zijn vrije tijd nog steeds met hen en de kinderen door. Voor de kinderen was hij als een oom. Oona had het allang opgegeven om hem aan een van haar vriendinnen te koppelen. Ze had zelfs geprobeerd iets tussen hem en haar jongste zuster tot stand te brengen toen die jaren geleden op bezoek was. Ze zag er leuk uit, ze was jong en ze was weduwe. Maar het was nu al jaren duidelijk dat Nick Galvin niet geïnteresseerd was in een huwelijk. Nick was geïnteresseerd in vliegtuigen en niet veel meer, behalve de O'Malley's en af en toe een rustige relatie. Hij leefde alleen, werkte hard en hield zich met zijn eigen zaken bezig.

'Hij verdient zoveel beter,' had Oona al jaren tegen Pat gezegd.

'Waarom denk je dat getrouwd zijn zoveel beter is,' had Pat plagend gezegd. Maar zelfs Oona had het onderwerp niet meer met Nick aangesneden, hoezeer ze er ook van overtuigd was dat ze wist wat goed voor hem was. Ze had het opgegeven. Hij was vijfendertig en tevreden met zijn manier van leven, en hij had het te druk om veel tijd en aandacht te kunnen besteden aan een vrouw en kinderen. Hij was dagelijks zo'n vijftien of zestien uur op Pats vliegveld te vinden. En de enige andere persoon die daar net zoveel tijd doorbracht als Pat en Nick was Cassie.

Ze was inmiddels zeventien en het grootste deel van haar leven al een vast onderdeel van het vliegveld geweest. Ze kon vrijwel elk vliegtuig van brandstof voorzien, en vliegtuigen binnenloodsen en klaarmaken voor vertrek. Ze onderhield de landingsbanen, maakte de hangars en de vliegtuigen schoon en was elke minuut die ze over had bij de piloten te vinden. Ze kende de motoren en de werking van elk vliegtuig dat ze hadden. En als er iets mis was, had ze een soort zesde zintuig voor wat er aan de hand was. Er was geen detail zo klein of zo ingewikkeld dat het aan haar aandacht ontsnapte. Ze wist alles van elk vliegtuig en had het waarschijnlijk in de lucht en met gesloten ogen kunnen beschrijven. Ze was in vele opzichten opmerkelijk en Pat moest haar voortdurend overreden om naar huis te gaan om haar moeder te helpen. Ze zei altijd dat haar zusjes daar waren en dat haar moeder haar niet nodig had. Pat wilde haar uit de buurt hebben. Hij wilde dat ze bij haar moeder was, waar ze thuishoorde, maar als het hem de ene dag al lukte haar naar huis te rijden, was ze de volgende ochtend, net als de zon, om zes uur 's morgens weer aanwezig om voor ze naar school ging nog één of twee uur op het vliegveld te kunnen doorbrengen. Uiteindelijk gaf Pat zich vertwijfeld over en negeerde haar.

Op haar zeventiende was ze een lange en opvallende schoonheid met blauwe ogen. Maar het enige waar Cassie iets om gaf en veel van wist waren vliegtuigen. En hoewel Nick haar nog nooit had zien vliegen, wist hij dat ze een geboren piloot was. Hij had het gevoel dat Pat het ook wist, maar die was er absoluut op tegen dat Cassie zou leren vliegen, en daar konden geen Amelia Earhart, Jackie Cochran, Nancy Love, Louise Thaden, een van de andere vrouwelijke piloten of de *Women's Air Derby* ook maar iets aan veranderen. Geen enkele dochter van hem zou gaan vliegen, en dat was dat. Hij had er met Nick wel eens wat woorden over gehad, maar Nick had uiteindelijk begrepen dat het een verloren gevecht was. Er waren in die tijd al heel wat vrouwelijke vliegeniers, en sommige van hen waren behoorlijk goed, maar Pat O'Malley vond dat de dingen ver genoeg waren gegaan en wat hem betrof zouden vrouwen nooit zo kunnen vliegen als mannen. En zijn vliegtuigen zouden in elk geval nooit door een vrouw gevlogen worden en zeker niet door Cassie O'Malley.

Nick had het meer dan eens tegen hem opgenomen en erop gewezen dat sommige vrouwelijke piloten van deze tijd beter waren dan Lindbergh in zijn tijd. Pat was toen zo woedend geworden dat hij bijna met Nick op de vuist was gegaan. Charles Lindbergh was Pats idool. De enige die hij nog beter vond was Rickenbacker geweest tijdens de Eerste Wereldoorlog. Pat had zelfs een foto van Lindy en zichzelf, die genomen was toen de eerste in 1927, tijdens een tournee van drie maanden door het hele land, O'Malley's Airport had aangedaan. Nu, negen jaar later, had de foto nog steeds een stoffige en geliefde ereplaats boven Pats bureau.

Voor Pat stond het als een paal boven water dat geen enkele vrouw de prestatie van Charles Lindbergh kon evenaren, laat staan overtreffen. Tenslotte had Lindberghs eigen vrouw alleen de navigatie gedaan en de radio bemand. Nee, voor Pat was Lindy een soort god, en wie dan ook met hem vergelijken was een vorm van heiligschennis die hij niet accepteerde, zeker niet van Nick Galvin. Nick lachte wanneer hij zag hoe opgewonden Pat hierover kon raken. Hij vond het heerlijk hem op de kast te jagen. Maar hij wist dat hij dit verschil van mening nooit zou winnen. Volgens Pat waren vrouwen hier gewoon niet geschikt voor, hoeveel ze ook vlogen, hoeveel records ze ook op hun naam brachten, hoeveel wedstrijden ze ook wonnen en hoe goed ze er ook uitzagen in hun vliegenierspakken. Volgens Pat O'Malley waren vrouwen niet geschapen om piloot te zijn.

'En jíj,' zei hij scherp tegen Cassie, die net in een oude overall binnenkwam nadat ze op de landingsbaan een Ford Tri-Motor had volgetankt voor deze vertrok naar Roosevelt Field op Long Island, 'hoort thuis te zijn en je moeder te helpen met het eten.' Het was het bekende refrein. Ze deed altijd alsof ze het niet hoorde en dat deed ze dus ook vandaag. Ze kwam met grote passen binnenlopen en was bijna net zo lang als de mannen die voor Pat werkten. Haar vuurrode haar hing op schouderlengte en haar grote, levendige blauwe ogen ontmoetten die van Nick toen hij achter de rug van haar vader om ondeugend tegen haar grijnsde.

'Ik ga zo naar huis, papa. Ik moet nog even iets doen.' Ze was zeventien jaar en een echte schoonheid. Maar een deel van haar charme was dat ze zich van dat laatste absoluut niet bewust was. En de overalls die ze droeg accentueerden haar figuur op een manier die haar vader alleen maar meer irriteerde. Wat hem betrof hoorde ze daar niet. Dat was zijn opvatting en die zou niet veranderen, en het meningsverschil dat ze hadden, had iedereen die regelmatig op O'Malley's Airport was geweest al duizend keer gehoord. Vandaag was het niet anders. Het was een hete dag in juni en ze had zomervakantie. De meeste van haar vriendinnen hadden een baantje bij de drogist, in andere winkels of in een cafetaria. Maar het enige dat zij wilde was op het vliegveld werken, gratis. Het vliegveld was haar leven en ze werkte alleen ergens anders als ze echt verlegen zat om wat geld. Maar geen baantje, geen vriendin, geen jongen en geen vermaak konden haar lang van het vliegveld weghouden. Ze kon er niets aan doen.

'Waarom kun je niet iets nuttigs doen in plaats van hier in de weg lopen?' schreeuwde haar vader tegen haar. Hij bedankte haar nooit voor het werk dat ze deed. Hij wilde haar daar gewoon niet hebben.

'Ik wil alleen even een van de vrachtlogboeken pakken, pap. Ik moet er een aantekening in maken.' Ze zei het rustig, terwijl ze naar het boek zocht en vervolgens naar de juiste bladzijde. Ze kende alle logboeken en alle procedures.

'Blijf met je handen van mijn logboeken af! Je weet niet eens waar je mee bezig bent!' Hij was woedend, zoals gewoonlijk. Hij was in de loop der jaren wat prikkelbaar geworden, hoewel hij op zijn vijftigste nog steeds een van hun beste piloten was. Maar hij was onbuigzaam als het om zijn bedoelingen en ideeën ging, hoewel niemand zich daar veel van aantrok, zelfs Cassie niet. Op het vliegveld was zijn woord wet, maar zijn strijd tegen vrouwelijke piloten en zijn meningsverschillen met haar waren tevergeefs. Ze was verstandig genoeg om geen ruzie met hem te maken en meestal leek ze hem niet eens te horen. Ze ging gewoon haar eigen gang, en dat deed ze op het vliegveld van haar vader.

Toen ze nog klein was, was ze soms stiekem midden in de nacht het huis uit geslopen om naar de vliegtuigen te gaan kijken die daar in het maanlicht stonden te glanzen. Ze waren zo mooi dat ze wel moest gaan kijken. Hij had haar daar een keer gevonden, nadat hij een uur naar haar had lopen zoeken, maar ze had met zoveel eerbied en ontzag naar zijn vliegtuigen gekeken, en naar hem, dat hij het niet over zijn hart had kunnen verkrijgen om haar een pak slaag te geven, ook al had ze hem met haar verdwijning de schrik van zijn leven bezorgd. Hij had haar gewaarschuwd dat ze dat nooit meer moest doen en haar toen naar haar moeder gebracht zonder er verder een woord over te zeggen.

Oona wist hoeveel Cassie van de vliegtuigen hield, maar net als Pat vond ze dat het niet hoorde. Wat zouden de mensen wel denken? Kijk toch hoe ze eruitzag en hoe ze rook als ze vliegtuigen had volgetankt of post of vracht had geladen of, erger nog, aan motoren had gewerkt. Maar Cassie wist meer van de werking van vliegtuigen dan de meeste mannen van hun eigen auto. Ze hield van alles wat ermee te maken had. Ze kon sneller en beter dan de meeste mannen een motor uit elkaar halen en weer in elkaar zetten, en ze had meer boeken over vliegen geleend en gelezen dan haar ouders en zelfs Nick vermoedden. Vliegtuigen waren haar grote liefde, haar passie.

Nick was de enige die dit leek te begrijpen, maar het was zelfs hem nooit gelukt haar vader ervan te overtuigen dat het een geschikte bezigheid voor haar was, en nu haalde hij zijn schouders op, terwijl hij terugging naar zijn bureau en Cassie terugliep naar de landingsbaan. Ze had al lang geleden geleerd dat ze uren op het vliegveld kon rondhangen, zolang ze maar bij Pat uit de buurt bleef.

'Ik snap niet wat er met haar aan de hand is... Het is onnatuurlijk...' zei Pat klagend. 'Volgens mij doet ze het alleen maar om haar broer dwars te zitten.' Maar Nick wist beter dan wie ook dat het Chris niets kon schelen. Hij was niet meer geïnteresseerd in vliegen dan in een reis naar de maan of de mogelijkheid om in een korenaar te veranderen.

Zo af en toe hing hij wat op het vliegveld rond om zijn vader een plezier te doen, en nu hij zestien was nam hij ook vlieglessen, ook om hem tevreden te stellen, maar waar het op neerkwam was dat Chris niets van vliegtuigen wist en dat het hem ook niet interesseerde. Hij had er ongeveer net zoveel belangstelling voor als voor de grote gele bus die hem elke ochtend naar school bracht. Maar Pat was ervan overtuigd, of had zichzelf ervan overtuigd, dat Chris ooit een geweldige piloot zou worden.

Chris had niets van Cassies instinct daarvoor, of haar hartstochtelijke liefde voor een machine, of haar gevoel voor een motor. Hij hoopte alleen maar dat Cassies belangstelling voor vliegtuigen ertoe zou leiden dat zijn vader hem met rust zou laten, maar in plaats daarvan leek hij daardoor nog heviger te willen dat Chris piloot zou worden. Hij wilde dat Chris zo zou worden als Cassie, maar dat kon Chris niet. Chris wilde architect worden. Hij wilde niet vliegen, maar gebouwen ontwerpen, en dat had hij tot nu toe niet aan zijn vader durven vertellen. Cassie wist het wel. Ze hield van zijn tekeningen en van de modellen die hij voor school maakte. Hij had een keer een hele stad gebouwd van kleine en grotere doosjes en pakken, en daarbij doppen van flessen gebruikt en andere kleine dingen uit de keuken van hun moeder om het mee af te maken. Wekenlang had ze uitgekeken naar dingen en waren er doppen van flessen verdwenen en kleine stukken gereedschap en belangrijke werktuigen. En dat was allemaal teruggekomen in die prachtige schepping van Chris. Als enige reactie had hun vader gevraagd waarom hij geen vliegveld had ontworpen. Het was een intrigerend idee en Chris zei nog steeds dat hij het wilde proberen, maar in werkelijkheid kon niets wat met vliegen te maken had hem ook maar enigszins enthousiast maken. Hij was intelligent, nauwkeurig en aandachtig en vond de vlieglessen die hij kreeg ongelooflijk saai. Nick was al tientallen keren met hem de lucht in geweest en hij had inmiddels aardig wat vlieguren op zijn naam, maar het interesseerde hem allemaal niets. Het was zoiets als een auto besturen. Was dat zo bijzonder? Voor hem niet. Maar voor Cassie was het het leven zelf, en meer dan dat, het was magie.

Die middag bleef ze uit de buurt van haar vaders kantoor en om zes uur zag Nick haar ver weg op de landingsbaan een vliegtuig binnenloodsen en daarna met de piloot in een van de hangars verdwijnen. Kort daarna liep hij naar haar toe en zag dat ze smeerolie op haar gezicht had en dat haar haar in een knot boven op haar hoofd was gebonden. Ze had een grote veeg vet op de punt van haar neus en haar handen waren vuil. Hij moest lachen toen hij haar zag. Ze was een fraaie verschijning.

'Wat is er zo grappig?' vroeg ze. Ze zag er moe, maar gelukkig uit terwijl ze tegen hem glimlachte. Hij was altijd als een broer voor haar geweest. Ze was zich ervan bewust dat hij knap was, maar dat betekende verder niets. Ze waren vrienden en ze hield van hem.

'Jij bent grappig. Heb je vandaag ook in de spiegel gekeken? Je bent beter geolied dan mijn Bellanca. Je vader zal dit fantastisch vinden.'

'Mijn vader wil dat ik in een schort rondloop en het huis schoonmaak en aardappelen voor hem kook.'

'Dat is ook nuttig.'

'O ja?' Ze hield haar hoofd schuin en was een intrigerende combinatie van absurditeit en ongelooflijke schoonheid. 'Kun jij aardappelen koken, Stick?' Soms noemde ze hem zo en hij moest altijd lachen als ze dat deed, net zoals nu terwijl hij haar antwoord gaf.

'Als het moet. Ik kàn koken, weet je.'

'Maar het is niet zo dat je móet. En wanneer heb je voor het laatst je huis schoongemaakt?'

'Ik weet niet.' Hij keek nadenkend. 'Tien jaar geleden misschien... rond 1926.' Hij zei het grijnzend en daarna moesten ze allebei lachen.

'Snap je wat ik bedoel?'

'Ja, maar ik begrijp ook wat hij bedoelt. Ik ben niet getrouwd en ik heb geen kinderen. En wat hij niet wil is dat jij net zo eindigt als ik... dat je in een hok naast de landingsbaan woont en postvluchten doet naar Cleveland.' Zijn 'hok' was bijzonder comfortabel, ook al was het misschien geen luxe huis.

'Klinkt prima,' zei ze. 'Die postvluchten, bedoel ik.'

'Dat is het probleem.'

'Híj is het probleem,' zei ze. 'Er zijn genoeg vrouwen die vliegen en een interessant leven leiden. Kijk maar naar de *Ninety-Nines*.' Dat was een professionele organisatie, opgericht door negenennegentig vrouwelijke piloten.

'Je moet mij niet overtuigen, maar hem.'

'Het heeft geen zin.' Ze zag er ontmoedigd uit toen ze opkeek naar haar oude vriend. 'Ik hoop alleen maar dat ik de hele zomer hier mag zijn.' Dat was het enige dat ze wilde nu ze tot eind augustus niet meer naar school hoefde. Het zou een lange zomer worden. Ze moest uit zijn buurt zien te blijven en confrontaties proberen te voorkomen.

'Kun je niet ergens anders een baantje zoeken, zodat hij ons niet allebei gek maakt?' Maar ze wisten allebei dat ze liever zonder geld zat dan ook maar een dag op het vliegveld te moeten missen.

'Dat is het enige wat ik echt graag wil.'

'Dat weet ik. Dat hoef je mij niet te vertellen.' Hij was beter dan wie ook op de hoogte van haar passie. Het was een ziekte waaraan hij zelf had geleden, maar hij had geluk gehad. De oorlog, zijn geslacht en Pat O'Malley hadden het voor hem mogelijk gemaakt de rest van zijn leven te kunnen vliegen. Hij was bang dat Cassie O'Malley niet zoveel geluk zou hebben. Eigenlijk zou hij graag eens een keer met haar de lucht ingaan, alleen om te kijken hoe goed ze kon vliegen, maar dat zou maar problemen geven en hij wist dat Pat hem zou vermoorden. Nick had zijn eigen werk en daar had hij het druk genoeg mee, en hij voelde geen behoefte om zich in de gezinsproblemen van Pat te mengen.

Toen Nick terugliep naar zijn bureau om het laatste papierwerk af te maken, zag hij Chris aan komen lopen. Hij zag er goed uit. Hij was een knappe, blonde jongen, met de fijne gelaatstrekken van zijn moeder en de krachtige bouw en warme bruine ogen van zijn vader. Hij was slim en aardig en iedereen mocht hem. Er ontbrak eigenlijk niets aan hem, behalve een liefde voor vliegtuigen. Hij had die zomer een baantje bij de krant, waar hij de opmaak deed, en was dankbaar dat hij niet op het vliegveld hoefde te werken.

'Is mijn zus hier?' vroeg hij aarzelend aan Nick. Hij keek alsof hij hoopte dat Nick nee zou zeggen. Hij zag eruit alsof hij niets liever wilde dan het vliegveld zo snel mogelijk weer verlaten. Maar Cassie hem al een uur daarvoor verwacht en Nick al een paar keer ongeduldig gevraagd of hij hem had gezien.

'Ja, ze is hier,' zei Nick glimlachend. Zachtjes, om te voorkomen dat Pat het zou horen en zich zou ergeren, zei hij: 'Ze is in de achterste hangar met een piloot die net binnengekomen is.'

'Ik vind haar wel,' zei Chris en hij zwaaide naar Nick, die hem beloofde dat ze over een paar dagen weer zouden gaan vliegen als hij terug was van een vlucht naar San Diego. 'Ik zal er zijn. Ik kom mijn solo's oefenen,' zei hij ernstig.

'Ik ben onder de indruk,' zei Nick met opgetrokken wenkbrauwen. Hij was verbaasd dat het de jongen blijkbaar zoveel moeite kostte om zijn vader een plezier te doen. Het was geen geheim voor Nick dat Chris geen lol in zijn lessen had. Niet dat hij bang was, maar het verveelde hem. Vliegen betekende niets voor hem. 'Tot ziens.'

Chris vond Cassie al snel, want toen ze haar broer in het oog kreeg, liet ze haar nieuwe vriend onmiddellijk in de steek. Ze gaf hem met-een een uitbrander: 'Je bent laat. Nu komen we te laat voor het eten. Papa zal razend zijn.'

'Dan doen we het niet,' zei hij en haalde zijn schouders op. Hij was veel liever niet zo vroeg van zijn werk weggegaan, maar hij wist dat ze dan woedend zou zijn geweest.

'Kom op,' zei ze kwaad. 'Ik heb hier de hele dag op gewacht!' Ze wierp een boze blik in zijn richting en hij kreunde. Hij kende haar te goed. Als Cassie iets wilde, kwam je er niet onderuit. 'Ik ga niet naar huis voor we het gedaan hebben.'

'Oké, oké, maar dan niet zo lang.'

'Een halfuur.' Ze probeerde hem over te halen en keek met haar gro-te blauwe ogen smekend in zijn zachte bruine ogen.

'Goed dan, maar als je ook maar iets doet wat ons in moeilijkheden brengt, Cass, dan vermoord ik je. Als papa erachter komt, word ik levend gevild.'

'Ik beloof het. Ik zal niets raars doen.' Hij keek haar in haar ogen terwijl ze haar belofte gaf en wilde niets liever dan haar geloven, maar dat deed hij niet.

Samen liepen ze naar de oude Jenny die hun vader nu al jaren had. Hij was gebouwd als een trainingsvliegtuig voor het leger en Pat had tegen Chris gezegd dat hij hem altijd mocht gebruiken als hij wilde oefenen. De enige voorwaarde was dat hij Nick zou waarschuwen en dat had hij zojuist gedaan. Chris had een sleutel en haalde die uit zijn zak. Cassie kwijlde bijna toen ze het vliegtuig zag. Ze stond er vlak-bij en voelde haar hart in haar keel kloppen toen Chris de deur open-de van de kleine, open cockpit.

'Hé, hou daarmee op.' Hij keek haar geërgerd aan. 'Ik voel je adem in mijn nek. Echt waar... je bent ziek...' Terwijl ze om het vliegtuig heen liepen om de draden en ailerons te controleren, had hij het ge-voel dat hij een verslaafde aan zijn shot hielp. Chris zette zijn helm en zijn vliegbril op en trok zijn handschoenen aan. Toen klom hij in het vliegtuig en ging op de achterste stoel zitten. Cassie ging snel voor hem zitten en probeerde eruit te zien als een passagier, maar op de een of andere manier lukte dat niet. Ze zag eruit alsof ze te veel wist, te veel op haar gemak was, zelfs in de voorste stoel, en vooral toen ze haar eigen helm en bril opzette.

Ze deden hun veiligheidsriemen om. Cassie wist dat het vliegtuig voldoende brandstof had, want een deel van de afspraak met haar broer was dat zij alle klussen voor hem zou doen, en dat had ze die middag gedaan. Alles was klaar, en ze snoof de bekende geur op van olie die zo karakteristiek was voor de Jenny. Vijf minuten later reden ze over de startbaan, waarbij Cassie de stijl van Chris met een kritisch oog bekeek. Hij was altijd te voorzichtig, te langzaam, en ze draaide zich een keer om en gaf hem een teken dat hij voort moest maken. Het maakte haar niets meer uit of iemand haar zag, maar ze dacht niet dat iemand nu op hen lette. Alles wat ze wist, was gebaseerd op luisteren en kijken. Ze had haar vader en Nick gezien, ze had passerende piloten en showvliegers gezien. Ze had wat echte vaardigheden en een paar trucs opgepikt en ze wist waar het bij vliegen om ging, alleen door instinct en intuïtie. Chris was degene die les had gehad, maar Cassie was degene die precies wist wat er moest gebeuren, en beiden wisten dat ze het vliegtuig gemakkelijk zelf kon vliegen en bovendien heel wat soepeler.

Tenslotte riep ze naar hem, boven het geluid van de motor uit, en hij knikte, met de wens dat ze niets doms zou doen. Ze wisten allebei precies waarom ze hier waren. Chris kreeg les van Nick en gaf op zijn beurt les aan Cassie. Maar feitelijk kwam het erop neer dat Chris haar mee de lucht in nam en haar liet vliegen en dat hij les kreeg van haar. Ze leek veel beter te weten hoe ze alles moest doen dan Chris. Ze was een natuurtalent. Ze had beloofd hem twintig dollar per maand te betalen voor de onbeperkte mogelijkheid om samen met hem in hun vaders vliegtuig te vliegen. Hij wilde het geld aan zijn vriendinnetje besteden en had er dus mee ingestemd. Het was een perfecte regeling. Ze had de hele winter hard gewerkt om het geld bij elkaar te krijgen. Ze had allerlei klussen gedaan, zoals oppassen, boodschappen inpakken en zelfs sneeuwruimen.

Cassie had geen enkele moeite met de bediening. Ze maakte een paar s-bochten en trage achten en ging toen over op een paar diepe bochten, die ze zorgvuldig en met volmaakte precisie uitvoerde. Zelfs Chris was onder de indruk van haar soepele en zorgvuldige stijl, en plotseling was hij haar dankbaar omdat het er zo goed uit zou zien als iemand vanaf de grond naar hen zou kijken en zou denken dat hij daar vloog. Ze was een fantastische piloot. Toen ze aan een looping begon, werd hij nerveus. Ze waren al een paar keer samen de lucht in geweest en hij had er een hekel aan als ze iets ingewikkelds deed. Ze was te goed en te snel, en hij was bang dat ze de zaak niet onder controle zou houden en echt iets engs zou doen. Voor twintig dollar was hij niet bereid zich angst aan te laten jagen. Maar ze lette helemaal niet op hem. Ze concentreerde zich alleen maar op het vliegen. Dus keek hij maar naar de achterkant van haar helm en naar haar rode haar dat er in de wind omheen wapperde. Tenslotte had hij er genoeg van en tikte haar hard op de schouder. Het was tijd om terug te gaan en ze wist het, maar ze wilde nog een paar minuten en negeerde hem.

Ze wilde een spin doen, maar er was niet genoeg tijd voor en ze wist dat Chris een toeval zou krijgen als ze het desondanks zou proberen. Op de rustiger momenten moest Chris toegeven dat zijn zuster een geweldige pilote was, ook al maakte ze hem af en toe doodsbang. Het probleem was dat hij haar niet vertrouwde. Ze was elk moment in staat iets volkomen krankzinnigs te doen. Er was iets met vliegtuigen dat haar naar het hoofd steeg en waardoor ze haar gezonde verstand kwijtraakte.

Maar ze zette zorgvuldig de daling in en liet Chris de bediening weer overnemen voordat ze gingen landen. Het gevolg was dat de landing minder soepel verliep dan wanneer zij het zou hebben gedaan. Ze kwamen te hard neer en hobbelden op een rare manier over de landingsbaan. Ze probeerde hem met haar wil zover te krijgen dat hij het vliegtuig fatsoenlijk aan de grond zou zetten, maar Chris miste haar intuïtie en kwam niet verder dan een 'brokkenlanding', waarbij hij de grond te hard raakte nadat hij het vliegtuig te hoog horizontaal had getrokken.

Toen ze uit het vliegtuig stapten, waren ze verbaasd om Nick en hun vader bij de landingsbaan te zien. Ze hadden staan kijken en Pat grijnsde breed tegen Chris, terwijl Nick op Cassie leek te letten.

'Goed werk, jongen,' zei Pat stralend. 'Je bent een geboren piloot.' Pat was bijzonder in zijn nopjes en vergat de minder dan sierlijke landing, terwijl Nick naar hen stond te kijken. Hij had op het gezicht van Chris gelet, maar zodra ze uit het vliegtuig was gestapt had hij met veel meer aandacht naar Cassie gekeken. 'Hoe vond je het om samen met je broer daarboven te zijn, Cass?' vroeg haar vader haar glimlachend.

'Niet gek, pap. Het was geweldig.' Haar ogen straalden en Nick zag het. Pat liep met Chris terug naar het kantoor, terwijl Nick en Cass zwijgend volgden.

'Je vindt het dus leuk om met hem te vliegen, hè Cass?' vroeg Nick voorzichtig, terwijl ze langzaam terugliepen.

'Ja, het is heerlijk,' zei ze stralend, en om redenen die Nick zelf het beste bekend waren, wilde hij haar bij de schouders pakken en door elkaar schudden. Hij wist dat ze niet de waarheid vertelde en vroeg zich af hoe het kwam dat Pat zo gemakkelijk voor de gek te houden was. Misschien wilde hij niet anders. Maar dit soort spelletjes konden gevaarlijk en zelfs dodelijk zijn.

'Die looping zag er behoorlijk goed uit,' zei Nick rustig.

'Het voelde ook goed,' zei ze zonder hem aan te kijken.

'Dat wil ik wel geloven,' zei hij. Hij keek haar even aan, schudde toen zijn hoofd en ging terug naar zijn kantoor.

Een paar minuten later reed Pat met de kinderen naar huis. Toen Nick de auto weg hoorde rijden, zat hij achter zijn bureau aan hen te denken en aan het vliegen dat hij net had gezien. Met een spottende grijns schudde hij zijn hoofd. Eén ding was duidelijk. Het was niet Chris O'-Malley geweest die dat vliegtuig had bestuurd. En hij kon het niet helpen, maar hij moest glimlachen toen hij zich realiseerde dat Cassie een manier had gevonden om te kunnen vliegen. Na al het harde werk dat ze ervoor had verzet, verdiende ze het misschien, heel misschien. Misschien moest hij het maar even op zijn beloop laten. Misschien moest hij voorlopig alleen maar opletten en kijken hoe het ging. Bij de gedachte aan de looping die hij haar had zien doen, glimlachte hij weer in zichzelf. Als ze niet uitkeken zouden ze haar binnenkort in een vliegshow zien. Maar waarom ook eigenlijk niet? Verdorie nog aan toe. Alles aan haar vertelde hem dat ze een natuurtalent was. En meer dan dat. Hij voelde intuïtief dat ze móest vliegen, net als hij, ook al was ze een vrouw.

2

Toen Pat, Cassie en Chris die avond het huis binnenliepen, waren alle zusters van Cassie in de keuken om hun moeder te helpen. Glynnis leek op Pat. Ze was vijfentwintig, was al zes jaar getrouwd en had al vier dochtertjes. Megan was wat verlegen en leek op haar moeder, hoewel ze bruin haar had. Ze was drieëntwintig, was zes maanden na Glynnis getrouwd en had drie zoons. Ze waren allebei met een boer getrouwd en woonden allebei in de buurt. Het waren goede, hard werkende mannen en de meisjes waren gelukkig met hen. Colleen was tweeëntwintig en blond. Ze had een zoontje en een dochtertje, allebei nog peuters, en was sinds drie jaar getrouwd met de leraar Engels van de plaatselijke school. Ze wilde graag verder studeren, maar ze was weer zwanger en kon met drie kleine kinderen nergens heen tenzij ze ze met zich meenam. Het zou niet eerlijk zijn om de drie kinderen elke dag naar haar moeder te brengen, alleen omdat zij verder wilde leren, en haar vader zou dat ook niet toestaan. Misschien als de kinderen groter waren. Op dit moment was de universiteit niet meer dan een droom voor haar. De werkelijkheid van haar leven was drie kleine kinderen en heel weinig geld. Haar vader gaf hun af en toe een kleine 'gift', maar Colleens man was trots en had er een hekel aan om dat geld aan te nemen. Maar met zo'n laag salaris en een nieuwe baby op komst hadden ze alle hulp nodig die ze konden krijgen, en Colleens moeder had haar die middag wat geld gegeven. Ze wist dat ze dingen voor de baby moesten kopen. De economische crisis had ook in het onderwijs toegeslagen en ze konden nauwelijks eten van wat David verdiende, ondanks de regelmatige giften van haar ouders en de levensmiddelen die ze van haar zusters kregen.

De meisjes zouden alle drie blijven eten. Hun mannen hadden die avond andere plannen en de meisjes brachten vaak een bezoek aan hun ouders. Oona vond het heerlijk als de kleinkinderen er waren, hoewel het dan rond etenstijd bijzonder chaotisch en lawaaiig was.

Pat ging zich omkleden en Chris ging naar zijn kamer, terwijl Cassie de kinderen bezighield en alle anderen in de keuken waren. Twee van haar neefjes vonden de smeervegen op haar gezicht bijzonder grappig. Dat gold ook voor een van haar nichtjes, en ze zat ze allemaal door de kamer achterna terwijl ze deed alsof ze een monster was. Chris kwam pas weer te voorschijn toen het eten klaar was en toen hij verscheen keek hij boos naar Cassie. Hij was nog steeds kwaad op haar omdat ze die looping had gemaakt, maar aan de andere kant was het aan haar te danken dat zijn vader hem geprezen had. Daarom durfde hij niet te veel of al te luid te klagen. Ze hadden een regeling en kregen allebei wat ze wilden. Zij wilde vliegen en hij wilde het geld. De lovende woorden van zijn vader waren een extraatje.

Een halfuur later zaten ze met zijn allen aan een enorme maaltijd bestaande uit maïs, varkensvlees, maïsbrood en aardappelpuree. Glynnis had het vlees meegebracht en Megan de maïs, en de aardappelen kwamen uit Oona's tuin. Ze verbouwden allemaal hun eigen voedsel en als ze meer nodig hadden, kochten ze dat bij Strong's. Het was de enige kruidenierszaak in de wijde omtrek en de beste van de streek. De familie Strong boerde goed, zelfs in moeilijke tijden, en had een betrouwbare zaak. Oona zei dat weer eens toen ze de maaltijd beëindigd hadden, en Cassie hoorde een bekend geluid van wielen buiten het huis, bijna alsof het afgesproken was. Ze kon wel raden wie het was, want hij kwam bijna elke avond na het eten langs, vooral nu ze allebei vakantie hadden.

Cassie kende Bobby Strong, de enige zoon van de plaatselijke kruidenier, al sinds ze kinderen waren. Hij was een goede jongen en ze waren al jaren goede vrienden, maar de laatste twee jaar was het iets meer dan dat, hoewel Cassie bleef volhouden dat ze niet precies wist wat het was. Maar haar moeder en Megan herinnerden haar er altijd aan dat ze op hun zeventiende getrouwd waren en dat zij dus maar beter duidelijk kon zijn over haar relatie met Bobby. Hij was serieus en had verantwoordelijkheidsgevoel, en haar ouders mochten hem graag. Maar Cassie was er nog niet aan toe om voor zichzelf, of tegenover hem, toe te geven dat ze van hem hield.

Ze was graag met hem samen. Ze mocht hem en zijn vrienden. Ze hield van zijn goede manieren en zijn zachtaardigheid, van zijn aandacht en zijn geduld. Hij was vriendelijk en ze hield van de manier waarop hij met haar nichtjes en neefjes omging. Ze vond een heleboel dingen leuk aan hem, maar hij was lang niet zo opwindend als vliegtuigen. Ze had nog nooit een jongen ontmoet die dat wel was. Misschien waren die er ook niet. Misschien was dat iets wat ze gewoon moest accepteren. Maar ze zou zo graag een jongen kennen die net zo opwindend was als een 'Gee Bee Super Sportster' of een 'Beech Staggerwing' of een Wedell-Williams-wedstrijdvliegtuig. Bobby was een leuke jongen, maar hij haalde het niet bij een vliegtuig.

'Hallo mevrouw O'Malley... Glynn... Meg... Colleen... allemachtig! Het ziet eruit alsof het binnenkort komt!' Colleen zag er kolossaal uit, terwijl ze haar kinderen probeerde te verzamelen om te kunnen vertrekken. Oona hielp haar.

'Misschien vanavond als ik niet van mijn moeders appeltaart af kan blijven,' glimlachte Colleen. Ze was maar vijf jaar ouder dan zij waren, maar Cassie had soms het gevoel dat ze lichtjaren van elkaar verwijderd waren. Haar zusjes waren allemaal getrouwd en zo gesetteld en zo anders. Ze voelde intuïtief dat ze op de een of andere manier anders was. Soms vroeg ze zich af of er een vloek op haar rustte, of haar vader soms zo naar een zoon had verlangd dat ze daardoor voor haar geboorte al beschadigd was. Misschien was ze gewoon een beetje gek. Ze vond jongens leuk. Ze vond vooral Bobby leuk, maar wat ze nog veel leuker vond waren vliegtuigen en haar onafhankelijkheid. Bobby schudde haar vader de hand, zei hallo tegen Chris en had alle kinderen aan zich hangen. Even later gingen haar moeder en de oudste zusters naar de keuken om op te ruimen. Haar moeder zei tegen Cassie dat ze niet hoefde te helpen en maar bij Bobby moest gaan zitten. Cassie had intussen in elk geval haar gezicht gewassen, maar de sporen van de smeervegen die er voor het eten waren geweest waren nog te zien.

'Heb je een leuke dag gehad?' vroeg hij met een verlegen glimlach. Hij was onhandig, maar aardig en hij probeerde tolerant te zijn ten opzichte van haar ongebruikelijke ideeën en haar fascinatie voor haar vaders vliegtuigen. Hij deed alsof hij geïnteresseerd was en hoorde haar geratel aan over een nieuw vliegtuig dat langsgekomen was of over de geliefde Vega van haar vader. Maar de waarheid was dat het niet uitmaakte wat ze zei; hij wilde gewoon bij haar zijn. Hij kwam vrijwel elke avond trouw op bezoek en Cassie deed nog steeds alsof ze verrast was als hij kwam, wat haar ouders bijzonder vermakelijk vonden.

Ze was gewoon nog niet klaar voor serieuze belangstelling van zijn kant of voor wat het zou betekenen als hij op bezoek bleef komen. Over een jaar zou ze van school komen, en als hij zo door bleef gaan, zou hij haar wel eens ten huwelijk kunnen vragen en verwachten dat

35

ze zouden trouwen zodra ze van school waren. De gedachte daaraan joeg haar angst aan. Ze wilde er niet aan denken. Ze wilde zoveel meer dan dat. Tijd en ruimte en de universiteit, en het gevoel dat ze kreeg als ze een looping deed of een spin. Met Bobby samen zijn was zoiets als naar Ohio rijden. Het was veilig en betrouwbaar en er gebeurde niets. Hij zou nergens heen vliegen. Maar ze wist dat ze hem zou missen als hij haar niet meer zou komen bezoeken.

'Ik ben vandaag met Chris mee geweest, in mijn vaders Jenny,' vertelde ze hem, en probeerde het heel gewoon te laten klinken. Ze vond het altijd eng om al te serieus te worden met Bobby. 'Het was leuk. We hebben wat trage achten gedaan en een looping.'

'Chris is blijkbaar behoorlijk goed,' zei Bobby beleefd, maar net als Chris kon hij niet opgewonden raken van vliegtuigen. 'Wat heb je nog meer gedaan?' Hij was altijd geïnteresseerd in haar en in zijn hart vond hij haar mooi, in tegenstelling tot de andere jongens die vonden dat ze te lang was, of dat haar haar te rood was, of die haar alleen leuk vonden omdat ze een geweldig figuur had, of vonden dat ze raar was omdat ze zoveel van vliegtuigen wist. Bobby mocht haar omdat ze was wie ze was, ook al hield hij af en toe rekening met de mogelijkheid dat hij haar niet begreep. Maar dat was ook vertederend aan hem. En dat waren meer dingen. Dat was de reden waarom ze haar gevoelens voor hem verwarrend vond. Haar moeder had haar verteld dat ze in het begin hetzelfde had ervaren met Pat. Het is altijd moeilijk om een verbintenis aan te gaan, had Oona gezegd. En dat maakte het voor Cassie alleen maar moeilijker. Ze wist niet wat ze moest denken van wat ze voor Bobby voelde.

'O, ik weet niet...' Cassie wilde zijn vraag beantwoorden en probeerde zich te herinneren wat ze allemaal had gedaan. Het had allemaal met vliegtuigen te maken. 'Ik heb allerlei vliegtuigen volgetankt en een beetje aan de motor van de Jenny geprutst voordat Chris ermee ging vliegen. Ik denk dat ik hem misschien wel gerepareerd heb.' Ze raakte verlegen en grijnzend haar gezicht aan en zei: 'Ik kreeg allemaal smeerolie op mijn gezicht toen ik daarmee bezig was. Mijn vader schrok zich dood toen hij me zag. Ik kon het er niet allemaal af krijgen. Je had me voor het eten moeten zien!'

'Ik dacht dat je misschien last kreeg van levervlekken,' zei hij plagend en ze lachte. Hij was een leuke vriend en wist hoeveel haar dromen voor haar betekenden. Daar hoorde ook de universiteit bij. Hij was niet van plan daar zelf heen te gaan. Hij zou thuisblijven en zijn vader helpen met de zaak, zoals hij nu elke dag na school deed en in de zomervakantie.

'Weet je, zaterdagavond draait de nieuwe film met Fred Astaire, *Follow the Fleet*, in de bioscoop. Heb je zin om te gaan? Ze zeggen dat het een prachtige film is.' Bobby keek haar hoopvol aan, en ze knikte langzaam en keek glimlachend naar hem op.

'Ja, dat vind ik leuk.'

Een paar minuten later vertrokken haar andere twee zusters met hun kinderen en waren Cassie en Bobby weer alleen op de veranda. Haar ouders zaten in de woonkamer. Ze wist dat ze hen vanuit de kamer konden zien, maar haar ouders waren altijd heel discreet over Bobby's bezoekjes. Ze vonden hem aardig, en wat Pat betreft mochten ze volgend jaar juni, nadat ze de school hadden afgemaakt, best trouwen. Zolang ze voor die tijd niet in problemen zouden raken, mochten ze samen net zo vaak op de veranda zitten als ze wilden. Hij had er niets op tegen. Het was beter dan dat ze de hele dag op het vliegveld rondhing.

In de kamer vertelde Pat Oona over de looping van Chris die middag. Hij was zo trots op hem. 'Die jongen is een natuurtalent, Oonie.' Hij glimlachte tevreden en ze glimlachte terug, dankbaar dat hij tenslotte de zoon had gekregen die hij zo graag had gewild.

Op de veranda vertelde Bobby haar over zijn dag in de winkel en hoe de crisis overal in het land, en niet alleen in Illinois, invloed had op de voedselprijzen. Hij droomde ervan dat hij op een dag een hele keten van winkels zou hebben, in verschillende steden, misschien wel tot in Chicago. Maar ze hadden allemaal hun dromen. Die van Cassie waren veel wilder dan die van hem en moeilijker bespreekbaar. Hij klonk gewoon jong en ambitieus.

'Heb je ooit wel eens gedacht dat je iets heel anders zou willen doen en niet wat je vader doet?' vroeg ze hem, geïntrigeerd door het idee, ondanks het feit dat zij zelf niets liever wilde dan in haar vaders voetsporen treden. Maar die voetsporen waren volledig verboden voor haar, wat ze alleen maar aantrekkelijker maakte.

'Niet echt,' antwoordde Bobby rustig. 'De winkel bevalt me. Mensen hebben eten nodig, en goed eten. We doen iets belangrijks voor de mensen, ook al is het allemaal niet zo spannend. Maar dat zou het misschien kunnen zijn.'

'Misschien wel,' zei ze glimlachend. Toen hoorde ze plotseling een dreunend geluid boven zich en keek ze omhoog naar het vertrouwde gezicht van de motoren. 'Dat is Nick... Hij is op weg naar San Diego met wat vracht. Op de terugweg gaat hij langs San Francisco om post mee te nemen voor een van onze contracten.' Alleen afgaande op het geluid van de motoren wist ze dat hij in de Handley Page vloog. 'Waarschijnlijk wordt dat ook saai voor hem,' zei Bobby wijs. 'Voor ons lijkt het spannend, maar voor hem is het waarschijnlijk gewoon werk, net als dat van mijn vader.'

'Misschien.' Maar Cassie wist wel beter. Vliegen was anders. 'Piloten zijn een speciaal soort mensen. Ze houden van wat ze doen. Het lijkt wel alsof ze de gedachte niet kunnen verdragen dat ze iets anders zouden doen. Het zit in hun bloed. Het is hun hele leven. Het is het allerbelangrijkste voor ze.' Haar ogen glansden terwijl ze dit zei.

'Dat zal wel,' zei Bobby, verbijsterd door haar woorden. 'Ik kan niet zeggen dat ik het begrijp.'

'Ik denk dat de meeste mensen het niet begrijpen... Het is een soort mysterieuze fascinatie. Een prachtige gave. Voor mensen die van vliegen houden, betekent het meer dan alle andere dingen.'

Hij lachte zachtjes in de warme avondlucht. 'Ik denk dat jij het heel romantisch ziet. Ik vraag me af of zij dat doen. Geloof me, voor hen is het waarschijnlijk gewoon werk.'

'Misschien,' zei ze. Ze had geen zin om hem tegen te spreken, maar wist veel meer dan ze liet merken. Vliegen was als een geheime broederschap, een broederschap waar ze zo verschrikkelijk graag bij wilde horen, maar tot nu toe mocht dat niet. Maar die paar momenten die ze vandaag in de lucht had beleefd, toen Chris haar had laten vliegen, dat was het enige dat belangrijk was.

Lange tijd zat ze daar op de veranda in gedachten verzonken in het duister te staren. Ze vergat helemaal dat Bobby er nog was, tot ze hem ineens hoorde bewegen en het zich herinnerde.

'Ik denk dat ik maar eens moet gaan. Je bent waarschijnlijk moe van het voltanken van al die vliegtuigen,' zei hij plagend. Maar eigenlijk wilde ze graag alleen zijn en denken aan hoe het geweest was om dat vliegtuig te besturen. Die paar minuten waren zo bijzonder geweest. 'Tot morgen, Cass.'

'Welterusten.' Hij hield haar hand kort vast en streek licht met zijn lippen over haar wang voor hij terugliep naar de oude Ford model A-truck van zijn vader, waarop aan de zijkant STRONG'S KRUIDENIERSWAREN stond geschreven. Overdag werd de auto voor bestellingen gebruikt. 's Avonds mocht Bobby ermee rijden. 'Tot morgen.'

Ze glimlachte en zwaaide toen hij wegreed. Toen liep ze langzaam het huis binnen en dacht aan Nick, die zo gelukkig was door de nacht te kunnen vliegen, op weg naar San Diego.

3

Die zondagavond kwam Nick laat van de Westkust terug naar Good Hope, nadat hij vracht en post in Detroit en Chicago had afgeleverd. Maandagochtend zat hij om zes uur weer achter zijn bureau. Hij zag er uitgerust en energiek uit. Het was een drukke dag. Ze hadden wat nieuwe contracten gekregen en er was altijd meer post en vracht om vervoerd te worden. Ze hadden inmiddels genoeg piloten aan het werk en genoeg vliegtuigen, maar Nick bood zich altijd vrijwillig aan voor de langere en moeilijker vluchten. Het gaf hem een geweldige bevrediging om in een vliegtuig te stappen en de nacht in te vliegen, vooral bij slecht weer. En Pat zorgde voor het volmaakte evenwicht. Hij was uitstekend voor de administratieve kant van het bedrijf. Hij vond het nog steeds heerlijk om te vliegen, maar hij had er nu minder tijd en in bepaalde opzichten ook minder geduld voor. Hij kon zich verschrikkelijk ergeren als er iets misging met een vliegtuig, als er sprake was van vertraging of als de schema's in de war raakten. Hij had geen enkel geduld voor de nukken en trucs van piloten. Als ze niet in het gareel bleven en honderd procent betrouwbaar waren, vlogen ze nooit meer voor O'Malley.

'Je mag wel uitkijken, Ace,' zei Nick af en toe plagend. 'Je begint op Rickenbacker te lijken.' Dat was hun oude commandant.

'Het zou een stuk slechter kunnen, Stick, en dat geldt ook voor jou,' bromde Pat dan terug, de oude bijnaam van Nick uit hun oorlogstijd gebruikend. Zijn oorlogsgeschiedenis was net zo kleurrijk als die van Pat. Nick had ooit de beroemde Duitse vliegenier Ernst Udet weten te verslaan en zijn vliegtuig veilig teruggebracht, ondanks het feit dat hij gewond was. Maar dat lag nu ver achter hen. Nick dacht alleen nog aan de oorlog wanneer hij in gevecht was met het weer of een haperend vliegtuig moest binnenbrengen. In de zeventien jaar die hij voor Pat had gevlogen, had hij een paar benauwde momenten gehad, maar nooit zo dramatisch als tijdens zijn oorlogsavonturen.

Aan het eind van die middag werd Nick aan een van die avonturen herinnerd toen ze in het oosten een storm zagen opkomen, en hij begon er tegen Pat over. Hij was in de oorlog in een verschrikkelijke storm terechtgekomen en was zo laag bij de grond gekomen toen hij onder de wolken ging vliegen dat de buik van het vliegtuig bijna geschaafd was. Pat lachte. Hij wist het nog. Hij had Nick een flinke uitbrander gegeven, maar het was hem daardoor wel gelukt zichzelf en het vliegtuig te redden. Twee andere mannen waren in diezelfde storm de weg kwijtgeraakt en hadden het niet gehaald.

'Ik was doodsbenauwd,' gaf Nick twintig jaar later toe.

'Als ik me goed herinner zag je een beetje groen toen je binnenkwam.' Pat plaagde hem een beetje, terwijl ze naar de dreigende zwarte wolken keken die zich in de verte verzamelden. Nick was nog moe van de lange vlucht die hij de dag daarvoor vanaf de Westkust had gemaakt, maar hij wilde zijn papierwerk afmaken voor hij naar huis ging om te gaan slapen. Toen hij met Pat terugliep naar het kantoor, nadat ze de staat van een paar vliegtuigen hadden gecontroleerd, zag hij in de verte Chris en Cassie staan praten. Ze leken helemaal in hun gesprek op te gaan en merkten hem niet op. Hij had geen idee waar ze het over hadden en maakte zich er ook geen zorgen over. Hij wist dat Chris het weer te dreigend zou vinden om met hem de lucht in te willen of zijn solo's te gaan oefenen.

Cassie en Chris stonden nog steeds te praten toen Nick teruggegaan was naar het kantoor en Cassie stond boven het gebrul van een paar nabije motoren uit tegen Chris te schreeuwen.

'Doe niet zo flauw! We gaan maar een paar minuten. Het duurt nog uren voor de storm hier is. Ik heb vanmorgen naar alle weerberichten geluisterd. Wees niet zo'n lafbek, Chris.'

'Ik wil niet gaan vliegen als het weer er zo uitziet, Cass. We kunnen morgen gaan.'

'Ik wil nu gaan.' De donkere wolken die boven hun hoofden voorbijvlogen, leken haar alleen maar meer op te winden. 'Het is juist leuk.'

'Nee, dat is het niet. En als ik een risico neem met de Jenny zal pap echt razend op me zijn.' Hij kende zijn vader goed, en dat gold ook voor Cassie.

'Doe niet zo dom. We nemen helemaal geen risico. De wolken hangen nog steeds heel hoog. Als we nu gaan, zijn we over een halfuur terug en is er niets aan de hand. Vertrouw me maar.' Hij keek haar ongelukkig aan en haatte haar omdat ze zo door kon drammen. Dat had ze altijd bij hem gedaan. Ze was tenslotte zijn grote zus. Hij had altijd naar haar geluisterd en het was meestal op een ramp uitgelopen, vooral als ze zei dat hij haar moest vertrouwen. Zij was de waaghals van de familie en hij degene die altijd aarzelde en voorzichtig was. Maar Cassie was nooit tot rede te brengen. Soms was het gewoon gemakkelijker om maar toe te geven in plaats van eindeloos door te gaan met bekvechten. Haar blauwe ogen keken hem smekend aan en het was duidelijk dat ze geen genoegen zou nemen met een weigering.

'Vijftien minuten en niet langer,' zei hij tenslotte ongelukkig. 'En ik beslis wanneer we teruggaan. Het kan me niet schelen of jij het te snel vindt of vindt dat je nog niet genoeg hebt gehad. Vijftien minuten en dan zijn we terug. Dat is het, Cass. Anders kun je het vergeten. Afgesproken?'

'Afgesproken. Ik wil alleen weer even voelen hoe het is.' Ze keek hem met stralende ogen aan en zag eruit als een verliefd meisje.

'Volgens mij ben je gek,' mopperde hij, maar het leek gemakkelijker om het maar te doen dan daar tegen elkaar te blijven schreeuwen tot de storm echt losbrak.

Ze liepen naar de Jenny, rolden het vliegtuig naar buiten, voerden de noodzakelijke controles uit en klommen op hun stoel. Cassie zat weer voorin en Chris op de plaats van de instructeur, achter haar. In theorie was ze net als ze eerder hadden gedaan alleen maar een passagier, en doordat het vliegtuig een dubbele bediening had kon niemand zien wie er vloog, of het Chris of Cassie was.

Een paar minuten later hoorde Nick het gebrom van een vliegtuig boven zijn hoofd, maar hij besteedde er niet echt aandacht aan. Hij ging ervan uit dat het een of andere idioot was die nog net voor de storm zou losbarsten thuis probeerde te komen. Deze keer was het eens niet zijn probleem. Al zijn piloten waren op de grond. Hij had ze verteld aan de grond te blijven nadat hij een halfuur daarvoor naar het weerbericht had geluisterd. Maar nu hij naar het geluid luisterde, had hij kunnen zweren dat het de Jenny was. Het leek onmogelijk, maar hij liep toch naar het raam en toen zag hij hen. Hij zag het opvallende rode haar van Cassie op de voorste stoel en Chris achter haar. Hij vloog het vliegtuig, of in elk geval dacht Nick dat, en de wind schudde het vliegtuigje verschrikkelijk heen en weer en leek het meteen nadat ze opgestegen waren als speelbal te gebruiken. Ze gingen met een ongelooflijke snelheid. Toen zag Nick ze plotseling sterk stijgen, waarschijnlijk doordat ze in een opwaartse luchtstroom terechtgekomen waren. Hij stond verbaasd te kijken, want hij kon niet geloven dat Chris zowel moedig als dom genoeg was geweest om in een storm als deze te gaan vliegen. En vrijwel meteen nadat ze in de wolk waren verdwenen die boven hem hing, zag Nick de eerste regendruppels op de grond slaan, alsof iemand in de lucht een kraan had opengedraaid. 'Verdomme!' mompelde hij in zichzelf, terwijl hij zich naar buiten haastte. Hij keek naar de plaats waar de Jenny was geweest, maar hij zag niets meer en het front van de storm kwam nu snel dichterbij, met angstaanjagende windstoten en een bliksemflits. Hij was binnen enkele minuten doorweekt en er was geen spoor van Chris of Cassie te zien.

Chris vocht met de bediening terwijl ze aan hoogte wonnen. Cassie had zich omgedraaid en schreeuwde iets tegen hem, maar door de geluiden van de storm en de motoren kon hij haar niet horen.

'Laat mij het overnemen!' schreeuwde ze, en eindelijk begreep hij het door de gebaren die ze maakte. Hij schudde zijn hoofd, maar ze bleef maar tegen hem knikken en het was duidelijk dat hij steeds meer overweldigd werd door de krachten van de natuur. De krachten van de wind en de storm waren te veel voor hem en in zijn onervaren handen werd het vliegtuig als een speelgoedvliegtuigje heen en weer gegooid. Toen richtte ze haar aandacht op de bediening en zonder nog een woord tegen hem te zeggen, nam ze het over, alleen door haar kracht. Met haar sterkere handen aan de bediening begon ze het vliegtuig te besturen en binnen seconden had ze het vrijwel onder controle, ondanks de woeste windstoten. Chris verzette zich niet langer en liet, bijna in tranen, de bediening los en liet haar vliegen. Ze wist misschien minder dan hij, maar ze leek een band met het vliegtuig te hebben die hij nooit zou ontwikkelen. Hij wist dat het vrijwel zeker mis zou gaan als hij was blijven vliegen. Met het vliegtuig in Cassies handen was er misschien nog hoop. Even sloot hij zijn ogen en bad. Had hij zich maar nooit laten overhalen om in zo'n storm te gaan vliegen. Ze waren allebei doorweekt in de open cockpit en het vliegtuig steeg en daalde in angstaanjagende luchtstromingen. Ze konden plotseling zo'n driehonderd meter omlaagvallen en dan weer stijgen, hoewel dat langzamer ging. Het was alsof ze voortdurend van een gebouw vielen, en dan langs de zijkant weer omhoogkrabbelden om gewoon weer naar beneden te vallen, als een papieren pop.

De wolken leken zwart terwijl Cassie met de stuurknuppel vocht, maar ze leek hun hoogte bijna instinctief te weten. Ze had een griezelig gevoel voor wat het vliegtuig wel en niet kon doen en leek ermee samen te werken om daar te komen waar ze wilde. Maar ze hadden geen idee meer waar ze waren, hoe ver ze hadden gevlogen en hoe hoog ze precies zaten. De hoogtemeter sloeg op tilt. Cassie had nog wel enig idee, maar ze zagen niets meer van de grond en door de snel bewegende wolken waren ze volledig gedesoriënteerd.

'Het gaat goed,' schreeuwde ze naar Chris om hem moed in te spreken, maar hij kon haar niet horen. 'Het komt wel goed,' bleef ze tegen zichzelf zeggen, en toen begon ze tegen de Jenny zelf te praten, alsof het kleine vliegtuig haar aanwijzingen kon opvolgen. Ze had wel iets gehoord over de trucs van haar vader en Nick en ze wist dat er één was die hen uit deze rotzooi zou kunnen halen, als ze het tenminste zouden overleven. Ze moest daarvoor op haar eigen gevoel afgaan en ze moest heel, heel zeker zijn... Ze praatte in de wind, tegen zichzelf, terwijl het vliegtuig snel begon te dalen. Ze zocht naar de onderrand van de wolken en rekende erop dat ze die zou vinden voor ze de grond zouden raken, maar als de wolken te laag zouden hangen en ze te snel zou dalen, of als ze ook maar even de controle zou verliezen... Het werd *scud running* genoemd, en als je verloor... was het gebeurd. Zo simpel was het. En ze wisten het allebei, terwijl de kleine Jenny, zo snel als Cassie hem toestond naar de grond viel.

Ze hadden inmiddels een angstaanjagende snelheid en werden doof van het gehuil van de wind, terwijl ze door de natte, inktzwarte duisternis vlogen. Het leek alsof ze in een bodemloze put vielen die gevuld was met afschuwelijke geluiden en angstwekkende gevoelens, en toen, plotseling, voelde ze bijna voor ze het zag de boomlijn, de grond en toen het vliegveld. Ze gaf een scherpe ruk aan de stuurknuppel en trok het vliegtuig net omhoog voor ze de bomen zou hebben geraakt. Heel even raakten ze weer verdwaald in de wolken, maar ze kende nu haar positie en wist hoe ze het vliegveld moest naderen. Gedurende een seconde sloot ze haar ogen om te voelen waar ze was en hoe snel ze kon dalen, en toen zag ze de bomen weer, maar nu had ze de zaak onder controle. Ze scheerde over de bomen heen, terwijl de wind aan de vleugels rukte en ze bijna deed kantelen. Ze trok het vliegtuig recht en cirkelde over het vliegveld, terwijl ze zich afvroeg of ze wel konden landen, of het uiteindelijk niet onmogelijk zou zijn door de kracht van de onvoorspelbare windstoten. Ze was niet bang. Ze dacht alleen maar kalm na, en toen zag ze hem. Het was Nick, die als een bezetene stond te zwaaien. Hij had gezien wat ze gedaan had, gezien hoe ze net onder de wolken had gevlogen en bijna de grond had geraakt. Ze vloog minder dan vijftien meter boven de grond. Hij rende naar de

44

plaats waar ze moest landen, op de verste baan, en probeerde haar binnen te loodsen. De wind was daar net even minder hard om een adembenemende landing mogelijk te maken. De kleine Jenny gierde omlaag naar de landingsbaan. De wind stond recht in hun gezicht en Cassie zette haar tanden zo hard op elkaar dat haar gezicht pijn deed. Haar haar zat door de regen tegen haar hoofd geplakt, haar handen waren gevoelloos door het knijpen in de stuurknuppel en achter haar zat Chris met gesloten ogen. Ze kwamen met een harde klap op de grond terecht en hij deed zijn ogen open. Hij kon niet geloven dat het haar gelukt was. Hij was ervan overtuigd geweest dat ze zo goed als dood waren en was nog steeds in shock toen Nick op hen af kwam rennen en hem letterlijk uit het vliegtuig sleurde, terwijl Cassie daar zat te beven.

'Stelletje idioten! Waar waren jullie mee bezig? Zelfmoord plegen of het vliegveld bombarderen?' Ze waren bij de landing vlak bij het dak gekomen, maar Cassie had besloten dat dat niet hun grootste probleem was. Ze was nog steeds verbaasd dat ze het vliegtuig weer aan de grond had gekregen en moest een grijns van opluchting onderdrukken. Ze was zo bang geweest, terwijl een deel van haar tegelijkertijd zo kalm was gebleven. Het enige waaraan ze had kunnen denken was hoe ze eruit moest komen en hoe ze tegen het kleine vliegtuig moest praten. 'Ben je helemaal gek geworden?' Nick schudde Chris heen en weer en keek dreigend naar Cass, terwijl Pat aan kwam rennen.

'Wat is hier in godsnaam aan de hand?' schreeuwde hij tegen hen allemaal, terwijl de wind aan hen rukte en trok en Cassie zich zorgen begon te maken over het vliegtuig. Ze was bang dat het op de landingsbaan omver geblazen zou worden en beschadigd zou raken.

'Die twee idioten van jou hebben in dit weer een pleziertochtje gemaakt. Ik weet niet wat ze van plan waren, zelfmoord plegen of je vliegtuigen vernietigen, maar ze zouden een schop onder hun kont moeten krijgen.' Nick was zo razend dat hij nauwelijks kon praten en Pat kon niet geloven wat hij zag.

Hij stond verbijsterd naar Chris te kijken. 'Je bent dáárin gaan vliegen?' Hij bedoelde het weer en niet het vliegtuig, zoals zijn zoon wel wist.

'Ik... eeeh... Ik dacht dat we maar even omhoog zouden gaan en meteen terug zouden komen... en...' Hij had willen huilen zoals hij als kind had gedaan en willen zeggen: 'Maar, papa, Cassie...' Hij zei echter geen woord, terwijl zijn vader probeerde te verbergen hoe trots hij op hem was. Die jongen had lef, en hij was een geweldige piloot.

'En je bent bij dit weer geland? Weet je niet hoe gevaarlijk dat is? Jullie hadden wel dood kunnen zijn.' Het lukte Pat niet meer zijn trots te verbergen.

'Ik weet het, pap, het spijt me.' Chris vocht tegen zijn tranen en Cassie keek naar haar vaders gezicht. Ze wist heel goed wat ze daar zag. Het was onverhulde trots op de prestaties van zijn zoon, of in elk geval dacht hij dat. Die trots was voor haar bedoeld, maar ging naar Chris omdat hij een jongen was, en zo was het nu eenmaal. Zo was het altijd geweest. Wat ze in haar leven ook zou doen, ze wist dat ze het voor zichzelf zou moeten doen en niet voor hem, want hij zou het nooit begrijpen en hij zou haar nooit de eer daarvoor geven. Voor hem was ze 'maar een meisje', en meer zou ze nooit zijn.

Toen draaide Pat zich om en keek Cassie aan, bijna alsof hij haar kon horen denken. Daarna keek hij weer kwaad naar zijn zoon en zei: 'Je had haar met dit weer nooit mogen meenemen. Onder dit soort omstandigheden is het veel te gevaarlijk voor passagiers. Je had in de eerste plaats zelf niet moeten gaan vliegen, maar neem in dit soort weer nooit meer een passagier mee, jongen.' Ze was iemand die beschermd moest worden, maar nooit bewonderd zou worden. Dat was haar lot en ze wist het.

'Ja pap.' De ogen van Chris stonden vol tranen, terwijl zijn vader in stomme verbazing eerst naar het vliegtuig en toen naar zijn zoon keek. 'Breng het vliegtuig naar binnen.' Met die woorden liep hij weg. Nick keek toe hoe Chris en Cassie het vliegtuig naar de hangar brachten. Chris leek zo ontdaan dat hij nauwelijks op zijn benen kon staan, maar Cassie was kalm terwijl ze de regen van het vliegtuig veegde en de motor controleerde. Haar broer keek haar alleen maar kwaad aan en liep toen weg, vastbesloten haar nooit te vergeven dat ze hem bijna de dood in had gejaagd. Het was op het nippertje geweest, alleen door een van haar grillen, en hij zou het nooit vergeten. Ze was gestoord, dat had ze nu wel bewezen.

Ze had het laatste gereedschap weggelegd en was verbaasd om, toen ze zich omdraaide, Nick vlak achter zich te zien staan. Hij zag er zo ongeveer uit als de storm waar ze net doorheen gevlogen was. Haar broer was weg en haar vader wachtte op hen op het vliegveld.

'Doe dat nóóit meer. Je lijkt wel gek. Je had wel dood kunnen zijn. Die truc werkt soms voor de echte groten, en soms nog niet eens. Probeer het geen tweede keer, Cass, het zal je niet meer lukken.' Maar het had voor hem meer dan één keer gewerkt, en jaren daarvoor had Pat het hem zien doen en hij was toen net zo kwaad geworden als Nick nu was. Zijn ogen waren als staal toen hij haar aankeek. Hij was razend, maar er was ook nog iets anders. En ze voelde haar hart even overslaan toen ze het zag. Het was wat ze van Pat had willen hebben en van hem nooit zou krijgen. Het was bewondering, en respect. Dat was alles wat ze wilde.

'Ik weet niet wat je bedoelt,' zei ze en keek van hem weg. Nu ze terug was op de grond voelde ze zich gebroken. De opwinding was vrijwel verdwenen, en wat ze nu voelde was uitputting en de terugslag van de angst.

'Je weet verdomd goed wat ik bedoel!' schreeuwde hij tegen haar en greep haar bij haar arm. Zijn zwarte haar lag nat rond zijn gezicht geplakt. Hij had omhoog staan kijken naar haar vliegtuig, had haar met zijn wilskracht omlaaggeholpen, met zijn wil gezorgd dat ze het gat in de wolken zou vinden, dat ze het zou halen. Het idee hen beiden te verliezen, te zien sterven, was verschrikkelijk geweest, en dat alleen maar voor een pleziertochtje. In de oorlog hadden ze geen keus gehad, maar dit was anders. Het was zo zinloos.

'Laat me los.' Ze was kwaad op hem. Ze was kwaad op hen allemaal, op haar broer, die alle eer had gekregen en niet eens kon vliegen, op haar vader, die zo geobsedeerd werd door hem dat hij verder niets zag, en op Nick, die dacht dat hij alles wist. Het was hun geheime club; ze hadden alle speeltjes en ze zouden haar nooit mee laten spelen. Ze was goed genoeg om hun machines vol te tanken, om aan hun motoren te werken en om vet en smeerolie in haar haar te krijgen, maar niet goed genoeg om hun vliegtuigen te vliegen. 'Laat me met rust!' schreeuwde ze tegen hem, maar hij pakte nu ook haar andere arm. Hij had haar nog nooit zo gezien en wist niet goed of hij haar een pak slaag moest geven of zijn armen om haar heen moest slaan. 'Cassie, ik heb gezien wat je daarboven deed!' Hij schreeuwde nog steeds tegen haar. 'Ik ben niet blind. Ik weet dat Chris niet zo kan vliegen! Ik weet dat jij dat vliegtuig bestuurde... maar je bent gek. Je had wel dood kunnen zijn... zo kan het niet.' Ze keek hem zo ongelukkig aan dat zijn hart naar haar uitging. Hij had haar verschrikkelijk op haar donder willen geven omdat ze zichzelf in gevaar had gebracht, maar nu had hij alleen maar medelijden met haar. Hij begreep voor het eerst echt wat ze wilde, en hoe wanhopig graag ze dat wilde en hoe ver ze bereid was daarvoor te gaan.

'Cassie, alsjeblieft...' Hij bleef haar armen vasthouden en trok haar naar zich toe. 'Alsjeblieft... doe zoiets nooit meer. Ik ga het je zelf leren. Dat beloof ik. Laat Chris met rust. Je kunt hem dat niet aandoen. Ik zal het je leren. Als je het zo graag wilt, doe ik dat.' Hij hield haar dicht tegen zich aan en wiegde haar als een klein meisje, dankbaar dat ze haar gewaagde, maar domme stunt had overleefd. Hij had het niet kunnen verdragen als het mis was gegaan. Hij keek haar ongelukkig aan, terwijl hij haar stevig vasthield. Ze hadden allebei nog de schrik te pakken van wat er gebeurd was. Maar ze schudde haar hoofd. Ze wist dat dat onmogelijk was, dat dit de enige manier was waarop ze het kon krijgen.

'Mijn vader zal het nooit goedvinden, Nick,' zei ze diep ongelukkig. Ze ontkende niet meer dat zij Chris had meegenomen in plaats van andersom. Nick kende de waarheid en dat wist ze. Tegen hem liegen was zinloos. Zij was verantwoordelijk voor wat er gebeurd was.

'Ik heb niet gezegd dat ik zijn toestemming zou vragen, Cass. Ik heb gezegd dat ik het ga doen, maar niet hier.' Hij keek haar een beetje medelijdend aan en gaf haar een schone handdoek om haar haar mee te drogen. 'Je ziet eruit als een verzopen kat.'

'Voor de verandering heb ik in elk geval eens een keer geen smeer op mijn gezicht zitten,' zei ze verlegen. Ze voelde zich dichter bij hem dan ooit tevoren. En anders. Ze droogde haar haar en keek hem weer aan. Ze kon niet geloven wat ze hoorde. 'Hoe bedoel je "niet hier". Waar kunnen we dan heen?' Ze voelde zich ineens volwassen, deel van een samenzwering met hem. Op een heel subtiele manier was er iets veranderd tussen hen.

'Er zijn een stuk of vijf kleine vliegveldjes waar we naartoe kunnen. Het zal misschien niet gemakkelijk zijn. Je zou na school een bus naar Prairie City moeten nemen en ik zou je daar kunnen ontmoeten. Voor die tijd kun je misschien af en toe met Chris meerijden wanneer hij naar zijn werk gaat. Ik denk dat hij dat liever doet dan een paar keer per week zijn leven riskeren door met jou te gaan vliegen. Ik weet dat ik er zo over zou denken.' Cassie grinnikte. Arme Chris. Ze had hem de schrik van zijn leven bezorgd en dat wist ze. Maar het had zo'n fantastisch idee geleken, en een paar minuten lang was het ook leuk geweest. Daarna was het het engste geweest dat ze ooit gedaan had, en het spannendste.

'Meen je dat echt?' Ze zag er verbaasd uit, maar in feite gold dat voor hen allebei. Hij was zelf een beetje geschrokken van wat hij zojuist had aangeboden.

'Ik denk het wel. Ik had nooit gedacht dat ik zoiets zou doen, maar ik denk dat een paar aanwijzingen kunnen voorkomen dat je opnieuw in problemen komt. En als je een tijdje fatsoenlijk hebt gevlogen,' zei hij, en keek haar scherp aan, 'kunnen we misschien eens met Pat praten en kijken of je van hem hier mag vliegen. Hij geeft wel een keer toe. Hij moet wel.'

'Ik denk het niet,' zei ze somber, terwijl ze weer naar buiten liepen, de regen in, naar het kantoor van haar vader. En toen, net voor ze er waren en weer doornat, stond ze ineens stil en keek hem aan met een glimlach die zijn hart deed smelten. Hij wilde dat gevoel niet ten opzichte van haar en schrok ervan. Maar ze hadden die avond veel meegemaakt en het had hen dichter bij elkaar gebracht.

'Dank je, Nick.'

'Geen dank, en dat meen ik.' Haar vader zou hem wurgen als hij wist dat hij haar les ging geven. Hij woelde met zijn hand door haar natte haar en liep met haar mee naar haar vaders kantoor. Chris zag er geschokt en grauw uit, en zijn vader had hem net een slok cognac gegeven.

'Alles goed, Cass?' Pat keek haar aan en zag dat zij er, in tegenstelling tot haar broer, wel goed aan toe was. Maar de verantwoordelijkheid had tenslotte bij Chris gelegen, en ook het moeilijkste deel, de landing, of in elk geval was dat wat haar vader dacht, en Chris had hem niets anders verteld.

'Met mij is niets aan de hand, pap,' verzekerde ze hem.

'Je bent een dappere meid,' zei hij bewonderend, maar niet bewonderend genoeg. Het was Nick die het begrepen had. Nick die haar wilde geven waar ze altijd van gedroomd had. Nu zou haar droom uitkomen, en plotseling was ze blij dat ze in de storm gevlogen had, ook al had ze een geweldig risico genomen. Misschien was het toch de moeite waard geweest.

Pat reed Chris en Cassie naar huis, waar hun moeder al op hen wachtte. Zodra ze aan tafel zaten vertelde haar vader het hele verhaal aan Oona, of in elk geval het hele verhaal dat hij kende. Hij vertelde hoe ongelooflijk Chris was geweest, hoe hij op zijn durf en zijn verstand had gevlogen en hoe hij hen, na de eerste dwaasheid om in de storm te gaan vliegen, veilig terug had gebracht. Hun vader was zo trots op hem en Chris zei niets. Hij liep naar zijn kamer, deed de deur dicht, ging op zijn bed liggen en huilde.

Na een tijdje ging Cassie naar hem toe. Ze moest lang op zijn deur kloppen, maar tenslotte liet hij haar binnen. In zijn ogen was zowel pijn als woede te lezen.

'Wat doe jíj hier?'

'Ik kom zeggen dat het me spijt dat ik je bang heb gemaakt… en dat ik je bijna de dood in heb gejaagd. Het spijt me, Chris. Ik had het niet moeten doen.'

Nu Nick haar wilde geven wat ze altijd had gewild, kon ze het zich veroorloven om grootmoedig te zijn.

'Met jou ga ik nooit meer vliegen,' zei hij dreigend. Hij keek haar aan met de blik van een jongere broer die gebruikt en verraden is door een sluwe oudere zus.

'Dat hoef je ook niet meer,' zei ze rustig terwijl ze op de rand van zijn bed ging zitten.

'Je geeft het vliegen op?' Dat zou hij nooit geloven.

'Misschien… voorlopig…' Ze haalde haar schouders op alsof het niet belangrijk voor haar was, maar hij kende haar wel beter.

'Ik geloof je niet.'

'Juist. Nou ja, het is nu niet belangrijk. Ik wilde alleen tegen je zeggen dat ik er spijt van heb.'

'Dat is ook terecht,' flapte hij er woedend uit, maar toen hield hij zich in en raakte haar arm aan. 'Maar bedankt… dat je ons veilig terug hebt gebracht. Ik dacht echt dat het gebeurd was.'

'Ik ook,' zei ze grijnzend. 'Ik dacht echt even dat we het niet zouden redden.' Toen giechelde ze.

'Jij idioot.' Toen zei hij bewonderend: 'Je bent een fantastische piloot, Cass. Op een dag zul je het echt moeten leren, en niet door dat stiekeme gedoe achter paps rug om. Hij moet je laten vliegen. Je bent tien keer zo goed als ik ooit zal zijn. Ik wed dat je net zo goed bent als hij.'

'Dat betwijfel ik, maar met jou komt het ook wel goed. Je bent een prima piloot, Chris. Je moet gewoon geen moeilijke dingen doen.'

'Ja, bedankt,' zei hij grijnzend. Zijn kwaadheid was over. 'Ik zal je eraan herinneren als je me weer eens mee wilt nemen om me de dood in te jagen.'

'Voorlopig zal dat niet gebeuren,' zei ze liefjes, maar hij wist wel beter.

'Hoe bedoel je dat? Je bent iets van plan, Cass.'

'Nee, helemaal niet. Ik ga me netjes gedragen... een tijdje in elk geval.'

'God sta ons bij. Als je me maar waarschuwt wanneer je weer uit je bol gaat. Dan zorg ik dat ik uit de buurt van het vliegveld blijf. Misschien zou jij dat ook een tijdje moeten doen. Volgens mij zijn al die dampen je naar het hoofd gestegen.'

'Misschien,' zei ze dromerig. Maar het was meer dan dat, en dat wist ze. Die dampen zaten haar in het bloed, in de botten, en ze wist beter dan ooit dat ze er nooit aan zou kunnen ontsnappen.

Na het avondeten kwam Bobby Strong langs. Hij luisterde geschrokken naar het verhaal van haar vader en werd woedend op Chris toen hij hem even later zag.

'Als je het nog eens waagt om mijn meisje mee de lucht in te nemen en haar bijna te vermoorden, zul je rekenschap aan mij moeten afleggen,' zei hij, zowel tot verbazing van Chris als van Cassie. 'Dat was behoorlijk stom wat je deed en dat weet je.' Chris had hem graag verteld dat het Cassies idee was geweest. Hij had hem graag een heleboel dingen verteld, maar hij deed het natuurlijk niet.

'Ja, je hebt gelijk,' mompelde haar jongere broer vaag en verdween naar zijn kamer. Ze waren allemaal gek. Bobby, Cass, zijn vader, Nick. Niemand wist wat er echt was gebeurd. Niemand wist wie de schuld had en wie niet. Zijn vader dacht dat hij een misdadiger was en Cassie had iedereen voor de gek gehouden. Maar alleen Cassie wist wat er echt was gebeurd, en Nick, nu hij beloofd had haar les te geven.

Die avond hield Bobby haar voor hoe gevaarlijk, nutteloos en dom vliegen was. Hij zei tegen haar dat alle mannen die dat deden onvolwassen waren, dat ze alleen maar aan het spelen waren, als kinderen. Hij hoopte dat ze die middag haar lesje had geleerd en in de toekomst redelijker zou zijn en niet meer zo vaak op het vliegveld zou rondhangen. Hij legde uit dat hij dat van haar verwachtte. Hoe kon ze denken nog een toekomst te hebben als ze haar hele leven onder de smeerolie zat en bereid was haar leven op het spel te zetten voor een wild avontuur met haar broer? Bovendien hoorde het gewoon niet omdat ze een meisje was.

Ze probeerde zichzelf te dwingen om het met hem eens te zijn omdat ze wist dat hij het goed bedoelde. Maar ze was opgelucht toen hij wegging. En het enige waaraan ze kon denken toen ze in bed naar de regen lag te luisteren, was de belofte van Nick en het feit dat ze binnenkort samen zouden vliegen. Ze kon nauwelijks wachten. Ze lag nog uren wakker en dacht eraan en herinnerde zich het gevoel van de wind in haar gezicht, terwijl ze in de Jenny omlaagdook door de wolken op zoek naar de onderkant, wachtend op een mogelijkheid om te ontsnappen, net voor ze de grond zouden raken, om dan plotseling in een stijgvlucht weer vrij over de toppen van de bomen scherend een veilige landing te maken. Het was een bijzondere dag geweest en ze wist dat ze het vliegen nooit zou kunnen opgeven, wat ze ook tegen haar zeiden over hoe gevaarlijk en ongepast het was. Ze zou het voor niemand kunnen opgeven. Ze kon het gewoon niet.

4

Drie dagen na de storm, die uiteindelijk vijftien kilometer verder, in Blandinsville, in een tornado was overgegaan, stond Cassie op, voerde haar taken uit en vertelde haar moeder toen ze wegging dat ze naar de bibliotheek ging en daarna naar een vriendin van school die dat voorjaar getrouwd was en een baby verwachtte. Daarna zou ze naar het vliegveld gaan. Ze had een broodje en een appel in een papieren zak gedaan en een dollar van haar spaargeld gepakt en in haar zak gestopt. Ze wist niet precies wat de busrit zou kosten, maar ze wilde er zeker van zijn dat ze genoeg bij zich had om naar Prairie City te kunnen komen. Ze had met Nick afgesproken dat ze elkaar daar rond het middaguur zouden ontmoeten, en toen ze in de zomerzon naar het busstation liep, had ze er spijt van dat ze geen hoed had opgezet. Maar ze wist dat haar moeder dan argwaan had gekregen want ze droeg nooit een hoed.

Zoals ze daar liep, zag ze eruit als een lang, slank meisje op weg naar een ontmoeting met haar vriendinnen. Ze zag er zo oud uit als ze was, maar ze was buitengewoon leuk om te zien. Ze zag er nog leuker uit dan haar moeder op die leeftijd. Ze was langer en slanker en had een nog mooier figuur. Maar Cassie dacht nooit aan haar uiterlijk. Dat was iets voor andere meisjes, meisjes die verder niets aan hun hoofd hadden, of meisjes als haar zusters die wilden trouwen en baby's krijgen. Ze wist dat ze ooit wel kinderen zou willen, of in elk geval dacht ze dat, maar er waren nog zoveel andere dingen die ze eerst wilde, dingen die ze waarschijnlijk nooit zou krijgen, zoals spanning en vrijheid en vliegen. Ze was gek op verhalen over vrouwelijke piloten en las alles wat ze te pakken kon krijgen over Amelia Earhart en Jackie Cochran. Ze had Lindberghs boek *We* gelezen, over zijn solovlucht over de Atlantische Oceaan in 1927, en het jaar daarvoor, toen het verschenen was, het boek *North to the Orient*, van zijn vrouw, en het boek *The Fun of It* van Earhart. Alle vrouwen die iets met vliegen te maken hadden, waren haar heldinnen. Ze vroeg zich regelmatig af waarom zij de dingen konden doen waar zijzelf alleen maar van kon dromen. Maar nu, met de hulp van Nick... zou ze misschien... als ze maar kon vliegen... als ze maar in een vliegtuig kon stappen, zoals ze die dag met Chris had gedaan, en langzaam de lucht in kon gaan en daar voor altijd kon blijven.

Ze was zo in gedachten verzonken dat ze bijna haar bus miste en moest rennen om hem nog te halen. Ze was opgelucht toen ze zag dat er niemand in de bus zat die ze kende en tijdens de drie kwartier durende rit naar Prairie City in de oude bus gebeurde er niets bijzonders. Het buskaartje had maar vijftien cent gekost en tijdens het rijden deed ze niets anders dan dagdromen over haar lessen.

Nadat ze uit de bus was gestapt, had ze een lange wandeling naar de landingsbaan voor de boeg, maar Nick had haar precies verteld hoe ze moest lopen. Hij had op de een of andere manier verwacht dat ze wel een lift zou krijgen. Hij had er niet aan gedacht dat ze die laatste drie kilometer zou moeten lopen, en toen ze er eindelijk was zag ze er heet, bezweet en stoffig uit. Hij zat rustig op een steen een frisdrankje te drinken en de vertrouwde Jenny stond aan het eind van de verlaten baan geparkeerd. Er was niemand in de buurt. Ze waren daar alleen. Het was een baan die af en toe gebruikt werd voor gewasbesproeiing en oorspronkelijk was aangelegd voor politici en acteurs die op tournee waren. Het vliegveldje werd niet vaak gebruikt, maar was in goede staat. Nick had geweten dat dit de volmaakte plek was voor hun lessen.

'Alles in orde?' Hij keek haar met een vaderlijke blik aan, terwijl ze haar felrode haar uit haar gezicht veegde en uit haar nek tilde. De zon brandde. 'Je ziet er nogal verhit uit. Hier, neem een slok.' Hij gaf haar zijn cola en keek met bewondering naar haar toen ze een grote slok nam. Ze had een lange, sierlijke hals en het zijdeachtige wit van haar keel herinnerde hem aan heel lichtroze marmer. Ze was een opvallend mooi meisje en de laatste tijd waren er momenten waarop hij bijna wenste dat ze niet Pats dochter was. Maar dat zou niet veel geholpen hebben, zei hij dan tegen zichzelf. Hij was vijfendertig en zij zeventien. Ze was nauwelijks een eerlijke prooi voor een man van zijn leeftijd. Er waren echter momenten waarop het verleidelijk was. 'Wat heb je gedaan, suffie?' vroeg hij om de spanning wat te verminderen. Het was vreemd om daar te zijn, zo met zijn tweeën, alleen op hun geheime missie. 'Ben je van Good Hope komen lopen?'

'Nee,' grijnsde ze tegen hem, wat verfrist door zijn cola. 'Alleen van Prairie City. Het was verder dan ik dacht. En heter.'

'Het spijt me,' zei hij verontschuldigend. Hij voelde zich schuldig dat hij haar zo'n eind had laten lopen, maar het had de volmaakte plaats geleken voor hun afspraakje met haar vaders vliegtuig, voor hun geheime lessen.

'Dat hoeft niet,' lachte ze terwijl ze nog een slok van zijn cola accepteerde. 'Het is de moeite waard.' Hij las in haar ogen hoeveel het voor haar betekende. Ze was gek van vliegtuigen en verliefd op vliegen. Het was precies zoals hij was geweest op haar leeftijd, toen hij van het ene naar het andere vliegveld was getrokken en bereid was geweest alles te doen om maar in de buurt van vliegtuigen te zijn en de kans te krijgen af en toe te vliegen. De oorlog was voor hem de vervulling van een droom geweest, toen hij in het 94ste had gevlogen met mannen die bijna allemaal legendarisch waren geworden. Hij had medelijden met haar, want het zou voor haar niet zo gemakkelijk zijn, vooral niet als Pat haar bleef verbieden om te vliegen. Nick hoopte dat hij hem een dezer dagen zou kunnen ompraten, en in de tussentijd kon hij haar in elk geval de belangrijke dingen leren, zodat ze zichzelf en haar broer niet de dood zou injagen met krankzinnige trucs. Hij kreeg nog de rillingen wanneer hij dacht aan de manier waarop ze drie dagen daarvoor met de snelheid van een kogel uit de wolken was komen duiken en net boven de grond had weten te blijven. Ze zou nu in elk geval weten wat ze deed.

'Zullen we maar eens een poging wagen?' vroeg hij, met een gebaar naar de Jenny. Het vliegtuigje stond daar op hen te wachten, als een oude vriend, net als zij dat waren.

Ze was te opgewonden om zelfs maar tegen hem te praten toen ze over de baan naar het bekende vliegtuig liepen. Ze had hem wel duizend keer met brandstof gevuld en de motor schoongemaakt. Ze had liefdevol zijn vleugels gewassen en had er een keer of vijf in gevlogen, terwijl Chris deed alsof hij zijn zusje meenam voor een pleziervlucht. Maar de Jenny had er voor Cassie nog nooit zo mooi uitgezien als nu. Ze liepen er eerst een keer omheen en controleerden het landingsgestel om zeker te weten dat het bij de landing niet beschadigd was geraakt. De Jenny was een laag vliegtuig met een grote vleugelbreedte en gaf ondanks zijn bescheiden afmetingen de indruk van een groter vliegtuig. Maar voor Cassie was het geen intimiderend vliegtuig. Nu stapte ze erin en maakte haar veiligheidsriemen vast. Ze wist dat het luchtruim al snel van haar zou zijn, en ze had er recht op, zoals ze dat allemaal hadden. En daarna zou niemand haar meer kunnen tegenhouden.

'Klaar?' schreeuwde Nick boven het eerste geluid van de motor uit. Cassie knikte met een tevreden grijns en hij sprong in de stoel achter haar. Hij zou beginnen met vliegen en als ze eenmaal veilig in de lucht waren zou hij de bediening aan haar overgeven. Deze keer zou ze die niet aan hem hoeven ontworstelen, zoals ze bij Chris had moeten doen. Deze keer zou het allemaal eerlijk en open gaan, en terwijl ze over de baan taxieden, draaide Cassie zich om en keek naar hem. Nick was zo'n vertrouwd beeld voor haar, maar terwijl ze nu naar hem keek, voelde ze zich gelukkiger dan ze ooit was geweest en wilde ze haar armen om zijn nek slaan en hem kussen.

'Wat?' Ze had iets tegen hem gezegd en eerst kon hij het niet verstaan. Hij dacht niet dat er iets mis was, want ze zag er veel te gelukkig uit om een probleem te kunnen hebben. Hij leunde voorover om haar beter te kunnen horen. Zijn donkere haar wapperde in de wind, zijn ogen hadden de kleur van de zomerse lucht en er waren lijntjes rond zijn ogen toen hij ze half dichtkneep tegen de zon.

'Ik zei... dank je...!' riep ze naar hem, met een zo gelukkige blik in haar ogen dat het hem ontroerde. Hij kneep haar even zacht in haar schouder, en ze draaide zich weer naar voren en legde haar handen op de bediening. Maar deze keer was er geen twijfel aan wie het vliegtuig bestuurde. Dat was Nick.

Hij duwde de gashandel gelijkmatig naar voren en gebruikte de voetenroeren. Een ogenblik later raakten ze soepel los van de grond en stegen gemakkelijk op, en terwijl dat gebeurde, voelde Cassie hoe haar hart zich met de oude Jenny verhief. Ze kreeg het gevoel van opwinding dat ze altijd kreeg wanneer ze van de grond loskwam. Ze vlóóg! Hij maakte een lichte bocht om weg te komen van het vliegveldje en maakte een rol om rechtuit te gaan vliegen. Toen tikte hij Cassie op de schouder. Ze keek over haar schouder naar hem en hij wees naar haar om aan te geven dat zij het over mocht nemen. Ze knikte en nam het van hem over alsof het vanzelf ging. Ze wist wat ze moest doen, en ze vlogen zo gemakkelijk door de stralend blauwe lucht alsof ze haar hele leven al had gevlogen. En op een bepaalde manier was dat ook zo. Hij was verbaasd over haar vaardigheden en over haar aangeboren instinct. Ze had, alleen door naar hen te kijken, allerlei trucs van hem en van haar vader geleerd en had een eigen stijl die verrassend soepel en gemakkelijk was. Ze leek volkomen op haar gemak terwijl ze het kleine vliegtuig bestuurde en Nick besloot tijdens de eerste les na te gaan wat ze allemaal kon.

Hij liet haar bochten en hellingen in verschillende richtingen maken, waarbij ze eerst naar links en dan naar rechts ging. Hij wilde haar vertellen dat ze de neus omhoog moest houden om de hoogte te handhaven, maar ze leek automatisch te weten dat het vliegtuig tijdens bochten zou dalen en hield de neus omhoog zonder dat hij het hoefde te zeggen. Haar gevoel voor het vliegtuig was bijna griezelig. Ze bleef de knuppel met vaste hand terugdrukken en als reactie op haar bewegingen bleef de neus omhoog.

Daarna liet hij haar s-bochten maken, waarbij hij een smalle landweg als richtlijn gebruikte, en hij merkte terwijl ze dat deed dat ze geen enkele moeite had om hoogte te houden. Ze keek zelden naar de instrumenten, maar leek toch precies te weten wanneer ze moest compenseren of stijgen. Ze leek vooral op haar gevoel en gezicht te vliegen, wat het teken was van de geboren vliegenier. Iemand als zij zag je niet vaak, en hij wist dat hij er in zijn hele leven verdomd weinig was tegengekomen.

Hij liet haar een tijdje rondjes vliegen rond een silo die ze bij een boerderij in de verte zagen, en ze klaagde dat het zo saai was, maar hij wilde haar nauwkeurigheid controleren. Ze was voorzichtig en precies en ongelooflijk nauwkeurig, vooral voor iemand die nauwelijks gevlogen had. En toen, eindelijk, liet hij haar een looping proberen, en de dubbele looping waarmee ze haar broer de stuipen op het lijf had willen jagen. Daarna leerde hij haar hoe ze zich moest herstellen van een overtrokken vlucht, wat veel belangrijker was. Maar ook dat leek ze instinctief te weten. De volledige kalmte waarmee ze erin ging, maakte indruk op hem, terwijl de Jenny met zijn neus omlaag begon te duiken en de vleugels afwisselend omlaagwezen. Binnen seconden verminderde ze de druk op de stuurknuppel, die het overtrekken had veroorzaakt, en liet ze de snelheid onverschrokken toenemen door de duik. Hij had van tevoren uitgelegd hoe het moest, maar ze leek geen enkele moeite met de uitvoering te hebben en geen enkel gebrek aan durf bij het volgen van de procedure. De meeste jonge piloten waren als de dood voor de drop en het plotselinge verlies van zwaartekracht. Cassie was echter helemaal niet onder de indruk toen de Jenny even omlaagdook, en toen het vliegtuig net genoeg snelheid had gemaakt, gaf ze gas en kwam weer vlak als een adelaarsjong terwijl ze zachtjes en zonder een geluid te maken weer omhoogzweefde naar de plaats waar ze wilde zijn.

Nick was nog nooit zo onder de indruk geweest. Hij liet het haar nog een keer doen om na te gaan of ze dezelfde vaste hand, dezelfde kalmte en haar snelle reacties wist te handhaven of dat het gewoon beginnersgeluk was geweest. Maar de tweede keer ging het nog soepeler dan de eerste keer en haalde ze het vliegtuig zo weer omhoog uit een overtrokken vlucht die zelfs hem even ongerust had gemaakt. Ze was goed. Ze was heel goed. Ze was briljant.

Daarna liet hij haar een paar trage achten en een Immelmann doen, en hun laatste lesonderdeel was een tolvlucht, die wel wat op de overtrokken vlucht leek, maar waarvoor ze eerst met het rechtervoetenroer een spin naar rechts moest maken en daarna met het linkervoetenroer moest herstellen. Ze deed het perfect en Nick grijnsde van oor tot oor toen hij het vliegtuig aan de grond zette, maar dat gold ook voor Cassie. Ze had nog nooit van haar leven zo genoten en haar enige klacht was dat ze een *barrel roll* had willen proberen, maar dat had hij niet toegestaan. Hij zei dat ze voor die dag genoeg hadden gedaan en nog iets moesten bewaren voor de volgende keer. Ook wilde ze een landing zonder motorvermogen proberen, die zijn specialiteit was en waaraan hij zijn bijnaam te danken had. Maar dat kwam nog wel. Ze hadden tijd genoeg en ze was een fantastische leerling.

Hij bleef even in het vliegtuig naar haar zitten kijken. Hij kon niet geloven hoeveel ze in de loop der jaren alleen door te kijken had opgepikt. Al die keren dat Pat haar had meegenomen of Nick haar ergens heen had gevlogen, had ze alles opgenomen, elk moment, elke handeling, elke procedure, en zo had ze, alleen door waarneming, geleerd hoe het moest. Ze was echt, wat hij al lang had gedacht, een natuurtalent. Ze was geboren om te vliegen en het zou heiligschennis zijn om haar dat te beletten.

'Hoe was ik?' Ze draaide zich om in haar stoel nadat ze gestopt waren en hij de motor had uitgezet.

'Een ramp,' zei hij glimlachend, nog steeds niet in staat te geloven wat hij had gezien. Ze had een natuurlijk gevoel voor hoogte, een griezelig gevoel voor richting en een instinct waardoor ze het vliegtuig bijna net zozeer met haar hoofd als met haar handen kon leiden. Ze had precies geweten wat ze deed. 'Ik denk niet dat ik ooit nog met jou wil vliegen,' zei hij plagend, maar zijn gezicht vertelde haar alles wat ze wilde weten en ze liet een kreet van vreugde horen op de stille landingsbaan. Ze was nog nooit van haar leven zo gelukkig geweest. En Nick was de beste vriend die ze ooit had gehad. Hij had gezorgd dat haar droom vervuld werd en dit was alleen maar het begin. 'Je bent goed, meid,' zei hij rustig, en gaf haar nog een cola die hij had mee-gebracht. Ze salueerde naar hem, nam een grote teug en gaf het blik-je toen terug aan haar nieuwe instructeur. 'Maar zorg dat het je niet naar je hoofd stijgt. Dit kunnen gevaarlijke woorden zijn. Word nooit overmoedig, zorg dat je niet te veel zelfvertrouwen krijgt, denk nooit dat je alles kunt doen wat je wilt doen. Dat kun je niet. Deze vogel is alleen maar een machine, en als je hoofd te groot wordt, zal de grond te dichtbij komen en zul je uiteindelijk met een boom tussen je oren eindigen. Vergeet dat nooit.'

'Ja, meneer,' zei ze, maar ze was te gelukkig om zich veel van zijn woorden aan te trekken. Ze wist hoe voorzichtig ze zou moeten zijn en was ook bereid dat te zijn, maar ze wist ook dat ze geboren was om te vliegen en nu wist Nick het ook, en hij zou op een dag mis-schien haar vader kunnen overtuigen. Intussen zou zij alles gaan le-ren wat ze kon en de beste piloot worden die er ooit was geweest, be-ter dan Jean Batten of Louise Thaden of een van de anderen. 'Wanneer kunnen we weer gaan?' vroeg ze gretig. Ze wilde niets liever dan weer de lucht in gaan en wilde niet lang wachten. Ze wist dat Nick de brand-stof betaalde en wilde niet dat het hem te veel zou kosten, maar als een verslaafde hunkerde ze naar meer en snel meer en hij wist dat.

'Je wilt morgen wel weer, niet?' Hij grinnikte. Hij was precies hetzelf-de geweest toen hij zo oud was. Hij was zelfs precies zo oud geweest als zij nu was toen hij na de oorlog door het land had gezworven, op zoek naar baantjes op vliegvelden, en tenslotte in Illinois terecht was gekomen en voor zijn oude vriend Pat O'Malley was gaan vliegen.

'Ik weet het niet, Cass.' Nick dacht even na. 'Misschien kunnen we het over een paar dagen weer doen. Ik wil niet dat Pat zich begint af te vragen waarom ik er steeds met de Jenny op uit trek. Het is niet mijn gewoonte om er vaak in te vliegen.' Hij wilde beslist niet dat Pat argwaan zou krijgen. Hij wilde dat ze genoeg lessen zou krijgen voor ze Pat zouden confronteren met haar bekwaamheid, waar verder geen twijfel aan bestond. Ze was duizend keer zo goed als haar broer, een duizend keer betere piloot dan de meeste mensen die hij les had ge-geven. Maar ze zouden Pat ervan moeten overtuigen en ze wisten al-lebei dat dat niet gemakkelijk zou zijn.

'Kun je hem niet vertellen dat je hier iemand hebt die je les geeft? Hij hoeft niet te weten dat ik dat ben. Dan heb je altijd een excuus om met de Jenny weg te gaan.'

'En hoe zit het met de betaling, juffie? Ik wil niet dat je vader denkt dat ik hem bedrieg.' Ze kregen een deel van elkaars verdiensten als ze elkaars andere vliegtuigen gebruikten, of als Nick een charter had of les gaf in de tijd die hij anders voor O'Malley zou hebben gewerkt.

Cassie zag er beteuterd uit. 'Misschien kan ik je wat betalen... van mijn spaargeld...' Ze begon er echt bezorgd uit te zien. Nick raakte het knalrode haar aan en maakte het door de war.

'Maak je geen zorgen. Het lukt me wel. We gaan dit vaak genoeg doen, dat beloof ik je.' Cassie glimlachte dankbaar tegen hem en zijn hart maakte een sprongetje. Dat was alle beloning die hij wenste.

Hij hielp haar uit het vliegtuig en zag vlakbij een boom staan die wat schaduw gaf. 'Heb je iets meegebracht om te eten?' Ze knikte en ze liepen naar de boom om daar te gaan zitten. Ze deelde haar brood met hem en hij deelde zijn Coca-Cola. In tegenstelling tot Pat, die af en toe een goede whiskey dronk, was Nick nooit zo'n drinker geweest, maar hij dronk wel veel cola. Hij bracht veel tijd in de lucht door en kon het zich niet veroorloven om veel alcohol te drinken. Hij werd regelmatig uit zijn bed gehaald voor een noodvlucht, of een speciale postvlucht of voor een lange vlucht naar plaatsen zo ver als Mexico of Alaska. Hij had die vluchten nooit kunnen maken als hij op zo'n moment dronken of zelfs maar aangeschoten was geweest. Pat was ook voorzichtig. Hij dronk nooit als hij wist dat hij moest vliegen.

Ze praatten een hele tijd over vliegen en over haar familie en hoeveel die voor hem betekend had toen hij voor het eerst naar Illinois was gekomen. Hij vertelde dat hij uit New York was weggegaan om voor haar vader te gaan werken.

'Hij is goed voor me geweest tijdens de oorlog... Ik was nog zo jong... En ik was ook een behoorlijke idioot. Ik ben blij dat jij daar nooit mee te maken zult krijgen, een duel op drieduizend meter hoogte met een stel fanatieke Duitsers. Soms leek het wel een spel... je vergat dat het echt was... het was zo spannend.' Zijn ogen glansden terwijl hij erover praatte. Voor vele van hen was het hun beste tijd geweest en was alles daarna verbleekt in vergelijking daarmee. Ze vermoedde wel eens dat haar vader dat zo voelde en dacht dat het ook voor Nick gold.

'Al het andere moet daarna wel ontzettend saai lijken... Vliegen in de Jenny... of vrachtvluchten naar Californië in de Handley zijn toch niet bepaald spannend.'

'Nee, dat zijn ze ook niet, maar het is plezierig zo. Het is wel waar ik wil zijn. Op de grond voel ik me nooit zo goed als in de lucht, Cass, hoe gek dat ook mag klinken. Dat is mijn leven daar boven.' Hij keek omhoog naar de lucht terwijl hij het zei. 'Dat is waar ik goed in ben,' zei hij zuchtend, terwijl hij achterover tegen de boomstam leunde. 'In al het andere ben ik minder goed.'

'Zoals wat?' Ze was nieuwsgierig naar hem. Ze had hem haar hele leven gekend, maar hij had haar altijd als een kind behandeld. Nu ze het geheim van haar vliegen deelden, leken ze echter voor het eerst bijna gelijken te zijn.

'Ach, ik weet niet. Ik ben niet zo goed in trouwen... mensen... vrienden... behalve met andere piloten en de jongens met wie ik werk.'

'Voor ons ben je altijd geweldig geweest.' Ze glimlachte onschuldig naar hem en hij besefte weer hoe jong zeventien was.

'Dat is anders. Jullie zijn mijn familie. Maar ik weet niet... ik vind het soms moeilijk om met mensen om te gaan die niet vliegen, ik vind het moeilijk om ze te begrijpen en zij vinden het nog moeilijker om mij te begrijpen... vooral vrouwen.' Hij grijnsde. Het maakte hem niet uit. Het was zijn leven en hij was er tevreden mee. Er waren nu eenmaal grondmensen, mensen die met hun lichaam en geest verbonden waren met de grond... en dan waren er die anderen.

'Hoe zit het met Bobby?' vroeg hij haar onverwachts. Hij wist van haar vriendje. Hij had hem vaak genoeg bij haar thuis gezien wanneer hij langskwam om Pat te spreken of kwam eten. 'Hoe zou hij het vinden als hij wist dat je vloog? Je bent goed, Cass. Als je het goed leert, kun je echt iets bereiken.' Maar wat kon ze bereiken? Dat was het probleem. Wat kon een vrouw doen, behalve misschien een record breken? 'Wat zou hij ervan zeggen?' drong Nick aan.

'Wat iedereen zegt. Dat ik gek ben,' zei Cassie lachend. 'Maar ik ben niet met hem getrouwd, weet je. Hij is alleen maar een vriend.'

'Hij zal niet altijd "alleen maar een vriend" blijven. Vroeger of later zal hij een heleboel meer willen, of in elk geval is dat wat je vader denkt.' Het was wat iedereen dacht en dat wist ze.

'Is dat zo?' Ze klonk plotseling terughoudend en Nick moest lachen om haar nuffigheid.

'Hé, je hoeft niet zo koel tegen mij te doen. Je weet heel goed wat ik bedoel. Het zal raar zijn als je een tweede Earhart wilt worden. Daar zul je dan mee moeten leven en dat is niet altijd gemakkelijk.' Hij wist dat maar al te goed. Hij wist een heleboel dingen die hij plotseling met haar wilde delen. Die nieuwe dimensie van hun vriendschap vond hij tegelijkertijd opwindend en beangstigend. Hij kon zich niet voorstellen waar het toe zou leiden.

'Waarom is het zo belangrijk?' zei ze treurig. Ze dacht aan Nicks vragen over Bobby. Ze begreep het niet. Wat was er zo verkeerd aan vliegen?

'Ik denk dat het belangrijk is omdat het anders is,' legde Nick uit. 'De mens is gemaakt om op de grond rond te lopen. Als je de hele tijd als een vogel door de lucht wilt vliegen, vinden ze misschien dat je veren moet hebben of ze vinden je misschien gewoon vreemd. Ik weet het ook niet.' Hij glimlachte berustend naar haar en strekte zijn lange benen voor zich uit. Het was leuk om met haar te praten. Ze was zo slim en jong en levendig, zo enthousiast over het leven dat voor haar lag. Dat was iets waar hij haar om benijdde. Haar leven was vol van uitdagingen en nieuwe dingen. Hoewel vijfendertig nog niet oud was, leken een heleboel spannende dingen toch al achter hem te liggen.

'Ik denk dat mensen raar doen over vliegen. Het zijn gewoon vliegtuigen en wij zijn gewoon mensen,' zei ze.

'Nee, dat zijn we niet,' zei hij op een zakelijke toon. 'Voor zulke mensen zijn we superhelden omdat we iets doen dat zij niet kunnen en dat de meesten van hen ook niet durven. We zijn zoiets als leeuwentemmers of koorddansers... Het is allemaal heel geheimzinnig en spannend, vind je niet?' Hij liet haar even nadenken, en ze knikte. Toen gaf ze hem zijn cola terug. Hij nam een slok en stak een sigaret op, maar bood haar er geen een aan. Ze mocht dan leren vliegen, maar zo volwassen was ze nog niet.

'Ik denk wel dat het geheimzinnig en spannend is,' gaf ze toe, terwijl ze toekeek hoe hij rookte. 'Misschien is dat de reden waarom ik ervan houd, maar het voelt ook zo goed... het is zo vrij... zo levend... zo...' Ze kon de juiste woorden niet vinden en hij glimlachte. Hij wist precies wat ze bedoelde. Hij had dat gevoel ook nog steeds. Elke keer dat zijn vliegtuig loskwam van de grond, het maakte niet uit in welk vliegtuig hij zat, kreeg hij hetzelfde heerlijke gevoel van vrijheid. Het was iets waardoor al het andere saai en oninteressant leek. Het had invloed gehad op zijn hele leven, op wat hij deed, wat hij wilde doen en met wie hij omging. Het had al zijn relaties beïnvloed en op een dag zou dat ook voor haar gelden. Hij had het gevoel dat hij haar dat moest vertellen, maar wist niet precies wat hij moest zeggen. Ze was nog zo jong en zo vol van hoop dat het bijna verkeerd leek om haar te waarschuwen.

'Het zal je leven veranderen, Cass,' was alles wat hij uit kon brengen. 'Daar moet je rekening mee houden.'

Ze knikte. Ze dacht dat ze begreep wat hij bedoelde, maar dat was niet zo. 'Dat weet ik,' zei ze en keek hem aan met zo'n wijze blik in haar ogen dat hij er bijna bang van werd, 'maar het is wat ik wil. Daarom ben ik hier ook. Ik kan niet op de grond leven... zoals de anderen.' Ze was een van hen, vertelde ze hem, en hij wist dat het waar was. Daarom had hij er ook in toegestemd haar les te geven.

Ze praatten die dag heel wat af en hij verafschuwde het idee dat hij haar daar alleen moest achterlaten, dat ze nog drie kilometer over die landweg moest lopen om de bus te nemen die haar naar huis zou brengen, maar er zat niets anders op. Hij keek hoe ze op weg ging, met een lange zwaai, en een ogenblik later steeg hij op en maakte als afscheid een langzame rol voor haar. Ze bleef lang naar het vliegtuig staan kijken. Ze kon nog steeds niet geloven wat hij voor haar had gedaan. Die middag had hij haar hele leven veranderd en dat wisten ze allebei. Het was voor beiden een gewaagde onderneming, maar ook een onderneming die ze, om verschillende redenen, geen van beiden konden weerstaan.

Tijdens de lange, hete wandeling naar de bus had ze het gevoel dat ze danste. Het enige waaraan ze kon denken waren de prestaties die ze had geleverd en het gevoel van het vliegtuig... en de blik in Nicks ogen daarna. Hij was trots op haar en ze had zich nooit van haar leven beter gevoeld.

Toen ze in de bus stapte, liet ze de buschauffeur een brede grijns zien en vergat bijna haar vijftien cent te betalen. Toen ze thuiskwam was het te laat om nog naar het vliegveld te gaan. Ze ging naar huis om haar moeder te helpen en ineens leek dat helpen niet meer zo erg. Ze had haar ziel kunnen voeden en elke prijs die ze daarvoor moest betalen leek haar de moeite waard.

Tijdens het eten die avond was ze nogal stil, maar niemand scheen het te merken. Iedereen had wel iets te vertellen. Chris was enthousiast over zijn werk bij de krant, haar vader had een nieuw postcontract van de overheid binnengehaald en hun moeder wilde vertellen over Colleens baby, die die nacht eindelijk gekomen was. Alleen Cassie was ongewoon stil. Ze had het grootste nieuws van allemaal, maar kon het niet vertellen.

Na het eten kwam Bobby langs, zoals gewoonlijk, en ze zaten een tijdje te praten, maar Cassie leek hem niet veel te vertellen te hebben. Ze werd in beslag genomen door haar eigen gedachten, en het enige wat ze echt tegen hem zei was dat ze nauwelijks kon wachten op de vlieg-

show. Die zou dat jaar meteen na Onafhankelijkheidsdag worden gehouden. Bobby was er nog nooit heen geweest, maar hij dacht erover
deze keer wel te gaan en dan kon Cassie hem alles vertellen over de
vliegtuigen. Maar ze vond het idee om met een nieuweling te gaan en
alles te moeten uitleggen niet zo aantrekkelijk. Ze zou veel liever met
Nick gaan en naar hem luisteren, maar het kwam op dat moment niet
in haar op dat de veranderingen al begonnen waren. Die middag was
ze begonnen aan een lange, lange, interessante, maar eenzame reis.

5

De lessen gingen in juli door, in totale geheimhouding, maar de vliegshow en Cassies enthousiasme daarover waren geen geheim. Ze gingen er met zijn allen naartoe: haar hele familie, Nick, een paar van
de piloten en Bobby en zijn jongere zusje. Ze waren er allemaal opgewonden van, maar voor Cassie was niets zo belangrijk als haar lessen met Nick, zelfs de vliegshow van Blandinsville niet. Tegen het eind
van de maand juli had ze een bijzonder indrukwekkende *dead stick*-
landing onder controle. Ook had ze *barrel rolls*, splits en klaverblaadjes
geleerd, en zelfs nog wat ingewikkelder manoeuvres.
Cassie was de droom van iedere vlieginstructeur, een menselijke spons
die alles wilde leren wat ze maar kon, met de handen en geest van een
engel. Ze kon nu bijna alles vliegen en in augustus begon Nick de Bellanca te gebruiken in plaats van de Jenny omdat die moeilijker te vliegen was en hij haar die uitdaging gunde.
Bovendien had dat vliegtuig de snelheid die hij nodig had om haar
een paar ingewikkelder stunts en figuren te laten zien. Pat had nog
steeds geen enkel vermoeden en ondanks de lange busritten en de lange wandeling vonden hun vlieglessen regelmatig en probleemloos door-
gang.
In augustus waren zowel Nick als Cassie bijzonder geschokt toen een
van de piloten die voor haar vader vloog verongelukte doordat zijn
motor het opgaf tijdens een vlucht uit Nebraska. Ze gingen allemaal
naar de begrafenis en Cassie was nog steeds terneergeslagen toen ze
de volgende les van Nick kreeg. Haar vader had een goede vriend verloren en een van zijn twee D.H.4's. Op O'Malley's Airport was iedereen in een sombere stemming.
'Vergeet nooit dat die dingen gebeuren, Cass,' zei Nick rustig tegen
haar, terwijl ze op de laatste dag van augustus onder hun favoriete
boom hun lunch zaten te eten. Ze had een geweldige zomer gehad en
had zich nog nooit zo dicht bij hem gevoeld. Hij was haar dierbaarste vriend, haar enige echte vriend nu, en haar mentor. 'Het kan ons
allemaal overkomen. Een slechte motor, slecht weer, pech... Het is een

risico dat we allemaal nemen. Je moet er rekening mee houden.'
'Dat doe ik ook,' zei ze verdrietig. Ze dacht aan de mooiste zomer van haar leven, die nu bijna voorbij was. 'Maar ik denk dat ik liever op die manier doodga dan op welke andere manier dan ook. Vliegen is het enige dat ik wil, Nick,' zei ze vastbesloten, maar hij wist dat nu wel. Ze hoefde hem niet meer te overtuigen. Hij was enthousiast over haar vaardigheden, over haar aangeboren talent, over haar buitengewone leervermogen en over haar oprechte passie voor vliegen. Hij was enthousiast over een heleboel dingen aan haar.

'Dat weet ik, Cass.' Hij keek haar lang en doordringend aan. Ze was de enige persoon bij wie hij zich in jaren echt op zijn gemak voelde, behalve dan Pat en de mannen met wie hij vloog. Ze was de enige vrouw die zijn ideeën en dromen leek te delen. Hij had gewoon de pech dat ze nog zo jong was en de dochter van zijn beste vriend. Hij kon niet hopen dat ze ooit meer zou zijn dan dat. Maar hij genoot van haar gezelschap en van zijn gesprekken met haar en het had veel voor hem betekend dat hij haar had leren vliegen. 'Wat wil je met de lessen als je weer naar school gaat?' vroeg hij toen ze klaar waren met eten. De volgende dag zou ze aan haar laatste jaar op de middelbare school beginnen. Het was moeilijk te geloven dat ze al bijna volwassen was. Ze was voor hem altijd een klein meisje geweest, hoewel hij haar nu beter had leren kennen. In vele opzichten was ze volwassener dan de meeste mannen die hij kende, en daarbij was ze bijzonder vrouwelijk. Maar ook het kind in haar was niet verdwenen. Ze haalde graag grappen uit, lachte gemakkelijk en hield ervan om hem te plagen en met hem te spelen. In sommige opzichten was ze niet anders dan toen ze een kind was.

'Wat denk je van de zaterdagen?' zei ze nadenkend. 'Of de zondagen?' Het betekende dat ze minder vaak samen zouden vliegen, maar het was in elk geval iets. Ze waren allebei gaan rekenen op die lange, rustige uren samen, haar onwrikbare geloof in hem, haar vertrouwen in alles wat hij haar vertelde, en voor hem het plezier waarmee hij haar de wonderen van het vliegen leerde. Het was een gift die ze deelden en voor elkaar versterkten.

'Ik zou op zaterdag kunnen,' zei hij zakelijk, en zijn toon vertelde haar niet dat niets hem zou kunnen weerhouden. Ze was zijn sterleerling nu, maar meer dan dat waren ze vrienden, en partners in een geliefde samenzwering die hun allebei dierbaar was. Ze zouden het geen van beiden gemakkelijk kunnen opgeven en waren het ook niet van plan.

'Ik heb alleen moeite met die drie kilometer lopen als het weer eenmaal slechter wordt.' Hij maakte zich wel eens zorgen over die afstand die ze alleen liep, hoewel zijn bezorgdheid haar geïrriteerd zou hebben. Ze had een onafhankelijke geest en was ervan overtuigd dat ze alles aankon. Maar de gedachte aan haar eenzame wandeling over die landweg maakte hem wel eens wat nerveus.

'Misschien wil papa me zijn truck wel lenen... of Bobby...' Nick knikte, maar de gedachte aan Bobby zat hem ook dwars, terwijl hij wist dat dat niet zou moeten. Hij had geen enkel recht om bezwaar te hebben tegen haar vrienden, maar Bobby leek gewoon niet goed voor haar. Hij was zo saai en zo aards.

'Ja, misschien,' zei hij vaag, zichzelf eraan herinnerend dat hij twee keer zo oud was als zij en Bobby niet.

'Ik vind wel een oplossing,' zei ze met een onbezorgde glimlach, en het was moeilijk niet verblind te worden door haar schoonheid.

Ze vroegen zich allebei wel eens af hoe ze door konden gaan met hun lessen op het verlaten vliegveldje. Tot nu toe was alles goed verlopen, maar ze wisten dat het in de winter moeilijker zou worden. Om te beginnen zou het weer al een groot probleem zijn.

Verrassend genoeg bleek het uitstekend te gaan en zagen ze elkaar elke zaterdag. Ze had haar vader verteld dat ze een afspraak had met een vriendin van school om samen hun huiswerk te maken en hij liet haar elke zaterdagmiddag de truck gebruiken. Niemand leek erop te letten en ze was altijd op tijd terug, met haar armen vol boeken en schriften en altijd in een geweldig humeur.

Ze had haar bekwaamheid in het vliegen inmiddels nog verder ontwikkeld en Nick was terecht trots op haar. Hij zei regelmatig dat hij er alles voor over had om haar in een vliegshow te zien. Chris bereidde zich intussen al voor op de volgende. Hij was nauwkeurig en betrouwbaar, maar er was niets spannends aan en hij miste de instinctieve, aangeboren vaardigheden van zijn zuster. Ze wisten allebei dat Chris helemaal niet zou vliegen als Pat hem niet onder druk zou zetten. Hij had Nick meer dan eens verteld dat hij er niet echt plezier in had.

Toen het weer kouder werd, gebruikten Cassie en Nick hun lunch in de truck, en soms, als het helder weer was, maakten ze een wandeling in de buurt van het vliegveldje.

In september praatten ze over Louise Thaden, die als eerste vrouw mee zou doen aan de Bendix Trophy-wedstrijd, en in oktober over

Jean Batten, die als eerste vrouw van Engeland naar Nieuw-Zeeland zou vliegen. Ze spraken over allerlei onderwerpen. Ze zaten op omgevallen boomstammen en praatten soms uren achter elkaar, en naarmate de maanden voorbijgingen, kwamen ze steeds dichter bij elkaar. Ze leken het overal over eens te zijn, hoewel zij zijn politieke standpunten wat conservatief vond en hij vond dat ze te jong was om met jongens uit te gaan en dat ook zei. Ze maakte grapjes over hem en hij genoot van haar openheid, en ze vertelde hem dat het laatste meisje met wie ze hem gezien had de lelijkste vrouw was die ze ooit voor ogen had gehad, en hij zei tegen haar dat Bobby Strong de saaiste jongen was die hij ooit had ontmoet. Als hij al serieus was, had Cassie dat niet door. Ze vonden het gewoon heerlijk om te vliegen en te praten en hun ideeën over het leven uit te wisselen. Alles leek in harmonie te zijn, hun interesses, hun zorgen, hun gedeelde passie voor alle dingen die vlogen en zelfs hun bijna identieke gevoel voor humor. Het was altijd een beetje wrang als ze elkaar aan het eind van de zaterdagmiddag moesten verlaten omdat ze wisten dat het een week zou duren voor ze elkaar weer op deze manier zouden ontmoeten. En soms ging het helemaal niet door doordat hij een lange vrachtvlucht had en niet op tijd terug kon zijn, hoewel dat zelden voorkwam omdat hij zijn vliegschema nu afstemde op hun lessen.

Thanksgiving bracht hij bij het gezin door, zoals hij altijd deed, en Cassie was hem ongenadig aan het plagen. Ze hadden altijd veel met elkaar gelachen, maar hun omgang leek nu wat scherper en intiemer dan deze voor de lessen was geweest. Pat zei tegen hen dat ze een ongemanierd stel waren, maar Oona vroeg zich af of er ook iets anders aan de hand was. Het was moeilijk te geloven na al die jaren, maar ze leken een nauwere band te hebben dan ooit, maar toen Oona er tegen Colleen over begon, lachte die alleen maar en zei dat Cassie gewoon plezier had, dat Nick voor haar gewoon een grote broer was. Oona voelde het echter goed aan. De tijd die ze samen hadden doorgebracht, de dingen die Cassie had geleerd en de eindeloze gesprekken die ze de laatste zes maanden onder de boom bij de landingsbaan hadden gevoerd, hadden hen onvermijdelijk dichter bij elkaar gebracht. Nick lag op de bank te klagen dat hij doodging doordat hij veel te veel lekker eten naar binnen had gewerkt en Cassie zat naast hem, plaagde hem en herinnerde hem eraan dat vraatzucht een zonde was en dat hij te biecht zou moeten gaan. Ze wist dat hij er een hekel aan had om naar de kerk te gaan, en hij deed alsof hij haar negeerde, maar glimlachte tegelijkertijd waarderend naar haar toen Bobby bij de deur verscheen en binnen kwam lopen terwijl hij de eerste sneeuw van zijn hoed en schouders veegde. Hij was een lange, knappe jongen en Nick voelde zich duizend jaar ouder toen hij naar hem keek.

'Het is ijskoud buiten,' klaagde Bobby, en glimlachte toen warm tegen iedereen, maar wat voorzichtig naar Nick. Er was iets aan hem waardoor Bobby zich niet op zijn gemak voelde, maar hij wist niet precies wat het was. Misschien was het alleen maar dat hij zo vertrouwelijk met Cassie omging. 'Heeft iedereen genoeg gegeten?' vroeg hij aan het hele gezelschap, trots op het feit dat hij hen een kalkoen van vijfentwintig pond had laten bezorgen. En als antwoord kreunde iedereen. Ze hadden hem voor het eten uitgenodigd, maar hij was liever bij zijn ouders en zusje gebleven.

Hij nodigde Cassie uit om een wandeling te maken, maar ze weigerde en bleef luisteren naar het pianospel van haar moeder. Glynnis zong en Megan en haar man sloten zich daarbij aan. Megan had net verteld dat ze weer een baby zou krijgen. Cassie was blij voor haar, maar het was het soort nieuws dat haar altijd het gevoel gaf dat ze vreemd en anders was. Ze zag zichzelf gewoon niet trouwen en kinderen krijgen. Nog lang niet in elk geval. Het was voorlopig niet wat zij met haar leven wilde doen, als ze het al ooit zou willen. Maar wat wilde ze dan wel met haar leven, vroeg ze zich af. Ze wist dat ze ook nooit een Amelia Earhart zou worden of een Bobbi Trout of Amy Mollison. Dat waren sterren en ze wist dat zij dat nooit zou worden. Er leek geen tussenvorm te zijn. Ofwel je deed wat haar zusters hadden gedaan, meteen na school trouwen, kinderen krijgen en tevreden zijn met een saai leven, of je ging ervandoor en werd een soort superster. Maar ze had geen geld om vliegtuigen te kopen of aan wedstrijden mee te doen en records te vestigen. Zelfs als haar vader haar zou willen steunen, had ze nog te maken met het feit dat zijn vliegtuigen oud en nuttig waren, maar bepaald niet wat je nodig had om wereldberoemd te worden.

De laatste tijd had ze meer dan gewoonlijk met Nick gepraat over wat ze met haar leven zou gaan doen. Over zes maanden zou ze van school komen, en wat dan? Ze wisten allebei dat er op het vliegveld geen baan op haar wachtte en dat die er ook nooit zou zijn. Ze had ook met een van haar leraren gepraat en begon wel een idee te krijgen over wat ze wilde gaan doen. Als ze niet professioneel kon gaan vliegen, en voorlopig zag het daar absoluut niet naar uit, zou ze in elk geval naar de universiteit kunnen gaan. Ze dacht over een lerarenopleiding en was er tot haar grote vreugde achter gekomen dat er verschillende lerarenopleidingen waren die zowel technische als luchtvaartvakken omvatten. Dit gold vooral voor Bradley College in Peoria. Ze wilde zich aanmelden voor de herfst, en als ze een beurs zou krijgen, wat volgens haar leraren mogelijk moest zijn, wilde ze als hoofdvak techniek en als bijvak luchtvaartkunde studeren. Dat was zo dicht bij vliegen als ze voorlopig kon komen. Als ze haar brood niet kon verdienen met vliegen, zoals een man dat kon, kon ze in elk geval les gaan geven daarover. Ze had het er nog niet met haar ouders over gehad, maar het leek haar een goed plan. Nick was wel op de hoogte, maar haar geheimen waren bij hem altijd veilig. Toen hij opstond om weg te gaan, keek hij even met een warme blik naar haar, maar met een afkeurende blik naar Bobby, die aan het vertellen was over de pompoentaart van zijn moeder, die een prijs had gewonnen. Op de een of andere manier wist Bobby Strong hem altijd tegen de haren in te strijken.

Nick gaf Cassie een kus op haar wang en vertrok. Bobby kon zich eindelijk een beetje ontspannen toen Nick weg was. De oudere man maakte hem altijd nerveus. Maar toen Nick weg was leek Cassie er met haar hoofd niet bij te zijn. Ze zag eruit alsof ze veel had om over na te denken en scheepte Bobby af toen hij over het beëindigen van hun schooltijd begon. Ze had geen zin om daar nu over te praten. Iedereen had concrete plannen, behalve zij. Ze had niets anders dan hoop, dromen en geheimen.

Het was laat toen Bobby eindelijk naar huis ging, en toen hij weg was begon Chris haar te plagen en vroeg haar wanneer ze haar bruiloft konden verwachten. Cassie trok alleen maar een gezicht en maakte een gebaar alsof ze hem wilde slaan.

'Bemoei je met je eigen zaken,' snauwde ze, en haar vader moest om hen lachen.

'Ik denk dat Chris gelijk heeft, Cassie. Hij komt nu al twee jaar bijna elke avond langs. Dat moet toch iets betekenen. Het verbaast me dat hij je nog niet gevraagd heeft.' Maar Cassie was opgelucht dat hij dat nog niet had gedaan. Ze wist niet wat ze tegen hem zou moeten zeggen. Ze wist wat iedereen verwachtte dat ze zou zeggen, maar dat paste niet bij haar plannen, die nu ook de universiteit omvatten. Misschien daarna, als hij lang genoeg wilde wachten. Maar nog vier jaar wachten, leek wel veel gevraagd. Gelukkig hoefde ze zich daar op dit moment nog geen zorgen over te maken.

De volgende drie zaterdagmiddagen vlogen Cassie en Nick heel wat af, ondanks het af en toe gevaarlijke weer. Twee dagen voor Kerstmis vlogen ze in de Bellanca en hadden binnen enkele minuten ijs op de vleugels. Terwijl ze de stuurknuppel vasthield, had Cassie het gevoel dat haar vingers in haar handschoenen zouden bevriezen, en plotseling hoorde ze hoe de motor haperde en voelde hoe hij ermee ophield, terwijl het vliegtuig naar beneden dook. Alles gebeurde zo ongelooflijk snel.

Nick bestuurde het vliegtuig, maar het was duidelijk dat hij ermee worstelde en ze hielp hem via de dubbele besturing. Ze wisten het vliegtuig uit de duikvlucht te halen, wat geen geringe prestatie was, maar toen hield de propeller ermee op, en ze wist meteen wat dat betekende. Ze zouden een noodlanding moeten maken. De wind loeide in hun oren en hoewel er geen enkele manier was waarop hij iets tegen haar kon zeggen, wist ze instinctief wat hij zou gaan doen. Ze kon niet anders doen dan hem helpen, maar plotseling realiseerde ze zich dat ze veel te snel daalden. Ze draaide zich om en gebaarde naar hem, en even wilde hij tegen haar ingaan, maar toen knikte hij en besloot op haar oordeel te vertrouwen. Hij trok zo goed mogelijk op, maar de grond kwam nog steeds te snel op hen af. Heel even was ze ervan overtuigd dat ze te pletter zouden slaan, maar op het laatste moment streken ze rakelings over de toppen van de bomen en wisten hun val te breken. Ze maakten een harde landing, maar waren niet gewond en het enige dat beschadigd was geraakt was een wiel. Ze hadden ontzettend veel geluk gehad, en dat wisten ze terwijl ze daar zaten te beven en zich realiseerden hoe dicht ze bij de dood waren geweest.

Cassie trilde nog steeds toen ze uit het vliegtuig stapten, maar het was niet zozeer van de kou als wel van de schrik. Nick keek naar haar en trok haar, terwijl er een golf van opluchting door hem heen ging, stevig in zijn armen. Een paar minuten lang was hij ervan overtuigd geweest dat hij het niet zou redden en haar de dood zou injagen. 'Het spijt me zo, Cass. We hadden in dit weer nooit moeten gaan. Het is een mooie les voor jou. Vlieg nooit met een ouwe gek die denkt dat hij het beter weet dan het weer. En dank je wel voor het teken dat je gaf toen we omlaaggingen.' Haar griezelige gevoel voor hoogte en snelheid had hen gered. 'Ik zal je dit nooit meer aandoen, dat zweer ik.' Hij stond ook nog te beven terwijl hij haar vasthield. Hij kon moeilijk ontkennen wat ze voor hem betekende, terwijl hij op haar neer-

71

keek en zijn hart voelde bonzen. Het enige waar hij aan gedacht had was haar leven redden, niet dat van hem. Hij had zijn leven zo voor haar willen geven.

En toen, terwijl hij nog steeds zijn armen om haar heen geslagen had, keek ze naar hem op en grijnsde. 'Het was leuk,' giechelde ze, en hij wilde haar wurgen terwijl hij haar vasthield.

'Jij bent gek. Herinner me eraan dat ik nooit meer met jou moet gaan vliegen!' Maar ze was een gek die alles voor hem betekende. Langzaam liet hij haar los.

'Misschien moet ik jou maar een paar lessen geven,' zei ze plagend. Maar in plaats daarvan hielp ze hem de Bellanca aan een boom te binden en een paar stenen onder de wielen te leggen en gaf ze hem een lift terug naar het vliegveld van haar vader. Niemand leek zich iets af te vragen toen ze samen arriveerden, en hij zei tegen haar dat ze naar huis moest gaan om warm te worden. Hij was bang dat ze ziek zou worden van de bittere kou. Hij liep naar binnen om een stevige teug te nemen van Pats voorraad Ierse whiskey. Hij was nog steeds niet over de schrik heen dat ze die middag bijna de dood hadden gevonden.

'Wat heb jij vanmiddag gedaan?' vroeg haar vader toen ze thuiskwam. Hij had net een kerstboom opgehaald, en haar neefjes en nichtjes zouden komen om de boom te helpen optuigen en daarna blijven eten.

'Niets bijzonders,' zei ze. Ze probeerde er gewoon uit te zien, maar bij het verslepen van het vliegtuig waren haar handschoenen gescheurd en er zat olie op haar handen.

'Ben je op het vliegveld geweest?'

'Ja, heel even.' Ze vroeg zich ineens af of hij het door begon te krijgen, maar hij knikte alleen en begon met hulp van haar broer de kerstboom in de hoek te installeren. Hij leek in een goed humeur te zijn en niet geneigd Cassie verder te ondervragen.

Ze nam een warm bad en dacht na over hun benauwde ontsnapping. Ze was bang geweest, maar het vreemde was dat ze het gevoel had dat ze het niet erg zou vinden als ze in een vliegtuig zou sterven. Dat was waar ze wilde zijn en het leek een betere plaats om dood te gaan dan elke andere. Ondanks dat was ze wel heel blij dat het goed was afgelopen.

En dat gold ook voor Nick. Hij was nog steeds ontdaan door wat er gebeurd was. En om tien uur die avond zat hij stomdronken in zijn woonkamer en vroeg zich af of Pat het overleefd zou hebben als zijn oudste vriend zijn dochter had gedood. Hij vroeg zich plotseling af of hij nog wel met haar moest gaan vliegen, maar hij wist dat hij er niet mee kon stoppen. Hij moest gewoon doorgaan, en niet alleen voor haar. Het was bijna alsof hij niet meer buiten haar kon, niet meer buiten haar geestigheid en humor, niet meer buiten haar wijsheid en haar grote ogen en de ongelooflijke manier waarop ze er altijd uitzag wanneer hij haar weer zag. Hij hield van de manier waarop ze vloog, de manier waarop ze de dingen aanvoelde en de manier waarop ze werkte om datgene wat ze niet aanvoelde te leren. Het probleem was, en dat had hij zich die middag gerealiseerd, dat er te veel dingen aan haar waren waarvan hij hield.

De kerstboom van de O'Malley's was prachtig. De kinderen hadden hem zo goed mogelijk versierd, met hulp van hun ooms en tantes en grootouders. Ze hadden slingers van popcorn en veenbessen geregen en alle zelfgemaakte kerstversieringen opgehangen. Oona maakte elk jaar een paar nieuwe, en de ster van dit jaar was een grote zijden engel die boven in de kerstboom had gehangen. Cassie zat er bewonderend naar te kijken toen Bobby arriveerde met een hele lading zelfgemaakte gemberkoekjes en cider.

Haar moeder schonk overdreven aandacht aan hem en kort daarna vertrokken haar zusters om hun kinderen in bed te stoppen. Pat en Chris gingen naar buiten om meer brandhout op te halen en plotseling was Cassie alleen met hem in de keuken.

'Het was aardig van je om de gemberkoekjes en de cider mee te brengen,' zei ze met een glimlach.

'Toen je klein was, was je volgens je moeder gek op gemberkoekjes,' zei hij verlegen. Zijn blonde haar glansde en zijn ogen stonden bijna als die van een kind, maar tegelijkertijd was hij zo lang en ernstig dat hij ook iets mannelijks had. Hij was nog maar net achttien, maar je kon al nagaan hoe hij eruit zou zien als hij vijfentwintig of dertig was. Zijn vader was vijfenveertig en nog steeds een knappe man en zijn moeder was nog steeds aantrekkelijk. Bobby was een leuke jongen en precies het type waar haar ouders haar graag mee getrouwd zouden zien. Hij had een goede toekomst en een goede moraal, kwam uit een fatsoenlijke familie en was zelfs katholiek.

Cassie glimlachte toen ze aan de gemberkoekjes dacht. 'Ik had er zoveel van gegeten dat ik twee dagen ziek was en niet naar school kon. Ik dacht dat ik doodging... maar dat viel mee.' Maar die middag was het bijna gebeurd... Ze was bijna doodgegaan terwijl ze in een vliegtuig zat met Nick, en nu stond ze hier met Bobby over koekjes te praten. Het leven zat raar in elkaar, het kon absurd en nietszeggend zijn en dan ineens vol van spanning.

'Ik... eh...' Hij keek haar onhandig aan. Hij wist niet wat hij moest zeggen en vroeg zich af of dit een goed idee was. Hij had het eerst met zijn vader besproken en Tom Strong had gezegd dat hij het moest doen. Maar het was een stuk moeilijker dan Bobby had gedacht, vooral nu hij Cassie aankeek. Ze zag er zo mooi uit zoals ze daar stond, in een donkere broek en een grote lichtblauwe trui en met haar vuurrode haar dat zijdeachtig om haar gezicht viel. 'Cass... Ik weet niet goed hoe ik dit moet zeggen, maar... ik... eh...' Hij liep naar haar toe en pakte haar hand in de zijne. Ze hoorden hoe haar vader en broer bezig waren in de woonkamer, maar ze lieten de twee jonge mensen alleen in de keuken. 'Ik... eh... ik hou van je, Cass,' zei hij, en plotseling klonk hij ouder en sterker dan hij was. 'Ik hou heel veel van je... en als we in juni van school zijn gekomen wil ik graag met je trouwen.' Zo, hij had het gezegd. Hij zag eruit alsof hij heel trots was op zichzelf, terwijl Cassie hem aan stond te kijken met een gezicht dat nog nooit zo bleek was geweest en blauwe ogen die wijd opengesperd waren van schrik. Haar grootste angst was uitgekomen en nu moest ze ermee omgaan.

'Ik... eh... Dank je,' zei ze onhandig. Ze wenste dat ze die middag te pletter was geslagen, dat zou een stuk gemakkelijker zijn geweest.

'Nou?' Hij keek haar hoopvol aan met de wens dat ze hem het verwachte antwoord zou geven. 'Wat vind je ervan?' Hij was zo trots op zichzelf dat hij het had kunnen uitschreeuwen, maar zijn enthousiasme was niet aanstekelijk. Het enige dat Cassie voelde was wanhoop en ontzetting.

'Ik vind je geweldig.' Er verscheen onmiddellijk een verrukte uitdrukking op zijn gezicht. 'En ik vind het vreselijk aardig dat je me vraagt. Ik... eh... Ik weet alleen nog niet wat ik in juni ga doen.' Het ging niet om juni, maar om trouwen, en dat wist ze. 'Ik... Bobby, ik wil naar de universiteit.' Ze zei het terwijl ze uitademde, als de dood dat iemand anders het zou horen.

'Is dat zo? Waarom?' Er lag een verbaasde uitdrukking op zijn gezicht. Geen van haar zusters had dat gedaan, en haar moeder had het niet gedaan en zelfs haar vader niet. Zijn vraag was redelijk en ze wist niet eens zeker of ze een antwoord had. Omdat ik niet professioneel kan gaan vliegen, leek nauwelijks het juiste antwoord. En meteen na school trouwen had haar nooit een aantrekkelijke mogelijkheid geleken.

'Ik denk gewoon dat ik dat moet doen. Ik heb er een paar weken geleden met mevrouw Wilcox over gepraat en zij vindt echt dat ik het moet doen. Als ik zou willen, zou ik daarna les kunnen geven.' En dan zou ik niet meteen hoeven te trouwen en baby's krijgen.

'Is dat wat je wilt gaan doen?' Hij leek verbaasd. Hij had er nooit aan gedacht dat ze zou willen studeren en het veranderde zijn plannen met haar wel een beetje, maar ze kon ook naar de universiteit gaan terwijl ze getrouwd was. Hij kende mensen die dat gedaan hadden. 'Wil je lerares worden?'

'Dat weet ik niet precies. Ik wil alleen niet meteen na school trouwen en kinderen krijgen en verder nooit meer iets met mijn leven doen. Ik wil meer dan dat.' Ze probeerde het aan hem uit te leggen, maar het was veel gemakkelijker om het aan Nick uit te leggen. Hij was zoveel ouder en wijzer dan Bobby.

'Je zou me in de zaak kunnen helpen. Er is genoeg te doen in de winkel. En mijn vader zegt dat hij over een paar jaar met pensioen wil gaan.' En ineens kreeg hij een idee, een briljant idee. 'Je zou boekhouden kunnen leren en dan de boeken bijhouden. Hoe lijkt je dat, Cass?'

Ze vond hem een aardige jongen, maar ze had geen zin om zijn boekhouding te doen. 'Ik wil techniek studeren,' zei ze, en toen leek hij nog meer in verwarring te raken. Ze zat beslist vol verrassingen, maar dat was altijd al zo geweest. Ze had hem in elk geval niet verteld dat ze een tweede Amelia Earhart wilde worden. Ze had geen woord over vliegen gezegd, alleen maar over school en nu over een technische opleiding. Maar dat was ook een beetje raar. Hij wist niet goed wat hij zijn vader zou moeten vertellen.

'Wat wil je doen met een technische opleiding, Cass?' Hij klonk verbaasd en dat was te begrijpen.

'Dat weet ik nog niet.'

'Het klinkt alsof je wat dingen hebt om over na te denken.' Hij ging aan de keukentafel zitten en trok haar op de stoel naast hem. Hij hield haar hand vast en probeerde haar enthousiast te maken over hun toekomst. 'We zouden kunnen trouwen en dan kun je evengoed verder studeren.'

'Ja, tot ik zwanger word. En hoe lang zal dat duren?' Hij kreeg een kleur door haar directheid en het was duidelijk dat hij dit verder niet met haar wilde bespreken. 'Waarschijnlijk haal ik het eerste jaar niet eens en daarna krijg ik een leven als dat van Colleen. Ze praat altijd over verder studeren, maar ze heeft het te druk met het krijgen van kinderen.'

'We hoeven er niet zoveel te krijgen als zij. Mijn ouders hebben er maar twee gekregen.' Hij klonk nog steeds hoopvol.

'Dat zijn er twee meer dan ik voorlopig wil, Bobby. Ik kan het gewoon niet... niet nu... nog niet. Het zou niet eerlijk zijn tegenover jou. Ik zou altijd denken aan wat ik gemist had en aan wat ik had willen doen. Dat kan ik ons allebei niet aandoen.'

'Heeft vliegen hier ook iets mee te maken?' vroeg hij wantrouwig, maar ze schudde haar hoofd. Ze kon hem absoluut niet vertellen wat ze de laatste tijd had gedaan. En dat was ook een probleem. Ze moest er niet aan denken getrouwd te zijn met een man die ze niet in vertrouwen kon nemen. Nick en zij waren alleen maar vrienden, maar er was niets dat ze hem niet kon vertellen.

'Ik ben er gewoon niet klaar voor.' Ze was eerlijk tegen hem.

'Wanneer wel?' vroeg hij haar bedroefd. Het was een teleurstelling voor hem en hij wist dat ook zijn ouders teleurgesteld zouden zijn. Zijn vader had hem al aangeboden een ring met hem te gaan uitkiezen en die ook te betalen. Maar er zou geen ring hoeven komen.

'Dat weet ik niet, maar het zal nog wel een tijdje duren.'

'Denk je dat je met mij zou willen trouwen als je al naar de universiteit was geweest?' vroeg hij haar ineens heel direct, en ze schrok van de vraag.

'Waarschijnlijk wel.' Ze zou geen excuus hebben om het niet te doen. Bovendien mocht ze hem graag en had ze geen excuus nodig. Ze wilde gewoon niet trouwen. Nog niet, en waarschijnlijk nog een hele tijd niet, maar Bobby zag er ineens hoopvol uit.

'Dan zal ik wachten.'

'Dat is belachelijk.' Ze schaamde zich ineens dat ze hem had aangemoedigd. Hoe kon ze nou weten hoe ze zich over een jaar of vier zou voelen.

'Luister, ik ben verliefd op je. Het is nou niet bepaald zo dat ik voor juni een postorderbruid wil bestellen. Als ik moet wachten, dan doe ik dat. Maar ik wil liever niet die hele vier jaar wachten dat jij naar de universiteit gaat. Misschien kunnen we een compromis sluiten op een jaar of twee. Dan kun jij je opleiding afmaken wanneer we getrouwd zijn. Denk er in elk geval over na. Het hoeft niet zo vreselijk te zijn. En,' zei hij hevig blozend en bijna stikkend in zijn woorden, 'we hoeven niet meteen een kind te krijgen. Er zijn dingen om dat te voorkomen.' Ze was zo ontroerd door wat hij gezegd had en door de ruimhartigheid van zijn gevoelens, dat ze haar armen om hem heen sloeg en hem een kus gaf.

'Dank je... Omdat je redelijk bent...'

'Ik hou van je,' zei hij oprecht. Hij bloosde nog door de dingen die hij net tegen haar had gezegd. Het was het moeilijkste dat hij ooit had meegemaakt: haar ten huwelijk vragen en afgewezen worden.

'Ik hou ook van jou,' fluisterde ze, overweldigd door een maalstroom van gevoelens waar schuld en tederheid deel van uitmaakten.

'Dat is alles wat ik wilde weten,' zei hij rustig. Lange tijd zaten ze nog in de keuken en praatten over andere dingen. En toen hij wegging, kuste hij haar op de veranda, met het gevoel dat ze tot overeenstemming waren gekomen. Wat hem betreft zou later een beslissing worden genomen, en het enige wat hij nu nog moest doen was haar ervan overtuigen dat eerder beter was dan later. In het vuur van het moment leek dat hem niet zo'n moeilijke taak.

6

De klas van 1937 liep langzaam door het middenpad van de aula van de Thomas Jefferson School, de jongens en meisjes hand in hand, twee aan twee, waarbij de meisjes een boeket margrieten droegen. De meisjes zagen er zo mooi en keurig uit en de jongens zo jong en hoopvol. Toen Pat naar ze keek, werd hij herinnerd aan de jongens die in de oorlog onder hem hadden gevlogen. Ze waren van dezelfde leeftijd geweest en vele van hen waren omgekomen, en voor hem hadden ze er allemaal uitgezien als kinderen.

De hele klas zong voor de laatste keer het schoollied en alle meisjes huilden, net als hun moeders. Zelfs de vaders hadden tranen in hun ogen toen de diploma's werden uitgereikt, en toen, ineens, was de plechtigheid voorbij en was het een lawaai van jewelste. Driehonderd jonge mensen hadden hun diploma gehaald en zouden aan een ander leven beginnen, de meesten zouden gaan trouwen en kinderen krijgen. Van een jaar van driehonderdveertien leerlingen gingen er slechts eenenveertig naar de universiteit. Die eenenveertig zouden op één na allemaal naar de staatsuniversiteit in Macomb gaan en slechts drie van hen waren vrouwen. En natuurlijk was die ene Cassie, de enige die helemaal naar Peoria ging om naar Bradley te gaan. Het zou elke dag een lange rit worden, een uur heen en een uur terug in haar vaders oude truck, maar ze was ervan overtuigd dat het de moeite waard was, alleen om de luchtvaartcolleges te volgen en wat techniek te doen.

Cassie had er hard voor moeten vechten. Haar vader vond dat het tijdverspilling was en dat ze veel beter met Bobby Strong kon trouwen. Hij was razend geweest toen hij hoorde dat ze niet op zijn aanzoek was ingegaan en was alleen wat rustiger geworden toen Oona hem kalm had gezegd dat ze ervan overtuigd was dat ze wel zouden gaan trouwen als hij haar maar niet onder druk zou zetten. Cassie had gewoon nog wat tijd nodig. Oona had het voor haar opgenomen en Pat zover gekregen dat ze naar de universiteit mocht. Het zou in elk geval niet slecht voor haar zijn en ze had erin toegestemd Engels als hoofdvak te nemen en niet techniek. Als ze klaar was zou ze een les-

78

bevoegdheid hebben, maar ze had zich ook opgegeven voor een bij-vak in luchtvaartkunde. Er was nog nooit een vrouw geweest die zich voor dat vak had opgegeven en ze had te horen gekregen dat ze moest afwachten of de docent vond dat ze geschikt was. Maar zodra ze in september zou beginnen zou ze een gesprek met hem hebben.

Na de uitreiking van de diploma's was er een receptie op haar school geweest en natuurlijk was Cassie al met Bobby naar het afscheidsfeest geweest. De afgelopen zes maanden leek hij zijn lot geaccepteerd te hebben, maar op de avond van de diploma-uitreiking begon hij er weer over voor het geval ze van gedachten veranderd zou zijn en zou twij-felen aan het idee naar de universiteit te gaan.

'Nee, ik wil dat nog steeds doen,' had ze met een zachte glimlach ge-zegd. Hij was zo trouw en zo ernstig dat ze zich soms schuldig voel-de. Maar ze had zich op andere dingen gericht en die wilde ze nu niet uit het oog verliezen, hoe lief en vriendelijk hij ook was, hoe schuldig ze zich ook voelde en hoe graag haar vader hem ook mocht.

Hij ging die avond vroeg weg omdat zijn grootmoeder in de stad was en hij naar huis moest om haar te bezoeken. Nadat Bobby weg was gegaan, was Pat kwaad geworden op Cassie. Ze was nog steeds ge-kleed in de witte jurk die ze onder haar zwarte toga had gedragen en zag er prachtig uit.

'Als je die jongen door je vingers laat glippen, ben je een ontzettende domkop, Cassie O'Malley.'

'Dat gebeurt niet, papa.' Ze wist niet wat ze anders tegen hem moest zeggen. Het klonk nogal verwaand, maar ze kon moeilijk zeggen dat het haar niets kon schelen want dan zou hij helemaal furieus zijn ge-worden. En de waarheid was dat het haar wel iets kon schelen. Er wa-ren momenten waarop ze echt dacht dat ze van hem hield, vooral wan-neer hij haar kuste.

'Wees daar maar niet zo zeker van,' zei haar vader. 'Je kunt niet van een man verwachten dat hij eeuwig wacht. En misschien wil je hele-maal niet meer als je je onderwijsbevoegdheid eenmaal hebt. Misschien ben je wel van plan een ongetrouwde onderwijzeres te worden. Nou, dat is iets om naar uit te kijken.' Het idee dat ze naar de universiteit zou gaan irriteerde hem nog steeds. In plaats van trots op haar te zijn, zoals de vaders van de andere twee meisjes, vond hij het alleen maar onzin. Maar Nick was blij voor haar dat het gelukt was. Hij had zich allang gerealiseerd hoe slim ze was en hoeveel capaciteiten ze had, en het leek zelfs hem niet eerlijk om haar tot trouwen en het krijgen van

kinderen te dwingen. Bovendien was hij opgelucht dat ze besloten had
niet meteen na school met Bobby Strong te trouwen. Daardoor zou
alles veranderd zijn en dat had hij niet kunnen verdragen. Hij wist dat
de dingen uiteindelijk zouden moeten veranderen, maar voor nu waren hun zaterdagen en hun kostbare vlieguren veilig.

Nadat iedereen was weggegaan zat Cassie die avond bij de radio. Ze
had dat de hele middag al willen doen, maar ze wist hoe haar vader
zich zou hebben geërgerd. Die middag was Amelia Earhart samen met
Fred Noonan uit Miami vertrokken in een tweemotorige Lockheed
Electra. Ze was begonnen aan een vlucht rond de wereld, waaraan veel
publiciteit was gegeven door haar echtgenoot, George Putnam. Wegens de oorlogsdreiging volgde ze een merkwaardige route omdat er
plaatsen waren die ze moest mijden. Ze hadden de langste route gekozen, bij de evenaar, en de gevaarlijkste, via vooral geïsoleerde en
onderontwikkelde landen, die weinig vliegvelden hadden en weinig gelegenheid om te tanken. Ze had zichzelf geen gemakkelijke taak op-
gelegd en Cassie vond het allemaal reuze interessant. Net als veel andere meisjes van haar leeftijd, en de halve wereld, was Cassie verliefd
op de moed en het enthousiasme van Amelia Earhart.

'Wat ben je aan het doen, lieverd?' vroeg haar moeder terwijl ze langs
haar heen naar de keuken liep. Het was een emotionele dag voor haar
geweest en ze vond dat ook Cassie er moe uitzag.

'Ik luister alleen even of er nieuws is over Amelia Earhart.'

'Niet om deze tijd,' glimlachte haar moeder. 'Morgen zal er genoeg
nieuws zijn. Ze is een dapper meisje.' Het was duidelijk dat ze meer
dan een meisje was, want ze was bijna veertig, wat Cassie behoorlijk
oud vond. Maar ondanks dat was ze een boeiende vrouw.

'Ze heeft geluk,' zei Cassie zachtjes, wensend dat ze net zoiets kon
doen als Earhart deed. Ze zou niets liever willen dan de hele wereld
over vliegen, records vestigen en ongelooflijke afstanden afleggen over
vreemde landen en nog niet in kaart gebrachte wateren. Het idee was
op geen enkele manier beangstigend, alleen maar opwindend.

En de volgende dag vertelde ze dat aan Nick, nadat ze boven hun geheime vliegveldje rondjes hadden gevlogen rond een markering.

'Je bent net zo gek als zij,' zei hij, terwijl hij die gril van Earhart met
een zwaai van zijn hand afwees. 'Ze is niet de geweldige piloot die
Putnam van haar probeert te maken. Ze heeft meer ongelukken gehad dan de helft van de vrouwen die vliegen en ik wed dat ze in die
Electra van haar op elke landingsbaan doorschiet. Het is een zware

machine, Cass, en ze hebben er de zwaarste Wasp-motor in gezet die volgens Lockheed acceptabel was. Dat ding is bijna onhandelbaar voor een vrouw van haar postuur. Die trip is gewoon een stunt omdat ze de eerste vrouw wil zijn die rond de wereld vliegt. Het is al door mannen gedaan en helpt niet de luchtvaart, maar alleen Amelia Earhart vooruit.' Hij leek niet onder de indruk, maar Cassie liet zich daardoor niet uit het veld slaan.

'Doe niet zo flauw, Nick. Je bent alleen maar kwaad omdat ze een vrouw is.'

'Nee, dat is niet waar. Als Jackie Cochran het deed, zou ik het geweldig vinden. Ik denk gewoon niet dat Earhart goed genoeg is. En ik heb een vent in Chicago gesproken die haar kent en die vertelde me dat ze er niet klaar voor was en het vliegtuig ook niet. Maar Putnam wil er alle publiciteit uit halen die er maar uit te halen valt. Eigenlijk heb ik medelijden met haar. Ik denk dat ze gebruikt wordt. En ik denk dat ze gedwongen wordt om wat hele lastige beslissingen te nemen.'

'De druiven zijn zeker zuur, Nick,' zei Cassie plagerig, terwijl ze een Coca-Cola deelden. Hun gezamenlijke vluchten waren een geliefd ritueel geworden dat geen van beiden voor niets ter wereld wilde missen. Het was nu precies een jaar geleden dat ze ermee begonnen waren. 'Je zult je woorden nog wel inslikken als ze alle records breekt,' zei Cassie vol vertrouwen, terwijl hij zijn hoofd schudde.

'Ik zou er maar niet op wachten.' En toen glimlachte hij tegen haar, waarbij er plooitjes bij zijn ooghoeken verschenen, zoals dat ook het geval was wanneer hij tijdens het vliegen tegen de zon in moest kijken. 'Ik zet mijn geld liever op jou over een paar jaar.' Hij speelde met haar, maar hij meende het ook.

'Ja ja, en mijn vader organiseert de weddenschappen zeker?' Ze wisten nog steeds niet hoe ze hem op de hoogte moesten stellen van het feit dat Cassie vloog, laat staan hoe ze hem moesten vertellen dat ze volgens Nick een van de beste piloten was die hij kende. Maar hij had haar beloofd dat ze het binnenkort zouden doen, als het juiste moment was aangebroken.

De Peoria Air Show was over twee weken, en hij was aan het werk geweest met Chris, die net zo standvastig en net zo ongeïnteresseerd was als altijd. Hij deed alleen maar aan de show mee om zijn vader een plezier te doen. Hij wilde proberen een hoogterecord te vestigen, maar verwachtte niet dat het zou lukken. Stunts waren niet zijn sterke punt en dat soort vliegen vond hij in feite nog steeds eng. Maar ze hadden de constructie van Nicks Bellanca versterkt en de motor krachtiger gemaakt met een superlader.

'Ik zou willen dat ik er ook in mocht vliegen,' zei Cassie zuchtend, en Nick wenste hetzelfde.

'Ik ook. Volgend jaar,' beloofde hij haar, en als hij zoiets zei meende hij het ook.

'Denk je echt dat ik het zou kunnen?' Ze werd overweldigd door haar enthousiasme. Het zou nog een jaar duren, maar het was iets waar ze naar uit kon kijken, meer nog dan naar haar opleiding.

'Ik zou niet weten waarom niet, Cass. Je doet het beter dan de kerels die daar vliegen. Je zou een geweldige indruk maken. Ze zouden een beetje verbluft zijn, en geloof me, dat kan geen kwaad.'

'Er zijn een paar behoorlijk goede vliegers bij die vliegshow,' zei Cassie met eerbied in haar stem. Ze had in de loop der jaren wat fantastisch vliegwerk gezien, maar ze wist ook dat ze nu minstens net zo goed en misschien wel beter dan de meeste van die mannen was. Maar Cassie had in die jaren ook een paar verschrikkelijke tragedies gezien. Er kwamen nogal eens dodelijke ongelukken voor tijdens vliegshows. Oona had Pat eindelijk zo ver gekregen dat hij het stuntvliegen opgegeven had omdat het tijdens een vliegshow gewoon te gevaarlijk was. Maar hij vond het nog steeds fantastisch om naar te kijken.

'Heb je zin om me nog even mee de lucht in te nemen en me wat goedkope spanning en sensatie te verkopen?' vroeg Nick nadat ze geluncht hadden. Soms, als het weer goed was en ze genoeg tijd hadden, zoals die middag, gingen ze een tweede keer de lucht in. 'Je kunt nog wel wat oefening gebruiken in het opstijgen en landen bij zijwind.' Ze hadden ook gewerkt aan het opstijgen met minder motorvermogen.

'Kom nou, mijn landingen zijn beter dan die van jou,' zei ze met een grijns.

'Niet zo bescheiden,' antwoordde hij en ging even met zijn hand door haar haar. Deze keer liet hij haar achter zitten en zoals gewoonlijk stelde ze hem niet teleur. Ze was fantastisch. Zo simpel was dat. En opnieuw vond hij het jammer dat hij haar niet in de vliegshow van dit jaar kon krijgen.

Maar twee dagen voor de vliegshow zat Cassie aan de radio gekluisterd. Ze kon niet geloven wat ze hoorde. Amelia Earhart was verongelukt, ergens in de buurt van Howland Island in de Grote Oceaan. Ze vond het ongelooflijk, en dat gold voor iedereen die het nieuws hoorde. Iedereen behalve haar vader, die tegen iedereen die het wilde horen bleef zeggen dat vrouwen in de keuken hoorden en niet in een vliegtuig, behalve misschien als *skygirls*, hoewel hij zelfs dat eigenlijk niet vond passen. Maar Cassie moest denken aan wat Nick had gezegd, dat Earhart niet goed was in het hanteren van zware vliegtuigen en dat verschillende mensen die haar kenden gezegd hadden dat ze niet klaar was geweest. Het was een verschrikkelijke tragedie en de regering werkte onmiddellijk mee aan het organiseren van een zoektocht. Maar twee dagen later, op de dag van de vliegshow, was ze nog niet gevonden.

Het was een behoorlijke domper op Cassies plezier in de vliegshow, terwijl ze naar de trucs en de stunts stond te kijken.

'Hé, wordt eens wat vrolijker,' hoorde ze een bekende stem achter zich zeggen. 'Kijk niet zo somber!' Het was Nick. Hij had een hot dog in zijn ene en een biertje in zijn andere hand en droeg een papieren onafhankelijkheidsdag-muts op zijn hoofd. De vliegshows waren altijd feestelijke gebeurtenissen.

'Het spijt me,' zei ze met een vermoeide glimlach. Ze was al twee dagen opgebleven om te luisteren naar berichten over Amelia Earhart. Maar er was niets gekomen. Er was niets gevonden. Ze leek van de aardbodem verdwenen te zijn. 'Ik moest alleen denken aan...'

'Ik weet wel waar je aan dacht. Hetzelfde als waar je aan gedacht hebt sinds ze op weg is gegaan. Maar je schiet er niets mee op als je er ziek van wordt. Denk aan wat ik je al een tijd geleden heb gezegd: er zijn risico's die we allemaal nemen. We weten dat allemaal. We accepteren dat. Dat heeft zij ook gedaan. Ze deed iets wat ze wilde doen.' Hij bood haar een hap van zijn hot dog aan en ze accepteerde. Ze zag er nadenkend uit. Misschien had hij gelijk. Misschien had ze het recht op die manier te sterven. Als ze de keuze had gehad tussen een oude dag in een schommelstoel en een snelle aftocht in een Lockheed, had ze aan dat laatste misschien de voorkeur gegeven. Maar Cassie verafschuwde het idee dat ze verongelukt was. Dat zo'n legendarische figuur verdwenen was.

'Je hebt misschien wel gelijk,' zei Cassie rustig. 'Het is alleen zo droevig.'

'Het is ook droevig,' zei hij. 'Niemand zegt dat het niet zo is. Het is altijd droevig als iemand verongelukt. Maar het is een risico dat we allemaal nemen en waar sommigen van ons ook van houden. Jij ook.'

Hij legde een hand onder haar kin en herinnerde haar zwijgend aan haar liefde voor het vliegen en haar bereidheid om risico's te nemen. 'Als je de kans kreeg, zou je precies hetzelfde doen, jij kleine dwaas. Als jij het ooit in je hoofd haalt om zo'n verdomde tocht rond de wereld te maken, steek ik je vliegtuig in brand. Reken daar maar op.'

'Dank je,' zei ze grinnikend tegen hem, en toen trok hij enthousiast aan haar arm.

'Hé... kijk daar eens... daar gaat Chris... kom op... kom op... hierheen...' Hij wilde een hoogterecord in Nicks vliegtuig gaan vestigen en verdween bijna uit het zicht terwijl ze toekeken. Hij had goede, vaste handen en een ernst die hem uitstekend geschikt maakte voor dit soort wedstrijden. Hij had niets van Cassies enthousiasme en lef. Het enige dat hij echt had was doorzettingsvermogen. Toen hij landde, was Nick verbaasd over de hoogte die hij had bereikt. Ze haastten zich naar de plaats waar Pat en Oona en een paar van Cassies zusters en hun kinderen stonden. Glynnis en Megan waren weer hoogzwanger en Colleen had de laatste tijd wat bleekjes gezien, wat Oona het vermoeden gaf dat ze ook weer zwanger was, maar tot nu toe had ze niets gezegd. Ze vormden een vruchtbare groep. Dit werd de vierde voor Megan en Colleen en de vijfde voor Glynnis.

'Maar goed ook,' fluisterde Cassie zachtjes, terwijl ze met Nick stond te praten, 'want ik begin er misschien wel nooit aan. Wat mij betreft mogen ze net zoveel kinderen krijgen als ze willen.' De laatste tijd begon ze te denken dat ze misschien wel nooit een man en kinderen zou willen.

'Jij zult ook een keer kinderen hebben. Hou jezelf maar niet voor de gek. Waarom zou je dat niet willen?' Nick geloofde haar nooit wanneer ze zei dat ze nooit wilde trouwen en geen kinderen wilde. Ze geloofde het zelf ook niet echt, maar ze wist wel dat het nog heel lang zou duren, àls ze het al ooit zou willen. Voorlopig wilde ze alleen maar vliegtuigen.

'Waarom ben je er zo zeker van dat ik ooit kinderen zal hebben, Nick?' zei ze uitdagend.

'Omdat je uit een familie komt die zich vermenigvuldigt als konijnen.'

'O, dank je wel.' Ze moest nog steeds lachen toen Bobby Strong haar vond en een ongemakkelijke blik op Nick wierp. Hij had altijd het gevoel dat Nick hem niet mocht. Zonder verder veel tegen hen te zeggen, verdween Nick even later om de andere piloten te gaan opzoeken.

Een halfuur later werd omgeroepen dat Chris een prijs had gewonnen omdat hij het hoogterecord had gevestigd. Haar vader was buiten zichzelf van enthousiasme. Hij liep weg om Chris te gaan zoeken en Oona ging op zoek naar een drankje, met de meisjes en de jongere kinderen. Bobby stond met Cassie naar de show te kijken. Ze zagen hoe kleine rode, blauwe en zilverkleurige vliegtuigen stunts en *rolls* en trage spins in de lucht uitvoerden, en gekke achten en dubbele achten en een paar trucs waar Cassie nog nooit van had gehoord. Alleen het kijken ernaar was al adembenemend, en meer dan eens hield het publiek zijn adem in als een ramp onafwendbaar leek, om in gejuich los te barsten wanneer er op het laatste moment een redding kwam. Ze was eraan gewend, maar het was altijd spannend.

'Waar dacht je net aan?' vroeg Bobby, die haar gezicht had gadegeslagen. Het was zo stralend geweest dat het bijna oplichtte en er had een uitdrukking van totale vervoering op gelegen terwijl ze naar een vliegtuig keek dat een looping naar buiten deed. Het was een stunt die tien jaar daarvoor door Jimmy Doolittle was uitgevonden en grote indruk op haar maakte. De piloot eindigde met een krul door op geringe hoogte op zijn kop te vliegen. Hij deed dit terwijl hij van het publiek vandaan vloog, zodat niemand in gevaar kwam. Bobby keek gefascineerd naar de uitdrukking op haar gezicht. Toen draaide ze zich om en glimlachte tegen hem, bijna verdrietig.

'Ik wenste dat ik daar boven was en dat deed,' zei ze eerlijk. 'Het lijkt me zo heerlijk.' Ze wilde niets liever dan een van hen zijn.

'Ik denk dat ik misselijk zou worden,' zei hij, net zo eerlijk, en ze grinnikte tegen hem terwijl een verkoper langs kwam lopen met suikerspinnen.

'Ja, dat denk ik ook. Ik ben al een paar keer bijna misselijk geworden.' Ze had bijna haar mond voorbijgepraat en moest zichzelf eraan herinneren voorzichtig te zijn. 'Negatieve G's hebben dat effect. Die krijg je in een overtrokken vlucht, net voor je je herstelt. Je krijgt het gevoel dat je maag je mond uit vliegt... maar dat gebeurt niet.' Ze grinnikte.

'Ik begrijp niet hoe je dat allemaal leuk kan vinden, Cass. Ik vind het alleen maar doodeng.' Hij zag er zo knap en blond en jong uit terwijl hij haar stond te bewonderen, en ze werd elke dag volwassener, elke dag vrouwelijker.

'Het zit in mijn bloed, denk ik.'

Hij knikte, vrezend dat het waar was. 'Wat erg van Amelia Earhart.' Ze knikte ook. 'Ja, dat is het ook. Nick zegt dat alle piloten dat risico accepteren. Dat het iedereen kan overkomen.' Ze keek omhoog naar de lucht. 'Iedereen die hier is ook. Ze zullen het wel de moeite waard vinden.'

'Niets is de moeite waard om je leven voor te riskeren,' protesteerde Bobby, 'tenzij je wel moet, in een oorlog bijvoorbeeld of om iemand te redden van wie je houdt.'

'Dat is het probleem,' zei Cassie, terwijl ze hem met een bedroefde glimlach aankeek. 'De meeste piloten willen alles riskeren om te kunnen vliegen, maar andere mensen begrijpen dat niet.'

'Misschien is dat de reden waarom vrouwen het niet moeten doen, Cass,' zei hij rustig, en zij zuchtte.

'Je klinkt als mijn vader.'

'Misschien moet je naar hem luisteren.'

Ze wilde zeggen: dat kan ik niet, maar ze wist dat ze dat niet tegen hem kon zeggen. De enige tegen wie ze dat kon zeggen, was Nick. Hij was de enige mens ter wereld die alles van haar wist en het accepteerde. Er was niemand anders die haar echt kende, en zeker Bobby niet.

Toen zag ze Chris op hen af komen lopen en ze rende naar hem toe. Hij droeg zijn medaille en zijn gezicht glom van trots, en meteen achter hem liep Pat, die in de zevende hemel was.

'Zeventien jaar en zijn eerste medaille!' vertelde hij iedereen die wilde luisteren. 'Wat een zoon!' Hij deelde biertjes uit en sloeg iedereen op de rug, ook Chris en Bobby. Chris genoot van zijn vaders liefde en trots. Cassie keek naar hen, gefascineerd door de manier waarop haar vader wanhopig verlangde naar Chris' succes in de lucht, terwijl hij er tegelijkertijd absoluut op tegen was dat zij dat succes ooit zou behalen. Ze was tien keer zo goed als Chris, en misschien nog beter, maar haar vader zou het nooit erkennen en misschien zelfs nooit weten.

Nick kwam naar hen toe om Chris te feliciteren. De jongen was helemaal in de wolken door zijn overwinning en verdween vervolgens met Nick om een aantal van de andere piloten te ontmoeten. Het was een geweldige dag voor hem en een dag waarop Pat O'Malley eenenvijftig jaar had gewacht. Wat hem betreft, was dit nog maar het begin. In plaats van in te zien dat Chris de top van zijn kunnen had bereikt, wilde hij nog meer. Hij had het alweer over het volgende jaar en Cassie kreeg medelijden met Chris. Ze wist hoeveel hun vader voor hem betekende en dat hij alles zou doen om hem een plezier te doen, wat het ook zou kosten.

Alle O'Malley's waren vrolijk. Ze waren bijna de laatsten die weggingen en Bobby ging mee om bij hen te eten. Nick zette het feest nog voort met zijn vliegvrienden en was aardig in de olie tegen de tijd dat hij het veld verliet. Maar hij wist dat Chris de Bellanca terug zou vliegen naar O'Malley Airport en dat hij mee kon rijden in Pats truck. Hij hoefde zich dus geen zorgen te maken over vliegen of rijden.

Oona had 's morgens voor ze vertrokken al hele schalen gebraden kip klaargemaakt en er waren maïskolven en een salade en gebakken aardappelen. Verder was er ham en had ze, eenmaal terug, nog een bosbessentaart met slagroom gemaakt. Het was een echt feestmaal en Pat schonk Chris een vol glas Ierse whiskey in.

'Drink op, jongen. Jij wordt de volgende Ace in deze familie!' Chris worstelde met de drank en Cassie keek naar hen. Ze voelde zich terneergeslagen, op de een of andere manier buitengesloten. Zij had met hen moeten vliegen en het voorwerp van haar vaders trots moeten zijn, en ze wist dat dat niet kon. Ze vroeg zich af of het ooit anders zou zijn. De enige bestemming die er voor haar leek te zijn was die van haar zusters, elk jaar een baby en veroordeeld tot de keuken. Het leek haar een verschrikkelijk leven, hoeveel ze ook van haar zusters en haar moeder hield. Ze zou liever doodgaan dan haar leven op die manier leiden.

Cassie merkte ook dat Bobby heel lief was voor iedereen, vriendelijk tegen haar zusters en schattig tegen hun kinderen. Hij was een zachtaardige man en zou een geweldige echtgenoot zijn. Haar moeder wees haar daar nog eens op toen ze haar hielp met het opruimen van de keuken. Daarna maakte ze een lange wandeling met Bobby en hij verraste haar door over vliegen te beginnen.

'Ik heb je vandaag gadegeslagen, Cass, en ik weet wat het voor je betekent. En misschien denk je dat ik gek ben, maar ik wil dat je me belooft dat je nooit dat soort krankzinnige dingen gaat doen. Ik ben er echt op tegen dat je gaat vliegen. Niet dat ik je geen plezier gun, maar ik wil niet dat je een ongeluk krijgt, begrijp je… zoals Amelia Earhart.' Voor hem was het een redelijke opmerking, en ze werd erdoor geraakt, maar ze lachte nerveus. Het idee iemand te beloven dat ze nooit zou gaan vliegen, deed een huivering door haar heen gaan.

'Ik ben niet van plan rond de wereld te gaan vliegen, als je dat bedoelt,' zei ze met een bezorgde glimlach. Maar hij schudde zijn hoofd. Hij bedoelde veel meer dan dat en ze wist het.

'Dat bedoel ik niet. Ik bedoel dat ik wil dat je helemaal niet vliegt.'

Hij had maar een glimp opgevangen van het gevaar ervan, maar was overtuigd geraakt door het zien van de stunts tijdens de vliegshow. Er was geen twijfel aan dat vliegen risico's met zich meebracht, en twee jaar daarvoor was er een vreselijke ramp geweest tijdens dezelfde vliegshow. Bobby was niet dom. Hij wist welke magische aantrekkingskracht het vliegen op haar had. Waar het op neer kwam, was dat hij haar niet kwijt wilde raken. 'Ik wil niet dat je leert vliegen, Cass. Ik weet dat jij het graag wilt, maar het is gewoon te gevaarlijk. Je vader heeft gelijk. En voor een vrouw is het nog gevaarlijker.'

'Ik vind niet dat je dat kunt vragen,' zei ze rustig. Ze wilde niet tegen hem liegen, maar ze wilde hem ook niet vertellen dat ze nu al een jaar regelmatig met Nick vloog. 'Ik denk dat je wat dat betreft op mijn beoordelingsvermogen moet vertrouwen.'

'Ik wil dat je me belooft dat je niet gaat vliegen,' zei hij, met een overtuiging en koppigheid die ze nooit eerder bij hem had gezien. Ze was onder de indruk, maar niet van plan dat te beloven.

'Dat is onredelijk. Je weet hoeveel ik van vliegen houd.'

'Daarom wil ik ook dat je me dat belooft, Cass. Ik denk dat jij nou juist iemand bent die risico's zou nemen.'

'Geloof me, dat zou ik niet doen. Ik ben voorzichtig... en ik ben goed... dat wil zeggen, dat zou ik zijn. Luister, Bobby, alsjeblieft... vraag me dat niet...'

'Dan wil ik graag dat je erover nadenkt. Dit is heel belangrijk voor mij.' Dat is vliegen voor mij, wilde ze schreeuwen. Het was het enige dat echt belangrijk voor haar was, en dat wilde hij haar afnemen. Wat was er met ze aan de hand? Met hen allemaal, Bobby, haar vader en zelfs Chris. Waarom wilden ze haar iets afnemen waar ze zoveel van hield? Alleen Nick begreep het. Hij was de enige die wist en begreep wat het voor haar betekende.

Op datzelfde moment lag Nick Galvin echter uitgeteld in de armen van een meisje dat hij op de vliegshow had ontmoet. Ze had helderrood haar en helder geverfde lippen, en terwijl hij zich tegen haar aan nestelde, glimlachte hij en fluisterde 'Cassie'.

7

Cassies rooster op Bradley was veeleisender dan dat van haar middelbare school was geweest, maar ze wist het allemaal te redden en nu ontmoetten Nick en zij elkaar twee keer per week, nog steeds op de zaterdag en daarnaast op een doordeweekse ochtend. Haar vader kende haar rooster niet en het was voor hen allebei gemakkelijk. Bovendien had ze een baantje als serveerster genomen om Nick voor de brandstof te kunnen betalen, ook al kon ze hem niet voor de lessen betalen. Maar hij had nooit enige betaling verwacht. Hij deed het uit liefde en omdat hij er plezier in had.

Met elke les die ze kreeg werd ze beter. Ze sleep wat fijne puntjes bij en vloog in elk vliegtuig dat mogelijk was om de verschillen en nukken te leren kennen. Ze vloog in de Jenny, de oude Gypsy Moth, Nicks Bellanca, de Havilland 4 en zelfs in de lompe, oude Handley. Nick wilde haar alles laten vliegen wat ze kon en zorgde ervoor dat ze haar techniek en vaardigheden perfectioneerde. Hij had haar zelfs wat reddingstechnieken geleerd en had haar alles verteld over een aantal van zijn meer befaamde noodlandingen en dingen die op het nippertje goed waren gegaan toen hij tegen de Duitsers vocht. Er was heel weinig wat ze niet wist over het vliegen van de Jenny of de Bellanca of zelfs de Handley, die Nick had meegebracht omdat hij zoveel zwaarder was en moeilijker te vliegen en twee motoren had.

Ze bracht nu minder tijd op haar vaders vliegveld door omdat haar school verder weg lag, maar ze hing er nog zo vaak rond als mogelijk was, en als hun wegen elkaar kruisten, wisselden Nick en zij een samenzweerderige glimlach uit.

Op een dag was ze in een van de achterste hangars aan een motor aan het werken toen ze verrast werd door haar vader en Nick die binnen kwamen lopen. Ze hadden het over de aanschaf van een nieuw vliegtuig, waarvan haar vader dacht dat het te duur zou zijn. Het was een gebruikte Lockheed Vega.

'Hij is het waard, Pat. Hij is wel zwaar, maar het is een prachtige machine. Ik heb er een geprobeerd toen ik de laatste keer in Chicago was.'

'En wie moet hem volgens jou gaan vliegen? Jij en ik. De anderen komen er alleen maar mee in de bomen terecht. Het is een fantastische machine, Nick, maar er zijn geen vijf mannen hier aan wie ik hem zou toevertrouwen. Misschien zelfs geen twee.'

Terwijl haar vader die woorden uitsprak, zag Cassie hoe Nick haar met een vreemde blik aankeek en ze voelde de angst langs haar ruggegraat omhoogkruipen. Ze wist intuïtief wat hij ging doen. Een deel van haar wilde hem toeschreeuwen te stoppen, maar een ander deel wilde dat hij het deed. Ze kon zich niet voor altijd blijven verstoppen. Vroeger of later zou haar vader het moeten weten. En Nick bleef het maar hebben over de volgende vliegshow.

'Er zijn hier misschien nog geen vijf mannen die hem kunnen vliegen, Pat, maar er is in elk geval een vrouw die het kan, met haar ogen dicht.'

'Wat moet dat betekenen?' snauwde haar vader tegen hem, onmiddellijk geërgerd bij het noemen van een vrouw die alles kon vliegen, zelfs een vliegtuig dat hij nog niet aan zijn eigen mensen zou toevertrouwen.

Nick zei het heel rustig en kalm, terwijl Cassie doodsbang toekeek en bad dat haar vader zou luisteren. 'Jouw dochter is de beste piloot die ik ooit gezien heb, Pat. Ik heb nu een jaar met haar gevlogen, anderhalf jaar om precies te zijn. Ze is de beste piloot die jij en ik sinds negentienzeventien hebben gezien, en dat meen ik.'

'Je hebt wàt gedaan?' Pat keek zijn oude vriend en partner uitzinnig van woede aan. 'Je hebt haar leren vliegen? Terwijl je wist wat ik daarvan vond? Hoe durf je!'

'Als ik het niet gedurfd had, had zij het gedaan. Een jaar geleden heeft ze zichzelf bijna de dood in gejaagd toen ze haar broer dwong om haar mee te nemen en haar alles te laten vliegen wat ze maar in handen kon krijgen. Ik zeg je, Pat, ze is een geboren piloot en de beste die je ooit hebt gezien en het is knap stom van je als je haar niet de gelegenheid geeft te laten zien wat ze in huis heeft. Geef het kind een kans. Als ze een jongen was, zou je het wel doen, en dat weet je.'

'Ik weet niet wat ik weet!' raasde hij tegen hen beiden. 'Ik weet alleen dat jullie twee leugenachtige idioten zijn, en ik kan je meteen vertellen, Cassandra Maureen, dat ik je verbied te vliegen.' Hij keek haar recht in haar ogen terwijl hij het zei en keek toen naar Nick. 'En ik

accepteer geen enkele onzin meer van jou, Nick Galvin, hoor je me?'
'Je maakt een grote fout,' hield Nick vol, maar Pat was te razend om
te luisteren.

'Het kan me niet schelen wat je denkt. Je bent een grotere idioot dan
zij. Denk maar niet dat ze mijn vliegtuigen op mijn vliegveld kan vliegen. En als je zo dom bent om haar ergens anders in die van jou te
laten vliegen, leg ik de verantwoordelijkheid bij jou als het haar dood
wordt en is het je eigen stomme schuld als ze jou de dood injaagt, wat
ze ongetwijfeld zal doen. Er is geen vrouw ter wereld die ook maar
een beetje kan vliegen, en dat weet je.' Hij had net, in één klap, een
hele generatie van buitengewone vrouwen van de kaart geveegd, en
onder hen zijn eigen dochter. Maar dat kon hem niets schelen. Dat
was wat hij geloofde en niemand kon hem iets anders aan zijn verstand peuteren.

'Laat mij met haar de lucht ingaan, Pat, om het je te laten zien. Ze
kan alles vliegen wat we hebben. Ze heeft een gevoel voor snelheid en
hoogte dat meer gebaseerd is op haar instinct en haar ogen dan op
wat ze op de instrumenten ziet. Pat, ze is fantastisch.'

'Je gaat me helemaal niets laten zien want ik wil het niet zien. Stelletje idioten... Ik neem aan dat ze jou heeft overgehaald om dit te doen.'
Hij keek woedend naar zijn dochter. Wat hem betrof, was het allemaal haar schuld. Ze was een koppig klein monster, dat vastbesloten
was zichzelf de dood in te jagen met haar vaders vliegtuigen en op
zijn eigen vliegveld.

'Ze heeft me nergens toe overgehaald. Ik heb haar een jaar geleden
zien vliegen, toen ze met Chris in die storm zat, en ik wist verdomd
goed dat hij dat vliegtuig niet vloog. Ik ben haar toen les gaan geven omdat ik bang was dat ze allebei nog eens zouden verongelukken.'

'Dat was Chris die vorig jaar in die storm vloog,' brulde haar vader.
'Nee, dat was Chris niet!' schreeuwde Nick terug. Hij was nu zelf razend omdat Pat zo onredelijk was, en dat alleen maar om een ach-
terhaald standpunt te verdedigen. 'Hoe blind ben je eigenlijk? Die jongen heeft geen lef, geen grip. Het enige dat hij kan is recht op en neer
gaan, als een lift, net zoals hij voor jou op die vliegshow heeft gedaan.
Hoe kom je in godsnaam op het idee dat hij hen uit die storm had
kunnen halen? Het was Cassie.' Hij keek met een bezitterige blik naar
haar en was verbaasd toen hij zag dat de razernij van haar vader haar
aan het huilen had gemaakt.

'Dat klopt, pap,' zei ze rustig. 'Ik was degene die vloog. En Nick wist het. Hij confronteerde me ermee toen we terug waren en...'

'Ik wil dit niet horen. Je bent nog een leugenaarster ook, Cassandra Maureen. Je probeert de eer van je eigen broer te stelen.' Ze was verbijsterd over de woede waarmee hij haar beschuldigde en ze begreep hoe hopeloos het was om te proberen hem te overtuigen. Misschien op een dag, maar niet nu. En nooit leek heel wat waarschijnlijker.

'Geef haar een kans, Pat.' Nick probeerde hem te kalmeren, maar het had geen zin. 'Alsjeblieft. Geef haar een kans om te laten zien wat ze kan. Dat verdient ze. En volgend jaar wil ik haar aan de vliegshow mee laten doen.'

'Jullie zijn allebei gek. Dat is het. Twee verdomde idioten. Waarom denk je dat ze zichzelf en mij, en jou, en nog een stuk of tien andere mensen op de vliegshow niet zal doden?'

'Omdat ze beter vliegt dan iedereen die je daar ooit hebt gezien.' Nick probeerde kalm te blijven, maar hij begon langzaam zijn zelfbeheersing te verliezen. Pat was geen gemakkelijke man en dit was een ontzettend gevoelig onderwerp. 'Ze vliegt goddomme beter dan Rickenbacker. Geef haar een kans het te laten zien.' Maar nu had hij de ultieme heiligschennis gepleegd door de naam erbij te halen van de commandant van het 94ste Aero Squadron. Nick wist dat hij te ver was gegaan, en Pat liep met grote stappen weg, terug naar zijn kantoor. Hij keek niet meer om en zei geen woord meer tegen zijn dochter.

Ze stond nu openlijk te huilen en Nick legde een arm om haar heen. 'Allemachtig, wat is die vader van jou koppig. Ik was vergeten hoe onmogelijk hij kan zijn als hij zich eenmaal iets in zijn hoofd heeft gezet. Maar hij is nog niet van me af, dat beloof ik je.' Hij drukte haar even tegen zich aan en ze glimlachte door haar tranen heen. Als ze Chris was geweest, had haar vader haar alle kansen gegeven. Maar zij kreeg die niet, nooit, omdat ze een meisje was. Het was zo oneerlijk, maar ze wist dat niets hem kon veranderen.

'Hij zal nooit toegeven, Nick.'

'Dat hoeft hij ook niet meer. Je bent achttien. Je kan alles doen wat je wilt, weet je. Je doet niets verkeerd. Je neemt vlieglessen, dat is alles. Oké? Ontspan je.' Binnenkort zou ze haar vliegbrevet hebben. Ze was er meer dan gekwalificeerd voor. Toen Pat in 1914 was gaan vliegen, had hij niet eens een brevet nodig gehad.

'Misschien zet hij me wel het huis uit,' zei ze angstig, en Nick moest lachen. Hij kende Pat wel beter en zij ook. Hij maakte een heleboel lawaai en was beperkt in zijn ideeën en overtuigingen, maar hij hield van zijn kinderen.

'Dat doet hij niet, Cass. Hij zal het je misschien een tijdje moeilijk maken, maar hij zet je echt niet de deur uit. Hij houdt van je.'

'Hij houdt van Chris,' zei ze mistroostig.

'Hij houdt ook van jou. Hij loopt alleen een beetje achter en hij is zo koppig als de pest. Allemachtig, soms haalt hij het bloed onder mijn nagels vandaan.'

'Dat gevoel ken ik,' zei ze glimlachend. Toen snoot ze haar neus en keek Nick bezorgd aan. 'Blijf je me wel les geven?'

'Natuurlijk,' grijnsde hij met een jongensachtige en ondeugende blik. Toen keek hij haar gemaakt ernstig aan. 'Maar laat die dingen die ik zei niet naar je hoofd stijgen. Je bent geen betere piloot dan de leider van het grote 94ste,' zei hij dreigend tegen haar en grinnikte toen. 'Maar op een dag kun je beter zijn dan hij was, op voorwaarde dat je wat aan je bochten doet en naar je instructeur luistert.'

'Ja, meneer.'

'Ga nu je gezicht wassen. Je ziet er niet uit... Ik zie je morgen op het vliegveldje, Cass.' Hij glimlachte tegen haar. 'Vergeet niet dat we ons moeten voorbereiden op een vliegshow.' Ze keek hem dankbaar na toen hij wegliep en vroeg zich af wat er voor nodig zou zijn om Pat O'Malley van gedachten te laten veranderen.

Dat zou zeker die avond niet gebeuren. Aan tafel weigerde hij een woord tegen haar te zeggen. Hij had Oona verteld wat ze gedaan had en haar moeder had gehuild toen ze het hoorde. Pat had haar er al lang geleden van overtuigd dat vrouwen lichamelijk en geestelijk niet geschikt waren om te vliegen.

'Het is zo gevaarlijk,' probeerde ze Cassie later die avond uit te leggen. Ze zaten in haar kamer. Sinds al haar zusters de deur uit waren, had Cassie haar eigen slaapkamer. 'Het is voor mij niet gevaarlijker dan voor Chris,' zei Cassie, weer in tranen. Ze was uitgeput van het gevecht met hen en wist dat ze nooit zou winnen. Zelfs Chris had niets gezegd om haar te verdedigen. Hij had een hekel aan ruzies met hun ouders.

'Dat is niet waar,' zei haar moeder. 'Chris is een man. Voor een man is vliegen minder gevaarlijk.' Haar moeder zei het alsof het een waarheid uit het evangelie was omdat ze het gehoord had van haar man.

'Hoe kun je dat zeggen. Dat is onzin.'

'Dat is het niet. Je vader zegt dat vrouwen de concentratie missen.'

'Mam, dat is een leugen. Dat zweer ik. Kijk naar de vouwen die vliegen. Er zijn hele grote bij.'

'Kijk naar Amelia Earhart, lieverd. Ze is het volmaakte voorbeeld van de juistheid van wat je vader zegt. Ergens onderweg is ze duidelijk haar richtinggevoel of haar verstand kwijtgeraakt en ze heeft die arme man met zich meegesleept.'

'Hoe weet je dat hun verdwijning niet zijn fout is geweest?' hield Cassie vol. 'Hij was de navigator, niet Earhart. En misschien zijn ze wel neergeschoten.' Cass zei het op bedroefde toon. Ze wist dat het allemaal niets zou helpen. Haar moeder was volledig overtuigd van alles wat haar man haar altijd had verteld.

'Er moet een eind komen aan dat gedrag, Cassie. Als ik dit geweten had, had ik je nooit al die jaren op het vliegveld laten rondhangen. Maar je genoot er zo van en ik dacht dat het leuk was voor je vader. Maar je zult die dwaze dromen moeten opgeven, Cassie. Je studeert nu en op een dag zul je een lerares zijn. Je kan niet rond blijven vliegen als een of andere rare zigeuner.'

'O ja, dat kan ik wel... verdomme, dat kan ik wel!' Cassie verhief haar stem tegen haar moeder, en een ogenblik later was haar vader in haar kamer, die haar weer een uitbrander gaf en zei dat ze haar excuses aan haar moeder moest aanbieden. Beide vrouwen huilden nu en Pat was ten einde raad en duidelijk furieus.

'Het spijt me, mam,' zei ze berouwvol.

'En dat is terecht,' zei haar vader voor hij de deur met een klap achter zich dichtsloeg. Even later ging haar moeder weg en lag Cassie op haar bed te snikken, gewoon uit frustratie over de confrontatie met haar ouders.

Toen Bobby Strong later die avond langskwam, liet Cassie hem door Chris zeggen dat ze een vreselijke hoofdpijn had. Met een bezorgde blik reed hij weer weg, nadat hij haar een briefje had geschreven waarin stond dat hij hoopte dat ze snel beter zou zijn en dat hij de volgende dag terug zou komen.

'Misschien ben ik morgen wel dood,' zei ze mistroostig toen ze het briefje had gelezen dat haar broer haar had gegeven. 'Misschien is dat wel de oplossing.'

'Rustig, Cass. Ze komen er wel overheen,' zei Chris kalm.

'O, nee. Papa in elk geval niet. Hij weigert te geloven dat vrouwen kunnen vliegen of iets anders kunnen dan breien en kinderen krijgen.'

'Klinkt geweldig. Hoe staat het eigenlijk met je breiwerk?' zei hij plagend, waarop ze een schoen naar hem gooide terwijl hij de deur achter zich dichttrok om te ontsnappen.

De volgende dag voelde ze zich weer beter. Toen ze met Nick opsteeg in de Bellanca had ze weer het gevoel zichzelf te zijn. Hij vond
dat hij haar nu niet meer in haar vaders vliegtuigen moest laten vliegen. Ze ging er bedreven mee om, zoals gewoonlijk, en voelde zich
alleen al beter doordat ze met Nick in de lucht was. Daarna zaten
ze een tijdje in de oude truck te praten, maar Cassie was vrij stil. Ze
had duidelijk nog last van de manier waarop haar vader gereageerd
had.

'Zo goed als Rickenbacker, hè,' zei ze plagend tegen Nick nadat ze
gevlogen had.

'Ik zei al dat je het niet te hoog in je bol moet krijgen. Dat was alleen maar een leugentje om indruk op hem te maken.'

'Hij zag er wel uit alsof hij onder de indruk was, vind je niet?' grijnsde Cassie spottend, en Nick moest lachen. Ze was een geweldige meid
en vroeger of later zouden ze Pat er wel onder krijgen. Hij kon zijn
hoofd toch niet eeuwig in het zand blijven steken, of wel?

Hun vliegschema veranderde nauwelijks. De enige keren dat het veranderde was wanneer Nick een lange vrachtvlucht of zij te veel huiswerk had. Maar ze wilden de lessen allebei niet missen en probeerden
ze dus altijd in hun andere verplichtingen in te passen. Interessant genoeg vroeg haar vader nooit, aan geen van beiden, of ze door waren
gegaan met de lessen.

Zoals gewoonlijk kwam Nick Thanksgiving bij hen vieren. Pat was
koeler dan normaal, tegen hen allebei. Hij had hun nog niet vergeven
voor wat hij als verraad beschouwde. Op het vliegveld probeerde Nick
elke confrontatie te voorkomen en thuis had Pat sinds oktober nauwelijks twee woorden tegen Cassie gezegd. Het werd steeds moeilijker,
maar tegen de kerst leek hij zich weer wat te ontspannen. Tenslotte
werd hij helemaal rustig toen Bobby Strong Cassie op kerstavond een
diamanten verlovingsring gaf.

Bobby zei dat hij wist dat hij nog een tijd op haar zou moeten wachten, maar dat hij zich beter zou voelen als ze verloofd waren. Ze waren nu al drie jaar met elkaar gegaan, en hij vond het niet te snel. Hij
zag er zo ernstig en zo verliefd uit dat Cassie het niet over haar hart
kon verkrijgen de ring te weigeren. Ze wist niet goed wat ze voelde,
behalve verwarring, toen hij langzaam de ring om haar vinger schoof.

Sinds haar ouders zo'n toestand hadden gemaakt van het feit dat ze vloog, had ze zich ontzettend schuldig en ongelukkig gevoeld, maar de verloving leek hen gerust te stellen en haar weer in hun gunst te brengen.

Ze waren bijzonder tevreden. De volgende dag, tijdens het kerstdiner, werd haar verloving bekendgemaakt aan de rest van de familie. Nick was er ook, en hij leek verbaasd door het nieuws, maar hij zei niets. Hij keek alleen naar Cassie en vroeg zich af of hierdoor alles tussen hen zou veranderen. Maar vreemd genoeg gedroeg ze zich niet anders. Ze leek niet intiemer of meer op haar gemak te zijn met Bobby en was net zo gemakkelijk in de omgang met Nick als anders. In feite veranderde er bijzonder weinig. Alleen bleef Bobby wat langer op de veranda hangen voor hij wegging, maar het was niet wat Cassie zelf van een verloving had verwacht. Nick zat er echter nog steeds mee toen hij haar de volgende keer op het verlaten vliegveldje ontmoette.

'Wat betekent dat?' Hij wees naar de ring. Ze aarzelde een ogenblik en haalde toen haar schouders op. Ze wilde niet gemeen zijn, maar leek altijd anders te reageren dan mensen van haar verwachtten.

'Dat weet ik niet zo goed,' zei ze eerlijk. Haar gevoelens voor hem waren nog precies dezelfde als voordat hij de ring om haar vinger had geschoven. Ze mocht hem graag, maar ze kon zich niet voorstellen dat ze meer voor hem zou zijn dan ze nu was. Ze was vooral verloofd omdat het zo belangrijk leek te zijn voor Bobby en haar ouders. Maar het leek vooral voor hem belangrijk te zijn en dat begreep ze. 'Ik kon het niet over mijn hart verkrijgen om de ring te weigeren.' Ze keek Nick een beetje schaapachtig aan, terwijl ze ook een oog op de Bellanca hield. Ze hadden die dag goed gevlogen en ze had wat fijne kneepjes geleerd over het landen bij zijwind. 'Hij weet dat ik eerst mijn opleiding wil afmaken,' zei ze hulpeloos. Maar de universiteit was niet het echte probleem.

'Arme jongen. Dit wordt de langste verloving uit de geschiedenis. Hoe lang is dat? Nog drieëneenhalf jaar?'

'Ja.' Ze grinnikte ondeugend tegen hem, en hij moest lachen terwijl hij de neiging onderdrukte haar te kussen. Hij was zo opgelucht door wat ze had gezegd. Hij had zich misselijk gevoeld toen hij de verlovingsring voor het eerst zag. Hij kon het idee niet verdragen dat ze met iemand getrouwd zou zijn, of zelfs verloofd, maar Bobby was eigenlijk niet zo'n grote bedreiging. Vroeger of later zou Cassie daar zelf wel achter komen, maar stel dat er dan iemand anders zou zijn. Hij wist hoe erg hij het zou vinden als dat gebeurde.

'Oké... een beetje actie, O'Malley. Laat me nog eens een *dead stick* zien.' Ze gingen nog een keer de lucht in.

'Je denkt blijkbaar dat ik de helft van mijn leven op de grond zal zijn in plaats van in de lucht. Kun je me niets anders leren, *Stick*?' Ze benadrukte het woord. 'Of is dat de enige truc uit je repertoire?' Ze vond het heerlijk om hem te plagen, vond het heerlijk om bij hem te zijn, bij de enige persoon op de wereld die haar echt begreep. En ze genoot het meest als ze konden vliegen.

Deze keer stuurde hij haar alleen omhoog en keek toe hoe ze een perfecte landing uitvoerde, zonder motorvermogen, en toen nog eens, zonder ook maar een hapering, en toen nog eens, zonder ook maar met een oog of een vleugel te trillen in de zijwind.

Het was zo jammer, dacht hij weer, dat haar vader weigerde haar te zien vliegen. Hij zou er zo van kunnen genieten.

'Was dat genoeg voor vandaag?' vroeg hij, terwijl ze naar haar truck liepen met de bedoeling dat ze naar huis zou rijden.

'Ja, ik denk het wel,' zei ze een beetje triest. 'Ik heb er altijd een hekel aan om naar beneden te komen. Ik wou dat ik altijd door kon vliegen.'

'Misschien moet je maar een *skygirl* worden als je groot bent,' zei hij plagerig, en ze gaf hem een mep met haar handschoen, maar ze bleef er verdrietig uitzien. Ze had echt geen keuze. En als Nick er niet was, zou ze helemaal niet vliegen.

'Rustig aan, meid,' zei hij vriendelijk. 'Hij verandert nog wel van gedachten.'

'Vergeet het maar,' zei ze. Ze kende haar vader.

Nick raakte haar hand aan en hun ogen ontmoetten elkaar. Ze was dankbaar voor alles wat hij haar gegeven had en voor zijn vriendelijkheid. Ze hadden een soort vriendschap die geen van beiden ooit met iemand anders had gehad. Ze was een geweldige meid en een goede vriendin, en ze hadden plezier op hun gestolen middagen bij de kleine landingsbaan. Nick wenste alleen dat het altijd zo kon blijven. Hij kon zich niet voorstellen dat er een eind zou komen aan hun ontmoetingen, dat hij niet meer met haar zou vliegen en zijn gedachten met haar zou delen. Ze was de enige met wie hij echt over belangrijke dingen kon praten. En hij was ook haar enige vriend. Het enige tragische, voor beiden, was dat er in de toekomst niets meer voor hen was.

Die middag reed ze alleen naar huis en dacht aan hem. Vlak nadat ze terug was, begon het te sneeuwen. Ze hielp haar moeder met het klaarmaken van het avondeten voor hen vieren, maar haar vader was laat. Een uur later was hij nog steeds niet thuis. Tenslotte stuurde Oona Chris er met de truck op uit om Pat op het vliegveld te gaan zoeken.

Twintig minuten later was Chris terug om iets te eten te halen voor Pat en zichzelf. Op driehonderd kilometer ten zuidwesten van hen was een treinbotsing geweest. Er waren honderden gewonden en ze haalden overal reddingsploegen vandaan. Pat organiseerde reddingsploegen op het vliegveld en wilde dat Chris zou helpen. Nick was er ook, en ze riepen al hun piloten op om te gaan vliegen. Maar er waren er drie ziek, te ziek om te komen helpen, en ze hadden een paar anderen nog niet kunnen bereiken. Ze wachtten nog steeds op mensen die moesten komen. Chris moest van Pat tegen zijn moeder zeggen dat ze de hele avond bezig zouden zijn. Oona knikte. Ze was hieraan gewend. Ze pakte wat eten voor hen in dat ze op het vliegveld konden eten.

'Wacht!' zei Cassie, toen Chris weg wilde gaan. 'Ik ga met je mee.'

'Dat kun je beter...' protesteerde Oona, maar toen ze de uitdrukking op haar dochters gezicht zag, haalde ze haar schouders op. Het kon geen kwaad. Ze kon toch niets anders doen dan op het vliegveld blijven. 'Goed dan. Dan doe ik er ook wat eten voor jou bij.'

Ze gaf een een mand vol eten mee en Chris en Cassie reden weg. Af en toe gleden ze wat van de oude weg af die over het terrein naar het vliegveld liep. Het was een ijskoude avond en het had nu al twee uur gesneeuwd. Cassie vroeg zich af of ze wel zouden kunnen opstijgen. De omstandigheden waren niet goed, en haar vader zag er bezorgd uit toen Chris en zij zijn kantoor binnenliepen.

'Hallo, jongens.' Hij duwde het eten opzij. Hij was in een bezorgd gesprek gewikkeld met Nick over de vliegtuigen die ze konden gebruiken en de mannen die ze nodig hadden. Ze wilden vier vliegtuigen met voorraden en reddingsploegen sturen. Iedereen en alles was verzameld, behalve de piloten. En tot nu toe kwamen ze nog steeds twee man te kort die ze probeerden te bereiken. Pat zou zelf in de nieuwe Vega vliegen met Chris, hoewel Pat alleen zou kunnen vliegen als het moest. Een van hun andere goede piloten was binnengekomen met zijn copiloot. Ze hadden allebei een vliegtuig toegewezen gekregen. Maar er waren nog twee mannen nodig om de oude Handley te vliegen. Het was een lastig vliegtuig, en wegens zijn leeftijd en grootte was het beter om er in dit weer twee man op te zetten. Nick zou hem alleen kunnen vliegen, maar dat zou niet verstandig zijn. En hij wilde iemand die goed was om met hem te vliegen. Zwijgend keek hij naar Cassie, maar hij zei niets.

Vlak daarna kregen ze bericht van twee andere mannen. De ene was doodmoe na een vlucht van zestien uur, waarbij hij in verschrikkelijk weer post had moeten afleveren, en de andere vertelde al snel dat hij had gedronken.

'Dan is er nog één over,' zei Nick ongelukkig. Er was nog één man van wie ze bericht verwachtten. Rond tien uur belde hij eindelijk en vertelde dat hij een verschrikkelijke oorpijn had. 'Dat is het, O'Malley,' zei Nick op scherpe toon. Ze hadden één man te weinig voor hun missie. Pat begreep al snel wat hij bedoelde en begon zijn hoofd te schudden, maar deze keer was Nick niet bereid te luisteren.

'Ik neem Cassie mee,' zei hij rustig, terwijl Pat tegen begon te sputteren. 'Dat is tijdverspilling, Ace. Er zijn honderden gewonden die op hulp en voorraden wachten en ik ga hier niet met jou zitten redetwisten. Ik weet wat ik doe en ze gaat met me mee.' De enige andere mogelijkheid was geweest dat ze als co-piloot met haar vader had gevlogen, en Nick wist dat hij dat nooit zou doen. Nick pakte zijn jack en liep naar de deur. Even hield hij zijn adem in toen Pat hem woedend aankeek, maar hij kwam niet met bezwaren.

'Je bent een verdomde idioot, Nick,' snauwde Pat tegen hem, maar hij zei niets meer toen ze hun spullen pakten. Hij belde Oona en vroeg haar naar het vliegveld te komen en daar op hem te wachten.

Cassie volgde Nick rustig naar het bekende vliegtuig. Diep van binnen voelde ze iets beven, en even zag ze hoe haar vader haar aankeek, met een blik die vol was van gevoelens van verraad en woede. Ze wilde iets tegen hem zeggen, maar wist niet wat, en een ogenblik later was hij weg, met Chris, in de Vega.

'Het komt wel goed met hem,' zei Nick, terwijl hij haar op haar stoel hielp, maar ze knikte alleen. Nick was voor haar opgekomen, zoals gewoonlijk. Hij geloofde in haar en was niet bang geweest daarvoor uit te komen. Hij was een verbazingwekkende man en ze hoopte alleen dat ze hem niet teleur zou stellen tijdens hun vlucht in dat oude vliegtuig, bij slecht weer en helemaal naar Missouri.

Ze voerden de gebruikelijke grondcontroles uit en daarna controleerden ze zorgvuldig de instrumenten. Dank zij Nick kende ze het vliegtuig goed en terwijl ze haar veiligheidsriemen omdeed, voelde ze zich plotseling opgewonden bij de gedachte aan wat ze gingen doen en vergat ze haar vader. Ze vervoerden noodvoorraden die bij het vliegveld waren afgeleverd. De andere vliegtuigen vervoerden ook voorraden en twee artsen en drie verpleegsters. Uit vier staten werd hulp gestuurd. Er waren bijna duizend gewonden.

Nick steeg voorzichtig maar soepel op. Er was geen ijs op de vleugels geweest en de sneeuw viel wat minder dicht. Het was vrijwel gestopt met sneeuwen toen ze hun uiteindelijke hoogte van 2400 meter bereikten en in zuidwestelijke richting naar Kansas City vlogen. Voor hen was het een vlucht van tweeëneenhalf uur, maar haar vader en Chris zouden er in de Vega ruim een uur over doen. Ze hadden veel turbulentie, maar daar maakten Cassie en Nick zich niet druk over. Cassie was verbijsterd over de schoonheid van de nacht en merkte met verbazing hoe vredig het was om onder de nachtelijke sterrenhemel te vliegen. Het was alsof je je op de rand van de wereld bevond, in een oneindig heelal. Ze had zich nog nooit zo klein, zo vrij en zo levend gevoeld als op dat moment.

Nick liet haar een groot deel van de tijd vliegen, en toen ze bij een flink veld kwamen in de buurt van de treinramp nam hij het over voor de landing.

Toen ze bij de trein kwamen, zagen ze overal gewonden liggen. Er werden voorraden gebracht, er was medisch personeel dat de gewonden probeerde te helpen en er waren huilende kinderen. Nick en Cassie en de anderen bleven helpen tot het licht werd. Tegen die tijd leek de politie alles onder controle te hebben. Overal uit de staat waren ambulances en was medisch personeel gekomen. Mensen waren zo snel gekomen als ze konden, met auto's en vliegtuigen. Vroeg in de ochtend vlogen Nick, Cassie en de anderen naar huis. Ze had haar vader de hele nacht nauwelijks gezien doordat ze alles hadden gedaan om de reddingswerkers te helpen.

Toen ze opstegen, kwam de zon net op. Op de terugweg liet Nick haar vliegen, en ondanks de harde wind en een gladde landingsbaan, maakte ze een landing volgens het boekje. Toen ze de motoren had uitgezet, schudde Nick haar de hand en feliciteerde haar met een uitstekend uitgevoerde vlucht. Ze stapte met een brede grijns uit het vliegtuig en was verbaasd toen ze bijna tegen haar vader aan botste. Hij stond naast het vliegtuig en keek Nick met vermoeide ogen aan terwijl hij een vraag brulde.

'Wie heeft de landing gedaan?' Het was zijn vliegtuig en Cassie voelde onmiddellijk aan dat er problemen konden komen.

'Ik,' zei Cassie rustig, bereid om de schuld op zich te nemen voor een eventuele fout die ze had gemaakt. Ze nam haar vliegen serieus en was kalm.

'Dat was verdomd goed werk,' zei hij onhandig. Toen draaide hij zich om en beende weg. Ze had alles bewezen wat Nick had gezegd, en ze vroegen zich allebei af wat Pat nu zou doen. Het was moeilijk te zeggen. Als het om Pat O'Malley ging, kon je maar beter niets voorspellen. Maar terwijl ze hem weg zag lopen, stonden er tranen in haar ogen. Het waren de enige lovende woorden van betekenis die ze ooit van hem had gekregen. Ze was zo opgewonden dat ze wel kon schreeuwen. In plaats daarvan grinnikte ze tegen Nick en zag een brede glimlach op zijn gezicht. Arm in arm liepen ze terug naar het kantoor.

Haar moeder had voor koffie en broodjes gezorgd voor alle mannen, en Cassie zat rustig haar koffie te drinken en met Nick te praten over wat ze bij de treinramp hadden gezien. Het was een lange, vermoeiende nacht geweest, maar ze hadden in elk geval kunnen helpen.

'Zo, dus jij denkt dat je een hele piet bent.' Haar vader stond naast haar en ze hoorde zijn woorden, maar toen ze naar hem opkeek stonden zijn ogen niet meer boos.

'Nee, pap, dat denk ik niet. Ik wil alleen maar vliegen,' zei ze zachtjes.

'Het is onnatuurlijk, en dat is het. Kijk naar wat er met die arme dwaas van een Earhart is gebeurd.' Cassie had het allemaal eerder gehoord en ze was erop voorbereid, maar ze was absoluut niet voorbereid op wat hij daarna zei, en haar mond zakte open terwijl ze een blik op Nick wierp om zeker te weten dat ze hem goed had verstaan.

'Ik geef je wat werk hier. Na school. Niks groots. Alleen kleine klussen. Ik kan Nick niet eeuwig tijd en brandstof laten verspillen doordat hij jou les moet geven.' Er verscheen een brede grijns op haar gezicht en Nick liet een vreugdekreet horen, terwijl de andere mannen verbaasd naar hen keken.

Ze sloeg haar armen rond haar vaders nek, Nick begon hevig aan zijn hand te schudden en Chris liep naar hen toe en omhelsde haar. Ze was nog nooit van haar leven zo gelukkig geweest. Ze mocht van hem vliegen... haar vader liet haar vliegen en zou haar vliegkarweitjes op het vliegveld geven...

'Wacht maar tot de vliegshow in juli!' fluisterde ze tegen Nick, terwijl ze hem stevig omhelsde, en hij lachte. Er stond haar vader nog een grote verrassing te wachten, maar dit was in elk geval een goed begin.

8

De volgende zes maanden leken Cassies dagen voorbij te vliegen. Ze reed elke dag naar Bradley, werkte drie middagen per week in het restaurant om te kunnen betalen voor de brandstof als ze met Nick vloog en probeerde altijd zo snel ze kon en voor het donker werd op het vliegveld te komen. Ze hielp daar zoveel mogelijk, maar het meeste werk deed ze voor haar vader. En het vliegen gebeurde in de weekenden. Dat waren haar gelukkigste dagen. Nick nam haar zelfs mee op een paar vrachtvluchten naar Chicago, Detroit en Cleveland.

Haar leven had nog nooit zo volmaakt geleken. Ze miste haar geheime vlieglessen met Nick wel eens en de tijd die ze alleen hadden gehad, maar hij gaf haar nu openlijk les, wanneer ze allebei tijd hadden, en ze stegen dan op van haar vaders vliegveld. En hoewel Pat nooit iets tegen haar zei, was duidelijk dat hij tevreden was over haar stijl, en in het geheim vertrouwde hij Nick een keer toe dat ze een verdomd goed vliegeniertje was. Al zijn openlijke woorden van lof gingen naar Chris, die erg zijn best deed maar het niet echt verdiende. Het maakte Cassie echter niet zoveel meer uit. Ze had alles wat ze wilde.

Het enige probleem dat ze had was met haar verloofde, die ontzet was toen hij hoorde dat haar vader had toegegeven. Maar omdat hij dat gedaan had, kon Bobby weinig zeggen. Het enige dat hij deed was haar voortdurend herinneren aan zijn afkeuring. Haar moeder dacht dat het een voorbijgaande fase was, iets wat vanzelf over zou gaan als ze eenmaal getrouwd was en kinderen kreeg.

Het grootste nieuws van dat voorjaar kwam toen Hitler in maart Oostenrijk binnenviel. Voor het eerst begon iedereen echt bang te worden dat er oorlog zou komen, hoewel de meeste mensen nog steeds geloofden in Roosevelt, die zei dat er geen oorlog zou komen en dat Amerika niet mee zou doen als dat wel zou gebeuren. Eén keer was genoeg geweest. Amerika had zijn les geleerd.

Maar Nick dacht niet dat het zo eenvoudig lag. Hij had over Hitler gelezen en vertrouwde hem niet. Ook had hij vrienden die twee jaar daarvoor als vrijwilliger naar Spanje waren gegaan om in de Spaanse

Burgeroorlog te vliegen, en hij was ervan overtuigd dat heel Europa binnenkort weer in grote problemen zou zijn. Nick dacht dat Amerika er gemakkelijk weer bij betrokken zou kunnen raken, ondanks de beloften en protesten van Roosevelt.

'Ik kan me niet voorstellen dat wij weer gaan meedoen. Jij wel, Nick?' vroeg Cassie ernstig, nadat ze geoefend hadden voor de vliegshow.

'Ik wel,' zei hij eerlijk. 'Ik denk dat het uiteindelijk ook gaat gebeuren. Ik denk dat Hitler te ver zal gaan en dat we onze bondgenoten zullen moeten steunen.'

'Ik kan het niet geloven,' zei Cassie. Wat nog moeilijker te geloven was, was dat haar vader haar echt liet meedoen aan de vliegshow. Nick had hem overgehaald, maar Pat was vooral bang dat hij voor gek zou worden gezet. Hij had wel gezien dat ze veilig vloog, dat ze goede handen had en dat ze het goed geleerd had, maar stel je voor dat ze slecht zou zijn. Stel je voor dat ze zo slecht zou zijn dat hij niet meer met opgeheven hoofd zou kunnen rondlopen.

'Chris zal je niet teleurstellen,' had Nick gezegd om hem moed in te spreken, en Pat was er naïef op ingegaan. Nick was veel zekerder van Cassie, maar dat durfde hij niet tegen haar vader te zeggen. Pat wilde nog steeds geloven dat Chris een grote toekomst in de lucht zou hebben en weigerde in te zien hoe weinig Chris geïnteresseerd was in vliegen. Eerlijk gezegd liet Chris hem ook niet merken hoe hij er echt over dacht. Dat durfde hij niet.

Toen de grote dag tenslotte kwam, bleken alle voorspellingen van Nick profetisch te zijn geweest. Chris won opnieuw de hoogteprijs, maar Cassie werd tweede op het onderdeel snelheid bij rechtdoor vliegen, en eerste op het onderdeel gesloten circuit. Toen die middag de winnaars bekend werden gemaakt, kon Pat zijn oren niet geloven en dat gold ook voor Cassie. Nick en zij dansten rond als twee kinderen. Ze omhelsden elkaar, kusten elkaar en stonden te gillen en te juichen. De plaatselijke krant maakte een foto van haar, eerst alleen en daarna met haar vader. En Chris gunde het haar allemaal. Hij wist hoeveel het voor haar betekende. Het was haar hele leven. Pat kon niet geloven wat ze gedaan had, maar Nick wel. Hij had het altijd geweten. Ook was hij niet verbaasd toen een van de leden van de bochtenjury zei dat hij nog nooit een piloot had gezien die zo goed was in bochten bij hoge snelheid als Cassie.

'Het is je gelukt, meid,' zei Nick glimlachend tegen haar, terwijl hij haar aan het eind van de dag naar huis reed nadat ze al haar vaders vliegtuigen terug hadden gevlogen naar het vliegveld.

'Ik kan het nog steeds niet geloven,' zei ze terwijl ze hem aankeek. Toen wendde ze haar hoofd af en staarde uit het raam.

'Je vader ook niet,' zei hij glimlachend.

'Ik heb het allemaal aan jou te danken,' zei ze ernstig, maar hij schudde zijn hoofd. Hij wist wel beter.

'Je hebt het alleen aan jezelf te danken. Helemaal aan jezelf. Ik heb je dat talent niet gegeven, Cass. Dat heeft God gedaan. Ik heb je alleen geholpen.'

'Jij hebt alles gedaan.' Ze keek hem aan en voelde zich ineens bedroefd. Stel dat hij nu zou stoppen met les geven? Stel dat ze geen tijd meer met elkaar zouden doorbrengen? 'Gaan we nog steeds af en toe samen vliegen?'

'Natuurlijk, als je belooft dat je me niet de stuipen op het lijf jaagt.' Toen vertelde hij haar wat de man van de bochtenjury had gezegd. Hij was echt trots op haar.

Ze brulde van het lachen, maar dat ging over in gekreun toen ze zag dat Bobby Strong op de veranda op haar wachtte. Hij was zo bang geweest dat er iets zou gebeuren dat hij niet naar de vliegshow had willen komen. Wat dat betreft waren er dingen waar ze nu eens mee om moest leren gaan, maar ze had er nooit de moed voor en hij wilde het nooit horen. Hij wilde niet geloven dat vliegen zoveel voor haar betekende en dat ze zo verschrikkelijk graag andere dingen wilde doen dan zijn vrouw zijn en baby's krijgen. Het enige waar ze nu echt zin in had was nog eens de hele vliegshow doornemen met Nick en van hem horen dat hun tijd samen nog niet afgelopen was. In plaats daarvan had ze nu met Bobby te maken.

'Daar is je vriend,' zei Nick rustig. 'Ga je een dezer dagen met hem trouwen?' Het was iets wat hij zich voortdurend afvroeg.

'Ik weet het niet,' zuchtte ze. Ze was altijd eerlijk tegen hem, maar haar eerlijke antwoorden waren niet wat Bobby wilde. Ze was negentien jaar en voelde zich nog helemaal niet klaar om zich aan iemand te binden, maar dat was wat iedereen van haar wilde. 'Ik blijf maar te horen krijgen dat ik zal veranderen, dat trouwen en kinderen krijgen alles verandert. Ik denk dat ik daar juist bang voor ben. Mijn moeder zegt dat alle vrouwen dat uiteindelijk willen. Hoe komt het dan dat ik alleen maar wil wat ik vandaag heb gedaan plus een hangar vol vliegtuigen?'

'Ik moet bekennen dat ik me ook altijd zo gevoeld heb,' grinnikte hij.

Maar toen zei hij op nadenkende toon: 'Nee, dat is niet waar. Toen ik jouw leeftijd had, voelde ik me anders. Ik heb het echt geprobeerd, maar het werkte niet. En sinds die tijd ben ik als de dood geweest. In mijn leven is geen ruimte voor een gezin èn vliegtuigen. Maar jij bent misschien anders, Cassie.' Op een bepaalde manier wilde hij dat ze dat was, maar niet voor Bobby.

'Het lijkt mijn vader wel gelukt te zijn,' zei ze grinnikend tegen hem. 'Misschien zijn we allebei een beetje vreemd, jij en ik. Misschien zijn we gewoon lafaards. Het is soms gemakkelijker om van vliegtuigen dan van mensen te houden.' Maar ze wist wel dat ze van hem hield. Hij was de dierbaarste vriend die ze had, en ze wist dat hij al van haar hield sinds ze een kind was. Het probleem was dat ze geen kind meer was.

'Weet je,' knikte hij nadenkend, reagerend op haar opmerking dat ze misschien een lafaard was, 'dat is precies wat ik bij mezelf dacht toen ik je die driedubbele looping zag doen gevolgd door de omgekeerde spin en die *barrel roll*. Ik dacht: jeetje, ik heb me nooit gerealiseerd dat Cassie een lafaard is.' Ze barstte in lachen uit toen ze de uit- drukking op zijn gezicht zag en gaf hem een duw, terwijl hij daar ach- ter het stuur in zijn oude truck zat.

'Je weet wel wat ik bedoel. Misschien zijn we lafaards als het om an- dere mensen gaat,' zei ze voorzichtig.

'Misschien zijn we alleen niet dom. Ik denk dat getrouwd zijn met de verkeerde zo ongeveer het ergste is wat je kan overkomen. Geloof me, ik heb het geprobeerd.'

'Bedoel je dat hij de verkeerde voor me is?' zei Cassie op gedempte toon, terwijl Bobby geduldig op de veranda op haar stond te wach- ten. Hij had al gehoord dat ze twee prijzen had gewonnen tijdens de vliegshow.

'Dat kan ik je niet vertellen, Cass. Jij bent de enige die dat kan we- ten, maar laat je ook door niemand wijsmaken dat hij de juiste voor je is. Je moet het zelf uitzoeken. Als je dat niet doet, krijg je er later spijt van.' Ze knikte als reactie op de onverwachte wijsheid van zijn woorden en omhelsde hem toen nog een keer voor alles wat hij voor haar had gedaan.

'Ik zie je morgen op het werk.' Ze zou de hele zomer op het vliegveld gaan werken. Ze mocht van haar vader haar baantje in het restaurant opzeggen en voor een schijntje voor hem komen werken. Ze vroeg zich af of haar vader haar vrachtvluchten zou laten doen, alleen. Ze vroeg zich af of haar prestaties op de vliegshow tot veranderingen zouden leiden.

Ze wipte lichtjes uit de truck, wierp nog een laatste blik op Nick en liep toen naar Bobby. Hij had een hele tijd op haar gewacht en was blij dat ze gewonnen had, maar hij leek geërgerd toen ze zich naar hem toe haastte. De hele middag, terwijl hij in zijn vaders winkel aan het werk was, was hij ziek geweest van angst, als de dood dat hij zou horen dat er een ramp was gebeurd tijdens de vliegshow. En nu zag ze er zo opgewekt uit als maar mogelijk was, alsof ze in de stad was wezen winkelen met haar zusters.

'Het is niet eerlijk ten opzichte van mij, Cass,' zei hij rustig. 'Ik heb me de hele middag zorgen gemaakt. Je kunt je niet voorstellen hoe het is als je alleen maar kunt denken aan alle afschuwelijke dingen die er kunnen gebeuren.'

'Het spijt me, Bobby,' zei ze, 'maar het was een speciale dag voor mij.'

'Dat weet ik,' zei hij, maar hij zag er nog steeds geërgerd uit. Geen van haar zusters vloog. Wat probeerde ze te bewijzen? Hij wilde echt niet dat ze door zou gaan met vliegen en dat zei hij ook. Maar dit was het verkeerde moment, en plotseling zag Cassie er net zo kwaad uit als hij.

'Hoe kun je dat tegen me zeggen?' Ze was nu zo ver gekomen, de vliegshow, haar vader, al die jaren van lessen met Nick. Dat zou ze niet meer opgeven. Ze had haar niveau bereikt en was van plan daar te blijven, of Bobby dat nou leuk vond of niet. Hij ging ervanuit dat hij haar uiteindelijk wel zou veranderen. Maar aan het eind van de zomer moest hij inzien dat hij een verbintenis was aangegaan met een familie van vliegeniers en dat bloed dikker was dan verlovingen. Het enige dat hij voorlopig kon doen, was haar vragen voorzichtig te zijn. En dat was ze natuurlijk ook, maar niet voor Bobby. Ze was gewoon goed in wat ze deed. En ze vloog voortdurend. In het najaar, toen Jackie Cochran de Bendix Trophy won, de race van Burbank naar Cleveland, begon Cassie postvluchten te doen voor haar vader. Hij was toen overtuigd van haar bekwaamheden, nadat hij zichzelf door haar over de hele staat had laten vliegen. Hij had eindelijk toegegeven dat Nick gelijk had. Het was natuurlijk toeval, en je kon een vrouw nooit zo vertrouwen als een man, maar ze was een verdomd goede pilote. Dat zei hij natuurlijk niet allemaal tegen Cassie.

Ze bleef naar Bradley gaan voor haar tweede studiejaar en werkte verder de hele winter door op het vliegveld. Ze hielp verscheidene keren bij noodgevallen, vloog met Nick wanneer ze maar kon en was in het voorjaar een geaccepteerd lid van het team op het vliegveld. Ze vloog overal heen, deed zowel korte als lange vluchten, en was natuurlijk weer aan het oefenen voor de vliegshow in de zomer. Soms oefende ze met Nick, en hun tijd samen herinnerde haar aan de jaren waarin ze les had gehad. Maar nu konden ze op het vliegveld met elkaar praten, tijdens hun werk, en meer dan eens ging ze met hem mee tijdens post- of vrachtvluchten.

Ze was nog steeds verloofd met Bobby Strong, maar omdat zijn vader het hele jaar ziek was geweest, had hij meer verantwoordelijkheden in de winkel. Hij leek Cassie steeds minder vaak op te zoeken. En zij had het zo druk dat ze het soms niet eens merkte.

In maart bezette Hitler de rest van Tsjechoslowakije en vormde een steeds grotere dreiging. Opnieuw werd er over oorlog gesproken en kwam de angst op voor betrokkenheid van Amerika. Roosevelt bleef zeggen dat dat deze keer niet zou gebeuren, en Nick bleef hem niet geloven.

Toen Charles Lindbergh in het voorjaar van 1939 terugkeerde uit Europa, pleitte hij ervoor dat Amerika buiten de oorlog zou blijven. Pat was blij dat te horen. Hij geloofde alles wat de beroemde vliegenier te zeggen had. Voor Pat O'Malley was de naam Lindbergh nog steeds heilig.

'We horen niet thuis in de volgende oorlog, Nick. We hebben ons lesje in de laatste wel geleerd.' Pat was ervan overtuigd dat de Verenigde Staten zich nooit zouden laten betrekken bij een andere oorlog in Europa. Maar er waren al moeilijkheden tussen de Chinezen en de Japanners. Mussolini had Albanië ingenomen en Hitler leek zijn blik op Polen te richten.

Maar het enige waaraan Cassie in die tijd kon denken was de volgende vliegshow. Ze was hard aan het werk om rollen en bochten te leren en wat nieuwe figuren die ze op een klein vliegveld in Ohio had gezien waar ze met Nick heen was geweest. Ze werkte aan haar snelheid en oefende wanneer ze maar tijd had. In juni had ze haar tweede studiejaar afgerond en vond ze dat ze klaar was voor de vliegshow.

Bobby ergerde zich aan het feit dat ze weer aan de vliegshow mee zou doen, maar hij had zijn eigen problemen in de kruidenierswinkel en had bovendien begrepen hoe onmogelijk Cassie was als het om vliegen ging. Ze gingen naar de nieuwe Tarzan-film, toen die in juni uitkwam, en het was de enige tijd die ze samen doorbrachten terwijl zij zich op de vliegshow voorbereidde.

Tenslotte brak de grote dag aan en was Cassie al om vier uur in de ochtend met Nick op het vliegveld van Peoria. Haar broer zou later met Pat komen, maar was dit jaar niet bijzonder enthousiast over het vliegen in de show. Hij was zo opgewonden over het feit dat hij naar de Western Illinois University in Macomb zou gaan, dat hij nauwelijks geoefend had. Pat vestigde nog steeds al zijn hoop op hem, en ondanks Cassies indrukwekkende prestaties van het jaar daarvoor had hij het vrijwel nooit over het feit dat zij ook mee zou doen.

Nick hielp haar met het voltanken van het vliegtuig en met de laatste controles en om zes uur nam hij haar mee om te gaan ontbijten.

'Ontspan je een beetje,' zei hij glimlachend. Hij herinnerde zich hoe hij was geweest toen hij na de oorlog voor het eerst had meegedaan aan een show. Pat was met hem meegegaan en Oona had de kinderen meegebracht om naar hem te kijken. Cassie was er natuurlijk ook geweest, maar ze was toen nog maar twee jaar geweest. Toen hij daaraan dacht, voelde hij zich plotseling oud. Sinds hij begonnen was haar vlieglessen te geven, waren ze sterk naar elkaar toe gegroeid, maar het pijnlijke voor hem was dat hij zich soms moest dwingen om eraan te denken dat hij oud genoeg was om haar vader te zijn. Ze was nu twintig en hij was achttien jaar ouder. Hij voelde zich als een kind en zag er veel jonger uit dan zijn leeftijd, en Cassie beschuldigde hem er voortdurend van dat hij zich als een kwajongen gedroeg. Maar het punt was dat hij achtendertig was... en zij nog maar twintig. Hij had er alles voor willen geven als hij het verschil tussen hen in tweeën had kunnen delen. Niet dat het haar iets leek uit te maken, maar hem wel. Bovendien was ze nog steeds de dochter van zijn beste vriend, en dat zou nooit veranderen. Pat zou de band tussen hen nooit hebben begrepen. Nick wist dat dat een obstakel was dat ze nooit zouden overwinnen, in tegenstelling tot haar vliegen. Pat was ver gegaan, maar verder zou hij niet gaan.

Nick bestelde een ontbijt van eieren, worstjes, toost en zwarte koffie voor haar, maar ze schoof het opzij zodra het op de tafel verscheen.

'Ik kan niet eten, Nick. Ik heb geen honger.'

'Je moet eten. Je hebt het later nodig. Ik weet waar ik over praat, meid. Anders krijg je bibberknieën wanneer je je loopings en negatieve G's doet. Wees nou een braaf meisje en eet het op, anders moet ik het door je keel duwen en dat begrijpt de serveerster misschien niet.'

Hij keek haar aan met een blik waarin te lezen stond hoeveel hij om haar gaf, en er verscheen een gelukkige glimlach op haar gezicht.

'Je bent walgelijk.'

'Jij bent leuk. Vooral als je de eerste prijs wint. Ik mag dat wel in een meisje. Eerlijk gezegd reken ik er een beetje op dat je dat gaat doen.'

'Wees een beetje aardig. Zet me niet onder druk. Ik doe wat ik kan.' Maar ook zij wilde een eerste prijs winnen, en misschien wel een paar. Voor hem, voor haarzelf en, het belangrijkste, om indruk te maken op haar vader.

'Hij houdt toch wel van je, wat er ook gebeurt. Hij vindt het gewoon moeilijk om toe te geven dat hij fout zat. Maar hij weet hoe goed je bent. Dat hoorde ik hem vorige week nog tegen een paar van de jongens op het vliegveld zeggen. Hij kan het alleen niet tegen jou zeggen, dat is alles.' Nick begreep hem beter dan Cass. Ondanks zijn ruwe manieren en zijn schijnbare woede als het om vrouwelijke vliegeniers ging, was haar vader ongelooflijk trots op haar, maar hij vond het net zo moeilijk om dat te laten zien.

'Als ik vandaag een stapel prijzen in de wacht sleep, zal hij misschien eindelijk toegeven dat ik goed vlieg... tegenover mij, bedoel ik, niet alleen tegenover een paar van de jongens.' Soms klonk ze nog steeds kwaad als ze erover sprak. Haar vader was altijd aan het opscheppen over Chris, die niet eens van vliegen hield. Soms kon ze er razend om worden.

'Zou het echt zoveel verschil maken als je de woorden zou horen?' vroeg Nick, terwijl hij aan zijn gebakken eieren en zijn steak zat. Hij zou weliswaar geen loopings gaan vliegen, maar had wel een stevig ontbijt voor zichzelf besteld.

'Misschien. Ik zou het voor de grap wel eens willen horen. Gewoon om te kijken hoe het voelt.'

'En wat dan?'

'Dan ga ik weer vliegen, voor jou, voor hem, voor mezelf. Niets bijzonders verder.'

'En dan maak je je opleiding af en word je lerares.' Hij hield ervan om de woorden uit te spreken, maar ze wisten allebei dat ze dat niet geloofde.

'Ik zou liever vlieglessen gaan geven, net als jij,' zei ze eerlijk, terwijl ze een slok hete koffie nam.

'Ja ja, en postvluchten doen. Dat is een geweldig leven voor een ex-studente.'

'Je hoeft niet zo onder de indruk te zijn. Ik heb niets geleerd, behalve van jou.' En dat meende ze. Voordat ze hem wat kon afleiden van haar prijzende woorden, werden ze gestoord door een groep jongemannen die zojuist ontbeten hadden. Ze leken in de buurt van hun tafel wat te aarzelen, als jonge vogels rondjes te draaien, terwijl ze een vluchtige blik op Nick wierpen en naar Cassie keken.

'Ken je die jongens?' vroeg Nick op gedempte toon. Ze schudde haar hoofd. Ze had hen nog nooit gezien, maar tenslotte kwam een van hen naar Cassies tafel. Hij keek op haar neer, keek toen naar Nick, en zag er ineens heel jong uit toen hij de moed verzamelde om hen aan te spreken.

'Zijn jullie... Stick Galvin?' vroeg hij aarzelend, en naar haar kijkend, 'en Cassie O'Malley?'

'Ja,' antwoordde ze voordat Nick het deed.

'Ik ben Billy Nolan. Ik kom uit Californië... We doen mee aan de vliegshow. Ik heb je vorig jaar gezien.' Hij werd knalrood en zei: 'Je was geweldig.' Hij zag eruit alsof hij veertien was en Nick kreunde bijna. Hij was vierentwintig, maar dat was niet te zien. Hij was blond en jong, zijn haar stond rechtop in een vetkuif, als bij een kind, en zijn gezicht was bezaaid met sproeten. 'Mijn vader wist wie je was,' zei hij tegen Nick. 'Hij heeft in het 94ste met je gevlogen. Hij werd neergeschoten. Waarschijnlijk herinner je je hem niet... Tommy Nolan.'

'God allemachtig,' zei Nick grinnikend. Hij stak zijn hand uit en nodigde Billy uit om bij hen te komen zitten. 'Hoe gaat het met hem?'

'Wel goed. Hij trekt nogal met zijn been sinds de oorlog, maar hij lijkt er niet veel last van te hebben. We hebben een schoenenzaak in San Francisco.'

'Geweldig voor hem. Vliegt hij nog?' Nick herinnerde zich hem goed, en het grappige was dat Billy precies op hem leek.

Billy vertelde dat hij in geen jaren gevlogen had en dat hij ook niet al te enthousiast was over het feit dat Billy de kriebel geërfd had. Zijn vrienden stonden naar hen te kijken en Billy gebaarde dat ze moesten komen. Ze waren met zijn vieren, allemaal ongeveer van zijn leeftijd en allemaal uit verschillende delen van Californië. De meesten zagen eruit als cowboys.

'Aan welke wedstrijden doe je mee?' vroegen ze Cass, en ze vertelde het. Snelheid, acrobatiek en nog een paar andere die Nick iets te ambitieus vond. Maar het betekende zoveel voor haar en ze vond het zo geweldig om aan de vliegshow mee te doen, dat hij haar plezier niet had willen bederven. Ze had er lang op moeten wachten en nu genoot ze er echt van.

Billy stelde iedereen voor. Het was een leuk stel jongens, en voor de tweede keer die ochtend voelde Nick Galvin zich oud. De meeste van die jongens waren zo'n vijftien jaar jonger dan hij. Ze waren allemaal ongeveer van Cassies leeftijd, en tegen de tijd dat ze het restaurant verlieten, was iedereen aan het lachen en kletsen en aan het praten over de vliegshow. Ze waren als een stel kinderen die naar een speel-tuin gaan en een geweldige tijd hebben.

'Ik zou jullie moeten laten spelen,' zei Nick grinnikend tegen hen, 'maar ik ben bang dat Cassie dan misschien vergeet dat ze moet vlie-gen. Misschien moet ik maar even in de buurt blijven om te zorgen dat jullie je gedragen en de show niet vergeten.' Ze lachten tegen hem en de meesten hadden een heleboel vragen over het 94ste en de oor-log en de Duitsers die hij neergeschoten had. 'Hé, jongens, even rus-tig… één tegelijk,' en hij vertelde ze nog een ander verhaal. Ze be-handelden hem als een held en ze waren allemaal in opperbeste stemming toen ze bij het feestterrein kwamen. Dat was waar het bij het vliegen om ging: de kameraadschap, het plezier, de mensen die je hier ontmoette, de verwachtingen die je deelde. Het ging niet alleen om de lange vluchten en de eenzaamheid, en de nachtelijke hemel die je het gevoel gaf dat de wereld van jou was. Het waren al die dingen, de hoogtepunten en dieptepunten, de angsten en de vredigheid, de on-gelooflijk grote contrasten.

Ze wensten Cassie geluk en gingen weg om hun vliegtuig te controle-ren. Ze hadden zich voor verschillende onderdelen ingeschreven en vlo-gen er allemaal om de beurt in. Billy was de enige die tegen Cassie zou vliegen.

'Hij is aardig,' zei ze toen ze eenmaal weg waren, en Nick keek naar haar over zijn schouder.

'Vergeet niet dat je verloofd bent,' zei hij beleefd, en ze moest lachen om de brave uitdrukking op zijn gezicht, die zo ongewoon voor hem was. Over het algemeen had hij geen enkele belangstelling voor Bob-by Strong en de vraag of ze hem trouw was.

'O, hou toch op. Ik zei alleen maar dat hij "aardig" was, weet je, als iemand om mee te praten. Ik ben niet van plan om er met hem van-door te gaan.' Ze was bezig de vliegtuigtank te vullen en vroeg zich plotseling af of Nick jaloers zou kunnen zijn. Het was een belachelijk idee en ze zette het uit haar hoofd zodra het opgekomen was.

'Je zou er met hem vandoor kunnen gaan, weet je,' hield hij aan. 'Hij heeft de juiste leeftijd en hij vliegt tenminste. Dat kan verfrissend zijn,' zei hij onschuldig.

'Begin je nu jongens voor me te zoeken?' Ze zag er geamuseerd uit.

'Ik wist niet dat dat onderdeel was van de dienstverlening,' zei ze kalm. 'De dienst die ik lever houdt in dat ik je aan de grond vastketen als je je vliegtuig niet goed klaarmaakt. Geen grappen meer, Cass. Je gaat dat vliegtuig en jezelf onder heel wat spanning zetten. Koppie erbij nu.'

'Ja, meneer.' De spelletjes waren voorbij, maar gedurende een fractie van een seconde had ze kunnen zweren dat hij jaloers was, hoewel hij er geen enkele reden voor had. Ze was verloofd met een ander en zij waren gewoon vrienden, zoals ze altijd waren geweest. Ze vroeg zich af of hij het vervelend vond als ze bevriend raakte met andere piloten. Hij was erg trots op alles wat ze gedaan had en misschien was dat wat hem dwarszat. Het was moeilijk te zeggen, terwijl hij haar hielp met het controleren van het vliegtuig. Een paar minuten later zagen ze haar vader en haar broer. Het was inmiddels bijna acht uur. De wedstrijden begonnen om negen uur, maar haar eerste wedstrijd was om halftien.

'Alles klaar, Cass?' vroeg haar vader nerveus. 'Heb je alles gecontroleerd?'

'Natuurlijk,' zei ze verdedigend. Dacht hij soms dat ze dat niet kon? En als hij zo bezorgd was, waarom was hij haar dan niet komen helpen in plaats van Chris? Hij had aan hen allebei aandacht kunnen schenken, maar dat deed hij niet. Al zijn zorg ging naar Chris, die er vooral uitzag alsof hij wenste dat hij daar niet hoefde te zijn. Hij deed dit jaar maar aan één wedstrijd mee en Cassie hoopte voor hem dat hij die zou winnen.

'Veel geluk,' zei haar vader rustig, en liep weg om naar Chris te gaan.

'Waarom neemt hij de moeite nog,' mopperde ze toen hij weg was.

Nick antwoordde vriendelijk: 'Omdat hij van je houdt en niet weet hoe hij dat moet zeggen.'

'Hij heeft soms een rare manier om dat te laten merken.'

'Ja? Misschien komt het doordat je hem de hele nacht wakker hield toen je net geboren was. Misschien verdien je het wel.' Ze glimlachte om zijn antwoord. Nick wist er altijd voor te zorgen dat ze zich beter ging voelen en het was geruststellend om te weten dat hij er altijd was geweest.

Voor haar eerste wedstrijd begon, zag ze Billy Nolan en de jongens weer. Ze schreeuwden en lachten en zetten de hele boel op stelten. Je zou zo nauwelijks geloven dat ze serieus waren, maar ze hadden zich voor alle moeilijke onderdelen ingeschreven.

'Ik hoop dat ze weten wat ze doen,' zei Nick rustig. Ze zagen eruit als een stel kinderen, maar dat zei niet altijd alles. Hij had een paar geweldige vliegeniers gekend die eruitzagen als cowboys. Maar niemand wilde getuige zijn van een ongeluk, en dat gebeurde meestal doordat mensen hun bekwaamheden overschatten of niet wisten waar de grenzen van hun vliegtuig lagen.

'Ze moeten wel goed zijn,' zei Cassie vol vertrouwen. 'Ze hebben zich gekwalificeerd.'

'Jij ook,' zei hij plagend, 'dus wat betekent dat?'

'Grapjas...' zei ze lachend, en een halfuur later ging ze op weg. Ze was bijna aan de beurt. Er waren al wat behoorlijk indrukwekkende stunts geweest, waarbij mensen soms hun adem hadden ingehouden. Het hoorde er allemaal bij tijdens een vliegshow.

'Laat ze wat zien!' riep Nick toen hij wegliep, en ze taxiede in de Moth over de korte baan, op weg naar het onderdeel acrobatiek. Voor het eerst in jaren merkte Nick dat hij een gebed zei. Het jaar daarvoor was hij lang niet zo nerveus geweest, maar dit jaar was hij bang dat ze te ver zou willen gaan, alleen maar om hem of haar vader iets te bewijzen. Ze wilde zo graag winnen, en dat wist hij.

Ze begon met een paar langzame loopings, toen een dubbele en vervolgens een *barrel roll*. Ze werkte het hele repertoire af, voorwaarts en achterwaarts, en deed ook een Cubaanse acht en een vallend blaadje, en hij zag hoe ze elke oefening tot in perfectie afrondde, en toen deed ze een drievoudige looping en een duik, en ergens in de buurt gilde een vrouw, niet beseffend dat Cassie zich in een ogenblik zou herstellen... en natuurlijk deed ze dat. Volmaakt. Het was de mooiste demonstratie die hij ooit had gezien, en ze eindigde met een buitenwaartse looping, waar iedereen diep van onder de indruk was. Toen ze geland was, stond Nick daar te stralen.

'Geen slecht begin, Cass. Heel netjes.' Zijn ogen keken stralend in de hare terwijl hij haar prees.

'Is dat alles?' Haar enthousiasme veranderde op slag in teleurstelling, maar hij omhelsde haar stevig en zei dat ze fantastisch was geweest.

'Jij was de beste,' zei hij oprecht, en een halfuur later werd het bevestigd door de jury. Haar vader feliciteerde haar beleefd toen ze elkaar tegenkwamen. Maar zijn prijzende woorden waren meer tot Nick dan tot Cassie gericht. Hij was trots op haar, maar hij kon het nog steeds niet verdragen dat ze met haar vliegen de mannen voor gek zette.

'Je moet wel een goede leraar hebben gehad.'

'Ik had een heel goede leerling,' corrigeerde Nick hem, en de twee mannen glimlachten, maar haar vader zei niets meer tegen Cassie.

Het onderdeel van Chris kwam daarna, en hij deed zijn best, maar verloor. Hij wist zich deze keer niet eens te plaatsen, maar in wezen kon het hem echt niet meer schelen. Wat hem betreft was de vliegerij voorbij. Hij was veel meer geïnteresseerd in zijn opleiding en allerlei andere dingen, als het maar geen vliegtuigen en vliegvelden waren. Hij had die kriebel gewoon niet geërfd en het enige dat hij vervelend vond was dat hij zijn vader teleurstelde.

'Het spijt me, pap,' zei hij verontschuldigend, nadat hij het vliegtuig geparkeerd had. 'Ik had waarschijnlijk meer moeten oefenen.' Hij had in Nicks opgevoerde Bellanca gevlogen, waar Cassie ook in zou vliegen.

'Ja, dat had je moeten doen, jongen,' zei Pat teleurgesteld. Hij vond het vreselijk om hem te zien verliezen, terwijl hij met wat meer inspanning een geweldige vliegenier had kunnen zijn. Dat dacht Pat in elk geval. Maar Pat was de enige die dat van Chris dacht. Alle anderen, zelfs Chris, wisten dat hij gewoon geen piloot was. Maar Cassie feliciteerde hem toch.

'Goed gedaan, broertje. Dat was behoorlijk goed vliegwerk.'

'Niet goed genoeg, blijkbaar,' zei hij grinnikend, en toen feliciteerde hij haar met haar eerste prijs.

Een paar minuten later zag ze hoe een van Billy Nolans vrienden de tweede plaats haalde. Hij had uitstekend gevlogen.

Het volgende onderdeel voor Cassie begon om tien uur en was moeilijker. Het zou nu om snelheid gaan en ze was bang dat de Vega het niet zou redden. Het was een snel vliegtuig, maar sommige wedstrijdvliegtuigen waren sneller.

'Hij redt het wel als je goed met hem omgaat,' beloofde Nick haar toen hij met Cassie praatte vlak voor ze zou opstijgen. De Vega was een geweldig vliegtuig en Cassie vloog hem goed. Nick wist dat hij voor deze wedstrijd beter was dan de Bellanca. 'Gewoon je hoofd erbij houden, Cass. Niet bang worden.' Ze knikte en zei geen woord meer toen ze wegtaxiede, en een ogenblik later was ze in de lucht en prachtig aan het vliegen. Nick had nooit iemand gezien die nauwkeuriger of sneller was, en ze voerde een paar bijzonder ingewikkelde manoeuvres uit. Hij kon zijn ogen niet van haar afhouden en zag dat ook Pat aandachtig stond te kijken. Dat gold trouwens ook voor een lange blonde man in een blazer en een witte broek. Hij stond haar aandachtig gade te slaan met een verrekijker en praatte tegen een man die aantekeningen maakte. Hij leek daar niet op zijn plaats en Nick dacht dat hij misschien van een van de kranten uit Chicago was.

Deze keer won Cassie de tweede prijs, maar dat kwam alleen doordat ze geen sneller vliegtuig had gehad. Ze had elke handicap van de Vega overwonnen, en Nick kon het nog niet geloven. Hij had nooit verwacht dat ze die race zou winnen en ze had zich prachtig geplaatst. Toen ze geland was, kwam Billy haar feliciteren. Hij was op de derde plaats geëindigd. Ze waren een geweldig stel vliegeniers, en wat Nick van Billy had gezien, beviel hem. Hij was voorzichtig en zeker, en hij had gewonnen terwijl hij een minder goed vliegtuig had. Net als Cassie, was hij tot het uiterste gegaan.

Ze had die dag nog twee wedstrijden. Eén rond het middaguur, die goed ging, en haar laatste, aan het eind van de middag, een wedstrijd waaraan Nick haar liever niet had zien deelnemen. Nick en zij gebruikten de lunch met Billy Nolan en zijn vrienden. Later was ook Chris erbij gekomen, en toen haar vader voorbijliep, stelde ze de jongens voor aan de beroemde Pat O'Malley. Hij vond het aardige jongens, en Billy praatte wat langer met hem om over zijn vader te vertellen. Pat herinnerde zich hem goed en vond het jammer dat hij hem in die twintig jaar uit het oog had verloren. Hij had hem echt graag gemogen.

En toen was het tijd voor Cassies wedstrijd. Toen Pat hoorde dat ze zich daarvoor had opgegeven, was hij woedend, en zijn ogen schoten vuur toen hij met zijn partner praatte.

'Heb je niet gezegd dat ze dat niet moest doen?' brulde hij tegen Nick, die er door Pats reactie geïrriteerd en ongelukkig uitzag. Hij voelde zich al schuldig genoeg omdat hij haar had laten meedoen, en Pat maakte het alleen maar erger.

'Ze lijkt op haar vader, Pat. Ze doet wat ze wil.'

'Ze heeft er het verkeerde vliegtuig voor en ze mist de ervaring.'

'Dat heb ik haar verteld, maar ze heeft veel geoefend en ik denk dat ze slim genoeg is om ermee op te houden als het niet lukt. Ze gaat echt niet te ver, Pat. Daar heb ik haar goed voor gewaarschuwd.' Hij hoopte alleen maar dat ze wel geluisterd had.

De twee mannen stonden ongerust omhoog te kijken, samen met Chris, Billy en zijn vrienden, en de man in de witte broek. Het was een onderdeel voor waaghalzen, waar meestal alleen oude stuntpiloten aan meededen met speciale vliegtuigen voor de luchtacrobatiek, wat Nicks Bellanca niet was. Maar ze had wanhopig graag aan dit onderdeel willen meedoen. Het stelde haar in staat om alle dingen te laten zien waar ze zo goed in was en er nog een paar wonderbaarlijke staaltjes aan toe te voegen als ze het vliegtuig zo ver zou weten te krijgen dat het op lage hoogte naar haar wilde luisteren. Ze wist dat het eng zou zijn, maar was bereid om ermee op te houden als het niet ging.

Er waren een stuk of tien figuren die ze moest doen, allemaal indrukwekkend en angstaanjagend, en ze ging door de eerste helft heen zonder er ook maar een millimeter naast te zitten. Pat begon zelfs te glimlachen terwijl hij naar haar keek. Maar toen, bij de laatste duik, leek ze het vliegtuig niet meer onder controle te hebben. Met de vleugels scheef dook het vliegtuig omlaag. Nick vroeg zich af of ze in paniek was en alles vergeten had wat hij haar had geleerd, of dat ze misschien het bewustzijn had verloren. Het punt was dat ze niets deed om zich te redden, helemaal niets, en alle toeschouwers stonden doodstil en in afgrijzen toe te kijken naar wat het volgende moment een tragedie zou worden. Maar plotseling kwam ze er met een geweldig gebrul en een ontzettende stoot gas uit en trok ze weer op, nauwelijks hoger dan de hoofden van de in afgrijzen toekijkende menigte, en steeg naar grote hoogte, waar ze een driedubbele rol uitvoerde die adembenemend was. Ze maakte elke figuur af en deed nog een laatste looping die haar onmiddellijk tot overwinnaar maakte zonder dat de jury zich nog hoefde uit te spreken.

Nick had een brok in zijn keel ter grootte van een ei en Pat zag grijs, maar terwijl hij zich realiseerde wat ze gedaan had, kon Nick haar wel wurgen omdat ze hem zo'n angst had aangejaagd. Hoe kon ze iedereen zo de stuipen op het lijf jagen? Zelfs een eerste prijs was dat niet waard. Hij rende naar de plaats waar ze geland was en rukte haar bijna uit de cockpit.

'Waar denk je dat je mee bezig was, jij idioot? Jezelf de dood injagen om de show te stelen? Besef je niet dat je nooit meer had kunnen optrekken als je maar een halve meter lager had gezeten?'

'Dat weet ik,' zei ze kalm, terwijl ze tot haar schrik merkte dat hij beefde. Foutloos en nauwkeurig had ze precies gedaan wat ze wilde.

'Je bent volslagen krankzinnig! Je bent niet menselijk meer en je hebt geen recht om in een vliegtuig te stappen.'

'Heb ik verloren?' Ze zag er teleurgesteld uit, en meer dan ooit wilde hij haar door elkaar schudden, terwijl haar vader van een afstand gefascineerd stond toe te kijken. Terwijl hij naar Nicks gezicht keek, besefte hij dat hij iets zag wat hij daar nooit eerder had gezien. Hij vroeg zich af of Nick zich er wel van bewust was.

'Of je verlóren hebt?' raasde Nick door, terwijl hij haar stevig bij haar arm vasthield. 'Ben je gek geworden? Het scheelde maar een haartje of je was er geweest, jij en nog zo'n honderd mensen.'

'Het spijt me, Nick.' Ze zag er ineens schuldbewust uit. 'Ik dacht dat ik het wel kon.'

'Je kon het ook. Verdomme. En ik heb nog nooit zo'n staaltje van vliegkunst gezien, maar als je zoiets ooit weer doet vermoord ik je.'

'Ja, meneer.'

'Goed. Kom nu verdomme dat vliegtuig uit en ga je verontschuldigingen aanbieden aan je vader.'

Tot haar grote verrassing was hij veel vriendelijker tegen haar, hoewel hij net zo in angst had gezeten als Nick. Hij was vooral blij dat Oona er niet bij was. Ze was thuis gebleven met Glynnis, die weer in verwachting was en met vijf kinderen zat die de mazelen hadden. Maar Pat had Nick al bezig gezien en vond dat er genoeg was gezegd. In plaats daarvan gaf hij haar een compliment voor haar stijl en haar durf.

'Ik denk dat Nick toch gelijk heeft,' zei hij bijna verontschuldigend. 'Je vliegt geweldig, Cass.'

'Dank je, papa.' Hij sloeg zijn armen om haar heen, en het was het mooiste moment van haar leven.

Ze keken nog naar Billy Nolan, die daarna zijn laatste wedstrijd vloog en ook een eerste prijs won. Cassie had één tweede en drie eerste prijzen, wat beter was dan ze had durven hopen. En de krant bleef maar foto's van haar maken.

Ze stonden allemaal bij elkaar een biertje te drinken en naar het laatste onderdeel te kijken toen Cassie plotseling zag hoe Nicks kaak verstrakte terwijl hij naast haar stond. Ze volgde zijn blik en zag rook, hoog in de lucht, en ineens zag ze er bang uit, net als alle anderen.

'Hij is in moeilijkheden,' fluisterde Nick tegen haar. Ze wisten allemaal wie het was. Het was een jonge piloot die Jim Bradshaw heette. Hij had een jonge vrouw en twee kleine kinderen en een waardeloos vliegtuig, maar vliegshows waren het belangrijkste in zijn leven. 'O god,' mompelde Cassie, terwijl ze allemaal in afgrijzen stonden te kijken hoe hij aan een langzame spiraal begon, net als zij had gedaan, maar dit was echt, en de rookpluimen uit de romp maakten iedereen duidelijk dat het geen stunt was. Dit was een ramp. De mensen begonnen weg te rennen van de plaats waar het vliegtuig leek neer te komen en er klonk gegil. Maar Cassie kon zich niet bewegen. Ze kon niet anders doen dan kijken, naar de trage vogel die buitelend omlaagviel en plotseling met een geweldige klap en een explosie de grond raakte. Overal kwamen mensen vandaan rennen. Nick en Billy waren er als eerste bij en probeerden Jim uit het wrak te halen, maar het was te laat. Hij was verschrikkelijk verbrand en het was duidelijk dat hij bij de klap op slag dood was geweest. Zijn vrouw stond vreselijk te huilen. Ze werd vastgehouden door twee andere vrouwen, terwijl haar moeder de kinderen bij zich had.

De ambulances waren er al, maar het was een droevig einde van een opwindende dag, en voor allen een herinnering aan het gevaar waar ze voortdurend mee flirtten.

'Ik denk dat we beter naar huis kunnen gaan,' zei Nick zacht, en Pat knikte. Eerder die dag was Pat bang geweest dat Cassie hetzelfde zou overkomen en hij schaamde zich nu hij moest toegeven hoe dankbaar hij was dat het iemand anders was en niet zijn dochter.

Terwijl ze bezig waren hun drie vliegtuigen stevig op diepladers vast te zetten, kwam Billy afscheid nemen.

'Ik zou graag langskomen op het vliegveld voor ik ga,' zei hij tegen Pat, nadat ze elkaar de hand hadden geschud.

'Je bent welkom. Ga je terug naar San Francisco?'

'Eigenlijk vroeg ik me af... Ik hoopte eigenlijk dat je nog iemand zou kunnen gebruiken... Ik... Ik zou best een tijdje willen blijven en wat gaan vliegen.'

'Een vliegenier als jij kunnen we altijd gebruiken, jongen. Kom morgen maar bij me langs.'

Billy bedankte hem uitgebreid en ze zeiden elkaar nog een keer gedag. Zijn vrienden zouden de volgende dag allemaal naar huis gaan en Billy leek het fantastisch te vinden dat hij kon blijven.

'Waarom zouden we er nog zo'n lefgozer bij nemen?' vroeg Nick geërgerd.

'Ben je van plan de rest van je leven 's nachts te blijven vliegen?' vroeg Pat enigszins geamuseerd. 'Maak je geen zorgen. Ik denk niet dat hij haar type is.' Pat grinnikte een beetje spottend en voor het eerst in jaren kreeg Nick een kleur. Hij draaide zijn oude vriend de rug toe. 'Ik moet je er wel aan herinneren, Nick Galvin, dat ze verloofd is met Bobby Strong en dat ze, als het aan mij ligt, uiteindelijk met hem zal trouwen. Ze heeft een man nodig die stevig met beide benen op de grond staat en niet altijd in de lucht zit, zoals wij tweeën.' Hij meende wat hij zei, maar wat hij die dag in Nicks ogen had gezien intrigeerde hem. Er was iets tussen die twee dat heel sterk was, hoewel hij vermoedde dat Cassie te jong was om het te weten. Hij wist ook dat Nick te verstandig was om zich te laten meeslepen door zijn gevoelens.

Ze gingen naar het huis van de O'Malley's, waar Oona het avondeten klaar zou hebben.

Toen ze thuis waren, was ze verbaasd over de prijzen die Cassie gewonnen had. Het was in de meeste opzichten een fantastische dag geweest, maar de dood van Jim Bradshaw overschaduwde hun plezier. Midden onder het eten kwam Bobby binnenstormen. Hij leek buiten zinnen en verontschuldigde zich toen hij zag dat ze zaten te eten. Zijn ogen gingen het eerst naar Cassie en hij zag eruit alsof hij in tranen zou uitbarsten. Hij was zo van streek dat Oona opstond om naar hem toe te gaan. Maar hij liep, verontschuldigingen mompelend, de kamer weer uit en bleef in de deuropening staan.

'Het spijt me… Ik… Ik hoorde dat er een ongeluk was gebeurd…' Zijn ogen vulden zich weer met tranen en ze hadden allemaal medelijden met hem. Het was niet moeilijk om te raden wat hij had gedacht, en Cassie stond op en ging naar hem toe.

'Het spijt me. Het was Jim Bradshaw,' zei ze zachtjes.

'O god, arme Peggy.' Ze was negentien jaar en nu een weduwe met twee kleine kinderen. Bobby leek overweldigd door de gedachte, maar waar hij zo vreselijk door van streek was geraakt was de angst dat het Cassie was geweest. En niemand die hij sprak had hem kunnen vertellen wat er precies gebeurd was.

Ze gingen naar buiten om even rustig op de veranda te gaan zitten en Cassie sloot de deur. In de kamer was niet te horen wat ze zeiden, maar ze konden zien hoe wanhopig hij eruitzag toen hij met haar praatte. En zij zat daar alleen maar en knikte.

Hij vertelde haar dat hij zo niet meer door kon gaan. Hij kon niet meer alleen maar met haar verloofd zijn, terwijl ze nooit iets samen deden en niet gingen trouwen en zonder er zeker van te zijn of ze wel

een toekomst samen hadden. Hij wist dat ze haar opleiding wilde afmaken, maar hij wist niet of hij nog twee jaar wilde wachten. Zijn vader was ziek en zijn moeder was erg afhankelijk van hem. Hij leek het
allemaal niet meer aan te kunnen en het was duidelijk dat hij haar
hulp nodig had. Maar het was voor hen allebei net zo duidelijk dat
ze niet bereid was alles op te geven om diegene te zijn die hij nodig
had.

'En dat vliegen van je.' Hij keek haar aan en ze zag pijn in zijn ogen.
'Ik kan zo niet leven. Ik blijf maar denken dat je doodgaat... en vandaag... had je... had je...' Hij begon te huilen, en ze legde haar armen om hem heen en hield hem vast.

'O, arme Bobby... arme Bobby... het is goed... stil maar...' Het was
alsof ze een van haar neefjes troostte. Maar ze begreep nu dat hij een
te grote last op zijn schouders had en dat zij er maar een deel van
was. Hij verlangde wanhopig naar iemand die hem kon helpen. Hij
was net eenentwintig, nauwelijks meer dan een jongen, en hij verdiende
veel meer dan zij hem kon geven, en dat wisten ze allebei. Terwijl ze
hem troostte, haalde ze zachtjes de ring van haar vinger en drukte hem
in zijn hand. 'Je verdient veel meer,' fluisterde ze tegen hem. 'Je verdient alles, en ik heb nog een hele lange weg te gaan, dat weet ik nu.
Tot nu toe was ik daar niet zeker van, maar nu wel.' Zij wilde leven
en vrijheid en vliegen. En misschien kon ze nu al die dingen krijgen,
nu haar vader haar geaccepteerd had. Maar ze kon Bobby Strong niet
geven wat hij verdiende, en de waarheid was dat dat ook het laatste
was wat ze wilde.

'Ben je van plan te blijven vliegen, Cass?' vroeg hij ongelukkig, terwijl hij als een klein kind zat te snuffen en de familieleden in de kamer probeerden niet op hen te letten.

'Ja,' zei ze knikkend. 'Ik moet. Het is mijn leven.'

'Als je maar niet gewond raakt... o god, Cassie... als je maar niet gewond raakt... ik hou van je... ik dacht dat je dood was vandaag.' Hij
begon weer te snikken en ze vond het vreselijk voor hem. Ze kon zich
alleen maar voorstellen hoe dat moest zijn geweest. Hetzelfde als het
voor Peggy Bradshaw was geweest.

'Met mij is alles goed... Er is niets met me aan de hand...' zei ze glimlachend, met tranen in haar ogen. 'Je verdient mooie dingen, Bobby,
niet iemand als ik. Zoek een goede vrouw, Bobby Strong. Je verdient
het.'

'Blijf je hier wonen?' vroeg hij nieuwsgierig, en het leek haar een rare vraag. Ze had daar altijd gewoond en kon nergens anders heen.

'Waar zou ik anders heen moeten?'

'Ik weet niet,' zei hij met een verdrietige glimlach, terwijl hij haar ring vasthield. Hij miste haar nu al. 'Je lijkt zo vrij. Soms haat ik die kruidenierswinkel en alle problemen die erbij horen.'

'Jij gaat nog geweldige dingen doen,' zei ze vol vertrouwen. Ze wist zeker dat het niet zo zou zijn, maar hij verdiende alle aanmoediging die ze hem kon geven.

'Denk je dat echt, Cass?' Hij zuchtte en dacht aan zijn leven. 'De grap is dat ik alleen maar wil trouwen en kinderen krijgen.'

'En ik niet,' zei ze met een grijns, 'dat is het probleem.'

'Ik hoop dat dat nog eens verandert. Misschien vinden we elkaar nog wel terug,' zei hij hoopvol. Hij probeerde zijn droom vast te houden. Hij had haar altijd zo opwindend gevonden, misschien wel te veel.

Maar ze keek hem aan en schudde haar hoofd. Ze was verstandiger dan hij.

'Wacht daar niet op. Zorg dat je krijgt wat je wilt.'

'Ik hou van je, Cass.'

'Ik hou ook van jou,' fluisterde ze, terwijl ze hem even omarmde. Toen stond ze op. 'Wil je nog binnenkomen?' vroeg ze, maar hij schudde zijn hoofd. De tranen glinsterden in zijn ogen.

'Ik denk dat ik beter kan gaan.' Ze knikte en hij stopte de ring in zijn zak. Even bleef hij staan en keek haar aan. Toen draaide hij zich om en haastte zich de veranda af voor hij weer zou gaan huilen. Cassie ging naar binnen en ging zitten. Niemand vroeg haar iets, maar ze konden wel raden wat er gebeurd was. Nick keek naar haar vinger en was niet verbaasd toen hij daar geen ring meer zag. Hij was zelfs opgelucht dat de ring er niet meer was. Nu hoefde hij zich alleen nog zorgen te maken over Billy Nolan.

9

De volgende morgen lag Cassie in bed over de gebeurtenissen van de vorige dag na te denken toen ze zich ineens realiseerde dat ze niet meer verloofd was. Ze wist niet zeker of daardoor iets veranderde, maar plotseling had ze het gevoel dat ze niemand had bij wie ze hoorde. Het was voor een deel een spannend gevoel, maar in andere opzichten ineens ook erg eenzaam.

Ze had eigenlijk al lang geweten dat het niet goed was. Ze had alleen niet de moed gehad dat te zeggen. Maar die avond had het ineens zo wreed geleken om hem te blijven martelen, om hem nog twee jaar te laten wachten en hem dan te vertellen dat ze er nog niet aan toe was. Ze had niet gedacht dat ze dat ooit zou zijn, niet voor een leven als dat en niet voor hem, en nu wist ze dat zeker.

Ze maakte een ontbijt voor zichzelf en zag een briefje van haar moeder, waarop stond dat ze weer naar Glynnis was gegaan om voor haar kinderen te zorgen en dat ze betwijfelde of ze op tijd thuis zou zijn om het avondeten klaar te maken. Ook Chris had een briefje achtergelaten, met de mededeling dat hij uit zou gaan met vrienden. Een halfuur later had Cassie gedoucht en zich aangekleed en was ze op weg naar het vliegveld. Ze trok een schone overall aan en tankte een paar vliegtuigen vol. Het duurde tot het middaguur voor ze Nick of haar vader zag.

'Lig je tegenwoordig de hele ochtend in bed, Cass?' plaagde Nick. 'Of ben je op je lauweren aan het rusten?'

'O, hou toch op. Ik was hier al om negen uur. Ik heb alleen wat werk in de achterste hangar gedaan.'

'O ja? Nou, ik heb een vlucht voor je vandaag, als je wil.'

'Waar naartoe?' Ze vond het spannend.

'Indiana. Wat vracht en wat post en op de terugweg een korte stop in Chicago. Het is niet zo'n lange vlucht. Je moet voor het avondeten terug kunnen zijn. Je kunt de Handley nemen.'

'Klinkt goed,' grinnikte ze. Hij vertelde haar waar ze het logboek kon vinden, en net op dat moment kwam haar vader zijn kantoor uit en vertelde Billy dat hij de vracht kon inladen. Hij was uit het niets komen opdagen en had de hele dag al hard gewerkt. En haar vader verraste haar door tegen hem te zeggen dat hij met haar mee moest gaan.

'Ik kan alleen gaan, pap.'

'Natuurlijk kun je dat, maar hij moet onze routes leren en ik vind het ook niet zo'n prettig idee dat je naar Chicago gaat.' Ze trok haar wenkbrauwen op en hij trok een gezicht, maar hij liet haar in elk geval gaan. De dingen zagen er steeds beter uit, en Nick keek waarschuwend naar Billy en haar alsof ze een stel ondeugende kinderen waren.

'Jullie gedragen je wel, hè. Geen stunts, geen gerol.' Toen wendde hij zich tot Billy en zei: 'En kijk uit voor haar dubbele loopings.'

'Als ze ook maar iets probeert, gooi ik haar eruit,' zei Billy grijnzend, en hij zag er meer dan ooit uit als het broertje van iedereen.

Toen ze naar het vliegtuig liepen, stond Nick hen even na te kijken. Ze leken plezier te hebben, maar zagen er ook uit als kinderen. Hij kon zich niet voorstellen dàt ze voor hem zou vallen, maar er waren wel gekkere dingen gebeurd. Maar feitelijk maakte het voor hem niet uit of dat wel of niet gebeurde. Hij had geen recht om achter een meisje van haar leeftijd aan te zitten, en hij zou dat ook nooit doen. Ze verdiende meer dan een leven in een aanleunhut op O'Malley's Airport, en dat wist hij.

Ze waren net vertrokken toen er een gloednieuwe groene Lincoln Zephyr stopte waaruit een man stapte die gekleed was in een grijs pak met een dubbele rij knopen. Hij keek eerst het vliegveld rond en wierp toen een vriendelijke blik op Nick en op het kleine gebouw dat hun kantoren huisvestte.

'Weet u ook waar ik Cassie O'Malley zou kunnen vinden?' vroeg hij beleefd. Hij had golvend blond haar en zag eruit als een filmster. En plotseling vroeg Nick zich af of hij Cassie soms een filmcarrière ging aanbieden. Het was de man die hij de dag daarvoor op de vliegshow had gezien, de man in de blazer en de witte broek. En hij zag er nu niet uit als een verslaggever. Hij zag er nu meer uit als een zakenman of misschien een agent.

Nick wees omhoog naar de lucht en zei: 'Ze is net aan een postvlucht begonnen. Kan ik u helpen?'

'Ik wil haar graag spreken. Weet u hoelang ze wegblijft?'

'Zeven of acht uur. Ze zal in de loop van de avond wel terug zijn. Kan ik haar een boodschap geven?'

Hij gaf Nick een kaartje. Zijn naam was Desmond Williams en op het kaartje stond WILLIAMS AIRCRAFT, met een adres in Newport Beach, in Californië. Nick wist precies wie hij was. Hij was die jonge magnaat die een fortuin en een vliegveld van zijn vader had geërfd. Maar hij was niet zó jong meer, concludeerde Nick, terwijl hij naar hem keek. Hij kwam aardig in de buurt van zijn eigen leeftijd. Hij was vierendertig. Veel te oud voor Cassie, vond Nick in elk geval.

'Wilt u zorgen dat ze mijn kaartje krijgt? Ik logeer in het Portsmouth.' Het was het beste hotel van de stad, wat op zich niet veel zei. Maar het was het beste dat Good Hope te bieden had.

'Ik zal het tegen haar zeggen,' zei Nick, die verschrikkelijk nieuwsgierig was. 'Verder nog iets?' Williams schudde zijn hoofd en keek Nick geïnteresseerd aan. 'Wat vond u van de vliegshow?' vroeg Nick. Hij kon het niet laten hem dat te vragen. 'Niet slecht voor zo'n kleine stad, hè?'

'Bijzonder interessant,' zei Williams glimlachend. Toen nam hij Nick weer op en besloot hem een vraag te stellen. Williams stijl was gereserveerd. Alles aan hem was volmaakt en verzorgd, volledig gebaseerd op berekening en planning. Hij was een man die nooit fouten maakte en zich nooit liet meeslepen door emoties. 'Bent u haar instructeur?'

Nick knikte trots. 'Ja, dat was ik. Ze is nu zo ver dat ze mij kan leren vliegen.'

'Dat betwijfel ik,' zei Desmond Williams beleefd. Ondanks zijn adres in Los Angeles had hij een oostelijk accent. Hij was twaalf jaar eerder afgestudeerd aan Princeton. 'Ze is heel goed. U kunt trots op haar zijn.'

'Dank u,' zei Nick rustig, terwijl hij zich afvroeg wat die man van haar wilde. Er was vaag iets dreigends aan hem, iets ongelooflijk koels en ook iets opwindends. Hij zag er heel goed uit en had een aristocratisch voorkomen, maar alles wees erop dat hij hier voor zaken was. Hij zei verder geen woord meer tegen Nick, maar ging terug naar de auto, die hij een paar dagen daarvoor in Detroit had gekocht, en reed snel weg.

'Wie was dat?' vroeg Pat, die naar buiten kwam lopen. 'Hij heeft in elk geval aardig wat stof doen opwaaien. Kan hij nog sneller?' De auto was het laatste wonder van Ford, met een v-12-motor.

'Dat was Desmond Williams,' antwoordde Nick, met een bezorgde blik naar zijn oude vriend. 'Ze zitten achter haar aan, Pat. Ik had nooit gedacht dat het zou gebeuren, maar ik ben van mening veranderd. Ze is net genoeg opgevallen op de vliegshow.'

'Ik was er al bang voor.' Pat keek Nick ongelukkig aan. Hij wilde niet dat ze gebruikt zou worden, en hij wist hoe gemakkelijk haar dat zou kunnen overkomen. Ze was mooi en jong en onschuldig en kon ongelooflijk goed vliegen. Het was een gevaarlijke combinatie en dat wisten ze allebei. 'Waar is ze?' vroeg Pat.

'Ze is weg. Toen hij hier verscheen was ze net opgestegen met Billy,' legde Nick uit.

'Goed.' Pat keek naar het visitekaartje in zijn hand, pakte het en scheurde het doormidden. 'Vergeet hem maar.'

'Ga je het haar niet vertellen?' vroeg Nick hem verbaasd. Wat hij er ook van vond, hij zou dat nooit gedurfd hebben. Maar aan de andere kant was hij haar vader niet.

'Nee,' zei Pat. 'En jij ook niet, Stick. Oké?'

'Ja, meneer,' salueerde Nick grijnzend, en toen gingen ze allebei hard aan het werk.

Op de terugweg van Chicago gaf Cassie de bediening over aan Billy om te zien hoe hij met het vliegtuig omging. Ze was onder de indruk. Hij vertelde dat zijn vader hem had leren vliegen toen hij veertien was en dat hij nu al tien jaar gevlogen had. Door de manier waarop hij vloog, was dat niet moeilijk te geloven. Hij had zekere handen en een goed oog. Hij vloog gelijkmatig en goed en ze wist dat haar vader hier blij mee zou zijn. Billy zou een geweldige aanwinst zijn voor het vliegveld. Bovendien was hij aardig, rustig en intelligent en plezierig in de omgang. Ze hadden zich tijdens de vlucht uitstekend vermaakt met het uitwisselen van verhalen.

'Ik zag gisteren dat je verloofd was,' zei hij op een gegeven moment. 'Maar ik zie de ring niet meer. Ga je binnenkort trouwen?'

'Nee,' zei ze, en ze dacht aan Bobby. 'Ik ben niet meer verloofd. Ik heb de ring gisteravond teruggegeven.' Ze wist niet precies waarom ze hem dat vertelde, maar hij was er nu eenmaal en ze waren bijna even oud en ze mocht hem. Bovendien kreeg ze niet het gevoel dat hij in haar geïnteresseerd was. Hij wilde gewoon vrienden zijn, en dat leek plezierig en gemakkelijk.

'Vind je het erg? Denk je dat jullie weer bij elkaar komen?'

'Nee,' zei ze weer, en ze kreeg nu bijna medelijden met zichzelf. 'Hij is geweldig, maar hij kan er niet tegen dat ik vlieg. Hij wil snel trouwen en ik wil mijn opleiding afmaken. Ik weet niet... het was niet goed, dat is het ook nooit geweest. Ik had alleen het lef niet om het te zeggen.'

'Ik weet hoe dat is. Ik ben twee keer verloofd geweest en ik vond het allebei de keren doodeng.'

'Wat heb je eraan gedaan?'

'De eerste keer ben ik ervandoor gegaan,' zei hij eerlijk, met zijn jongensachtige grijns en zijn gezicht vol sproeten.

'En de tweede keer? Ben je toen getrouwd?' Cassie keek verbaasd. Hij zag er niet uit alsof hij getrouwd was geweest.

'Nee,' zei hij rustig, 'ze is verongelukt, tijdens de vliegshow van San Diego, vorig jaar.' Hij zei het heel kalm, maar ze zag de pijn in zijn ogen.

'Dat spijt me.' Er viel niets anders te zeggen. Ze hadden allemaal vrienden verloren op vliegshows. En dat was verschrikkelijk, maar het was erger voor hem als hij van haar had gehouden.

'Mij ook, maar ik heb ermee leren leven, min of meer. Ik heb sinds die tijd geen echte relatie meer gehad en ik denk ook niet dat ik dat wil.'

'Is dat een waarschuwing?' zei ze grinnikend.

'Ja,' zei hij met een ondeugende blik in zijn ogen, 'voor het geval je het in je hoofd zou halen om me op drieduizend meter hoogte te bespringen. Ik ben de hele vlucht al doodsbang geweest.' Door de manier waarop hij het zei, barstte ze in lachen uit, en vijf minuten later lachten ze allebei weer. Tegen de tijd dat ze terugkwamen, gingen ze zo gemakkelijk met elkaar om als oude vrienden. Wat Cassie betreft, was er niets romantisch aan Billy Nolan. Cassie mocht hem gewoon, en hij was een geweldige piloot. Haar vader had geluk gehad en ze dacht dat Nick hem ook wel zou mogen.

Om ongeveer negen uur landden ze op het vliegveld en Cassie bood hem een lift aan naar het pension waar hij logeerde. Zijn vrienden waren met hun truck en hun vliegtuig teruggegaan naar Californië en hij moest genoeg geld sparen om een auto te kunnen kopen, en dat zou wel even duren met de lonen die haar vader betaalde. 'Hoelang denk je te blijven?' vroeg ze hem.

'Ik weet niet... dertig, veertig jaar... voor altijd?' Hij grinnikte.

'Natuurlijk.' Ze lachte om zijn antwoord.

'Ik weet niet. Een tijdje. Ik moest even weg. Mijn moeder is overleden, en dat met Sally vorig jaar... Het leek me beter om een tijdje uit Californië weg te gaan. Ik mis mijn vader, maar hij begrijpt het.'

'Een geluk voor ons,' zei ze en glimlachte warm tegen hem.

'Het was leuk vandaag. Tot morgen.' Ze zwaaide en reed naar huis. Toen ze thuiskwam, was haar moeder er ook weer. Ze maakte een broodje voor Cassie klaar. Haar vader zat in de keuken een biertje te drinken. Hij vroeg haar hoe de vlucht was geweest en ze vertelde dat ze diep onder de indruk was van de manier waarop Billy vloog. Ze vertelde ook waarom, en Pat knikte, blij met haar verslag, hoewel hij hem zelf ook nog wilde zien vliegen. Nadat ze gegeten had, zei hij dat ze maar beter kon gaan slapen, en het bezoek van Desmond Williams aan het vliegveld werd niet genoemd.

10

De volgende dag lag Cassie onder een Electra, haar hele gezicht besmeurd met smeerolie doordat ze aan het staartwiel had gewerkt, toen ze opkeek en een smetteloos witte broek zag. Ze moest glimlachen toen ze die broek zag. Hij leek daar zo uit de toon te vallen, en dat gold ook voor de handgemaakte schoenen onder de broek. Ze keek nieuwsgierig omhoog en was verbaasd een aantrekkelijke blonde man te zien die met een verbaasde blik op haar neerkeek. Ze was bijna onherkenbaar met haar opgestoken haar, haar besmeurde gezicht en oude overall die van haar vader was geweest.

'Juffrouw O'Malley?' vroeg hij met gefronste wenkbrauwen, en ze grinnikte. Toen haar witte tanden in dat zwarte gezicht te voorschijn kwamen, zag ze eruit als een slechte grap uit een variétévoorstelling, en de onberispelijk uitziende man kon een glimlach niet onderdrukken.

'Ja, ik ben Cassie O'Malley.' Ze lag nog steeds op haar rug omhoog te kijken, toen ze zich ineens realiseerde dat ze beter op kon staan en nagaan wat hij wilde. Ze sprong gemakkelijk op haar voeten en aarzelde toen om hem haar hand toe te steken. Hij zag er zo schoon en zo keurig verzorgd uit. Alles aan hem leek volmaakt. Ze vroeg zich af of hij soms een vliegtuig wilde huren en stond op het punt hem naar haar vader te verwijzen. 'Wat kan ik voor u doen?'

'Mijn naam is Desmond Williams. Ik heb u twee dagen geleden op de vliegshow gezien. Ik wil u even spreken, als dat kan.' Hij keek de hangar rond en keek haar toen weer aan. 'Is er een plaats waar we rustig kunnen praten?' Ze reageerde geschrokken op de vraag. Er was nog nooit iemand op die manier voor haar op bezoek gekomen en de enige plaats die ze kon bedenken was haar vaders kantoor.

'Als u geen problemen hebt met het lawaai van de vliegtuigen zouden we even naar de landingsbaan kunnen lopen.' Ze wist niet wat ze hem anders moest aanbieden.

Ze begonnen naast elkaar in die richting te lopen en ze moest bijna lachen toen ze bedacht wat voor paar ze vormden: hij zo smetteloos schoon en zij zo ongelooflijk smerig. Maar ze dwong zichzelf serieus te blijven. Ze had geen idee of hij gevoel voor humor had. Ze zag dat Billy hen inmiddels had opgemerkt. Hij zwaaide, maar ze knikte alleen.

'U was bijzonder indrukwekkend tijdens de vliegshow,' zei Desmond Williams rustig tegen haar, terwijl ze langs de rand van de akkers liepen en zijn schoenen erg stoffig begonnen te worden.

'Dank u.'

'Volgens mij heb ik nog nooit iemand zoveel prijzen zien winnen... zeker niet een meisje van uw leeftijd. Hoe oud bent u eigenlijk?' Hij keek haar onderzoekend aan en klonk serieus, maar glimlachte snel tegen haar. Ze had geen idee wat hij wilde.

'Ik ben twintig. In het najaar begin ik aan mijn derde studiejaar.'

'Juist,' zei hij, en knikte alsof dat een groot verschil maakte. Toen stond hij stil en keek haar strak aan voor hij zijn volgende vraag stelde. 'Juffrouw O'Malley, hebt u ooit een toekomst voor uzelf in de luchtvaart overwogen?'

'In welke zin?' Ze zag er volkomen verbijsterd uit en vroeg zich plotseling af of hij gekomen was om haar te vragen een *skygirl* te worden, maar dat leek haar toch niet erg waarschijnlijk. 'Hoe bedoelt u dat?'

'Ik bedoel vliegen... als baan... als toekomst. Datgene doen wat u het liefst doet, of in elk geval denk ik dat. U vliegt in elk geval alsof u niets liever doet.' Ze knikte glimlachend, en hij bleef maar naar haar gezicht kijken, maar tot nu toe beviel het hem.

'Ik heb het over het vliegen van bijzondere vliegtuigen, vliegtuigen die niemand anders heeft... het testen van vliegtuigen... records vestigen... een belangrijke rol spelen in de moderne luchtvaart... zoals Lindbergh.'

'Zoals Lindbergh?' Ze keek verbaasd. Dat kon hij niet menen.

'Voor wie zou ik vliegen? Bedoelt u dat iemand mij die vliegtuigen gewoon zou geven of zou ik ze moeten kopen?' Misschien probeerde hij haar een nieuw vliegtuig te verkopen, maar Desmond Williams glimlachte om haar onschuld. Hij was blij dat niemand anders hem voor was geweest.

'U zou voor mij vliegen, voor mijn bedrijf, Williams Aircraft.' Bij het horen van de naam wist ze onmiddellijk wie hij was, en ze kon niet geloven dat hij met haar praatte en haar vergeleek met Charles Lindbergh. 'Er is daar een prachtige toekomst voor iemand als u, juffrouw O'Malley. U zou fantastische dingen kunnen doen. En u zou in vliegtuigen vliegen die u anders nooit te pakken zou krijgen. Het beste van het beste. Heel iets anders dan wat hier staat.' Hij keek geringschattend om zich heen, en even voelde ze zich gekrenkt, in naam van haar vader. Deze vliegtuigen waren haar vrienden en het trotse bezit van haar vader. 'Ik bedoel echte vliegtuigen,' ging Williams verder. 'Het soort vliegtuigen waarin records worden gevestigd.'

'Wat zou ik moeten doen om die baan te krijgen?' vroeg ze achterdochtig. 'Zou ik u moeten betalen?' Niemand had haar ooit zoiets aangeboden en ze had geen idee hoe zoiets in zijn werk ging. Ze had altijd gedacht dat belangrijke vliegeniers hun eigen vliegtuigen hadden en was nooit op het idee gekomen dat ze die kregen of in bruikleen kregen van een luchtvaartmaatschappij, zoals die van hem. Ze moest nog veel leren en hij was meer dan bereid haar daarbij te helpen. Ze was het eerste frisse gezicht dat hij gezien had sinds hij de zaken van zijn vader had overgenomen.

'U zou mij niets hoeven te betalen,' zei hij glimlachend. 'Ik zou u betalen, en heel behoorlijk. U zou voortdurend op de foto worden gezet en veel publiciteit krijgen, en als u zo goed bent als ik denk dat u bent, zou u een belangrijk figuur kunnen worden in de luchtvaart. Het is natuurlijk mogelijk,' zei hij plagend, terwijl hij haar onderzoekend aankeek, 'dat u uw gezicht wat vaker moet wassen dan u nu doet,' en plotseling dacht ze eraan dat ze waarschijnlijk onder de smeerolie zat. Ze veegde met haar mouw over haar gezicht en was verbaasd over wat ze daar zag, maar hij was nog meer onder de indruk van het gezicht dat hij nu beter kon zien. Ze was precies waar hij naar op zoek was geweest. Ze was het meisje van zijn dromen. Het enige dat hij nu moest doen was zorgen dat ze een contract zou tekenen.

'Wanneer zou ik kunnen beginnen?' Ze was nieuwsgierig. Het was het spannendste voorstel dat ze ooit had gehad en ze kon nauwelijks wachten om het aan Nick en haar vader te vertellen.

'Morgen. Volgende week. Zo gauw u naar Los Angeles kunt komen. Wij zouden de reis natuurlijk betalen en voor een appartement zorgen.'

'Een appartement?' Haar stem piepte bijna, terwijl hij knikte.

'In Newport Beach, waar Williams Aircraft gevestigd is. Het is een prachtige plaats en je bent zo in de stad. Wat vindt u ervan? Wilt u de baan?' Hij had het contract meegebracht en hoopte dat ze het onmiddellijk zou tekenen, maar ze aarzelde enige ogenblikken en knikte toen.

'Ja, maar ik moet het eerst aan mijn vader vragen. Ik zou met mijn

opleiding moeten stoppen en hij vindt dat misschien niet zo leuk.'
Vooral niet voor een baan waarbij ze veel zou vliegen. Hij was nooit
bijzonder enthousiast geweest over haar studie, maar dit zou hem misschien ook niet bevallen.

'We zouden het zo kunnen regelen dat u lessen volgt wanneer u vrij
bent, maar u zult het behoorlijk druk krijgen. U krijgt met een heleboel pr te maken, een heleboel fotografie en u zult heel wat gaan vliegen.'

Het klonk echt fantastisch. 'Eerlijk gezegd ben ik gisteren al hier geweest, maar de man op het kantoor zei dat u aan het vliegen was. Ik
heb mijn kaartje bij hem achtergelaten met de vraag of u me zou kunnen bellen. U bent waarschijnlijk te laat thuisgekomen, maar ik dacht
dat ik maar beter terug kon komen voor het geval hij mijn kaartje
zou zijn kwijtgeraakt.' Hij liet een innemende glimlach zien en Cassie
keek hem nadenkend aan.

'U hebt het aan een man gegeven?' Dat moest Nick of haar vader zijn
geweest.

'Ja, en ik heb verteld dat ik in het Portsmouth logeerde. Hebt u me
daar gebeld? Misschien heb ik de boodschap niet gekregen.'

'Nee, ik heb niet gebeld,' zei ze eerlijk. 'Ik heb het kaartje en de boodschap niet gekregen.'

'Nou ja, het is niet erg. Ik ben blij dat ik u nu gevonden heb. Hier is
het contract, dan kunt u er met uw vader naar kijken.'

'Wat staat er in het contract?' vroeg ze onschuldig.

'Er staat in dat u uzelf vastlegt voor een jaar van testvluchten en publiciteit voor Williams Aircraft. Dat is alles. Ik denk niet dat er iets
in staat wat u niet bevalt,' zei hij vol zelfvertrouwen. Alleen door naar
haar te kijken, wist hij de boodschap al over te brengen dat dit een
geweldige kans was en dat ze het fantastisch zou vinden.

Ze hield het contract nerveus in haar handen en vroeg zich af wat het
allemaal betekende en waarvoor hij echt gekomen was. Zo eenvoudig
kon het toch niet zijn.

'Ik zal het aan mijn vader laten zien,' zei ze rustig. Ze wilde hem er
ook naar vragen. Waarom hadden Nick en hij haar niets gezegd over
het bezoek van Desmond Williams? Ze wilde hen het voordeel van de
twijfel gunnen: misschien hadden ze het gewoon vergeten. Maar ze
voelde dat er iets meer aan de hand was. Ze hadden het voor haar
verzwegen. Maar waarom? Het klonk zo geweldig.

'Ik stel voor dat u er over nadenkt en dat we een afspraak maken voor morgen. Wat denkt u van een ontbijt in mijn hotel om halfnegen? Daarna moet ik terug naar de Westkust. Maar ik hoop dat u daar over een paar dagen ook zult zijn.' Hij glimlachte en ze realiseerde zich dat hij iets heel overredends had. Hij was bijzonder knap en heel beheerst en liet het op de een of andere manier klinken alsof ze hem absoluut niet zou kunnen weerstaan en dat ook zeker niet zou willen. 'Halfnegen morgenochtend dan?' vroeg hij zakelijk, en ze knikte. Ze schudden elkaar de hand en een ogenblik later was hij teruggelopen naar zijn auto en weggereden. Terwijl ze hem stond na te kijken, verdween de Lincoln uit het gezicht. Ze probeerde zich te herinneren wat ze ooit gehoord had over Desmond Williams. Hij was vierendertig, had een imperium van zijn vader geërfd en was een van de rijkste mannen ter wereld. Zijn bedrijf maakte een aantal van de beste vliegtuigen en hij zou meedogenloos zijn in zaken, had ze ergens gelezen. Ze had ook een foto gezien waarop hij met een paar filmsterren stond. Ze kon zich in haar stoutste dromen niet voorstellen wat hij met Cassie O'Malley zou willen.

Langzaam liep ze naar het kleine gebouw waar Nick en haar vader werkten en dacht na over alles wat hij had gezegd en over wat het voor haar zou betekenen. Het was een kans die ze nooit meer zou krijgen. Ze kon niet eens geloven dat die nu gekomen was.

Ze liep in de oude overall van haar vader naar binnen, en hij keek naar haar op. Hij zag haar besmeurde gezicht en haar rommelige haardos en vroeg of er een probleem was met de de Havilland, want als dat niet zo was hadden ze hem rond de middag nodig voor een lange vlucht. Maar ze luisterde niet en staarde hem aan. In haar hand had ze het contract.

'Waarom heb je niet gezegd dat er gisteren iemand voor mij geweest is?' vroeg ze, en hij schrok.

'Wie heeft je dat verteld?' Als Nick hem had verraden, had hij nog een appeltje met hem te schillen. Maar Nick zat naar hen te kijken. Hij had de uitdrukking op haar gezicht gezien toen ze het kantoor binnen kwam lopen.

'Daar gaat het niet om. Gisteren is hier een man geweest die zijn kaartje voor me heeft achtergelaten. En jullie hebben mij daar niets over verteld.' Ze keek kwaad naar Nick om hem in de beschuldiging te betrekken, en beide mannen zagen er ongemakkelijk uit onder haar boze blik. 'Dat is zoiets als liegen. Waarom?'

Haar vader probeerde onbezorgd te doen en zei: 'Ik dacht niet dat het belangrijk was. Ik ben het gewoon vergeten.'

'Weet je wie hij is?' Ze keek van de een naar de ander en kon niet geloven dat ze zo slecht op de hoogte waren. 'Die man is Desmond Williams, van Williams Aircraft.' Het was een van de grootste vliegtuigbouwers ter wereld en op één na de grootste van de Verenigde Staten. Desmond Williams was in elk geval een belangrijk man.

'Wat wilde hij?' vroeg Nick. Hij keek haar aan, maar voelde door de manier waarop ze zich gedroeg al wat Williams gezegd moest hebben. 'O, hij kwam alleen maar langs om me een paar bijzondere vliegtuigen te geven om in te vliegen, om ze te testen en uit te proberen en er records mee te breken. Niets bijzonders. Gewoon een baantje waar ik een heleboel geld en een appartement voor krijg.' De twee mannen wisselden een ongeruste blik. Dit was precies waar ze bang voor waren geweest.

'Klinkt mooi,' zei Nick rustig. 'Wat zit erachter?'

'Niets.'

'O ja, dat moet wel,' zei Nick lachend. Ze was nog een kind en hij wist dat Pat en hij alles zouden moeten doen om haar te beschermen. Desmond Williams vloog het hele land door op zoek naar mogelijkheden voor publiciteit en als hij haar eenmaal zou hebben, zou hij haar gebruiken tot ze erbij neer zou vallen, en niet alleen voor testvluchten, maar voor alles wat maar mogelijk was, bioscoopjournaals, advertenties en een eindeloze hoeveelheid foto's. Volgens Nick zou ze gewoon een soort *skygirl* worden. 'Heb je een contract gekregen?' vroeg Nick langs zijn neus weg, en ze zwaaide er meteen mee.

'Natuurlijk.'

'Mag ik eens kijken?' Ze gaf het aan hem en Pat zat met een sombere blik naar hen te kijken. Dit was precies wat hij nooit had gewild.

'Je gaat nee tegen hem zeggen, Cassandra Maureen,' zei hij rustig, terwijl Nick het contract bekeek. Nick was geen jurist, maar het zag er behoorlijk goed uit. Ze boden haar een auto aan en een appartement, alleen om te gebruiken natuurlijk, het was geen geschenk. Ze moest alles vliegen wat zij als geschikt beschouwden en testvluchten voor hen doen. Het tweede deel van het contract stelde dat ze onbeperkt beschikbaar moest zijn voor publiciteit in verband met hun vliegtuigen. Ze moest beschikbaar zijn voor sociale, staats- en zelfs nationale evenementen. Ze zou als woordvoerster van Williams Aircraft optreden en zich daarnaar moeten gedragen. Ze mocht niet roken, niet overmatig drinken, ze kreeg een onkostenvergoeding voor haar kleding en vliegenierspakken. Alles stond er duidelijk in. Het contract zou een jaar gelden en ze boden haar vijftigduizend dollar voor dat jaar, en een optie voor een tweede jaar, met een hogere beloning, als beide partijen het eens konden worden. Het was het beste contract dat Nick ooit had gezien en een kans die weinig mannen zouden laten lopen. Maar het contract maakte heel duidelijk dat Williams Aircraft op zoek was naar een vrouw. Het was een geweldige kans, ondanks het feit dat ze voor een deel piloot en voor een deel model zou zijn. Maar hij vertrouwde Desmond Williams nog steeds niet.

'Wat denk jij, Pat?' vroeg Nick, nieuwsgierig naar zijn reactie.

'Ze blijft gewoon hier, dat is wat ik denk. Ze gaat helemaal nergens heen, en zeker niet naar Californië om in een appartement te gaan wonen.'

Cassie keek hem aan, blind van woede omdat hij haar niet eens verteld had dat Desmond Williams naar haar op zoek was geweest. 'Ik heb nog geen beslissing genomen, papa. Ik heb morgenochtend een afspraak met hem.'

'Vergeet het maar,' zei Pat O'Malley vastbesloten, en Nick wilde hem niet tegenspreken waar Cassie bij was. Hij vond dat het aanbod genoeg mogelijkheden bood om te onderzoeken, maar dat ze dat ook moesten doen. Het zou leuk voor haar zijn en ze zou het komende jaar ongelooflijke vliegtuigen vliegen. Het was ontzettend spannend. Ze waren zelfs vliegtuigen aan het testen voor het leger en concurreerden openlijk met de Duitsers. En met het geld dat ze verdiende, zou ze een hele tijd voortkunnen. Het leek hem niet eerlijk om haar dat te verbieden of het niet op zijn minst zorgvuldig te overwegen.

'Hoe zit het dan met je opleiding?' vroeg Nick haar rustig, nadat haar vader met grote passen was teruggelopen naar zijn kantoor en de deur achter zich had dichtgesmeten.

'Hij zei dat ik daar colleges zou kunnen volgen als ik tijd heb.'

'Het lijkt er niet op dat je veel tijd zult hebben. Als je niet vliegt, moet je beschikbaar zijn voor publiciteit.' Toen vroeg hij voorzichtig: 'Cassie, weet je zeker dat je dit wilt doen?'

Ze keek hem nadenkend aan. Ze had nooit van huis weg willen gaan, maar op deze manier schoot ze ook niet zoveel op. Ze vond het leuk om op het vliegveld rond te hangen en ze had een geweldige tijd gehad op de vliegshow, maar ze had geen zin om les te gaan geven en ze wilde niet met Bobby Strong trouwen of een van de andere jongens met wie ze naar school was geweest. Soms vroeg ze zich af hoe ze verder moest met haar leven. En zelfs zij wist dat het leven meer moest voorstellen dan het smeren en voltanken van haar vaders vliegtuigen en het maken van korte vluchten naar Indiana met Billy Nolan.

'Wat moet ik doen als ik hier blijf?' vroeg ze eerlijk.

'Bij mij in de buurt zijn,' zei hij triest. Hij wilde niets liever dan dat, voor altijd.

'Dat is het nadeel ervan, dat ik bij jullie weg moet. Het zou volmaakt zijn als ik jullie allemaal mee kon nemen.'

'In het contract staat dat je af en toe een vliegtuig mag gebruiken om mee naar huis te gaan. Ik kan er nauwelijks op wachten. Wat dacht je ervan om een keer met een xw-1 Phaeton naar huis te komen voor een rustig weekend.'

'Voor jou kom ik met een Starlifter als je wilt. Ik zou er zelfs een stelen.'

'Dat is een idee! Dat kan zelfs je vader wat gunstiger stemmen. We kunnen hier wel wat nieuwe vliegtuigen gebruiken. Misschien willen ze ons er wel een paar geven,' grapte hij, maar hij vond de gedachte dat ze weg zou gaan vreselijk. Ze was zo'n belangrijk deel van zijn dagelijks leven en ze hadden in de voorgaande drie jaar zoveel gevlogen, dat hij de gedachte dat ze naar L.A. zou gaan niet kon verdragen. Hij had nooit verwacht dat er zoiets zou gebeuren.

Dat gold ook voor Pat. Hij was niet van plan zijn jongste dochter kwijt te raken. Het was al erg genoeg dat Chris een jaar of twee naar Europa wilde om bouwkunde te studeren, maar het zou in elk geval nog een paar jaar duren voor het zover was. Dit was nu, en het was niet Chris, maar Cassie.

'Jij gaat nergens heen,' herhaalde hij die middag, 'en dat is mijn laatste woord erover.' Maar ze wist dat ze zelf een beslissing zou nemen. Ze praatte er nog een keer met Nick over, en hij zei dat er zeker een kans was dat ze gebruik van haar zouden maken, maar er waren ook zoveel voordelen voor haar dat hij zich afvroeg of dat belangrijk was. Het geld, de roem, de vliegtuigen, de testvluchten, de records die ze zou vestigen, de voordelen voor haar leken bijna oneindig. Ze kon het aanbod onmogelijk afwijzen, maar hij had geen idee hoe ze haar vader moest overtuigen.

Ze praatte er ook met Billy over, die Desmond Williams van de Westkust kende, maar alleen van naam. Sommige mensen zeiden dat hij eerlijk was en andere mochten hem niet. Hij had een baan aangeboden aan een meisje dat hij uit San Francisco kende en ze had het vreselijk gevonden. Ze had verteld dat ze veel te hard moest werken en het gevoel had gehad dat ze hun eigendom was. Maar Billy vertrouwde Cassie ook toe dat ze een slechte piloot was. Voor iemand als Cassie kon het de kans van haar leven zijn.

'Je zou echt een nieuwe Mary Nicholson kunnen worden,' zei hij, een van de sterren van dat moment noemend. Cassie kon zich niet voorstellen dat ze ooit zo beroemd zou zijn.

'Dat betwijfel ik,' zei ze somber. Wat was het moeilijk om een beslissing te nemen. Ze wilde niet van huis weg en niet bij haar familie weg, maar ze wist ook dat er niet veel was om voor te blijven. En als ze wilde vliegen, was Williams Aircraft de plaats waar ze moest zijn, en het maakte niet uit hoeveel domme foto's ze van haar in haar vliegenierspak zouden maken en hoeveel interviews ze zou moeten geven. Ze wilde vliegen en Williams had de beste vliegtuigen.

'Denk er goed over na, meid. Zo'n kans krijg je misschien nooit meer,' zei Billy ernstig, en in hun kantoor zei Nick ongeveer hetzelfde tegen Pat. Hij zei dat ze een briljante piloot was en verder geen kant op kon. Ze had haar hele leven al op het vliegveld rondgehangen en vloog nu stoffige routes in het Midwesten met een stel kerels die nooit zo goed zouden vliegen als zij.

'Ik heb je gezegd dat je haar niet moest leren vliegen!' brulde Pat tegen hem, plotseling kwaad op iedereen, op Nick, Cassie, Chris, allemaal. Iemand moest de schuld krijgen. En de grootste boosdoener was de duivel zelf, Desmond Williams. 'Waarschijnlijk is het een misdadiger... die achter jonge meisjes aan zit en ze van hun eer wil beroven.' Nick had medelijden met hem. Na al die jaren en vrijwel zonder enige waarschuwing stond hij op het punt zijn jongste dochter kwijt te raken. En Nick wist hoe hij zich voelde. Hij vond het net zo erg als Pat. Maar hij wist ook dat ze het recht niet hadden om haar vast te houden. Ze moest vliegen... als een vogel... en het was tijd voor haar om haar vleugels uit te slaan.

'Je kunt haar niet tegenhouden, Pat,' zei Nick kalm. Hij wenste dat hij kon vertellen dat het hem net zoveel pijn deed. 'Het zou niet eerlijk zijn. Ze verdient zoveel meer dan wij haar kunnen geven.'

'Het is jouw fout,' bulderde Pat weer tegen hem. 'Je had haar niet zo verdomd goed moeten leren vliegen.' Nick lachte om het verwijt en Pat hielp zichzelf aan een slok whiskey. Hij wist dat hij die dag niet zou vliegen en was helemaal van streek door het idee dat Cassie weg zou gaan. Bovendien moest hij Oona nog op de hoogte stellen van het bezoek van Desmond Williams.

Oona was geschokt toen ze het die avond hoorde. Ze stelde zich er allerlei vreselijke en immorele dingen bij voor. Ze kon zich niet voorstellen dat Cassie ergens anders zou wonen dan thuis, en zeker niet in Los Angeles, waar ze alleen zou wonen en als testpiloot en woordvoerster voor Desmond Williams zou werken.

'Doen meisjes dat soort dingen?' vroeg ze ongelukkig aan Pat. 'Poseren voor foto's en zo? Hebben ze wel kleren aan?'

'Natuurlijk, Oona. Het is geen stripteasetent. Die man bouwt vliegtuigen.'

'Maar wat willen ze dan met onze dochter? Ze is nog zo jong?'

'Jouw dochter,' zei hij diep ongelukkig, 'is waarschijnlijk de beste piloot die ik ooit heb gezien, beter nog dan Nick Galvin of Rickenbacker. Ze is de beste die er is en Williams is niet gek. Hij heeft dat gezien. Ze heeft twee dagen geleden een fantastische show gegeven. Ik wilde je niet ongerust maken, maar ze heeft zichzelf bijna de dood ingejaagd, die kleine idioot. Ze deed een spin en trok pas vijftien meter boven de grond weer op. Ik kreeg bijna een hartaanval. Maar ze deed het alsof het niets bijzonders was. Ze heeft nog een paar andere krankzinnige stunts gedaan, maar het was allemaal perfect en dat wist ze.'

'Wil hij dat ze stunts gaat vliegen?'

'Nee, ze moet alleen testvluchten doen en wat records vestigen als dat lukt. Ik heb het contract gelezen en het ziet er goed uit. Ik vind het gewoon een vreselijk idee dat ze weggaat, en ik wist dat jij dat ook zou vinden.'

'Wat wil Cassie?' vroeg haar moeder. Ze probeerde het allemaal te verwerken, maar het was wel veel in zo'n korte tijd. En ze wisten dat Cassie uiterlijk de volgende ochtend een beslissing moest nemen.

'Ik denk dat ze het wil doen. Ze zegt dat ze het wil doen. Of ze zegt dat ze de vrijheid wil om over haar eigen lot te beslissen.'

'En wat heb jij gezegd?' vroeg Oona met grote ogen, en haar man grijnsde schaapachtig.

'Ik zei dat ik haar verbood om te gaan, net zoals ik haar ooit verboden heb om te gaan vliegen.'

'Daar schoot je toen niet zoveel mee op,' glimlachte Oona, 'en ik denk dat dat nu ook niet het geval zal zijn.'

'Wat moeten we zeggen?' Hij wendde zich tot zijn vrouw voor advies. Hij vertrouwde meer op haar oordeel dan hij zich realiseerde en soms meer dan hij wilde. Maar hij vertrouwde haar, vooral als het om hun dochters ging.

'Ik denk dat we haar moeten laten doen wat zij wil. Dat zal ze toch doen, Pat, en ze is veel gelukkiger als ze het gevoel heeft dat ze haar eigen beslissingen kan nemen. Ze komt bij ons terug, hoeveel vliegtuigen ze in Californië ook zal vliegen. Ze weet hoeveel we van haar houden.' Toen vroegen ze haar naar hun slaapkamer te komen en Oona liet Pat vertellen wat ze hadden besloten.

'Je moeder en ik hebben besloten,' hij aarzelde even en keek Oona aan, 'dat je je eigen beslissingen moet nemen. En wat je ook beslist, we staan achter je. Maar als je gaat,' zei hij waarschuwend, 'kun je maar beter zorgen dat je vaak terugkomt.' Er stonden tranen in zijn ogen toen hij haar omhelsde. Ze sloeg haar armen om hen heen en kuste haar moeder, die moest huilen.

'Bedankt... bedankt...' Ze omhelsde hen allebei en ging op het voeteneind van het bed zitten. 'Het was een moeilijke beslissing.'

'Weet je wat je gaat doen?' vroeg Oona. Pat durfde het haar niet te vragen, maar hij dacht dat hij wel wist wat Cassie had besloten, en ze knikte en keek hen aan met een huivering van opwinding.

'Ik doe het.'

Maar bij hen weggaan was veel moeilijker dan ze had gedacht. De volgende ochtend had ze een ontmoeting met Desmond Williams in het Portsmouth en tekende het contract. Ze nam zwarte koffie en wat toost en was veel te zenuwachtig om verder iets te eten. De dingen die hij haar vertelde waren zo geweldig dat ze steeds maar in de war raakte. Ze zouden een vlucht voor haar boeken van Chicago naar Los Angeles. Daar was een appartement, een auto... uniformen... een chaperonne als ze die zou willen... een garderobe... begeleiders en een weekendhuis in Malibu dat ze kon gebruiken. Verder was er een vliegtuig voor eigen gebruik voor als ze naar huis wilde, en het soort vliegtuigen waar ze altijd in had willen vliegen.

Ze zou vijf dagen later beginnen. Er zou een persconferentie komen, een bioscoopjournaal en een testvlucht van een nieuwe Starlifter. Hij wilde dat ze Amerika zou laten zien hoe goed ze was. Maar eerst wilde hij haar laten zien wat zijn vliegtuigen konden. Hij zou de eerste twee weken met haar doorbrengen, waarbij ze meestal zouden vliegen.

'Ik kan het niet geloven,' zei ze tegen Billy, toen ze later die ochtend op een stuk ongebruikte landingsbaan in de zon lagen.

'Je krijgt echt een fantastische kans,' zei hij een beetje jaloers. Maar hij was gelukkig waar hij was en had op dat moment geen zin terug te gaan naar Californië.

'Wat er ook gebeurt, over twee weken kom ik terug voor een bezoek,' beloofde ze hem en alle anderen.

De avond voor ze vertrok, gaven haar ouders ter ere van haar een groot diner, met al haar zusters en zwagers, hun kinderen, Chris, Nick en Billy. Bobby was er natuurlijk niet, maar ze had hem twee dagen daarvoor gezien bij de dodenwake voor Jim Bradshaw. Hij had rustig met Peggy zitten praten en een van haar kinderen vastgehouden. Degene die ze niet kon verlaten was Nick en ze stond de hele avond naast hem. Hij was zo'n geweldige steun voor haar, en was dat ook jaren geweest, dat ze niet wist hoe ze zonder hem moest overleven.

Toen ze de volgende ochtend vertrok, was iedereen op het vliegveld. Nick zou haar in de Vega naar Chicago vliegen. Nadat ze afscheid had genomen van haar moeder, haar zusters en van Chris liep ze naar haar vader. Toen ze elkaar aankeken hadden ze allebei tranen in hun ogen. Hij zou haar het liefst vragen van gedachten te veranderen, maar zou dat nooit doen.

'Dank je, papa,' fluisterde ze in zijn hals, terwijl hij haar stevig tegen zich aandrukte.

'Wees voorzichtig, Cassie. Let altijd op. Zorg dat je nooit slordig wordt in een van die snelle vliegtuigen. Ze zullen je dat geen moment vergeven.'

'Dat beloof ik.'

'Ik wou dat ik je kon geloven,' zei hij glimlachend, 'verdomde vrouwelijke vliegeniers!' Hij lachte door zijn tranen heen, omhelsde haar nog eens stevig en liet haar toen met Nick vertrekken. Toen ze opstegen, stonden Chris en Billy vanaf de landingsbaan te zwaaien. Cassie slaakte een diepe zucht. Het was veel moeilijker om van huis weg te gaan dan ze ooit had gedacht, en ze kon alleen maar denken aan de mensen die ze achterliet in plaats van aan de plaatsen waar ze naartoe ging. En toen ze zich omdraaide om naar Nick te kijken, werd haar hart nog zwaarder. Ze wilde elk moment vasthouden dat ze met hem beleefd had.

Om haar gedachten af te leiden van haar familieleden, die nog stonden te zwaaien, zei Nick: 'Je bent een geluksvogel, Cass, maar je hebt het ook verdiend. Je hebt alles wat ervoor nodig is. Laat je alleen niet misbruiken door die steedse gladjanussen.' Die beschrijving was zeker van toepassing op Desmond Williams, maar hij leek ook oprecht en eerlijk. Hij had precies gezegd wat hij van haar wilde. Hij wilde de beste piloot ter wereld, de best uitziende vrouw, die zich kon gedragen en zijn produkt kon vertegenwoordigen. Hij wilde nieuwe records en wilde dat zijn vliegtuigen onbeschadigd bleven en een goede indruk zouden maken op het Amerikaanse publiek. Het was een veeleisende opdracht, maar ze was in staat die voor hem te vervullen en hij was slim genoeg om dat aan te voelen. Ze was de beste piloot die hij ooit had gezien en ze zag er goed uit, en voor hem was dat een begin. Voor Nick was het een einde, maar hij was meer dan bereid zichzelf op te offeren voor haar toekomst. Het was zijn laatste liefdesgeschenk aan haar. Eerst vliegen, en daarna, uiteindelijk, haar vrijheid.

'Laat je niet op je kop zitten,' zei Nick. 'Je bent volwassen genoeg, maar als ze het te moeilijk voor je maken zeg je dat ze naar de duivel kunnen lopen en kom je rechtstreeks naar huis. Je hoeft maar te bellen en ik kom je halen.' Het klonk belachelijk, maar het was wel geruststellend.

'Zul je me komen opzoeken?'

'Zeker. Elke keer als ik die kant op moet, maak ik een kleine omweg.'

'Zorg dan dat jij de vluchten naar Californië doet en dat Billy ze niet krijgt,' zei ze. Hij moest glimlachen om haar aansporing. Ze zag er ineens erg zenuwachtig uit.

'Ik dacht eigenlijk dat je hem wel leuk vond,' zei Nick zo nonchalant als hij kon, wat betekende dat het niet erg nonchalant klonk. 'Zit ik ernaast?' Hij was opgelucht door wat ze gezegd had, maar hij was al gaan vermoeden dat Billy gewoon een vriend was en geen romance betekende, precies zoals haar vader had voorspeld. Het was echter heerlijk om haar dat te horen bevestigen. Wat hij van haar wilde was totale onthouding en totale aanbidding, en hij wist hoe krankzinnig dat was. Er zou een moment komen waarop ze een man zou vinden, en kinderen zou krijgen, en hij wist dat hij die man niet zou zijn, hoe graag hij dat ook wilde.

'Billy en ik zijn gewoon vrienden,' zei ze rustig. 'Dat weet je.'

'Ja, dat is misschien wel zo.'

'Je weet heel veel,' zei ze wijs. 'Over mij, over het leven, over wat belangrijk is en wat niet. Je hebt me veel geleerd, Nick. Je hebt gezorgd dat mijn leven zin voor me kreeg. Je hebt me alles gegeven.'

'Ik wou dat het zo was, Cass, maar zelf heb ik het niet zo geweldig gedaan. En niemand verdient het allemaal meer dan jij.'

'Jawel,' zei ze, 'je hebt me alles gegeven.' Haar bewondering was duidelijk en haar liefde voor hem nog meer.

'Ik ben geen Desmond Williams, Cass,' zei hij. Hij had geen illusies over zichzelf.

'Dat is bijna niemand. De meeste mensen hebben niet zoveel geluk.'

'Jij misschien wel, Cass. Je zou nog wel eens heel belangrijk kunnen worden.'

'Omdat ik op het journaal kom en op de foto word gezet? Ik denk het niet. Dat is allemaal show, het is niet echt. Dàt weet ik in elk geval.'

'Je bent een verstandig meisje, Cass. Zorg dat je zo blijft. Laat ze dat niet van je afnemen.'

Na een tijdje waren ze in Chicago geland en liep hij met haar naar haar vliegtuig. Hij droeg haar tas voor haar. Ze droeg een marineblauw pakje dat van haar moeder was geweest. Het zag er een beetje ouderwets uit en was iets te groot voor haar, maar het was moeilijk om Cassie O'Malley er niet prachtig uit te laten zien. Ze was twintig jaar en adembenemend met haar glanzende rode haar, haar grote blauwe ogen, haar volle borsten, haar lange benen en het smalle middel waar hij zo graag zijn handen omheen legde wanneer hij haar op de grond hielp. Maar nu keek ze naar hem op, als een kind, en het enige dat hij wilde doen was haar terugbrengen naar haar moeder. Haar ogen stond vol tranen, maar ze huilde niet om haar familie. Ze huilde om hem. Ze wilde niet bij hem weg.

'Kom me alsjeblieft opzoeken, Nick... Ik zal je zo missen...'

'Ik zal er altijd voor je zijn, meisje... vergeet dat nooit.'

'Nee,' snufte ze, en hij legde een arm om haar heen en hield haar vast. Hij zei niets meer tegen haar. Hij kuste haar alleen op haar voorhoofd en liep weg. Er was niets meer wat hij kon zeggen, en als hij het zou doen, zou zijn stem hem verraden en zou hij haar nooit verlaten.

11

Toen de vlucht uit Chicago in Los Angeles landde, werd ze door drie mensen opgewacht, een chauffeur, een vertegenwoordiger van het bedrijf en de secretaresse van mijnheer Williams. Cassie was hier een beetje verbaasd over. Hij had gezegd dat ze van het vliegveld zou worden opgehaald, maar ze had niet verwacht dat het zo officieel zou zijn en dat er zoveel mensen zouden zijn.

Tijdens de rit naar Newport Beach gaf de vertegenwoordiger van het bedrijf haar een lijst met afspraken voor die week: een kennismaking met hun nieuwste vliegtuigen, een testvlucht in elk daarvan, een persconferentie met de belangrijkste vertegenwoordigers van de plaatselijke pers, en een interview voor het bioscoopjournaal. De secretaresse overhandigde haar een lijst van de sociale gebeurtenissen die ze verwacht werd bij te wonen, met en zonder verschillende begeleiders en een paar met de heer Williams. Het was nogal overweldigend. Maar ze was nog meer onder de indruk toen ze het appartement zag dat ze voor haar hadden gehuurd. Het bevond zich in Newport Beach en had een woonkamer, een eetkamer en een slaapkamer die allemaal op de oceaan uitkeken. Het had een schitterend uitzicht en werd omringd door een terras. De koelkast was gevuld, de meubelen waren prachtig en in de laden lag Italiaans linnengoed. Er werd haar verteld dat er een dienstmeisje was dat haar appartement dagelijks zou schoonmaken en haar zou helpen als ze mensen wilde ontvangen.

'Ik... o god!' riep Cassie uit toen ze een lade opende die vol lag met kanten tafelkleden. Haar moeder zou er alles voor over hebben gehad om er maar één te hebben en Cassie kon zich niet voorstellen waar zij ze voor zou moeten gebruiken. 'Waar zijn deze voor?'

'Mijnheer Williams dacht dat je mensen zou willen ontvangen,' zei juffrouw Fitzpatrick, zijn persoonlijke secretaresse, nuffig. Ze was twee keer zo oud als Cassie en was naar de school van mevrouw Porter geweest aan de Oostkust. Ze wist bijzonder weinig van vliegtuigen, maar alles wat er te weten viel over sociale gebeurtenissen en het juiste decorum.

143

'Maar ik ken hier niemand,' zei Cassie lachend, terwijl ze ronddraaide om het appartement te bekijken. Dit had ze zich in haar stoutste dromen niet voorgesteld. Ze wilde niets liever dan het aan iemand vertellen, of laten zien. Billy, Nick... haar zusters... haar moeder... maar er was niemand. Alleen Cassie en haar gevolg. En toen ze de slaapkamer bekeek, vond ze in de kasten al haar nieuwe kleren. Er hingen vier of vijf modieuze mantelpakjes met bijpassende hoeden, een lange zwarte avondjurk en twee korte avondjurken. Er waren zelfs schoenen en een paar handtassen. Alles was in de maten die ze had opgegeven. In een kleinere kast vond ze al haar uniformen. Ze waren in marineblauw en zagen er bijzonder officieel uit. Er was zelfs een kleine, bijpassende hoed bij en de officiële schoenen. Even sloeg de schrik haar om het hart. Misschien had Nick gelijk. Misschien zou ze alleen maar een *skygirl* zijn.

Alles was zo geordend en geregeld dat het op een bijna absurde droom leek. Het was alsof ze plotseling in het leven van iemand anders was gestapt, met de kleren en het appartement van een ander. Ze kon nauwelijks geloven dat dit nu allemaal van haar was.

Er stond ook een jonge vrouw op Cassie te wachten. Ze was netjes gekleed in een grijs mantelpakje met bijpassende hoed. Ze had een warme glimlach, levendige blauwe ogen en goed geknipt blond haar dat in een pagemodel op haar schouders hing. Ze leek begin dertig te zijn.

'Dit is Nancy Firestone,' legde juffrouw Fitzpatrick uit. 'Ze zal je chaperonne zijn wanneer mijnheer Williams vindt dat je er een nodig hebt. Ze helpt je met alles wat je nodig hebt, zoals persconferenties, vergaderingen en lunches.' De jonge vrouw stelde zich aan Cassie voor en liet haar met een vriendelijke glimlach het appartement zien. Een chaperonne? Wat moest ze daarmee? Op de landingsbaan laten staan wanneer ze een testvlucht deed? Nadat ze alles gezien had, begon Cassie zich af te vragen of ze wel tijd zou hebben om te vliegen.

'Het is nogal overweldigend in het begin,' zei Nancy Firestone meevoelend. 'Waarom laat je mij je koffer niet uitpakken en dan kunnen we tijdens de lunch je schema bespreken,' zei Nancy, terwijl Cassie met een verloren gevoel stond rond te kijken. In de keuken had ze een dienstmeisje gezien dat broodjes en een salade klaarmaakte. Ze was een oudere vrouw in een zwart uniform die zich daar volkomen thuis leek te voelen, waarschijnlijk veel meer dan Cassie op dat moment. Ze vroeg zich af wat ze met al die mensen moest. Ze waren er duidelijk om haar te helpen, en Desmond Williams had in elk geval overal voor gezorgd. Hij had zelfs meer gedaan. Hij wilde haar droom laten uitkomen. Maar plotseling voelde ze zich wanhopig alleen tussen al die vreemdelingen. Nancy Firestone leek dat aan te voelen. Daarom had Williams haar ingehuurd. Hij kende haar goed en had onmiddellijk geweten dat ze precies was wat Cassie nodig had.

'Gaan we vandaag ook naar de vliegtuigen kijken?' vroeg Cassie enigszins terneergeslagen. Dat was in elk geval iets wat ze begreep en wat haar veel meer interesseerde dan de dingen die ze in haar kasten had gezien. De vliegtuigen waren vertrouwd terrein, maar die chique levensstijl niet. Ze was niet naar Californië gekomen om zich op te dirken. Ze was gekomen om te vliegen, en tussen al die hoeden en schoenen en handschoenen en mensen die voor haar moesten zorgen, vroeg ze zich af of ze ooit de kans zou krijgen. Plotseling wilde Cassie niets liever dan terug naar haar eenvoudige leven in Illinois en een hangar vol met haar vaders vliegtuigen.

'Morgen gaan we naar het vliegveld,' zei Nancy vriendelijk. Ze wist intuïtief en door de dingen die Desmond had verteld dat ze voorzichtig met Cassie moest omgaan. Dit was een hele nieuwe wereld voor haar en hij had Nancy gewaarschuwd dat ze in het begin waarschijnlijk een beetje zou schrikken, maar dat ze ook koppig en onafhankelijk was. Hij wilde voorkomen dat ze ineens zou beslissen dat dit niets voor haar was. Hij wilde dat ze het leuk ging vinden. 'Mijnheer Williams wilde niet dat de eerste dag te vermoeiend voor je zou worden,' zei ze met een warme glimlach, terwijl ze gingen zitten om een broodje te eten. Maar Cassie had geen honger.

'Om vijf uur heb je een persconferentie. Om drie uur komt de kapster hier en voor die tijd hebben we nog heel wat te bespreken.' Zoals zij het zei, klonk het alsof ze gewoon twee meisjes waren die zich klaarmaakten voor een feestje, maar Cassies hoofd tolde terwijl ze luisterde. Toen vertrok de secretaresse van mijnheer Williams, juffrouw Fitzpatrick, nadat ze nog gewezen had op een stapel papieren met informatie over de vliegtuigen. Stijfjes voegde ze eraan toe dat mijnheer Williams tussen vier uur en halfvijf langs zou komen om Cassie op te halen.

'Hij gaat met je mee naar de persconferentie,' legde Nancy uit, nadat juffrouw Fitzpatrick de deur achter zich had dichtgedaan. Het klonk alsof het een grote eer was, en Cassie wist dat het ook zo was. Maar ondanks dat vond ze het doodeng. Ze vond ze allemaal doodeng. Het enige dat Cassie kon doen was wanhopig en verbijsterd naar Nancy Firestone staren. Wat was dit allemaal? Wat moest het betekenen? Wat deed ze hier? En wat had het allemaal met vliegtuigen te maken? Nancy las haar wanhoop op haar gezicht en probeerde haar gerust te stellen.

'Ik weet dat het in het begin allemaal een beetje beangstigend is,' zei Nancy, kalm glimlachend. Ze was een mooie vrouw, maar er was iets droevigs in haar ogen dat Cassie had opgemerkt zodra ze haar zag. Ze leek echter vastbesloten om Cassie in deze onbekende omgeving op haar gemak te stellen.

'Ik weet niet eens waar ik moet beginnen,' zei Cassie tegen haar. Ze kreeg plotseling een overweldigende neiging om in tranen uit te barsten, maar wist dat ze dat niet kon doen. Ze waren allemaal zo goed voor haar, maar er was zoveel dat ze moest verwerken en begrijpen: de kleding, de afspraken, wat er van haar verwacht werd, wat ze tegen de pers moest zeggen. Het enige dat ze echt wilde was met de vliegtuigen bezig zijn, en in plaats daarvan moest ze denken aan hoe ze eruitzag, hoe ze zich kleedde en of ze intelligent en volwassen genoeg zou overkomen. Het was zo beangstigend, en zelfs Nancy Firestone kon haar met haar warmte nauwelijks geruststellen.

Op het eerste gezicht leek het alsof ze hier niet was om te vliegen, maar voor de show. 'Wat willen ze met me?' vroeg Cassie eerlijk, terwijl ze naar de Grote Oceaan staarde. 'Waarom heeft hij me hierheen gehaald?' Ze had er bijna spijt van dat ze gekomen was. Het was gewoon te eng.

'Hij heeft je hierheen gehaald,' zei Nancy, 'omdat je een van de beste piloten schijnt te zijn die hij ooit heeft gezien. Je moet fantastisch zijn, Cassie. Desmond is niet zo snel onder de indruk. Sinds hij je in die vliegshow heeft gezien, heeft hij het voortdurend over je gehad. Maar hij heeft je ook hierheen gehaald omdat je een vrouw bent en niet alleen een geweldige pilote. Voor Desmond is dat ook heel belangrijk.' In sommige opzichten waren vrouwen belangrijk voor hem, in andere absoluut niet. Maar dat vertelde Nancy niet aan Cassie. Desmond Williams had graag vrouwen om zich heen wanneer hij ze kon gebruiken, maar hij ging nooit een band met ze aan. 'Hij denkt dat vrouwen beter vliegtuigen kunnen verkopen dan mannen omdat ze opwindender zijn. Hij denkt dat vrouwen – dat wil zeggen vrouwen als jij – de toekomst van de luchtvaart zijn. Wat hem betreft ben je een geweldig extraatje voor de pers en voor de pr-activiteiten.' Ze vertelde Cassie niet dat het voor een deel door haar uiterlijk kwam, maar dat was wel zo. Ze was echt een schoonheid, en als dat niet zo was geweest zou ze daar niet gezeten hebben. Nancy wist dat hij al een hele tijd naar iemand als zij op zoek was geweest. Hij had met heel wat vrouwelijke piloten gesproken en was naar heel wat vliegshows geweest voor hij haar gevonden had. Het was een idee dat hij al jaren had gehad, al voor George Putnam Amelia Earhart had ontdekt.

'Maar waarom ik? Wie vindt mij nou belangrijk?' vroeg Cassie onschuldig. Ondanks Nancy's bemoedigende woorden en uitleg leek ze nog steeds totaal overweldigd. Ze begreep het gewoon niet. Ze was niet dom. Ze was naïef, en het was voor de meeste mensen moeilijk om zich in de geest van Desmond Williams te verplaatsen. Nancy wist veel van hem, van haar man, die gestorven was tijdens het testen van een van Williams' vliegtuigen, van de andere piloten die ze kende, en door haar eigen ervaringen na de dood van Skip. Desmond Williams had veel gedaan om haar te helpen. In vele opzichten was hij een godsgeschenk geweest, maar er waren ook wat dingen aan hem die haar nerveus maakten. Hij had een soort doelbewustheid die af en toe beangstigend was. Als hij iets wilde of dacht dat iets goed was voor het bedrijf, deed hij alles om het te krijgen.

Na de dood van Skip was hij heel goed voor haar geweest en had hij alles gedaan om haar en haar dochter bij te staan. Hij had haar gezegd dat zij en Jane bij de 'familie' hoorden, dat Williams Aircraft voor altijd voor hen zou zorgen. Hij had een bankrekening voor haar geopend en zei dat hij in al hun behoeften zou voorzien. Jane zou een opleiding kunnen volgen en Nancy kreeg een pensioen. Skip was gestorven voor Desmond Williams en dat zou hij nooit vergeten. Hij had zelfs een klein huis voor hen gekocht. En hij had een contract opgesteld. Ze zou de volgende twintig jaar in dienst zijn van Williams Aircraft en projecten zoals dit uitvoeren, niets wat al te onredelijk of vermoeiend was. Het zouden projecten zijn die intelligentie en loyaliteit vereisten. Hij herinnerde haar subtiel aan wat hij allemaal voor hen had gedaan en plotseling wist ze dat ze geen keus had en moest doen wat hij wilde. Skip had hen niets anders nagelaten dan schulden en zoete herinneringen. En nu, na alles wat hij voor haar en Jane had gedaan, was ze het bezit van Desmond Williams. Hij hield haar in een mooie, vergulde kooi, hij benutte haar goed, hij was eerlijk, of leek dat in elk geval te zijn, maar hij liet haar nooit vergeten dat ze zijn bezit was. Ze kon nergens anders heen. Ze kon niet weggaan. Als ze

dat zou doen, zouden ze weer niets hebben. Ze had geen enkele opleiding en mocht heel blij zijn als ze een baan zou vinden, en Jane zou
nooit kunnen gaan studeren. Maar als ze bleef, kon ze houden wat hij
haar gegeven had. En Williams zag iets in haar wat hij kon gebruiken, net zoals hij dat in Cassie zag. En hij kreeg wat hij wilde. Hij
kocht het eerlijk en betaalde er een hoge prijs voor. Maar als de koop
eenmaal gesloten was en het contract getekend, was er geen twijfel aan
wie de eigenaar was. Hij was een slimme man en wist altijd wat hij
wilde.

'Iedereen zal je aardig gaan vinden,' zei Nancy rustig. Ze wist meer
van zijn plannen dan ze Cassie wilde vertellen. Hij was een genie in
het omgaan met de pers en in het opblazen van iets kleins tot iets ge-
weldigs. 'Je zult de lieveling van het Amerikaanse publiek worden.
Vrouwen en vliegtuigen zijn de toekomst. Williams Aircraft maakt de
beste vliegtuigen, maar ze worden nog veel interessanter als het publiek ze door jouw ogen ziet, door jóu leert kennen. Als het publiek
jou met zijn vliegtuigen identificeert, krijgen ze een speciale aantrekkingskracht, een speciale betovering.' Desmond Williams wist dat. Dat
was wat hij van Cassie wilde. Hij was jaren op zoek geweest naar een
vrouw die de belichaming was van de Amerikaanse droom – ze moest
jong zijn, mooi, een eenvoudig meisje met een prachtig uiterlijk en een
goed stel hersenen, en ze moest fantastisch kunnen vliegen. En eigenlijk tot ieders verbazing had hij haar gevonden in Cassie O'Malley. En
wat haar betreft? Wat had ze zich nog meer kunnen wensen? Nancy
wist dat Cassie een geluksvogel was, want zelfs als er dingen aan vast-
zaten, zelfs als hij levenslange trouw wilde, zou hij voldoende compensatie geven. Als ze haar kaarten goed zou uitspelen, zou ze beroemd worden en rijk, een legende. Zelfs Nancy, die wist hoe strak er
aan de touwtjes kon worden getrokken, vond dat Cassie O'Malley een
positie had om jaloers op te zijn. Desmond zou een ster van haar maken zoals er nog nooit een was geweest.

'Ja, maar als je er goed over nadenkt is het zo vreemd,' mijmerde Cassie. 'Ik ben niemand. Ik ben geen Jean Batten of Amy Johnson. Ik
ben niet bekend. Ik ben alleen maar een gewoon meisje uit Illinois dat
vier prijzen heeft gewonnen tijdens de plaatselijke vliegshow.' Ze zei
het bescheiden en nam eindelijk een hap van een voortreffelijk broodje kip.

'Je bent niet meer een "gewoon meisje",' zei Nancy wijs, 'of in elk geval niet meer na vijf uur vanmiddag.' Ze wist hoe zorgvuldig Desmond

de zaak had voorbereid vanaf het moment waarop zij het contract had getekend. 'En hoe denk je dat die andere vrouwen begonnen zijn? Zonder iemand als Desmond om ze in de publiciteit te brengen, hadden ze nooit bereikt wat ze bereikt hebben.' Cassie luisterde, maar was het niet met haar eens. Hun reputatie was gebaseerd op hun vaardigheden en niet alleen op publiciteit, maar Nancy geloofde duidelijk in wat Williams aan het doen was. 'Earhart werd wat George Putnam van haar maakte. Desmond werd daar altijd door gefascineerd. Hij had altijd het gevoel dat ze een veel minder goede piloot was dan Putnam beweerde, en misschien had hij gelijk.' Skip had er ook zo over gedacht, en terwijl Nancy aan hem dacht, keek ze Cassie met een verdrietige blik aan. Cassie vond Nancy interessant. Er was een heleboel aan Nancy wat haar beviel, maar er was ook een deel dat erg teruggetrokken leek. Ze leek enthousiast over wat Cassie allemaal te wachten stond en misschien zelfs een beetje jaloers. Uit haar mond klonk het allemaal geweldig, en ze sprak over Desmond alsof ze hem beter kende dan ze zou willen toegeven. Terwijl Cassie naar haar keek, vroeg ze zich af of er iets tussen hen zou zijn, maar misschien bewonderde ze hem gewoon en wilde ze er zeker van zijn dat Cassie alles wat hij voor haar deed ook voldoende zou waarderen. Het was nogal veel om te verwerken en analyseren in één middag, terwijl ze door Cassies vragen heen gingen en Nancy haar de betekenis van 'marketing' probeerde uit te leggen. Net als Desmond dacht Nancy dat marketing alles was. Door marketing kochten mensen de produkten die andere mensen maakten – in dit geval vliegtuigen. Cassie was onderdeel van een groter plan. Wat ze was, wat ze zou zijn, was een instrument om vliegtuigen te verkopen. Het was een vreemd idee voor haar, en toen de kapster kwam was ze nog steeds bezig met een poging het te begrijpen.

Tegen die tijd had Nancy haar ook over haar man verteld en over Jane. Ze had eenvoudig uitgelegd dat Skip verongelukt was tijdens een testvlucht boven Las Vegas. Ze praatte er heel rustig over, maar er was iets onherstelbaars in haar ogen toen ze over hem sprak. In zekere zin was haar leven geëindigd toen hij stierf, of voelde ze dat zo. Maar in bepaalde opzichten had Desmond Williams daar verandering in gebracht.

'Hij is ontzettend goed voor me geweest,' zei ze, 'en voor mijn dochter.' Cassie keek naar haar en knikte, maar toen werden ze afgeleid door de plannen die de kapster met Cassies helder rode haardos had.

Ze wilde het goed in model brengen, zodat Cassie het lang zou kunnen dragen, zoals Lauren Bacall. Ze zei zelfs dat ze enige gelijkenis zag, waar Cassie hard om moest lachen. Ze dacht dat Nick dit wel reuze komisch had gevonden als hij het gehoord zou hebben. Maar Nancy nam alles wat de kapster zei serieus en keurde alles goed wat ze wilde doen.

'Wat willen ze dan precies van me?' vroeg Cassie met een zenuwachtige zucht, terwijl de kapster gedecideerd aan het knippen was en Nancy toekeek.

Ze slaagde erin haar nieuwe pupil glimlachend aan te kijken en haar vraag zo goed mogelijk te beantwoorden.

'Ze willen dat je er mooi uitziet, dat je verstandige dingen zegt, dat je je gedraagt en dat je vliegt als een engel. Dat is het ongeveer.' Ze glimlachte weer en Cassie grinnikte om de omschrijving. Door de manier waarop Nancy het verwoordde leek het verrassend eenvoudig.

'Dat klinkt niet al te moeilijk. In elk geval het vliegen niet. Het gedragen komt wel goed als het betekent dat ik me niet laveloos moet drinken of met mannen uit moet gaan. Ik weet niet precies wat je met "verstandig" bedoelt. Dat kon wel eens wat moeilijker worden en er "mooi uitzien" is natuurlijk hopeloos,' zei Cassie, en ze grijnsde tegen haar nieuwe vriendin. Toen het gevoel van angst verdwenen was, begon ze het allemaal heel spannend te vinden. Hoe was het mogelijk dat haar zoiets overkwam? Het leek wel of ze zich in een film bevond. Het bezorgde haar een gevoel van onwerkelijkheid waaraan ze op dat moment niet kon ontsnappen.

'Ik krijg de indruk dat je de laatste tijd niet in een spiegel hebt gekeken,' zei Nancy oprecht, en Cassie knikte.

'Geen tijd. Ik had het veel te druk met vliegen en met het repareren van de vliegtuigen van mijn vader.'

'Je zult nu moeten leren in de spiegel te kijken.' Dat was de reden waarom Williams zoveel vertrouwen in Nancy had. Ze was tactvol en welgemanierd, deed wat haar verteld werd en wist wat van haar verwacht werd. Desmond Williams kende zijn mensen en wist altijd precies wat hij kocht. Toen ze het contract tekenden, had hij er geen moment aan getwijfeld dat Nancy nuttig voor hem zou zijn. 'Je moet gewoon glimlachen en bedenken dat een paar foto's geen kwaad kunnen. En de rest van de tijd kun je net zoveel vliegen als je wilt. Het is een kans die bijna niemand krijgt, Cassie. Je hebt geluk gehad,' zei Nancy, haar moed insprekend. Ze wist precies waar vliegfanaten van hielden en hoe ze Cassie zover moest krijgen dat ze ook de dingen deed waar ze niet van hield. Dingen als de persconferenties die ze moest geven, de interviews, de journaals en de feestjes waar ze van Desmond heen moest. Juffrouw Fitzpatrick had zelfs voor een lijst van begeleiders gezorgd.

'Waarom moet ik naar die feestjes?' vroeg Cassie argwanend.

'Omdat mensen je naam moeten leren kennen. Mijnheer Williams heeft heel wat moeite gedaan om de uitnodigingen te krijgen en je kunt hem echt niet teleurstellen.' Ze zei het op een verrassend vastbesloten manier.

'O,' zei Cassie, behoorlijk onder de indruk. Ze wilde niet ondankbaar lijken en begon al enig vertrouwen in Nancy te krijgen. Het gebeurde allemaal zo snel, en Nancy was de enige vriendin die ze hier had. En wat Nancy zei was waar. Williams deed veel voor haar, en misschien was ze hem wel verschuldigd om zijn uitnodigingen aan te nemen. Maar toen Cassie naar de lijst keek, leken haar sociale verplichtingen oneindig. Desmond Williams wist echter precies wat hij deed, en dat gold ook voor Nancy.

Toen de kapster klaar was, vonden ze Cassies nieuwe kapsel allemaal mooi. Ze zag er ineens wat meer uit als een vrouw van de wereld, maar het was wel elegant en eenvoudig. Toen hielp de kapster Cassie met haar make-up. Om kwart over drie nam ze een bad en om kwart voor vier trok ze haar eigen ondergoed aan en de zijden kousen die er voor haar lagen. En toen ze om vier uur een donkergroen mantelpakje aantrok, zag ze er fantastisch uit.

'Allemachtig!' zei Nancy, terwijl ze Cassies blouse zorgvuldig instopte en controleerde of haar schoenen bij haar pakje en haar tas pasten.

'Zijden kousen!' zei Cassie stralend. 'Als mijn moeder dat hoort!' Ze grinnikte als een kind, en Nancy lachte en vroeg of ze ook oorbellen had. Cassie keek haar uitdrukkingsloos aan en schudde haar hoofd. Haar moeder had een paar dat van haar moeder was geweest, maar Cassie had nooit oorbellen gehad, net zomin als haar zusters.

'Dat moet ik tegen mijnheer Williams zeggen,' zei Nancy en maakte een aantekening. Ze had ook een parelsnoer nodig. Hij had Nancy precies verteld hoe Cassie eruit moest zien. Geen smerige overall of werkkleding. Dat konden ze bewaren voor één zeldzame foto, voor *Life* misschien, als onderdeel van een serie. Maar het imago dat hij op de grond wilde, was dat van een dame, hoewel Nancy, toen ze naar haar keek, alleen maar aan Rita Hayworth kon denken.

Desmond Williams verscheen precies om vier uur en was uiterst tevreden over wat hij zag. Hij gaf Cassie wat foto's en gegevens over de Phaeton en de Starlifter, die ze die week zou gaan vliegen, om enigszins vertrouwd te raken met de toestellen. De week daarna zou ze wat belangrijke tests moeten doen in een vliegtuig voor grote hoogte, dat hij probeerde aan te passen voor gebruik door de luchtmacht. Maar toen ze naar de foto's keek, moest ze aan de man van Nancy denken. Stel dat Desmonds vliegtuigen te gevaarlijk waren of dat de risico's die ze moest nemen te groot waren? Zoals alle goede testpiloten temperde ze haar blinde durf met voorzichtigheid. Maar terwijl ze verlangend naar een foto van de experimentele Phaeton keek, kwam ze tot de conclusie dat ze alles zou durven vliegen.

'Mag ik dáárin vliegen?' vroeg ze met stralende ogen, en hij knikte. 'Jeetje! Waarom niet meteen? Laten we de pers vergeten en gaan vliegen.' Ze keek hem diep gelukkig aan en plotseling waren al haar eerdere zorgen en twijfels vergeten.

Hij lachte. Hij vond dat ze er prachtig uitzag, en toen hij binnenkwam had Nancy hem verteld dat Cassie volledig had meegewerkt. Hij was bijzonder tevreden over hen allebei. Dit was het beste publiciteitsplan dat hij ooit had gehad. 'Houd altijd rekening met de pers, Cassie. Ze kunnen je bedrijf maken en breken. Of in elk geval dat van mij. Tegen de pers moeten we altijd aardig zijn. Altijd.' Hij keek haar scherp aan en ze knikte, nog steeds vol ontzag voor hem. Hij had een onberispelijk gesneden donkerblauw pak aan met een dubbele rij knopen en glanzende, handgemaakte zwarte schoenen. Zijn blonde haar was keurig gekamd en alles aan hem was volmaakt gesteven, gestreken en smetteloos. Hij was de meest verzorgde man die ze ooit had gezien. Ze vond hem uiterst fascinerend. Alles aan hem was volkomen bedacht en berekend, tot in de hoogste graad. Maar ze was te jong om dat te begrijpen. Wat zij zag was het kant-en-klare produkt, datgene wat hij wilde dat ze zag. En dat was precies wat hij haar zou leren. Hij wilde de wereld precies het gezicht laten zien dat hij voor ogen had: het glimlachende, vrolijke dorpsmeisje, dat beter vloog dan elke man en alles waagde en dan met een brede grijns en een massa perfect gekapt rood haar de cockpit uit kwam springen. Binnen zes maanden zou elke man in het hele land verliefd op haar zijn, als het al zo lang zou duren, en zou ze het idool zijn van elke vrouw. Om dat voor elkaar te krijgen, moest ze zich volmaakt gedragen, er geweldig uitzien en vliegtuigen vliegen waarvan de meest geharde piloten de rillingen kregen. Hij had de fouten van alle anderen bestudeerd en was niet van plan er ook maar één te maken. Desmond Williams zou niet falen, en ook Cassie niet, als hij er tenminste enige zeggenschap over zou hebben. Zij zou de grootste naam worden die het land ooit had gehad. Ze zou volledig zijn creatie worden. En op haar eigen bescheiden manier zou Nancy Firestone hem daarbij helpen, gewoon door Cassie op haar gemak te stellen en op haar te letten. Hij zou zijn dromen niet kapot laten maken doordat Cassie dronken zou worden of tegen iemand zou vloeken, of doordat ze er verschrikkelijk uit zou zien na een lange vlucht of doordat ze een relatie zou krijgen met een of andere nietsnut. Ze moest gewoon volmaakt zijn.

'Klaar voor het grote moment?' zei hij glimlachend. Ze zag er goed uit, meer dan dat zelfs, maar hij zag nog mogelijkheden voor verbetering. Ze had haar eigen opmerkelijke uiterlijk, maar het pakje was iets te groot voor haar en Nancy zou moeten zorgen dat het ingenomen werd. Ze was net iets slanker dan hij zich herinnerde en haar gelaatstrekken waren sterker. Ze had iets nodig dat een beetje opvallender en jonger was. Bovendien had hij zich niet gerealiseerd toen hij haar in Good Hope had ontmoet dat ze zo'n prachtig figuur had. Hij wilde daarmee spelen, zonder dat ze er goedkoop of vulgair zou gaan uitzien. Er was een imago dat hij wilde bereiken en daar waren ze nog niet. Maar voor een eerste optreden... zag ze er uitstekend uit.

Tijdens de persconferentie, in de grote vergaderzaal naast zijn kantoor, deed ze het veel beter dan hij had verwacht.

Hij had persoonlijk twintig verslaggevers uitgenodigd, degenen die het meest beïnvloedbaar waren. Mannen die iets te veel van meisjes, van vrouwen hielden. Niet van die mannen die al te cynisch waren. Toen introduceerde hij haar. Toen ze binnenkwam zag ze er een beetje angstig en wat bleek uit. Ze voelde zich wat onwennig in haar nieuwe kleren en met haar helderrode lippenstift. Maar in haar groene pakje en met haar nieuwe kapsel zag ze er fantastisch uit. En met haar natuurlijke schoonheid en warme aard kwam ze sprankelend over.

Ze betoverde hen. Hij had hun de informatie over de vliegshow gegeven en ze was daar erg bescheiden over. Ze legde uit dat ze haar hele leven al op haar vaders vliegveld had rondgelopen en daar aan motoren had gewerkt en de vliegtuigen had volgetankt.

'Het grootste deel van mijn kindertijd was ik bedekt met smeerolie. Ik merkte pas dat ik rood haar had toen ik hier kwam,' grapte ze, en ze vonden haar geweldig. Ze had een gemakkelijke stijl en toen ze eenmaal aan hen gewend was, behandelde ze de verslaggevers als oude vrienden en ze vonden het prachtig. Desmond Williams was zo tevreden dat er voortdurend een grote grijns op zijn gezicht lag. Uiteindelijk moest hij haar wegsleuren. Ze zouden daar de hele avond gezeten hebben om naar haar verhalen te luisteren. Ze had hun zelfs verteld dat haar vader niet wilde dat ze ging vliegen en pas overtuigd raakte nadat ze die nacht met Nick in een sneeuwstorm had gevlogen om de gewonden van de treinramp te redden.

'Waar vloog u in, juffrouw O'Malley?'

'Een oude Handley van mijn vader.' Op de gezichten van de aanwezigen die enige kennis van zaken hadden, verscheen een waarderende blik. Het was een moeilijke machine om te vliegen. Maar ze wisten dat ze goed moest zijn, anders zou Williams haar niet in dienst genomen hebben.

Tegen de tijd dat ze wegging, noemden ze haar Cassie. Ze was volkomen zonder pretenties en openhartig. En toen ze de volgende dag op de voorpagina van de *L.A. Times* stond, was de foto sensationeel en vertelde het verhaal van een roodharige moordmeid die op het punt stond L.A. en de wereld te veroveren. Ze hadden net zo goed een paginabrede kop kunnen drukken met de tekst WE HOUDEN VAN JE, CASSIE!, want het was duidelijk dat het zo was. De campagne was begonnen, en vanaf dat moment hield Desmond Williams haar druk bezig. Op haar tweede dag in L.A. bracht Cassie een 'bezoek' aan al zijn vliegtuigen, en natuurlijk was de pers aanwezig en de mensen van *Movietone* voor een bioscoopjournaal.

Toen het bioscoopjournaal uitkwam, nam haar moeder al haar zusters en hun kinderen mee om te gaan kijken. Cassie wilde dat ook Nick en haar vader gingen kijken, maar het enige dat ze kreeg was een ansichtkaart van Nick waarop stond: We houden van je, *skygirl*! Dat ergerde haar. Ze wist hoe ze eruitzag in het uniform dat ze moest dragen, maar ze wist dat hij ook onder de indruk moest zijn van de vliegtuigen. Ze waren echt fantastisch.

Haar eerste vluchten vonden plaats in de Phaeton, waar ze mee aan het werk waren, en daarna in de Starlifter die hij haar had laten zien. Daarna liet hij haar een vliegtuig voor grote hoogte vliegen om uitgebreide gegevens te verzamelen voor hun ontwerpers. Ze was tot een hoogte gegaan van zo'n 13 000 meter en het was de eerste keer geweest dat ze een zuurstofmasker moest gebruiken en een elektrisch verwarmd vliegenierspak. Maar ze had bijzonder waardevolle informatie verzameld. De bedoeling was dat het vliegtuig veranderd zou worden in een hoog vliegende bommenwerper voor het leger. Het was hard werken, en een of twee keer was ze even bang, maar ze maakte een geweldige indruk op Desmond Williams. Zijn technici en een van zijn piloten waren met haar meegegaan en zeiden later dat ze beter vloog dan Lindbergh. Bovendien was ze mooier, had een van hen gezegd. Maar dat laatste wist Williams wel. Het deed hem vooral plezier om te horen dat haar bekwaamheden in het vliegen boven verwachting waren.

In de tweede week dat ze daar was, vestigde ze een hoogterecord, en drie dagen later een snelheidsrecord in de Phaeton. Beide records werden geregistreerd door de FAI en waren toen officieel. Dit waren de vliegtuigen waarvan ze altijd had gedroomd.

Het enige dat vertragend werkte waren de voortdurende persconferenties en de foto's en de journaalopnamen. Ze waren ongelooflijk vervelend, en soms zat de pers haar echt in de weg. Ze was inmiddels drie weken in Los Angeles en de verslaggevers begonnen haar overal te volgen. Ze werd nieuws. En hoewel ze haar best deed vriendelijk te blijven, begon ze zich af en toe echt te ergeren. De dag daarvoor was ze op de startbaan bijna over een verslaggever heen gereden.

'Verdorie, kunnen jullie ze niet weghouden van de startbaan?' schreeuwde ze uit de cockpit, voor ze opsteeg. Ze wilde niet dat iemand gewond raakte en was geschrokken toen ze zo dicht bij het vliegtuig kwamen. Maar de mannen op de grond haalden alleen maar hun schouders op. Ze waren er al aan gewend geraakt. De pers was waanzinnig enthousiast over haar. Er werden voortdurend artikelen over haar gepubliceerd en er waren altijd foto's bij. Het publiek verslond ze en Desmond Williams bleef zorgen dat de mensen kregen wat ze wilden. Hij zorgde dat er steeds genoeg was om de liefdesaffaire in leven te houden, maar dat het niet zoveel was dat ze genoeg van haar zouden krijgen. Het was een kunst waar hij briljant in was. En Nancy Firestone zorgde voor alle kleine persoonlijke gegevens die hij nodig had. Verder bleef ze een geweldige steun voor Cassie.

Ze deed mee aan een reclamecampagne voor een graanprodukt voor kinderen en aan een advertentie voor haar favoriete tijdschrift, en toen Nick het op een dag op het vliegveld zag, gooide hij het bij het oud papier. Hij was woedend en ging tekeer tegen haar vader.

'Hoe kun je dat laten gebeuren? Waar is ze mee bezig: cornflakes verkopen of vliegen?'

'Allebei zo te zien.' Het interesseerde hem niet echt. Hij vond nog steeds dat vrouwen niet in de luchtvaart thuishoorden. 'Haar moeder vindt het prachtig.'

'Volgens mij heeft ze geen tijd over om te vliegen,' mopperde Nick, en Pat grinnikte.

'Ik weet niet, Stick. Waarom vlieg je er niet heen en vraag je het?' Pat nam de hele zaak verrassend rustig op, nu ze in Californië was. Het enige dat hij jammer vond was dat ze geen tijd meer had om te studeren, maar ze vloog wel in een aantal prachtige vliegtuigen. En hij kon niet anders dan trots op haar zijn, hoewel hij dat nooit echt zei. Nick had er al een paar keer over gedacht om haar te gaan opzoeken, maar hij had er nog geen tijd voor gehad. Nu Cassie weg was leek hij nog veel meer te moeten vliegen dan anders, ondanks de nuttige aanwezigheid van Billy Nolan. Maar de zaken liepen uitstekend bij O'Malley's. En Pat begreep heel goed dat de plotselinge sterstatus van zijn dochter waarschijnlijk ook niet slecht was voor zijn bedrijf. De verslaggevers waren daar ook een paar keer verschenen, maar er was niet veel voor ze te vinden, en na een foto van het huis waar ze was opgegroeid waren ze weer teruggegaan naar Chicago.

Cassies leven aan de Westkust leek nog sneller te gaan dan haar vliegtuigen. Tussen de vluchten om nieuwe instrumenten uit te proberen en vergaderingen met de technische mensen om haar de aërodynamica uit te leggen, kon ze zichzelf nauwelijks bijhouden. Ze was ook naar een paar ontwikkelingsbijeenkomsten geweest om meer inzicht te krijgen in de richting die Williams Aircraft uit wilde gaan, en Desmond kon nauwelijks geloven hoezeer ze hierbij betrokken was. Ze wilde alles weten over zijn vliegtuigen. Hij was onder de indruk, voelde zich gevleid en was ongelooflijk trots op zijn goede inschatting van haar capaciteiten. Hij had een imperium geërfd dat hij in een ongelooflijk korte tijd twee keer zo groot had gemaakt. Op zijn vierendertigste was hij een van de rijkste mensen van het land en misschien wel van de wereld en kon hij zo ongeveer alles doen wat hij wilde. Hij was twee keer getrouwd geweest, twee keer gescheiden en had geen kinderen. Het enige waar hij iets om gaf of enige hartstocht voor kon opbrengen, was zijn bedrijf. Mensen kwamen en gingen in zijn leven en er werd altijd genoeg gepraat over zijn vrouwen, maar de enige dingen die echt belangrijk voor hem waren, waren zijn vliegtuigen en aan de top van de luchtvaartindustrie staan. En op dit moment hielp Cassie O'Malley hem te krijgen wat hij wilde.

Hij was diep onder de indruk van de kennis die Cassie van vliegtuigen had en van haar naïeve, maar duidelijke ideeën over zijn bedrijf. Ze was niet bang om haar mening te geven of om het, indien nodig, met hem oneens te zijn. Het beviel hem dat ze naar vergaderingen kwam, dat alles haar genoeg interesseerde om aanwezig te zijn. En hij was bijzonder blij met de vliegrecords die ze had gevestigd. Binnen redelijke grenzen, durfde ze bijna alles. De enige dingen waar ze minder enthousiast over was en zich vaak tegen verzette waren de sociale gebeurtenissen, die volgens hem essentieel waren en die Cassie onzin vond.

'Maar waarom?' zei ze steeds tegen Nancy Firestone. 'Ik kan niet de hele avond uitgaan en de volgende ochtend om vier uur goed vliegen.'

'Begin dan later. Mijnheer Williams begrijpt dat wel. Hij wil dat je 's avonds uitgaat.'

'Maar ik wil niet.' Cassies aangeboren koppigheid was niet in Illinois achtergebleven en ze was van plan te winnen. 'Ik blijf liever thuis om over zijn vliegtuigen te lezen.'

'Maar dat is niet wat mijnheer Williams wil,' zei Nancy vastbesloten, en tot nu toe had ze meestal gewonnen, maar Cassie was ook een paar keer ontsnapt. Ze vond het heerlijk om een strandwandeling te maken of 's avonds alleen thuis te zijn en brieven te schrijven aan Nick, haar zusters of haar moeder. Ze miste haar familie en de vertrouwde mensen met wie ze was opgegroeid. En alleen al schrijven aan Nick bezorgde haar pijn in haar hart. Soms had ze het gevoel dat ze nauwelijks lucht kreeg wanneer ze hem een brief schreef en vertelde waar ze mee bezig was. Ze miste het vliegen met hem en de manier waarop ze het oneens konden zijn en zij hem kon vertellen hoe fout hij zat of hoe dom hij was. Ze wilde hem vertellen hoe verschrikkelijk ze hem miste, maar het leek altijd zo vreemd als ze het probeerde te verwoorden. Meestal verscheurde ze haar brief dan en schreef ze alleen over de vliegtuigen waarin ze vloog.

Over haar sociale leven schreef ze nooit, niet aan hem noch aan iemand anders. Het betekende niets voor haar, hoeveel er ook over in de kranten werd geschreven. Nancy had een heel stel jonge mannen gevonden die als haar begeleiders optraden. De meeste van hen wisten niets van vliegtuigen en sommige waren acteurs die ook gezien moesten worden. Het ging allemaal om 'gezien' worden, en waar je 'gezien' werd en met wie je 'gezien' werd. Ze wilde met geen van hen gezien worden, en meestal poseerden ze alleen voor foto's en werd ze daarna weer naar huis gebracht, waar ze opgelucht in bed viel. Het enige dat haar echt beviel aan haar nieuwe filmsterrenleven was het vliegen.

En het vliegen was ongelooflijk. De dageraad in zweven in de Phaeton en alle snelheidsrecords breken, was het heerlijkste dat ze ooit had gedaan, en waarschijnlijk ook het gevaarlijkste. Tot haar eigen verbazing werd ze steeds vaardiger met die ongelooflijke machines. Ze leerde hoe ze met bijzonder zware vliegtuigen moest omgaan, leerde hoe ze moest compenseren voor eventuele problemen die ze hadden, gaf de dingen die ze ontdekte door aan de technici en werkte met hen samen om ze te corrigeren. Hier werden haar bijdragen en ideeën gewaardeerd. Ze bewonderden de manier waarop ze vloog en begrepen alles wat ze wilde. Het was de droom van elke piloot om in de stoel te zitten waarin zij zat, en zolang ze in de lucht was, was er geen twijfel aan. Ze genoot.

Op een middag stapte ze, na een korte vlucht over Las Vegas, om wat aantekeningen te maken voor het ontwerpteam, uit een legervliegtuig dat uitgerust was met een Merlin-motor voor meer snelheid, toen een hand omhoog werd gestoken om haar te helpen. Verrast zag ze dat het Desmond Williams was. Hij zag er net zo onberispelijk uit als anders, maar de zachte wind blies zijn haar wat uit zijn gezicht en plotseling zag hij er minder stijf en veel jonger uit dan de andere keren dat ze hem had gezien.

'Heb je een goede vlucht gehad?'

'Ja, maar de Merlin-motor was wat teleurstellend en geeft ons nog steeds niet wat we willen met dit vliegtuig. We moeten iets anders proberen. Maar ik heb wel een paar ideeën die ik morgen aan het ontwerpteam wil voorleggen. Bovendien trok het vliegtuig bij het opstijgen naar bakboord en dat is echt een probleem.' Ze dacht altijd aan zijn vliegtuigen en de problemen die ze moesten overwinnen. 's Nachts droomde ze van de vliegtuigen en overdag haalde ze er alles uit wat erin zat. En terwijl hij naar haar keek, was hij meer van haar onder de indruk dan ooit. Ze was een echte goudmijn.

'Het klinkt alsof je wel een pauze kunt gebruiken.' Hij glimlachte tegen haar, terwijl ze haar haar uit haar ogen veegde en haar uniform gladstreek. Nog steeds verlangde ze af en toe naar haar overall en de oude tijd, toen ze niet zo op haar uiterlijk hoefde te letten wanneer ze vloog. Voor Cassie was dat uiterlijk niet belangrijk. 'Wat denk je van een etentje vanavond?'

Ze was verbaasd over de uitnodiging en vroeg zich af wat er aan de hand was. Misschien was hij niet tevreden over haar. Hij had haar nooit eerder uitgenodigd. Tot nu toe waren hun contacten uitsluitend zakelijk geweest.

'Is er iets mis, mijnheer Williams?' Ze zag er bezorgd uit en hij lachte om de vraag. Ze vroeg zich af of hij haar soms wilde ontslaan, en hij schudde zijn hoofd en keek haar geamuseerd aan.

'Er is niets mis, behalve dat je te hard werkt en geen idee hebt hoe geweldig je bent. Natuurlijk is er niets mis. Ik dacht alleen dat het misschien leuk was om een keer samen te eten.'

'Natuurlijk,' zei ze verlegen. Ze vroeg zich af hoe het zou zijn om met hem te eten. Hij was zo knap, zo volmaakt, zo slim en zo rijk dat ze bang van hem was. Nancy zei altijd dat hij uitstekend en plezierig gezelschap was en ze leek hem goed te kennen. Maar Cassie vond hem behoorlijk intimiderend.

'Waar heb je zin in? Frans? Italiaans? Er zijn een paar uitstekende restaurants in Los Angeles. Ik denk dat je ze inmiddels allemaal wel kent.'

'Ja, dat klopt.' Een ogenblik vergat ze haar verlegenheid en keek hem recht in zijn ogen. 'En ik zou willen dat het niet zo was.'

'Dat heb ik gehoord,' zei hij glimlachend. 'Ik heb begrepen dat je niet zoveel zin hebt in je sociale verplichtingen.' Ondanks zijn leeftijd zag hij er even bijna vaderlijk uit en Cassie begreep waarom Nancy hem mocht.

'Op zijn zachtst gezegd, ja. Ik begrijp niet waarom ik elke avond uit moet gaan als ik de volgende ochtend om vier uur alweer aan het vliegen ben.'

'Je zou misschien wat later kunnen beginnen,' zei hij praktisch, maar als antwoord kreunde ze alleen.

'Dat zei Nancy ook al, maar het vliegen is belangrijk, het uitgaan niet.' Toen stond hij stil en keek op haar neer, en ze was volledig verrast toen ze zich realiseerde hoeveel langer hij was. Hij was in meer dan één opzicht een man van formaat. 'Het is allemáál belangrijk, Cassie. Alles is belangrijk. Niet alleen het vliegen, maar het uitgaan ook. Kijk eens wat de kranten over je zeggen... hoe het publiek over je denkt... hoe geliefd je bent... Ga eens na wat dat betekent, hoeveel invloed je daardoor hebt, terwijl je hier nog maar een maand bent. De mensen willen weten wat je eet, wat je leest en wat je denkt. Dat moet je nooit onderschatten. Dat is de macht van het Amerikaanse publiek.'

'Ik begrijp het niet,' zei ze. Ze zag eruit als een kind en hij glimlachte. Hij kende haar al beter dan dat. Zijn inzicht in mensen was bijna griezelig.

'Je begrijpt het wel,' zei hij rustig. 'Je wilt het alleen niet begrijpen. Je wilt het spel op jouw manier spelen. Maar als je het op mijn manier speelt, zul je er uiteindelijk veel meer uithalen. Vertrouw me maar.'

'Door een etentje in de Cocoanut Grove of de Mocambo ga ik niet beter vliegen.'

'Nee, maar het maakt je wel spannend... opwindend... iemand van wie mensen meer willen weten. Het zorgt ervoor dat mensen naar je luisteren, en als ze eenmaal luisteren kun je ze alles vertellen wat je wilt.'

'En luisteren ze niet als ik thuis blijf en op tijd naar bed ga?' Ze grinnikte, maar ze begreep wat hij bedoelde en was ook wel geïnteresseerd, en dat wist hij.

'Het enige dat ze dan horen, juffrouw O'Malley, is uw gesnurk.'

Ze lachte tegen hem, en een paar minuten later liet hij haar achter bij de hangar. Hij zei dat hij haar om zeven uur zou ophalen en later zou vertellen waar ze heen zouden gaan.

Toen ze thuiskwam vertelde ze Nancy met wie ze uit eten zou gaan, maar ze had het al gehoord van juffrouw Fitzpatrick. Er waren geen geheimen bij Williams Aircraft. Ze had ook wel een idee waar hij haar mee naartoe zou nemen, waarschijnlijk Perino's. Nancy hielp haar met het uitkiezen van een bijzonder geraffineerde jurk. Ze verzekerde Cassie dat dat precies het soort jurk was waarvan hij hield.

'Waarom denk je dat hij met mij wil eten?' vroeg Cassie bezorgd. Ze vroeg zich nog steeds af of hij toch niet ergens ontevreden over was. Misschien irriteerde het hem dat ze over het uitgaan klaagde en wilde hij haar daarvoor terechtwijzen.

'Ik denk dat hij met je uit wil omdat je zo lelijk bent,' zei Nancy plagend. Ze behandelde Cassie inmiddels een beetje als een dochter. In sommige opzichten was Cassie ook nog een kind, niet zo anders dan Janie. Bij de twee gelegenheden dat Nancy haar voor het eten had uitgenodigd, hadden Jane en Cassie het ook geweldig kunnen vinden samen. Ze had Cassie wel vaker willen uitnodigen, maar ze had nooit tijd voor een rustige avond. 'Je houdt nu op met je zorgen maken en gaat je gezicht wassen. Hij is een echte heer.' Dat was hij altijd, of het nu om zaken of plezier ging. Desmond Williams had een briljante geest en onberispelijke manieren. Wat hij niet had was een hart, volgens sommige vrouwen, of als hij dat wel had, had niemand het tot nu toe gevonden. Maar Nancy wist dat Desmond niet op Cassies hart uit was. Wat hij wilde was haar loyaliteit en haar leven, haar geest, haar kennis van vliegtuigen en haar durf. Dat waren de dingen die hij van iedereen wilde. Hij wilde alles, behalve dat wat echt belangrijk was. En als tegenprestatie zou hij voor haar zorgen op de manieren die hij kende, met contracten en geld.

Cassie stond precies op tijd klaar en hij verscheen beneden in een gloednieuwe Packard. Hij was een man die van machines hield en steeds weer een spannende nieuwe auto kocht. De Zephyr waarin ze hem bij haar thuis had gezien, was al naar Californië gestuurd.

Ze droeg een nauwsluitende, zwarte jurk, die Nancy voor haar had uitgekozen, met zwarte zijden kousen en zwarte satijnen schoenen met plateauzolen, die haar nog langer deden lijken. Maar hij was nog steeds langer dan zij en haar figuur werd door de zwarte jurk prachtig geaccentueerd. Haar haar lag in losse krullen hoog op haar hoofd en in de maand die ze nu in L.A. was, had ze geleerd zich perfect op te maken.

'Wauw! Ook al zeg ik het zelf,' zei Desmond stralend, terwijl ze naar de stad reden. 'Je ziet er geweldig uit.'

'Ik was van plan in mijn overall te gaan,' grinnikte ze ondeugend, 'maar Nancy heeft hem naar de stomerij gestuurd.'

'Ik kan niet zeggen dat ik teleurgesteld ben,' zei hij plagend. De hele weg naar de stad praatten ze ontspannen over een nieuw vliegtuig dat hij aan het ontwerpen was. Ze had vragen over de romp en over het ontwerp, en zoals gewoonlijk was hij diep onder de indruk.

'Hoe ben je toch zoveel te weten gekomen over vliegtuigen, Cass?'

'Ik hou gewoon van vliegtuigen, zoals andere kinderen van poppen houden. Ik heb mijn hele leven met vliegtuigen gespeeld. Toen ik negen was heb ik mijn eerste motor in elkaar gezet. Ik ben er mee bezig geweest sinds ik een kind was. Mijn vader zette me aan het werk toen ik vijf was, maar schrok zich dood toen ik leerde vliegen. Aan motoren sleutelen mocht wel, maar vliegen was voor mannen, niet voor vrouwen.'

'Het is nauwelijks te geloven.' Hij had een geamuseerde blik in zijn ogen. Voor hem klonk het als iets uit de middeleeuwen.

'Dat weet ik.' Ze glimlachte en dacht met tedere gevoelens aan haar vader. 'Hij is een schattige oude dinosaurus en ik hou van hem. Hij heeft uw kaartje weggegooid, nadat u die eerste keer op het vliegveld was geweest.'

'Ik dacht wel dat hij zoiets zou doen, hij en zijn partner. Daarom kwam ik terug.' Hij wierp een blik op haar toen ze L.A. binnenreden. 'Ik ben blij dat ik dat gedaan heb. Als ik denk aan wat ik anders gemist zou hebben, wat dit land gemist zou hebben. Dat zou een ramp zijn geweest.' Hij zei het op een dramatische toon, en ze moest lachen. Wat hij zei was indrukwekkend, maar het klonk Cassie vaak als onzin in de oren. Ze wist wat ze waard was, of dacht dat in elk geval. Ze was een behoorlijk goede pilote, maar was niet het orakel dat hij van haar maakte, of het genie... of de schoonheid... maar het Amerikaanse publiek wist inmiddels wel beter, en was het eens met Desmond Williams.

'Waar gaan we vanavond heen?' vroeg ze, een beetje nieuwsgierig. Ze herkende de buurt, maar had het restaurant nog niet geraden. Hij vertelde dat ze naar de Trocadero gingen.

Toen ze naar binnen gingen, zag ze onmiddellijk dat het een bijzonder chic en luxe restaurant was. Het licht was getemperd en de band speelde een rumba.

'Hier was je nog niet geweest, hè Cassie?'

Ze schudde haar hoofd, zichtbaar onder de indruk van haar omgeving en van het feit dat ze daar met hem was. Ze was twintig jaar en had zoiets nog nooit gezien. 'Nee, mijnheer,' zei ze, en hij leunde wat dichter naar haar toe en raakte haar arm aan.

'Je kunt me Desmond noemen,' zei hij glimlachend, en ze bloosde. Het was raar om zo vriendschappelijk met hem om te gaan. Hij was zo belangrijk, hij was haar baas en hij was veel ouder.

'Ja, mijnheer... Ik bedoel, Desmond...' Terwijl ze naar een belangrijke tafel werden geleid, bloosde ze nog steeds in het schemerige licht.

'Hoewel... mijnheer Desmond heeft ook wel iets. Daar had ik nog niet aan gedacht.' Hij maakte haar gemakkelijk aan het lachen en hielp haar bij haar bestelling. Hoewel alles wat ze hier meemaakte nieuw voor haar was, wist hij haar heel goed op haar gemak te stellen. Maar hij gaf haar nooit het gevoel dat ze onnozel of dom was. Hij gedroeg zich alsof het een geweldige kans was, zowel voor haar als voor hem. Hij liet haar voortdurend voelen hoe blij hij was daar met haar te zijn. Hij wist haar op haar gemak te stellen alsof hij een meester was in die kunst, en voor hun eten kwam, had hij haar aan het lachen en dansen en voelde ze zich volkomen thuis. Ze voelde zich zo plezierig dat ze in zijn armen danste alsof ze dat al jaren had gedaan, en toen na het diner de fotografen kwamen, maakten ze een prachtige foto waarop ze glimlachend naar hem opkeek, alsof ze hem aanbad.

De volgende dag, toen ze op weg naar haar werk de krant zag, kreeg ze wat twijfels. De foto wekte op de een of andere manier de indruk dat ze een relatie met hem had, wat beslist niet het geval was. Maar er was iets heel intiems in de manier waarop hij naar haar keek, terwijl er toch nooit iets gebeurd was wat ongepast of ook maar een beetje romantisch was. Hij was haar baas, de man die haar had 'ontdekt' en haar een geweldige kans had gegeven. En daar was ze hem dankbaar voor. Maar verder was er niets tussen hen. Ze vroeg zich af of iemand er een opmerking over zou maken, maar dat gebeurde niet, tot ze drie dagen later een telefoontje kreeg van Nick. Hij had een postvlucht naar San Diego die avond en zou de volgende ochtend bij haar langs kunnen komen. Omdat dat een zaterdag was, zou ze de hele dag met hem kunnen doorbrengen. Ze moest die avond eigenlijk naar een liefdadigheidsbal met een van de jonge vrienden van Nancy, maar voor Nick zou ze het met alle plezier afzeggen.

'Zo, zit Williams achter je aan of val jij voor hem?' vroeg hij botweg, nadat hij gezegd had dat hij naar haar appartement zou komen zodra hij klaar was in San Diego.

'Wat bedoel je daarmee?' vroeg ze, geërgerd over zijn insinuatie.

'Ik was gisteren in Chicago, Cass. Ik zag die foto van jullie in de krant. Het zag er behoorlijk intiem uit.' Er was iets scherps in zijn stem dat ze nooit eerder had gehoord en dat haar niet beviel.

'Ik werk toevallig voor hem en hij had me uitgenodigd voor een etentje. Hij is ongeveer net zo geïnteresseerd in mij als in zijn monteurs, dus hou daarmee op.'

'Ik denk dat je naïef bent. En je droeg nou niet bepaald je werkkleding.' Hij was boos en jaloers en wenste dat haar vader haar nooit daarheen had laten gaan. Dat vliegen dat ze voor Williams deed was veel te gevaarlijk. Maar het was niet alleen het vliegen dat hem dwarszat. Het was de uitdrukking op het gezicht van Desmond terwijl hij naar haar keek.

'Het was gewoon een zakelijk diner, Nick. Hij was alleen maar aardig en nam me een keer mee uit. Waarschijnlijk heeft hij zich dood verveeld. En geloof het of niet, dat is mijn werkkleding.' Ze doelde op de nauwsluitende zwarte jurk die ze gedragen had. 'Mijn chaperonne koopt alles voor me en ik word elke avond als een getrainde hond op pad gestuurd om me te laten zien en op de foto te komen. Ze noemen het public relations.'

'Dat klinkt wat mij betreft niet als werk. Of als vliegen.' Hij vrat zich op van ergernis en voelde zich eenzaam omdat hij haar al meer dan een maand niet had gezien. Hij wilde haar zo graag zien, maar ze had nog geen tijd gehad om naar huis te gaan. Het was een schok voor hem geweest om te ontdekken hoe erg hij haar miste. Het voelde alsof hij een been of een arm of zijn beste vriend had verloren. En het idee dat Williams haar mee uit eten nam, beviel hem helemaal niet.

'We praten erover als je hier bent,' zei ze rustig. Ze klonk veel volwassener dan toen ze nog thuis was geweest. Ze was al veranderd, maar wist het zelf nog niet. Bovendien had ze al aardig wat van het vernislaagje van de grote stad gekregen. 'Hoe lang kun je blijven?'

'Om zes uur moet ik weer op pad zijn. Ik moet nog wat post wegbrengen.' Ze was onmiddellijk teleurgesteld, want daardoor had ze geen excuus om haar 'afspraakje' af te zeggen voor een liefdadigheidsbal voor kinderen met kinderverlamming.

'Nou, dan moeten we onze tijd maar goed besteden. Probeer hier maar zo vroeg mogelijk te zijn.'

'Zo vroeg als ik kan, meisje. Ik vlieg niet in dat dure spul waarin jij vliegt.'

'Dat heb je ook niet nodig. Met de manier waarop jij vliegt kun je in eierdozen vliegen en er nog meer uit halen dan uit alles wat ik hier zie,' zei ze op warme toon.

'Hé, je hoeft een ouwe man niet zoveel complimentjes te geven,' zei hij, en zijn stem klonk veel warmer dan aan het begin van hun gesprek. 'Tot morgen.'

Ze kon nauwelijks wachten. Zoals gewoonlijk was ze om halfvier op, in afwachting van hem. Het leek eindeloos te duren voor hij om kwart over zeven die ochtend op haar bel drukte. Ze vloog de trap af en wierp zich zo hard in zijn armen dat hij bijna gevloerd werd. Hij was verbijsterd over haar schoonheid en de kracht van haar genegenheid. Zij had hem ook gemist, en veel meer dan ze zich bewust was geweest. Ze had hun vertrouwelijke omgang gemist, hun lange gesprekken en hun vliegen.

'Hé, wacht even... Geef me een kans, voor je me ondersteboven loopt...' Ze kuste hem en omhelsde hem en gedroeg zich als een verdwaald kind dat zijn ouders heeft teruggevonden. 'Hé, rustig maar... rustig maar.' Met tranen in haar ogen klampte ze zich aan hem vast en hij drukte haar stevig tegen zich aan en wilde haar nooit meer loslaten. Ze was nog nooit zo mooi geweest en het had nog nooit zo goed gevoeld om haar in zijn armen te houden. Hij moest zichzelf dwingen om achteruit te stappen en haar los te laten. Hij had zo wel altijd willen blijven staan. 'Allemachtig... wat zie je er prachtig uit.' Hij glimlachte. Hij zag haar nieuwe kapsel en haar make-up en ze droeg een beige broek en een witte trui. Ze zag er echt uit als Hepburn of Hayworth. 'Je ziet er niet uit alsof je hebt geleden,' zei hij plagend, en toen zag hij het appartement en floot van verbazing. 'Zo, zo... over lijden gesproken...'

'Is het niet geweldig?' zei ze stralend en liet hem het hele appartement zien. Hij was diep onder de indruk en moest zichzelf eraan herinneren dat dit het meisje was dat hij al kende sinds ze een baby was, dat ze de dochter van Pat O'Malley was en niet een of andere filmster die hij net had ontmoet.

'Het ziet ernaar uit dat je geluk hebt gehad, Cass,' zei hij oprecht. Maar hij vond ook dat ze het verdiende. Er was geen enkele reden waarom ze dit niet allemaal zou hebben. Maar toch maakte hij zich nog zorgen om haar. 'Word je goed behandeld?'

'Ze doen alles voor me. Ze kopen kleren voor me en geven me eten. Ik heb een schat van een dienstmeisje, Lavinia, en een chaperonne, Nancy. Ze koopt mijn kleren en regelt alles voor me, zoals al die sociale verplichtingen die ik heb en mijn begeleiders en de mensen die ik moet ontmoeten.' Ze ratelde maar door en Nick keek haar verbaasd aan.

'Je begeleiders? Regelen ze mannen voor je?' Hij zag er verbijsterd uit en niet al te ingenomen, terwijl ze hem het ontbijt voorzette dat ze voor hem had klaargemaakt en een paar eieren bakte, terwijl hij wachtte.

'Zoiets ja. Maar niet echt. Sommigen zijn niet echt... ik bedoel... houden niet echt van vrouwen, begrijp je... Maar het zijn vrienden van Nancy, of zij kent ze in elk geval. Sommigen zijn acteurs, die gezien moeten worden... en we... ik... we gaan naar gebeurtenissen of feesten en worden samen op de foto gezet.' Ze geneerde zich terwijl ze het uitlegde. Het was niet het deel van haar werk waar ze van hield, maar nadat Desmond het haar die avond had uitgelegd, probeerde ze het te accepteren. 'Ik vind het niet plezierig om te doen, maar het is belangrijk voor Desmond.'

'Desmond?' Nicks wenkbrauwen gingen omhoog terwijl hij zijn eieren zat te eten. Ze waren heerlijk, maar hij stopte met eten nadat ze op zo'n vertrouwelijke manier over Williams had gesproken.

'Volgens hem zijn public relations het belangrijkst voor een bedrijf.'

'Hoe zit het dan met vliegen? Is dat ook belangrijk voor hem en kom je er eigenlijk wel aan toe?'

'Toe, Nick, dat is niet eerlijk. Ik moet doen wat ze me vragen te doen. Kijk eens om je heen.' Ze zwaaide naar de ruime, moderne keuken en naar de rest van het appartement daarachter. 'Kijk eens wat ze voor mij doen. Als ze willen dat ik uitga en me op de foto laat zetten, ben ik ze dat verplicht. Zo belangrijk is het niet.' Maar hij luisterde met een kwaad gezicht.

'Dat is flauwekul en dat weet je. Je bent hier niet heen gegaan om model te worden, Cass, of om je debuut te maken. Het enige dat je hun verplicht bent is dat je je leven riskeert in die vliegtuigen van ze en dat je elk record breekt dat er maar is. Dát ben je ze verplicht. De rest beslis je zelf, of dat zou in elk geval zo moeten zijn. Je bent ver- domme geen bezit van Williams. Of wel?' Hij keek haar dreigend aan en ze schudde haar hoofd. Hij gaf haar het gevoel dat ze zich moest schamen. Maar ze hàd het gevoel dat ze dat verplicht was en ze be- greep ook wat Williams wilde. Hij wilde een ster van haar maken, en daardoor haar carrière in de luchtvaart bevorderen en publiciteit krij- gen voor zijn vliegtuigen. Dat was toch niet zo verkeerd. De andere vrouwen in de luchtvaart hadden daar ook aan meegedaan. Je deed wat je moest doen.

'Ik vind niet dat dit helemaal terecht is,' zei ze rustig.

'Ik denk dat je gebruikt wordt en dat maakt me behoorlijk kwaad,' zei hij, terwijl hij zijn bord van zich af duwde en een slok koffie nam. 'Hij wil je gebruiken, Cass. Ik ruik het.'

'Dat is niet waar. Hij wil me helpen, Nick. Hij heeft al veel voor me gedaan, en ik ben hier nog maar net.'

'Wat dan, bijvoorbeeld? Met je gaan dansen, zoals laatst? Hoe vaak heeft hij dat gedaan?'

'Alleen die ene keer. Hij wilde gewoon aardig zijn. En hij wilde me uitleggen hoe belangrijk het is om ook die sociale dingen te doen, want Nancy had hem verteld dat ik daar een ongelooflijke hekel aan heb.'

'Nou, ik weet in elk geval dat je je niet helemaal door hem omver hebt laten praten. Hoe vaak ben je met hem uit geweest,' vroeg hij scherp, en ze keek hem recht in zijn ogen toen ze antwoord gaf.

'Alleen die ene keer, dat zei ik al. En hij heeft zich keurig en beleefd gedragen. Hij was een echte heer. Hij heeft twee keer met me gedanst en toevallig hebben ze de tweede keer die foto van ons genomen.'

'Dat was per ongeluk, neem ik aan.' Hij verbaasde zich over haar onschuld. Voor hem was het allemaal heel duidelijk. In het begin had hij gedacht dat het een geweldige kans voor haar was, maar alleen als een kans om te vliegen. Al die sociale onzin en dat uitgaan en dat zoethouden van de pers vertelde hem een heel ander verhaal. Het vertelde hem dat Williams haar in een veel bredere zin gebruikte. En hij wist dat ze veel te jong was om dat te begrijpen. En wat zou Williams nog meer van haar willen? Wilde hij haar voor zichzelf? Doordat ze zo jong en naïef was kon hij een geweldige indruk op haar maken, en Nick realiseerde zich plotseling dat hij dat idee ook niet bepaald aantrekkelijk vond. Ze was te jong om te maken te krijgen met een man als hij. Bovendien hield Desmond Williams niet van haar. Nick had al die dingen ook tegen Pat gezegd en zelfs het idee geopperd dat de bedoelingen van Williams misschien wel minder eerbaar waren, maar Pat was volledig beïnvloed door Oona, die het fantastisch vond om haar dochter in het journaal te zien. En Pat zou het niet in zijn hoofd halen om zich daarin te mengen. Het ging goed met haar, er werd goed voor haar gezorgd, en als je haar brieven las werd ze zelfs vorstelijk behandeld. Bovendien had ze een chaperonne, dus hoe onfatsoenlijk zouden de dingen kunnen zijn? En daarbij kreeg ze nog een geweldig salaris. Wat wilde ze nog meer?

Nick bleef haar onder druk zetten en zei: 'Begrijp je het niet? Die vent wil iets met je of hij heeft het zo georganiseerd dat het daarop lijkt, door je mee te nemen naar een of andere tent waar je gezien en gefotografeerd zou worden. Waarschijnlijk heeft hij ze een tip gegeven dat jullie daar zouden zijn. Dus heeft Amerika nu niet meer alleen een mooi gezicht om verliefd op te worden, maar ook nog een romance. De chique magnaat Desmond Williams maakt Amerika's lieveling uit het Midwesten, dochter van de buren en de geweldige pilote Cassie O'Malley, het hof. Kom op, Cassie, word wakker. Die kerel gebruikt je en daar is hij heel goed in. Het werkt. Hij maakt je wereldberoemd alleen om zijn verdomde vliegtuigen te verkopen, en wat dan?' Dat was waar Nick zich zorgen over maakte. Stel dat hij met haar zou trouwen. Hij werd al misselijk bij de gedachte, maar dat zei hij niet. 'Wat maakt dat nou uit? Er is toch niets verkeerds aan?' Cassie zag niet alle gevaren die hij zag.

'Hij doet het voor zichzelf, voor zijn bedrijf, niet voor jou. Hij is niet eerlijk. Het kan hem niets schelen wat er gebeurt. Dit is alleen maar zakelijk voor hem. Hij gebruikt je, Cass, en dat beangstigt me.' Hij vond alles aan Williams en zijn plannen met Cassie beangstigend.

'Waarom?' Ze begreep het niet. Waarom was hij er zo tegen? En waarom wantrouwde hij Desmond Williams zo sterk? Hij had alleen maar goede dingen voor haar gedaan en Nick zag overal gevaar.

'Kijk naar wat er met Earhart is gebeurd. Ze werd overmoedig en heeft iets gedaan wat ze nooit had moeten doen... een heleboel mensen dachten dat die laatste tocht te veel voor haar zou zijn, en blijkbaar hadden ze gelijk. Stel dat hij zoiets voor jou in gedachten heeft. Stel dat dat erachter zit. Dan gaat het mis, Cass...' Hij kreeg het benauwd bij de gedachte daaraan, en het enige dat hij wilde was haar mee terug nemen naar Good Hope, waar ze voor altijd veilig zou zijn.

'Daar is hij niet mee bezig, Nick, echt niet. Hij heeft geen plannen met me. Niet dat ik weet in elk geval. Bovendien vlieg ik beter dan zij deed.' Het was ongehoord om dat te zeggen en ze lachte erbij. Maar Nick nam haar serieus en zat daar en keek naar haar. Ze was nog mooier geworden in die maand dat ze weg was en ze wist het niet eens.

'Je bent sneller, dat klopt. En je weet niet wat voor plannen hij heeft. Bij die kerel gaat het niet om centen. Die is met grote dingen bezig.'

'Misschien heb je gelijk,' zei ze twijfelend. Misschien dacht hij wel aan een vlucht rond de wereld. 'Als hij met zo'n soort plan komt, zal ik het je vertellen, dat beloof ik.'

'Wees voorzichtig,' zei hij, nog steeds bezorgd om haar. Hij stak een sigaret op, en ze sloot haar ogen en snoof de vertrouwde geur van zijn Camels op. Ze herinnerden haar aan haar vaders vliegveld... en aan Nick... en aan vroeger, aan hun ontmoetingen op het vliegveldje van Prairie City. Alleen al door daar met hem te zitten, kreeg ze een hevig gevoel van heimwee, naar hem, en naar alle mensen daar van wie ze hield. Maar ze had hem meer gemist dan alle anderen.

Tenslotte kon hij zich wat meer ontspannen en genoot hij van het feit dat hij eindelijk weer bij haar was. Van al die tijd zonder haar was hij bijna gek geworden. En dag in dag uit had hij moeten denken aan de nieuwe trucs die Williams misschien aan het uitdenken was om haar te gebruiken. Eindelijk liet hij het onderwerp Williams varen en hadden ze het niet meer over zijn plannen met haar en het idee dat ze gebruikt werd, waardoor ze nog een plezierige middag hadden. Ze maakten een lange wandeling over het strand en zaten in de augustuszon op het zand over de oceaan uit te kijken. Het voelde goed om gewoon weer naast elkaar te zitten, en ze zaten er heel lang, zonder iets te zeggen.

Toen ze weer begonnen te praten zei hij: 'Binnenkort is het weer oorlog in Europa. De tekenen daarvan zijn net zo helder als die zon daar. Met Hitler valt niet te praten. Ze zullen hem moeten tegenhouden.'

'Denk je dat wij erbij betrokken zullen raken?' Ze genoot ervan om weer met hem over politiek te praten. Ze had hier niemand om mee te praten. Ze was te eenzaam en had het te druk. Nancy praatte met haar over kleren. en haar 'begeleiders' poseerden alleen maar voor foto's.

'De meeste mensen denken van niet,' zei hij rustig, 'maar ik denk dat er een moment komt waarop we wel moeten.'

'En jij?' Ze kende hem goed. Te goed. Ze vroeg zich af of hij dat probeerde duidelijk te maken. Dat hij dezelfde kriebel voelde als twintig jaar geleden. Ze hoopte dat het niet zo was. 'Zou je gaan?'

'Ik ben waarschijnlijk te oud.' Hij was achtendertig en nog helemaal niet oud, en hij zou thuis kunnen blijven als hij dat wilde. Pat was te oud voor een volgende oorlog, maar Nick kon nog kiezen. 'Maar ik denk dat ik wel zou willen gaan.' Hij glimlachte tegen haar, en zijn haar wapperde in de zoute lucht, net als het hare. Ze zaten naast elkaar op het zand. Hun schouders en handen raakten elkaar. Het was zo geruststellend om hem dicht bij haar te hebben. Ze had zo lang op hem vertrouwd en zoveel van hem geleerd. Hij was degene van thuis die ze het meest miste, en hij had gemerkt dat haar afwezigheid een lichamelijke pijn veroorzaakte die nog niet verminderd was.

'Ik wil niet dat je gaat,' zei ze ongelukkig, terwijl ze in de blauwe ogen keek die ze zo goed kende, met de kleine kraaiepootjes ernaast. De gedachte hem te verliezen was onverdraaglijk. Ze wilde hem laten beloven dat hij niet weer aan een oorlog in Europa zou deelnemen.

'Ik zou het niet kunnen verdragen als er iets met jou zou gebeuren, Nick.' Ze zei het zo zacht dat hij haar nauwelijks kon verstaan.

'We nemen dagelijks dezelfde risico's,' zei hij eerlijk. 'Jij kunt morgen in moeilijkheden komen, en ik ook. Ik denk dat we dat allebei weten.'

'Dat is anders.'

'Niet echt. Ik maak me ook zorgen over jou. Dat vliegen wat jij nu doet is riskant. Je hebt te maken met hoge snelheden en zware machines en veranderde motoren en hoogten waar je niet aan gewend bent. Je bent op zoek naar problemen en probeert records te vestigen. Dat is ongeveer zo gevaarlijk als het maar kan zijn,' zei hij grimmig. 'De angst dat je een keer verongelukt in een van die verdomde testvliegtuigen gaat niet weg.' Hij keek haar ernstig aan en ze erkenden allebei het gevaar. 'Bovendien kunnen vrouwelijke piloten gewoon niet vliegen volgens je vader.' Hij grinnikte en zij lachte.

'Bedankt.'

'En ik weet hoe slecht je instructeur was.'

'Jaaa.' Ze glimlachte tegen hem en raakte met haar vingers zijn gezicht aan. 'Ik mis je heel erg... Ik mis de tijd van ons vliegveldje en de gesprekken.'

'Ik ook,' zei hij zacht, en hij strengelde haar vingers in de zijne. 'Dat was een bijzondere tijd.' Ze knikte, en een hele tijd zeiden ze niets. Daarna liepen ze een eind over het strand en praatten over familie en vrienden thuis. Haar broer had sinds de vliegshow niet meer gevlogen en haar vader leek dat niet erg te vinden. Chris was nu druk met zijn studie bezig. Colleen was weer zwanger. En Bobby ging nu om met Peggy Bradshaw. Ze had geen man meer en was alleen met twee kleine kinderen. Nick had hem meer dan eens in zijn truck naar haar kleine huis zien rijden.

'Ze zou goed bij hem passen,' zei Cassie eerlijk, verrast dat ze zo weinig voor hem voelde. Het was verbazingwekkend dat ze nog anderhalf jaar verloofd waren geweest. Dat had nooit moeten gebeuren. 'Nu zal ze net zo'n hekel hebben aan vliegen als hij,' zei ze op bedroefde toon. Ze dacht aan het verschikkelijke ongeluk tijdens de vliegshow. Het was zo afschuwelijk geweest.

'Je zou ongelukkig zijn geworden met hem,' zei Nick, terwijl hij bezitterig op haar neerkeek. Het enige dat hij wilde was daar blijven en haar beschermen, voorkomen dat ze gebruikt zou worden of in gevaar zou komen.

'Dat weet ik. Ik denk dat ik het toen al wist. Ik wist gewoon niet hoe ik het moest beëindigen zonder hem verdriet te doen. En ik dacht echt dat iedereen verwachtte dat ik met hem zou trouwen. Ik weet niet wat ik moet doen,' zei ze. 'Een dezer dagen wil iedereen dat ik volwassen word en ophou met vliegen, en wat moet ik dan, Nick? Ik denk niet dat ik dat zou verdragen.'

'Misschien weet je een manier te bedenken waarop je het allebei kunt hebben. Een echt leven en vliegen. Het is mij nooit gelukt, maar jij bent slimmer dan ik.' Hij was altijd eerlijk tegen haar. De meesten van hen maakten een keuze. Hij had de zijne gemaakt. En zij had haar keuze gemaakt, voorlopig.

'Ik zou niet weten waarom je het niet allebei kunt hebben. Maar niemand anders lijkt daarin te geloven.'

'Het is niet zo'n geweldig leven voor de partner, en de meeste mensen zijn slim genoeg om dat te weten. Dat gold voor Bobby, en voor mijn vrouw.'

'Ja,' knikte ze, 'dat zal wel.'

Ze gingen terug naar haar appartement en zaten daar nog wat te praten. Hij beloofde haar moeder alles te vertellen over hoe ze daar woonde. Daarna reed ze hem naar het vliegveld. Ze klom in de vertrouwde Bellanca met hem en moest bijna huilen. Het was alsof ze naar huis ging. Ze zat daar een hele tijd met hem en stapte tenslotte weer uit, toen hij eenmaal op de startbaan was.

Hij keek omlaag naar haar en ze zag de glimlach die ze haar hele leven had gekend en waar ze zo van hield, en ze wilde huilen en hem smeken haar mee te nemen. Maar ze hadden hun eigen leven. Hij moest terug naar Illinois en zij had een contract getekend met Desmond Williams. De meeste mensen zouden er alles voor over hebben gehad om zo te leven als zij, maar een deel van haar wilde het zo weggooien en naar huis gaan waar het leven eenvoudiger was.

'Pas goed op jezelf, meid. Laat ze niet te veel foto's maken.' Hij glimlachte tegen haar. Hij vertrouwde Williams nog steeds niet, maar hij voelde zich beter nu hij Cassie had gezien. Ze had de zaak goed op een rijtje en liet zich door niemand iets wijsmaken. Ook leek ze niet verliefd te zijn op Desmond Williams.

'Kom gauw terug, Nick.'

'Ik doe mijn best.' Lange tijd hielden zijn ogen de hare vast. Hij wilde nog zoveel zeggen, maar dit was niet het juiste moment.

'Doe iedereen de groeten... mama... papa... Chris... Billy...' Ze hield hem op, wenste dat hij kon blijven. Maar ze wist dat het niet kon.

'Ja.' Hij keek naar haar en wenste dat hij haar met zich mee kon nemen. Hij had dat al heel lang gewild, maar hij wist nu dat hij dat nooit zou doen. Het lot had anders beschikt. En het enige dat hij moest doen was dat leren accepteren. 'Zorg maar dat je er niet vandoor gaat met Desmond Williams, want dan kom ik achter je aan. Natuurlijk zou je moeder me dood kunnen schieten omdat ik je je grote kans zou ontnemen.'

'Zeg maar dat ze zich geen zorgen hoeft te maken,' zei Cassie lachend. Dat was in elk geval één ding waarvan ze zeker wist dat het nooit zou gebeuren. 'Zeg maar dat ik van haar hou.' Toen gaf hij meer gas en moest ze tegen hem schreeuwen: 'Ik hou van je, Nick... bedankt dat je gekomen bent.'

Hij knikte. Hij wilde haar vertellen dat hij ook van haar hield, maar deed het niet. Hij kon het niet. Hij zwaaide, gaf haar een teken dat ze achteruit moest stappen, en was een paar minuten later in de lucht, waar hij een trage bocht maakte boven Pasadena Airport en haar een groet bracht met zijn vleugels. Ze keek hem zo lang mogelijk na, tot hij verdween, een kleine stip aan de horizon.

12

Precies twee weken na Nicks bezoek aan L.A. viel Duitsland Polen binnen en keek de wereld met afschuw naar de verwoestingen die Hitler daar aanrichtte. Twee dagen daarna, op 3 september, verklaarden Engeland en Frankrijk de oorlog aan Duitsland. Het was eindelijk gebeurd. Er was oorlog in Europa.

Cassie belde naar het vliegveld van haar vader toen ze het gehoord had, maar Nick was er niet en haar vader was met passagiers op weg naar Cleveland. Ze lunchte die dag met Desmond, die diezelfde ochtend met de president had gesproken. Er was geen twijfel aan dat de Verenigde Staten van plan waren buiten die oorlog in Europa te blijven. Het was een opluchting om dat te horen.

Ze vertelde hem dat ze toch naar huis wilde en Desmond leende haar een van zijn privé-vliegtuigen voor het weekend. Ze had al sinds juli een weekend naar huis gewild, maar leek er nooit de tijd voor te hebben. Dit was dus een uitstekende gelegenheid en niemand maakte bezwaar.

Vrijdagavond landde ze op het vliegveld van haar vader. Ze had L.A. rond het middaguur verlaten en arriveerde om halfnegen plaatselijke tijd in Good Hope. Er was niemand, maar het was nog licht toen ze op de lange oost-westbaan landde en langzaam taxiënd stopte. Ze zette haar vliegtuig vast en liep naar de oude truck die haar vader daar altijd had staan. Ze had niemand verteld dat ze zou komen. Het zou een verrassing zijn. En dat was het. Ze glipte na negen uur het huis binnen. Haar ouders lagen al in bed. Haar moeder viel bijna flauw toen ze de volgende ochtend in haar nachthemd haar kamer uit kwam lopen.

'O god!' riep haar moeder. 'Pat!' Hij kwam de slaapkamer uit rennen, en toen hij haar zag, verscheen er een brede grijns op zijn gezicht.

'Hallo, mam... Hallo, pap... Ik dacht, ik ga eens even langs om hallo te zeggen,' zei ze stralend.

'Jij stiekemerd,' zei haar vader en omhelsde haar met een brede glimlach, en haar moeder was helemaal opgewonden, maakte een enorm ontbijt klaar en wekte Chris, die blij was haar te zien.

'Hoe is het om een filmster te zijn?' zei haar vader plagend. Hij wist nog steeds niet zeker of hij het allemaal goed vond, maar iedereen in de stad leek het geweldig te vinden en daar kon hij moeilijk omheen.

'Nick zegt dat je in een paleis woont,' zei haar moeder, terwijl ze Cassie aandachtig bekeek. Ze zag er gezond en goed uit, en behalve een verzorgder kapsel en prachtig gemanicuurde rode nagels was ze nog steeds dezelfde.

'Het is een behoorlijk prettig appartement,' gaf Cassie met een grijns toe. 'Ik ben blij om te horen dat hij het mooi vond.'

Ze zaten een tijdje te praten over haar leven in Los Angeles en daarna kleedde Cassie zich aan en reed met haar vader naar het vliegveld. Ze vond het heerlijk om al haar oude vrienden weer te zien en Billy verwelkomde haar met een juichkreet. Ze trok een oude overall aan en begon samen met hem aan een van de vliegtuigen te werken. Een halfuur later hoorde ze Nicks oude truck aan komen rijden. Ze keek op en grinnikte. Maar het duurde tot lunchtijd voor hij naar de hangar kwam om haar te zien. Ze nam aan dat hij het druk had en wel zou komen, maar was gelukkig omdat ze wist dat hij in de buurt was.

'Wat beginnen jullie hier toch laat,' zei ze plagend toen ze hem eindelijk zag. 'Ik zit elke ochtend om vier uur al op 4000 meter.'

'O ja? Hoe dat zo?' zei hij grinnikend. Hij was duidelijk blij haar te zien. 'Zit je kapper daar?' Zijn ogen dansten en zijn hart bonsde terwijl hij naar haar keek. Zijn gevoelens voor haar begonnen hem echt zorgen te baren. Misschien was het maar goed dat ze in Californië woonde. Het werd de laatste tijd steeds moeilijker voor hem om zijn gevoelens voor haar onder controle te houden.

'Heel grappig.'

'Ik heb gehoord dat de jongens van Movietone hier om drie uur zullen zijn,' zei hij grinnikend tegen Billy en twee van de andere mannen. 'Jullie kunnen maar beter schone kleren aantrekken.'

'Dat zou een aardige verandering voor je zijn, Stick,' reageerde ze, en hij leunde tegen het vliegtuig waar ze met Billy aan werkte en bekeek haar waarderend. Ze zag er beter uit dan ooit.

'Heb je je chaperonne meegebracht?' plaagde hij.

'Ik dacht dat ik jou zelf wel aan zou kunnen.'

'Ja ja,' knikte hij langzaam, 'waarschijnlijk wel. Heb je zin om iets te gaan eten?' Hij nodigde haar uit met een toon in zijn stem die ongebruikelijk voor hem was. Het was ongewoon voor hem om haar er-

gens mee naartoe te nemen. Meestal bleven ze gewoon op het vliegveld.

'Ja, graag.' Ze volgde hem naar zijn truck en hij reed met haar naar
Paoli's. Dat was een melkboer die achterin een lunchroom had, waar
ze goede broodjes hadden en zelfgemaakt ijs.

'Ik hoop dat dit je bevalt. Het is nou niet precies de Brown Derby.'

'Het is goed genoeg.' Ze was zo gelukkig dat ze bij hem was, dat ze
overal met hem mee zou gaan en het allemaal prachtig zou vinden.

Hij bestelde broodjes rosbief voor hen beiden, en voor haar een cho-
colademilkshake erbij. Zelf nam hij zwarte koffie.

'Ik ben niet jarig, hoor,' zei ze tegen hem. Ze was onder de indruk
van het feit dat hij haar voor een lunch had uitgenodigd. Ze kon zich
de laatste keer dat hij dat had gedaan niet herinneren. Als hij het al
ooit had gedaan.

'Ik dacht, die is nu zo verwend dat gedroogd vlees in de achterste hangar niet meer kan.' Hij haalde zijn schouders op, maar was duidelijk
vreselijk blij dat hij haar zag. Ze waren halverwege hun lunch toen ze
merkte dat hij nauwelijks at, en ze besefte dat hij haar niet zomaar
voor de lunch had uitgenodigd. Hij zag er ineens weinig op zijn gemak en een beetje bezorgd uit.

'Wat is er, Stick? Heb je een bank beroofd?'

'Nog niet. Ik ben nog met de voorbereidingen bezig.' Maar daar hield
de grap ook mee op. Hij keek haar in haar ogen, en het moment waarop ze hem aankeek wist ze het. En ze sprak de woorden uit nog voor
hij de kans kreeg.

'Je gaat?' De woorden bleven in haar keel steken, en ze voelde de milk-
shake zuur worden in haar maag toen hij knikte. 'O, Nick... nee... en
je hoeft ook niet. We zijn er niet eens bij betrokken.'

'Dat komt, wat ze ook beweren. En ik wed dat Williams het ook weet.
Hij rekent er waarschijnlijk zelfs op. Hij zal heel wat vliegtuigen verkopen. Ik geloof niet dat Amerika erbuiten blijft. En het maakt ook
niet uit. Ze hebben daar hulp nodig. Ik ga naar Engeland om me bij
de RAF te melden. Ik heb wat informatie ingewonnen en ze hebben iedereen nodig die ze kunnen krijgen. Er is geen genie nodig om de postvluchten naar Cincinnati te doen.'

'Maar ze hebben jou niet nodig om neergeschoten te worden in een
oorlog die de jouwe niet is.' Er kwamen tranen in haar ogen terwijl
ze het zei. 'Weet mijn vader het al?'

Hij knikte. Hij vond het vreselijk om het haar te vertellen, maar hij moest het zelf doen. Het moment waarop hij wist dat ze thuis was, had hij het tegen Pat gezegd, en Pat was het met hem eens geweest dat hij het zelf moest vertellen. 'Ik heb het hem gisteren verteld en hij zei dat hij het wel wist.' Toen keek hij haar met een vreemde blik aan en zei: 'Ik kom terug, Cass. Ik heb nog heel wat jaren over om dit soort dingen te doen. En wie weet, misschien word ik deze keer wel volwassen. Er zijn een heleboel dingen in mijn leven die ik na de laatste oorlog nooit heb gedaan.'

'Die kun je hier doen. Je hoeft je leven niet op het spel te zetten om dingen te veranderen die je nu niet goed vindt in je leven.'

'Wat me niet bevalt is dat ik zo lui ben geweest, dat ik het mezelf zo gemakkelijk heb gemaakt. De afgelopen twintig jaar heb ik gewoon maar wat doorgehobbeld omdat het zo eenvoudig was. Het is zo snel voorbijgegaan dat ik vergat waar ik was. Nu ben ik hier, halverwege, min of meer, en ik heb heel wat tijd verspild. Dat ben ik de volgende keer niet meer van plan.' Ze wist niet precies wat hij bedoelde, maar het was wel duidelijk dat hij spijt had van dingen die hij had laten zitten, relaties die hij niet de moeite waard had gevonden. Hij dacht altijd dat hij nog genoeg tijd had. En dat was ook zo. Maar in sommige opzichten had het hem aan moed ontbroken. Hij had nooit meer willen trouwen of veel om iemand willen geven of kinderen willen krijgen. Op de grond had hij nooit een risico willen nemen. Hij wilde niet verliezen. Maar hij vond het niet erg om te sterven. Het was een merkwaardig soort lafheid die meer bij piloten voorkwam: ze waren moedig in de lucht, maar verschrikkelijke lafaards op de grond.

'Ga alsjeblieft niet...' fluisterde ze over de resten van hun lunch heen. Ze wist niet wat ze moest zeggen om hem tegen te houden, maar dat was het enige dat ze wilde. Ze wilde hem niet verliezen.

'Ik moet.'

'Nee, dat is niet waar!' Ze verhief haar stem tegen hem en aan andere tafeltjes draaiden mensen zich om. 'Je moet niets!'

'Jij ook niet!' zei hij plotseling woedend. 'Maar jij hebt je keuze gemaakt. Ik heb ook het recht om dat te doen. En ik blijf hier niet op mijn achterste zitten terwijl er een oorlog gaande is.' Ze verplaatsten hun gevecht naar buiten en schreeuwden tegen elkaar in de septemberzon.

'Denk je dat je zo belangrijk bent? Dat je de enige vliegenier bent die ervoor kan zorgen dat het goed komt? Allemachtig, Nick, word eens volwassen. Blijf hier... laat je niet de dood injagen in een oorlog die niet de jouwe is, en zelfs niet de onze... Nick... alsjeblieft...' Ze huilde, en voor hij er erg in had, hield hij haar in zijn armen en vertelde haar hoeveel hij van haar hield. Hij had zichzelf beloofd dat hij dat nooit zou doen, maar nu kon hij zich niet meer beheersen.

'Luister, meisje... alsjeblieft... ik hou zoveel van je... maar ik moet dit doen... en als ik terugkom, zullen de dingen anders zijn. Jij bent dan misschien klaar met *skygirl* spelen voor Desmond Williams en ik zal iets geleerd hebben dat me de eerste keer niet gelukt is. Ik wil zoveel meer dan ik nu heb... En, Cassie, ik ben er nooit achter gekomen hoe ik dat moet krijgen.'

'Je hoeft niet anders te doen dan je hand uitsteken en het pakken... dat is alles...' Ze drukte zich tegen hem aan en hij hield haar vast, en het enige dat ze ineens wilde was weggaan, met hem ergens heen gaan en de oorlog vergeten, maar ze konden nu nergens heen.

'Zo eenvoudig ligt het niet,' zei hij langzaam terwijl hij haar aankeek. Er was zoveel dat hij tegen haar wilde zeggen, zoveel dat hij niet durfde te zeggen. En misschien zou hij het nooit zeggen. Hij wist gewoon de antwoorden niet.

Ze liepen hand in hand terug naar zijn truck, en toen ze terug waren op het vliegveld reed hij naar de hangar waar de Jenny stond. Het was het vliegtuig waar hij haar in had leren vliegen en zonder dat er een woord werd gezegd wist ze waar ze heen zouden gaan. Ze ging in de voorste stoel zitten, uit achting voor hem, omdat de instructeur altijd in de achterste stoel zat. Een paar minuten later hadden ze alle controles uitgevoerd en taxieden ze over de startbaan. Haar vader zag hen gaan en zei geen woord. Hij wist dat Nick haar verteld had dat hij weg zou gaan.

Ze kwamen bij het oude vliegveldje, waar Nick haar liet landen. Daarna zaten ze onder hun vertrouwde boom. Ze legde haar hoofd tegen hem aan en ze zaten in het zachte gras naar de hemel te kijken. Het was zo moeilijk te geloven dat er ergens oorlog was en dat Nick echt weg zou gaan.

'Waarom?' zei ze na een tijdje, terwijl de tranen langzaam over haar wangen rolden. En toen ontmoetten haar ogen de zijne en hij dacht dat zijn hart zou breken. Hij raakte haar gezicht aan en veegde zachtjes met zijn vingers haar tranen weg. 'Waarom moet je gaan?' Na al die tijd had hij haar verteld dat hij van haar hield, en nu ging hij weg, misschien wel voor altijd.

'Omdat ik geloof in wat ik ga doen. Ik geloof in vrijheid en eer en een veilige wereld, en al die dingen die ik in de lucht boven Engeland ga verdedigen.'

'Je hebt dat al een keer gedaan. Laat iemand anders het deze keer doen, Nick, het is jouw probleem niet.'

'Ja, dat is het wel. En hier heb ik toch niets belangrijks te doen, ook al is dat mijn eigen schuld.'

'Dus je gaat omdat je je verveelt.' Dat was altijd een beetje aanwezig in alle mannen, dat en de geest van de jager. Maar er waren ook goede beweegredenen en dat wist ze. Ze vond het alleen dom van hem om nu te gaan en ze wilde niet dat hij gewond zou raken. Maar hij zwoer haar dat dat niet zou gebeuren.

'Ik ben te goed om gewond te raken,' zei hij plagend.

'Als je moe bent vlieg je belabberd,' zei ze, hoewel ze het niet helemaal geloofde, maar hij lachte.

'Ik zal zorgen dat ik genoeg slaap krijg. En hoe zit het met jou?' vroeg hij, zijn wenkbrauwen fronsend. 'Jij vliegt die verdomd zware machines boven de woestijn. Je denkt toch niet dat ik de risico's niet ken van het testen daarvan. Er zijn al heel wat kerels die daarbij verongelukt zijn, en ze vlogen waarschijnlijk beter dan jij.' Ze moest aan de man van Nancy denken en knikte. Ze kon de gevaren van haar werk niet ontkennen, maar ze was goed in wat ze deed en boven Las Vegas waren geen Duitsers die op haar schoten.

'Ik ben voorzichtig.'

'Dat zijn we allemaal, maar soms is dat niet genoeg. Soms moet je gewoon geluk hebben.'

'Zorg dat je geluk hebt... alsjeblieft...' fluisterde ze tegen hem. Hij keek haar heel lang aan, en toen deed hij zonder een woord te zeggen wat hij al zo lang had willen doen en nooit gedurfd had. Wat hij zichzelf nooit had toegestaan en waarvan hij dacht dat hij het nooit zou doen. Hij kon niet weggaan zonder haar te laten weten hoeveel hij van haar hield. Hij leunde teder over haar heen en kuste haar. En ze kuste hem zoals ze nog nooit een man had gekust. Er was ook geen man geweest... alleen een jongen... en nu, Nick, de man van wie ze altijd gehouden had, zolang ze zich kon herinneren.

'Ik hou van je,' fluisterde hij in haar haar, ademloos, en wensend dat er meer kon zijn, maar hij wist dat dat niet kon. 'Dat is altijd zo geweest... en het zal altijd zo zijn... Ik wil je zoveel geven, Cass... maar ik heb je niets te bieden...'

'Hoe kun je dat zeggen?' Hij brak haar hart met zijn woorden. 'Ik was al verliefd op je toen ik vijf was... Ik heb altijd van je gehouden. Dat is alles wat we nodig hebben. Meer hoef ik niet.'

'Je verdient veel meer dan dat... Je verdient een huis en kinderen... Je verdient heel veel, zoals de dingen die ze je in Californië geven. Maar ze moeten van je man komen.'

'Mijn ouders hebben nooit luxe dingen gehad, maar dat maakte hun niets uit. Ze hadden elkaar en ze hebben mijn vaders bedrijf van de grond af aan opgebouwd. Het kan me niet schelen om met niets te beginnen.'

'Dat kan ik je niet aandoen, Cass, en je vader zou me vermoorden. Ik ben achttien jaar ouder dan jij.'

'Nou en?' Ze was niet onder de indruk. Het enige waar ze aan kon denken was dat hij van haar hield en dat ze hem niet kwijt wilde raken, niet na alles wat ze hadden meegemaakt.

'Ik ben een oude man,' bracht hij er niet erg overtuigend tegen in. 'Vergeleken met jou in elk geval. Je moet met iemand van je eigen leeftijd trouwen en een hele bende kinderen krijgen, net als je ouders.'

'Ik zou waarschijnlijk gek worden als dat zou gebeuren. En ik wil geen bende kinderen. Dat heb ik nooit gewild. Eén of twee zou genoeg zijn.' Met Nick was zelfs het idee van kinderen minder angstaanjagend dan ze vroeger had gevonden.

Hij glimlachte teder tegen haar, terwijl hij luisterde hoe ze hem van iets onmogelijks probeerde te overtuigen. Hij ging naar de oorlog en zij had een contract om in Californië te vliegen. Maar hij moest toegeven dat het heel aantrekkelijk was wat ze zei. Misschien op een dag... hoewel hij eraan twijfelde. Hij zou nooit zoveel geluk hebben of zo dom zijn. Ze verdiende zoveel meer dan hij haar ooit zou kunnen geven. 'Ik zou je zo graag kinderen geven, Cassie... Ik zou je zo graag alles geven wat ik kan geven. Maar ik zal nooit meer hebben dan een paar oude vliegtuigen en een hut aan het eind van je vaders vliegveld.'

'Hij zou je de helft van zijn bedrijf geven en dat weet je. Je hebt het verdiend. Je hebt het samen met hem opgebouwd. Je weet dat hij je altijd als partner heeft willen hebben.'

'Het is grappig. Toen ik begon was ik zo jong dat ik alleen maar ingehuurd wilde worden, en nu heb ik daar spijt van. Misschien heb je wel goed gekozen met die krankzinnige baan van je, Cass. Een heleboel geld verdienen, sparen en terugkomen waar je thuishoort met iets wat je kunt laten zien. Ik heb niets en dat heeft me nooit iets uitgemaakt... tot jij groot werd en ik begon te beseffen dat ik je niets te

bieden had. In combinatie met het feit dat ik bijna twee keer zo oud ben als jij, zou je vader me waarschijnlijk vermoorden als hij dit wist.'
'Dat betwijfel ik,' zei Cassie wijs. Ze begreep haar vader beter dan hij. 'Ik heb altijd het gevoel gehad dat hij niet zo verbaasd zou zijn. Bovendien denk ik dat hij liever heeft dat ik gelukkig ben dan getrouwd met de verkeerde en ongelukkig.'
'Je zou getrouwd moeten zijn met een man als Desmond Williams,' zei hij ongelukkig, en ze lachte tegen hem. Hij vond het een afschuwelijk idee, maar Williams kon haar zoveel geven.
'En jij zou getrouwd moeten zijn met de koningin van Engeland. Doe niet zo dom, Nick. Wat maakt dat nou uit.' Ze glimlachte tegen hem, maar hij was niet overtuigd.
'Het gaat iets uitmaken als je ouder bent. Je bent nog zo jong. Denk je dat je zusters zo gelukkig zijn zonder geld, of je moeder?'
'Mijn moeder klaagt nooit ergens over en ik denk dat ze gelukkig is. En als mijn zusters eens op zouden houden met elk jaar een kind krijgen, zouden ze misschien niet zo arm zijn.' Cassie had altijd gevonden dat ze te veel kinderen hadden. Eén of twee leek haar genoeg. Maar Glynnis verwachtte haar zesde en Colleen en Megan hun vijfde. Cassie had dat altijd overdreven en een beetje angstwekkend gevonden.
Hij kuste haar opnieuw en dacht aan de kinderen die hij zo graag met haar zou hebben en nooit zou krijgen. Hij zou zichzelf nooit toestaan om uit genotzucht of zelfzuchtigheid met Cassie te trouwen. Hoeveel hij ook van haar hield, of misschien juist omdat hij zoveel van haar hield. Ze verdiende veel beter.
'Ik hou van je, Nick Galvin. Ik ga er niet vandoor en ik laat jou er ook niet vandoor gaan. Als het moet kom ik daarheen om je te zoeken.' En hij wist dat ze dat zou doen.
'Waag het niet. Als het moet zal ik zorgen dat je onmiddellijk uit Engeland wordt geschopt. En laat ik niet merken dat je je door Williams laat overhalen om een vlucht rond de wereld te maken. Ik voel dat hij dat in zijn hoofd heeft voor later. Net als Earhart. Maar met die oorlog in Europa ben je nergens veilig, niet in Europa en niet boven de oceaan. Blijf thuis, Cass, beloof me dat...' Hij zag er vreselijk bezorgd uit en ze knikte.
'Jij ook,' zei ze zacht en toen kuste ze hem, en hij moest zich beheersen toen hij voelde hoe ze zijn hartstocht beantwoordde. Hij lag op de grond naast haar, zijn armen om haar heen, en wenste dat hij haar

voor altijd zou kunnen vasthouden. 'Wanneer vertrek je?' vroeg ze met een schorre stem, terwijl hij naast haar lag en haar omarmde.

Hij aarzelde lang en antwoordde toen: 'Over vier dagen.'

'Weet mijn vader dat?' Ze wist dat het moeilijk zou zijn voor haar vader en het speet haar dat ze er niet kon zijn om hem te helpen.

'Ja, hij weet het. Billy kan hem helpen. Hij is een aardige jongen en een geweldige piloot. Ik denk dat hij gewoon een tijdje bij zijn vader weg moest. Die oude vliegeniers maken het leven soms moeilijk voor hun kinderen, maar dat zul jij wel niet begrijpen.' Ze glimlachte bij de herinnering. Wat was haar vader onmogelijk geweest, maar de laatste tijd leek hij wat milder te zijn geworden.

Ze ging rechtop zitten en keek Nick aan. Ze wilde weten hoe de dingen tussen hen waren. 'Wat betekent dit allemaal, Nick? We komen erachter dat we van elkaar houden en jij gaat weg. Wat doen we nu? Wat word ik geacht zonder jou doen?'

'Hetzelfde als wat je daarvoor deed,' zei hij vastbesloten. 'Uitgaan en lief lachen tegen de camera's.'

'Wat betekent dat?'

'Precies wat ik zeg. Er is niets veranderd. Jij bent vrij, en ik ga naar Engeland.'

'Flauwekul,' zei ze boos. 'Dat is het dan? Ik hou van jou, jij houdt van mij, en niets, het beste, tot ziens, ik ga naar de oorlog, ik hoop dat je een prettig leven hebt en ik zie je wel weer als ik terugkom. Misschien.'

'Precies.' Hij zag er plotseling harder uit, maar hij had zijn beslissing al een tijd geleden genomen en was niet van plan van gedachten te veranderen. Voor haar bestwil.

'En wat dan? Jij komt thuis en als we geluk hebben vinden we elkaar weer en beginnen opnieuw?'

'Nee,' zei hij triest. 'Als jij geluk hebt vinden we elkaar weer en stel je me voor aan je echtgenoot, en kinderen, als ik zo lang weg ben, en anders alleen aan je echtgenoot.'

'Wat is er met je? Ben je gek, of ziek?' Ze keek hem woedend aan en kreeg plotseling de neiging hem te slaan. Wat voor spelletje was dit? Maar voor hem was het geen spelletje. Nick Galvin had zichzelf al jaren geleden voorgenomen dat hij Cassies leven niet zou ruïneren, alleen omdat hij van haar hield.

'Heb je niet naar me geluisterd?' Hij schreeuwde tegen haar, maar op hun geheime plek was niemand die hen kon horen. Ze waren daar veilig. 'Ik heb je niets te bieden, Cass. En dat verandert niet wanneer ik weg ben en zal waarschijnlijk niet beter worden als ik terugkom, tenzij ik een bank beroof of geluk heb in Las Vegas. Er is een veel grotere kans dat jij wat geld verdient dan ik.'

'Ga dan voor Desmond Williams werken,' zei ze kwaad. Hoe kon hij zo stom zijn?

'Mijn benen zijn niet mooi genoeg. Luister, jij bent een bedrijfsmiddel voor hem. Je bent een genie in de lucht en je ziet er goed uit. Je bent een pop die kan vliegen. Je bent goud waard voor hem, Cass. Ik ben gewoon een van de vele vliegeniers.'

'Is dat mijn schuld?' zei ze kwaad. 'Waarom verwijt je me dat? Wat heb ik gedaan, behalve wat geluk hebben?' Ze moest huilen en beefde van woede en frustratie. Waarom waren mannen soms zo oneerlijk? Ze werd er doodmoe van om een vrouw te zijn.

'Je hebt niets gedaan. Het probleem is alleen dat ik de afgelopen twintig jaar ook niets heb gedaan, behalve in een paar oude vliegtuigen rondvliegen en je vader gezelschap houden. Ik heb een mooie tijd gehad. We hebben wat goede dingen gedaan, en het beste was dat ik jou heb leren vliegen, of beter gezegd dat ik je geleerd heb hoe je niet moet verongelukken, want vliegen heb je jezelf geleerd. Maar dat is niet genoeg, Cass. Ik ga niet met je trouwen zonder een cent op de bank en een paar lege broekzakken.'

'Je bent een stommeling!' Ze schreeuwde door haar tranen heen. 'Je hebt drie vliegtuigen en je hebt samen met mijn vader een bedrijf opgebouwd.'

'Ik kom misschien nooit meer terug, Cass,' zei hij rustig. Dat was het ook. Hij wilde haar niet aan het lijntje houden, op hem laten wachten. Dat zou niet eerlijk zijn, niet op haar leeftijd. 'Dat is een feit. Ik blijf misschien vijf jaar weg. Ik blijf misschien wel altijd weg. Wil je daarop wachten? Met het leven dat je nu leidt en de kansen die je hebt. Wil je daarop wachten? Wachten op een vent die twee keer zo oud is als jij en een arme weduwe van je zou maken voor je ook maar begint? Vergeet het. Dit is mijn leven, Cass. Dit is wat ik ervan gemaakt heb. Dit is wat ik wil. Ik wil vliegen. Geen banden. Geen beloften. Dat is alles... vergeet het...'

'Hoe kun je dat zeggen?' riep ze woedend, maar hij keek haar kalm aan.

'Gemakkelijk. Omdat ik zo verdomd veel van je hou. Ik wil dat je gaat leven en er wat van maakt. Ik wil dat je alles pakt wat je kunt krijgen, alles vliegt wat je te pakken kunt krijgen, zolang het veilig is, en ik wil dat je voor altijd gelukkig wordt. En ik wil me geen zorgen over jou maken terwijl ik boven het Het Kanaal achter een of andere mof aanjaag.'

'Je bent ongelooflijk egoïstisch,' zei ze kwaad.

'Dat zijn de meeste mensen, Cass,' zei hij eerlijk, 'vooral vliegeniers. Als ze dat niet waren, zouden ze het niet doen. Dan zouden ze de mensen van wie ze houden geen angst aanjagen, elke dag hun leven op het spel zetten en zichzelf de dood injagen tijdens vliegshows, recht voor de ogen van de mensen van wie ze houden. Denk daaraan. Denk aan wat we de mensen van wie we houden aandoen.'

'Daar denk ik ook aan. Daar denk ik heel veel aan. Maar jij en ik weten dat en dat is een voordeel. We zijn gelijken.'

'Nee, dat is niet waar. Jij bent twintig jaar jonger! Je hebt je hele leven nog voor je, en een fantastisch leven. Ik wil niet dat je op me wacht. Als ik terugkom en mijn fortuin heb gemaakt bij de Ierse paardenrennen terwijl ik daar ben, zal ik je bellen.'

'Ik haat je,' raasde ze. Ze was niet in staat hem van gedachten te laten veranderen. Nick was net zo koppig als zij.

'Dat dacht ik al. Dat dacht ik vooral toen je me kuste.' Hij kuste haar opnieuw, en al haar boosheid en woede en verdriet explodeerden in haar in een golf van hartstocht die hij met dezelfde vurigheid voelde. Hij had heel veel dingen willen veranderen, maar wist dat het niet kon. Hij wilde haar in zijn armen nemen en de liefde met haar bedrijven tot ze allebei zouden sterven van genot. Maar hij dwong zichzelf haar los te laten voor het te laat zou zijn. En dat moment kwam steeds dichterbij, voor hen allebei.

'Zul je me schrijven?' vroeg ze even later, ademloos.

'Als het kan. Maar reken er niet op. Maak je geen zorgen als je niets van me hoort. Dat is precies wat ik niet wil. Ik wil niet dat je op me wacht. Dit is de kortste liefdesgeschiedenis ter wereld. Ik hou van je. En dat is het. Einde verhaal. Ik had het je waarschijnlijk niet moeten vertellen.'

'Waarom heb je het dan gedaan?' vroeg ze ongelukkig.

'Omdat ik een egoïstische klootzak ben en er niet meer tegen kon om het niet te zeggen. Elke keer als we hier waren, had ik al mijn zelfbeheersing nodig om het niet te zeggen. En ik ging bijna kapot toen ik je in Californië moest achterlaten. Ik heb het je al zo lang willen zeggen. Maar het verandert niets, Cass. Het is fijn om te weten. Misschien voor ons allebei. Maar ik ga wel.'

Ze bleven er nog een hele tijd over doorpraten, maar ze kon hem niet overhalen om niet te gaan. En uiteindelijk vlogen ze terug naar het vliegveld, nadat ze elkaar heel lang hadden gekust en elkaar bijna de kleren van het lijf hadden getrokken.

Het was een lang, triest weekend voor haar en ze bracht veel tijd met hem door. En op zondagmiddag, toen ze vertrok, verscheurde het haar zoals niets in haar leven ooit had gedaan. Haar vader had gevoeld wat er aan de hand was en had met haar gepraat voor ze vertrok, maar dat had niet echt geholpen. Ze voelde daardoor een sterkere band met hem, maar het veranderde niets aan wat er met Nick gebeurde. Ze hield van hem, en hij van haar, en hij maakte haar duidelijk dat ze het maar moest vergeten. Ze vertelde dat niet met zoveel woorden aan haar vader, maar hij begreep het.

'Zo is hij nu eenmaal, Cass. Hij moet vrij zijn om datgene te kunnen doen waarin hij gelooft.'

'Het is onze strijd niet.'

'Maar hij maakt het tot zijn strijd, en hij is er goed in. Hij is een goede man, Cassie.'

'Dat weet ik.' En ze keek haar vader ongelukkig aan. 'Hij denkt dat hij te oud voor me is.'

'Dat is hij ook. Ik was al bang dat hij voor je zou vallen,' gaf Pat toe, 'maar ik denk ook dat hij heel goed voor je zou zijn. Het probleem is dat je een man daar niet van kunt overtuigen. Daar moet hij zelf achter komen.'

'Hij denkt dat hij problemen met jou zou krijgen.'

'Hij weet dat dat niet waar is... en dat dat het probleem niet is... Het probleem zit in zijn hoofd, wat hij gelooft, wat hij voor je wil. Je zult de antwoorden nu niet vinden, Cass. Als je geluk hebt, komt hij terug en kunnen jullie er dan aan werken.'

'En als dat niet gebeurt?' vroeg ze verdrietig.

'Dan heeft een prachtige man van je gehouden en heb je het geluk gehad dat je hem gekend hebt.' Toen zocht ze de troost van haar vaders armen, want de lessen die ze moest leren waren bijna ondraaglijk.

Ze nam thuis afscheid van haar familie en Nick reed haar naar het vliegveld. Nick hielp haar met het losmaken van haar vliegtuig en deed alle grondcontroles. Hij bewonderde de prachtige machine waarmee ze gekomen was, maar toen ze de motoren startte trok hij haar dicht

tegen zich aan en hield haar alleen maar vast.
'Pas goed op jezelf,' zei ze wanhopig. 'Ik hou van je.'
'Ik hou ook van jou. Ik wil dat je moedig bent en fantastisch vliegt.
Ik begrijp nu waarom ze je een chaperonne hebben gegeven,' zei hij
plagend, om het afscheid minder zwaar te maken. Dat weekend hadden ze meerdere keren bijna hun hoofd verloren.
'Schrijf me... laat me weten waar je bent...' zei ze, terwijl de tranen
over haar wangen stroomden.
Met een trieste glimlach wees hij naar de lucht. Zijn ogen vertelden
haar alles wat ze moest weten. Hij kon het niet meer tegen haar zeggen. Hij ging haar verlaten, en als hij terugkwam wist niemand wat
de toekomst zou inhouden. Er waren geen beloften, geen zekerheden.
Er was alleen maar het nu. En nu, op dit moment, hield hij van haar
zoals hij nooit had liefgehad en nooit meer zou liefhebben.
'Doe kalm aan, Cass,' zei hij zacht, terwijl hij van haar wegliep. 'Hou
hem hoog.' Hij glimlachte, maar ook in zijn ogen stonden tranen. 'Ik
hou van je,' zeiden zijn lippen geluidloos, en toen liep hij weg. Eén
lang, pijnlijk ogenblik keek ze nog naar hem en haar ogen waren zo
betraand dat ze nauwelijks iets kon zien terwijl ze over de baan taxiede. Het was de enige keer in haar hele leven dat ze niet genoot van
het moment van opstijgen, en langzaam groette ze hem met haar vleugels en vloog toen in westelijke richting, terwijl hij haar nakeek.

13

De eerste weken na Nicks vertrek waren moeilijk voor Cassie. Ze moest voortdurend aan hem denken, maar wanneer ze vloog dwong ze zichzelf om zich op andere dingen te concentreren. Het leek wel of ze altijd vloog, van de ochtend tot de avond, en in september vestigde ze twee nieuwe records met de Phaeton. Toen het oktober werd, was Polen volledig in handen van Hitler. Cassie wist dat Nick op Hornchurch Aerodrome was, waar hij als instructeur was aangesteld voor een eenheid van gevechtspiloten. Hij leerde jonge piloten die dingen doen die hij in de vorige oorlog had gedaan en werd voorlopig niet zelf ingezet voor gevechtsacties. Haar vader dacht dat dat op grond van zijn leeftijd misschien ook wel niet zou gebeuren, maar vreesde ook het tegendeel vanwege zijn buitengewone reputatie. Maar voorlopig was hij in elk geval veilig. Hij had haar nog niet geschreven, maar had wel door een andere piloot zijn groeten laten overbrengen aan haar vader, en dat was tenminste iets.

Haar leven in Los Angeles was net zo druk als anders. Het aantal fotosessies en de sociale verplichtingen leken alleen maar toe te nemen. Desmond bleef echter volhouden dat die dingen belangrijk waren. Hij nodigde haar af en toe uit voor een lunch om zijn plannen te bespreken, waarbij de opmerkingen die ze daarover maakte hem altijd verbaasden, maar ook om de grote betekenis van public relations te benadrukken. Hun gesprekken gingen bijna altijd over zijn vliegtuigen en zijn omgang met haar was altijd zakelijk. Er was ook sprake van wederzijds respect, en soms leek hij wat vriendelijker. Maar het enige dat hem echt interesseerde was zijn bedrijf. En omdat hij zoveel belang had bij publiciteit was ze verbaasd dat ze zo weinig over zijn persoonlijke leven in de kranten zag.

Wat haar beloning betreft was hij bijzonder royaal. Steeds als ze een record had gevestigd, kreeg ze een flinke bonus. Hij moedigde haar ook aan om in al zijn vliegtuigen te vliegen. Op Thanksgiving vloog ze naar huis in een Williams P-6 Storm Petrel, een prachtig gestroomlijnd zwart vliegtuig waarvan de schoonheid diepe indruk maakte op haar vader. Ze nam hem mee om erin te vliegen, en bood ook Chris een tochtje aan, maar hij zei dat hij het te druk had. Hij had een nieuwe vriendin in Walnut Grove en wilde geen tijd op het vliegveld verspillen. Maar Billy wilde niets liever dan erin vliegen. Hij had bericht gekregen van Nick. Het leek wel of iedereen iets gehoord had behalve Cassie en alsof hij daarmee iets duidelijk wilde maken. Maar ze had de boodschap allang begrepen. Het was precies zoals hij gezegd had, ondanks al haar smeekbeden en protesten: 'Ik hou van je. Tot ziens. Einde verhaal.' En ze kon daar nu niets aan doen, als dat al ooit zou kunnen. Ze praatte er op een avond met Billy over, die zei dat Nick de geweldigste vent was die hij ooit had ontmoet, maar wel een eenling.

'Volgens mij is hij helemaal weg van je, Cass. Ik zag het de eerste keer dat ik jullie ontmoette. Ik dacht dat jij het ook wist en was verbaasd toen ik merkte dat het niet zo was. Maar hij is bang, denk ik. Hij is niet gewend iemand mee te nemen. En hij dacht misschien dat hij deze keer niet terug zou komen. Dat wilde hij je niet aandoen.'

'Geweldig. Dus hij vertelt me dat hij van me houdt en dumpt me.'

'Hij denkt dat je met een of andere belangrijke pief in L.A. moet trouwen. Dat zei hij.'

'Aardig van hem om dat te beslissen,' zei ze, maar ze kon niets doen. Het hielp om met Billy te praten. Het was alsof ze er een broer bij had, maar dan een die net zoveel van vliegen hield als zij. Hij was van plan haar voor de kerst een keer in L.A. op te zoeken.

Toen ze weer wegging, beloofde ze dat ze voor de kerstdagen thuis zou komen. Tot die tijd zou ze het erg druk hebben. Williams zou twee nieuwe vliegtuigen introduceren en zij was een belangrijk onderdeel van die introducties. Ze moest testvluchten doen, interviews geven en voor foto's poseren. Maar ze dacht dat ze het ergste wel achter de rug zou hebben voor het Kerstmis werd. Desmond had haar al toestemming gegeven om tussen Kerstmis en Nieuwjaar vrij te nemen. Op de dag na Thanksgiving vielen de Russen Finland binnen, en het was duidelijk dat de situatie er in Europa niet beter op werd. Ze maakte zich zorgen vanwege Nick, maar door haar ontzettend drukke programma had ze nauwelijks tijd om het nieuws bij te houden.

Ze was blij dat Nick, in elk geval voorlopig, alleen als instructeur werkte.

Toen Billy haar halverwege december een bezoek bracht, was hij verbaasd over de toestellen waarin ze had gevlogen.

'Het is echt fantastisch wat je hier hebt, Cass.' Zijn ogen lichtten op toen hij de variant voor zeepatrouilles zag die Williams op basis van een ouder transportmodel had ontwikkeld en waarvoor hij innovaties had geleend van het fabuleuze racevliegtuig van Howard Hughes.

'Als je het ooit wilt, geven ze je waarschijnlijk zo een baan als testpiloot,' zei ze tegen hem, maar haar vader zou waarschijnlijk razend zijn als ze hem weg zou lokken. Pat had hem nu nodig en Billy wist dat.

'Ik kan nu niet bij hem weggaan,' zei Billy glimlachend. 'Maar doe me een plezier en kom af en toe met een van die prachtige machines naar huis.'

Maar ze stelde Billy wel voor aan Desmond Williams en toen ze de volgende keer in zijn kantoor lunchten vertelde ze hem wat een uitstekende piloot hij was. Hij toonde wel enige belangstelling voor hem, maar zijn echte belangstelling lag bij Cassie. Hij kon zich niet voorstellen dat een andere piloot net zo goed vloog als zij. Ze praatten tegenwoordig veel over de oorlog in Europa. Hij hoopte vliegtuigen in het buitenland te verkopen en ging er net als Nick vanuit dat Amerika uiteindelijk bij de oorlog betrokken zou raken.

'Ik denk dat we er op een gegeven moment niet meer onderuit kunnen om onze bondgenoten te helpen,' zei hij rustig. Dat was precies wat de vorige keer was gebeurd.

'Ik heb daar een vriend zitten,' vertelde ze hem op een dag. 'Hij heeft als vlieginstructeur getekend bij de RAF. Hij is gestationeerd in Hornchurch.' Het was een van die zeldzame gelegenheden waarbij ze over iets meer praatten dan zaken.

'Hij lijkt me een bewonderenswaardig man,' zei Desmond, terwijl een kelner koffie voor hen inschonk in zijn privé-kantoor.

'Nee, hij is gewoon net zo'n dwaas als de rest van ons,' zei ze spottend en hij lachte. Ze wisten allebei dat vliegeniers tot een speciale categorie mensen behoorden.

'En hoe zit het met jou, Cass? Geen geweldige ideeën of nobele plannen? Je hebt al heel wat bereikt sinds je hier bent. Kom je daardoor niet op grootsere gedachten?' Ze wist niet precies waar hij heen wilde, maar hij leek een idee te hebben dat hij nog niet wilde bespreken.

'Op dit moment niet,' zei ze eerlijk. 'Ik ben tevreden hier. Je bent heel goed voor me geweest, Desmond.'

Hij merkte dat ze een stuk volwassener was geworden in de vijf maanden die ze nu in Los Angeles was. Ze zag er goed en verzorgd uit, voor een deel dankzij de hulp van Nancy. Maar Cassie had nu haar eigen ideeën over kleding. Ze wist uitstekend met de pers om te gaan en het publiek adoreerde haar. Hij vond dat ze nog niet bekend genoeg was, maar wilde haar in de lente mee laten doen aan een serie vliegshows. Ze vroeg zich wel eens af of dat soort publiciteit nu werkelijk verschil maakte en of daar echt vliegtuigen door werden verkocht. De meeste vliegshows leken zo plaatselijk en kleinschalig. Maar het was belangrijk voor hem en hij herinnerde haar eraan dat ze voor het kerstjournaal een bezoek zou brengen aan een aantal ziekenhuizen en weeshuizen.

'Daar moet je tijd voor maken voor je naar huis gaat,' zei hij vastbesloten.

'Dat komt wel goed, maak je geen zorgen,' zei ze glimlachend, en hij lachte. Ze had een ondeugende blik in haar ogen en hij vond dat bijzonder aantrekkelijk. Hij wist dat ze een hekel had aan al die pr-zaken en vroeg zich steeds af of ze een keer zou weigeren. Maar uiteindelijk deed ze altijd wat van haar verlangd werd.

'Trouwens, in januari vliegen we naar New York,' zei hij terloops, en deze keer glinsterden zijn ogen. 'Voor een ontmoeting tussen de koningin van de cockpit, Cassie O'Malley, en de beroemde Charles Lindbergh.' Ze wist hoe geweldig haar vader dat nieuws zou vinden. Zelfs zij was ervan onder de indruk, terwijl ze naar de uitleg van Desmond luisterde.

Ze zouden in het nieuwste vliegtuig van Desmond gaan. Cassie zou daar een korte vliegdemonstratie geven voor Lindbergh en daarna zou hij goedkeurende woorden spreken over zowel haar als het vliegtuig. Desmond en hij waren oude vrienden en hij had het al beloofd. Net als Desmond wist Charles Lindbergh hoe belangrijk public relations waren. Bovendien wilde Lindy de legendarische jonge pilote van Desmond wel eens ontmoeten.

Ze slaagde erin haar ziekenhuisbezoeken volgens het programma af te werken en Desmond was bijzonder tevreden over de opnamen voor het bioscoopjournaal. En toen ging ze, zoals gepland, voor een week naar huis. Haar moeder had griep, maar wist lang genoeg uit bed te komen om voor hen allemaal een kerstdiner te bereiden, en haar vader was in een uitstekende vorm. Billy was ook naar huis gegaan om een bezoek aan zijn vader in San Francisco te brengen. Chris werd volledig in beslag genomen door Jessie, zijn nieuwe meisje in Walnut Grove, waardoor er niemand was met wie ze zich kon amuseren. Maar ze voelde zich gelukkig. Op kerstavond maakte ze een lange wande-

ling en ging later met haar zusters naar de kerk. Op de terugweg stopte ze bij het vliegveld om te kijken of alles in orde was met haar vliegtuig. Ze voelde zich altijd nog verantwoordelijk voor de vliegtuigen
waarmee ze naar huis vloog. Ze waren zoveel waard en ze waren niet
van haar. Maar het was heerlijk om erin te vliegen.

Ze zag dat niemand eraan had gezeten, dat de ramen dicht waren en
dat de motor was afgescherm. Haar vader had zijn beste hangar voor
haar vrijgemaakt en ze wist dat al zijn vrienden zouden komen om
het vliegtuig waarin ze naar huis was gevlogen te bekijken. Geleidelijk aan begon ze een legende te worden.

Nadat ze alles gecontroleerd had, liep ze langzaam terug de avondlucht in. Het was koud en er lag sneeuw op de grond. Het herinnerde haar aan andere kerstdagen, toen ze klein was en met Nick en haar
vader naar het vliegveld was gegaan. Het was moeilijk om niet aan
hem te denken wanneer ze hier was. Er waren zoveel herinneringen
waarvan Nick deel uitmaakte. Met haar gedachten bij hem keek ze
omhoog naar de lucht en kreeg de schrik van haar leven toen ze een
stem achter zich hoorde fluisteren: 'Vrolijk Kerstfeest.' Ze draaide zich
om om te zien wie het was en hield haar adem in toen ze hem daar
zag staan, in uniform, als een visioen.

'O god...' Ze staarde hem aan en kon haar ogen niet geloven. 'Wat
doe jij hier?' vroeg ze Nick ademloos, terwijl ze zich in zijn armen
wierp en hij haar opving.

'Heb je liever dat ik terugga?' vroeg hij met een brede grijns. Hij zag
er knapper uit dan ooit, terwijl hij haar in zijn armen hield en zij hem
omhelsde.

'Nee. Nooit,' antwoordde ze, terwijl hij haar net zo stevig omhelsde
als zij hem. Hij was nog nooit zo gelukkig geweest als op dit moment
terwijl hij haar kuste.

Het waren heerlijke dagen. Ze praatten, lachten, vlogen, maakten lange wandelingen en gingen zelfs schaatsen op de vijver en naar de film
Ninotchka met Greta Garbo. Het leek een droom. Hun tijd samen was
zo kostbaar en zo kort dat het op een idylle leek. En hoewel ze soms
uren bij elkaar waren en elkaar kusten, stond hij erop dat niemand
zou weten wat er tussen hen veranderd was.

'Mijn vader weet het toch, dus wat maakt het uit?' Ze was altijd zo
feitelijk, maar zoals gewoonlijk bleef hij bij zijn standpunt en was hij
ervan overtuigd dat hij gelijk had.

'Ik wil je reputatie niet beschadigen.'

'Door me te kussen. Hoe ouderwets ben je eigenlijk?'

'Laat maar. Ik vind gewoon niet dat de hele wereld hoeft te weten dat je verliefd bent op een oude man.'

'Ik zorg wel dat niemand te weten komt hoe oud je bent.'

'Dank je wel.' Maar zoals gewoonlijk was hij erg koppig. Er waren geen banden, geen beloften, geen toekomst om naar uit te kijken. Er was alleen het nu en de oneindige schoonheid en pijn van het moment. Wanneer ze alleen waren kusten ze elkaar voortdurend en was het moeilijk om niet verder te gaan. Maar het laatste wat hij wilde, was haar zwanger achterlaten.

De dag voor hij moest vertrekken, begon hij over de oorlog. Hij zei dat de omstandigheden in Engeland goed waren en dat hij tot nu toe geen enkele gevechtsmissie had gevlogen.

'Vanwege mijn leeftijd laten ze me dat waarschijnlijk nooit doen en sta ik na de oorlog ineens weer voor je neus. En daar zul je nog spijt van krijgen, mijn schat,' waarschuwde hij. Maar ze wilde niets liever.

'Hoezo?' Ze probeerde hem een uitspraak te ontlokken, maar het lukte niet.

'Dan overtuig ik je ervan dat je met Billy moet trouwen en niet met een ouwe bok als ik.' Hij was achtendertig en nauwelijks een ouwe bok, maar wat Cassie ook voor hem voelde, hij was ervan overtuigd dat hij te oud voor haar was. Ze vroeg zich wel eens af of hij er niet anders over zou denken als hij haar niet in een luier had gezien.

'Ik weet niet of het iets uitmaakt, maar ik hou toevallig niet van Billy,' zei ze met een grijns terwijl ze langs het meer wandelden.

'Dat is absoluut niet belangrijk. Je zult toch met hem moeten trouwen.'

'Dank je.'

'Graag gedaan.'

'Moeten we hem waarschuwen?' Cassie genoot van zijn gezelschap. Hij wist haar altijd weer aan het lachen te krijgen, zelfs als hij haar aan het huilen maakte, wat hij de laatste tijd veel had gedaan.

'Uiteindelijk wel, maar laat de jongen nog maar even met rust. Bovendien zou hij ervandoor kunnen gaan als hij het zou weten.'

'Wat een compliment!' Ze gaf hem een duw en hij viel bijna op het ijs. Toen gaf hij haar een duw, en een paar minuten later rolden ze door de sneeuw en kusten ze elkaar.

Het waren volmaakte dagen, en ze waren te snel voorbij, bijna voor ze begonnen waren. Ze vloog hem naar Chicago, waar hij de trein naar New York zou nemen. Daarvandaan zou hij terugvliegen naar Engeland.

'Denk je dat je weer snel terug kunt komen?' vroeg ze, terwijl ze in het Union Station op de trein stonden te wachten.

'Ik weet het niet. Dit was een beetje geluk. Ik moet kijken wat er gebeurt als ik eenmaal terug ben in Hornchurch.' Ze knikte. Dat begreep ze.

Opnieuw waren er geen beloften, alleen tranen en het pijnlijke gevoel dat hij misschien niet meer terug zou komen en dit de laatste keer zou kunnen zijn dat ze hem zag. Hij kuste haar nog één keer voor hij vertrok en ze rende zolang ze kon met de trein mee, en toen hij weg was stond ze alleen op het station.

Het was een eenzame vlucht terug naar Good Hope, en de volgende dag vloog ze terug naar L.A. en haar appartement. Ze voelde zich deze keer verschrikkelijk alleen en was moe van de zorgen die ze zich om hem maakte, van het niet weten of het goed met hem ging, of hij terug zou komen en of ze ooit een manier zouden vinden om samen te zijn. Ze vroeg zich af of hij ooit over het verschil in hun leeftijden heen zou komen. Het was zo moeilijk om niet te weten wat er ging gebeuren.

In januari vloog ze met Desmond in zijn nieuwe vliegtuig naar New York om het voor Charles Lindbergh te demonstreren. Er werden veel foto's genomen en opnamen gemaakt voor het bioscoopjournaal. Daarna kwam een lang, eenzaam voorjaar, ondanks de lange vluchten, de voortdurende tests en het steeds opnieuw uitproberen van nieuwe instrumenten. Door haar talent en passie voor vliegen begon ze een behoorlijke reputatie te krijgen. En ze had ontmoetingen met sommige van de vrouwen over wie ze jarenlang alleen maar gelezen had, zoals Pancho Barnes en Bobbi Trout. Ze gaven haar leven een nieuwe dimensie. Ook bracht ze tijd door met Nancy en Jane Firestone. Het was leuk om bij hen te zijn, hoewel ze zich uiteindelijk realiseerde dat ze nooit zo goed bevriend zou raken met Nancy als ze had gehoopt. Misschien was het leeftijdsverschil te groot.

Op een avond in april ging ze weer uit eten met Desmond en hij verraste haar met de vraag of ze een verhouding had. Omdat de aard van hun relatie zo zakelijk was, vond ze het een vreemde vraag, maar ze vertelde hem dat dat niet het geval was en dat Nancy nog steeds voor haar 'begeleiders' zorgde.

'Dat verbaast me,' zei hij vriendelijk.

'Gewoon te lelijk, denk ik,' zei Cassie glimlachend en maakte hem daarmee aan het lachen. In werkelijkheid zag ze er prachtiger uit dan ooit. Als er al iets veranderd was, was ze alleen maar mooier geworden, en Desmond was nog nooit zo tevreden geweest over haar plannen en projecten.

'Misschien werk je te hard,' zei hij nadenkend, terwijl hij haar recht in haar ogen keek. 'Of is er een speciaal iemand thuis?'

'Niet meer,' glimlachte ze verdrietig. 'Hij is in Engeland. En hij is niet de mijne,' voegde ze er kalm aan toe. 'Hij is in de eerste plaats zichzelf.'

'Juist. Dat kan veranderen.' Desmond vond haar intrigerend. In haar werk was ze net zo goed als welke man dan ook, misschien zelfs beter, en heel serieus. Ze leek haar sociale leven niet belangrijk te vinden en beroemd worden nog minder. Het was een deel van haar charme en een deel van wat het publiek voelde en wat haar zo geliefd maakte. Ondanks haar verbazingwekkende succes en de manier waarop ze in de publiciteit was gekomen, was ze er op de een of andere manier in geslaagd bescheiden te blijven. Hij kende niet veel vrouwen zoals zij. Hij vond veel dingen aan haar leuk en was daar verbaasd over. Het gebeurde zelden dat hij persoonlijke belangstelling kreeg voor een van zijn werknemers, behalve in ongebruikelijke gevallen als dat van Nancy.

'Oorlog kan een rare uitwerking hebben op mannen,' zei hij. 'Soms veranderen ze... soms realiseren ze zich wat echt belangrijk voor hen is.'

'Ja,' zei Cassie met een verdrietige glimlach, 'hun bommenwerpers. Ik denk dat vliegeniers een ander soort mensen zijn. In elk geval degenen die ik ken. De vrouwen ook. Ze zijn allemaal een beetje gek.'

'Dat is een deel van de charme.' Hij glimlachte tegen haar en zag er plotseling veel ontspannener uit dan ze hem ooit had gezien.

'Daar zal ik aan denken,' zei ze, terwijl ze een slokje wijn nam en naar hem keek. Ze vroeg zich af wat voor hem echt belangrijk was, maar daar kwam ze niet achter. Zelfs als hij vriendelijk was, was hij heel gereserveerd. Hij was een man die je niet leerde kennen. Nancy had dat al over hem gezegd en Cassie begreep het eindelijk.

'En dan heb je de rest nog,' zei hij weer glimlachend. 'De mensen die op de grond leven, zo simpel en zo laag.'

'Ik denk niet dat ik het zo zou zeggen,' zei ze rustig terwijl hij naar haar keek. 'Verstandiger misschien. Redelijker ten aanzien van waar het in het leven om gaat, meer gericht op hun doelen. Ik denk dat dat heel wat waard is.'

'En jij? Waar hoor jij thuis, Cass? Hoog in de lucht of op de grond? Voor zover ik kan nagaan, leef je heel succesvol in beide werelden.' Maar haar voorkeur ging uit naar de lucht. Ze leefde om te vliegen en dat wist hij. Het enige dat ze op de grond deed was haar tijd doorkomen tot ze weer de lucht in kon en kon vliegen met de vogels.

Toen besloot hij haar zijn idee voor te leggen. Het was nog te vroeg, maar niet om het zaadje te zaaien, als een kostbare baby. 'Wat zou je vinden van een vlucht rond de wereld?' vroeg hij voorzichtig. Geschrokken keek ze op. Nick had haar daarvoor gewaarschuwd en voor de gevaren. Hij had gezegd dat Williams dat uiteindelijk zou willen. Hoe had hij dat kunnen weten? Ze keek verbaasd terwijl ze naar een antwoord zocht.

'Nu? Zou dat niet vreselijk moeilijk zijn?' De Duitsers waren ook Noorwegen en Denemarken binnengevallen en trokken op datzelfde moment op naar België en Nederland. 'Een groot deel van Europa zal niet toegankelijk voor ons zijn en op de Grote Oceaan liggen de zaken bijzonder gevoelig.' Het had invloed gehad op de route van Earhart en dat was drie jaar daarvoor geweest. De situatie was nu nog veel slechter.

'We zouden er waarschijnlijk omheen kunnen. Het zou niet eenvoudig zijn, maar als het moet is het wel mogelijk. Ik heb altijd gevonden dat dat de ultieme prestatie zou zijn. Een vlucht rond de wereld. Als je het goed zou doen. Er is een zorgvuldige voorbereiding en een briljante uitvoering voor nodig. En het is natuurlijk niet voor nu. Er zou minstens een jaar van planning aan voorafgaan.'

'Ik heb het altijd een fantastisch idee gevonden, maar ik kan me niet voorstellen hoe we het nu, of zelfs over een jaar, moeten doen.' Ze vond het een ongelooflijk spannend idee, maar het maakte haar ook nerveus en ze moest aan Nicks waarschuwingen denken. Desmond leek echter zo zeker van wat hij wilde.

'Laat dat maar aan mij over, Cass,' zei hij terwijl hij haar hand aanraakte, en voor het eerst sinds ze hem kende zag hij er opgewonden uit. Het was zijn droom, en die droom had hij met haar gedeeld. 'Het enige dat jij zou moeten doen is het beste vliegtuig besturen dat er maar is. De rest is mijn zorg. Als je het ooit zou willen doen.'

'Ik moet er over nadenken.' Het zou haar leven veranderen. Haar naam zou over de hele wereld bekend worden, net als die van Cochran, van Lindbergh, van Elinor Smith of Helen Richley.

'Laten we er van de zomer nog eens over praten.' Ze wisten allebei dat haar contract dan verlengd zou moeten worden. En er was geen reden waarom ze het niet zou willen verlengen. Ze maakte er geen geheim van dat ze plezier had in haar werk. Maar een vlucht rond de wereld was iets anders. Dat was ook haar droom, maar Nick had er zo op gehamerd dat ze het niet voor Williams moest doen. '… Hij gebruikt je…' hoorde ze hem in gedachten weer zeggen. 'Cassie… doe het niet… het beangstigt me…' Maar waarom niet? Wat zou er verkeerd aan zijn? Waarom zou ze het niet doen? Nick deed tenslotte ook wat hij wilde. Bovendien nam hij nauwelijks de moeite om haar te schrijven. Sinds Kerstmis had ze maar twee brieven van hem gekregen en daarin schreef hij over zijn werk en niet over zijn gevoelens voor haar. Hij deed niets om zijn relatie met haar in stand te houden. Hij vond die relatie niet goed voor haar en weigerde haar aan te moedigen of te vragen of ze op hem wilde wachten. Zijn brieven leken op bulletins van een vliegschool.

Desmond had haar die avond mee uit genomen en het enige waarover hij praatte, terwijl ze in de Mocambo over de dansvloer wervelden, was zijn vlucht rond de wereld. Nu hij dat idee aan haar verteld had, kon hij er niet meer over ophouden en dacht hij dat ze er net zo enthousiast over was als hij.

De volgende week begon hij er weer over, niet om haar onder druk te zetten, maar terloops, alsof het een geheim van hen was, een doel waar ze allebei naar verlangden. Het was duidelijk dat het heel veel voor hem betekende, en nu hij het met haar had gedeeld voelde hij een sterkere band met haar.

Omdat Cassie wist hoe druk hij het had, was ze stomverbaasd toen hij haar mee uit vroeg om haar eenentwintigste verjaardag te vieren. Ze was verrast dat hij het wist, maar hij had hele legers van mensen rondlopen die hem aan dat soort minder belangrijke details moesten herinneren. Details waren belangrijk voor hem. De kleinste elementen van de dingen fascineerden hem. Volgens hem maakte dat het verschil tussen middelmatigheid en perfectie.

Omdat ze niet echt iemand had om het mee te vieren, was Cassie blij dat hij eraan gedacht had. Hij nam haar mee naar het restaurant Victor Hugo en daarna gingen ze dansen bij Ciro's. Het was een avond die ze nooit zou vergeten. In het restaurant stond een verjaardagstaart voor haar klaar en zowel daar als bij Ciro's dronken ze champagne.

Het was duidelijk dat hij Nancy Firestone gevraagd had welke dingen ze lekker vond, want de hele maaltijd werd daardoor bepaald. Haar favoriete gerechten, haar favoriete taart, haar favoriete muziek. Ze voelde zich als een klein meisje dat een betoverende verjaardag viert. En daarna gaf hij haar een diamanten speld in de vorm van een vliegtuig, met het getal eenentwintig op de vleugels en het woord Cassie op de zijkant. Hij had de speld maanden daarvoor bij Cartier besteld. Hij vertelde haar dat nadat ze het doosje geopend had, en ze kon niet geloven dat hij zoveel moeite had genomen.

'Dat had je niet moeten doen.' Ze bloosde toen ze ernaar keek. Ze had nog nooit zoiets moois gezien en had op de een of andere manier het gevoel dat ze het niet verdiende.

Maar hij keek haar ernstig aan. Ze had hem alleen zo zien kijken naar een vliegtuig dat hij bestudeerde voor een aanpassing van het ontwerp. 'Ik heb altijd geweten dat je op een dag heel belangrijk voor mij zou zijn. Dat wist ik al op de eerste dag dat ik je zag.' Hij zei het volkomen ernstig, maar Cassie moest lachen toen ze aan die ontmoeting dacht.

'In mijn overall en met mijn gezicht onder de smeerolie? Ik heb blijkbaar diepe indruk gemaakt.' Ze lachte en had de speld in haar hand die zo bijzonder voor haar was. Zelfs de propeller bewoog wanneer ze hem aanraakte.

'Dat heb je ook,' gaf hij toe. 'Je bent de enige vrouw die ik ken die er met schoensmeer op haar gezicht nog mooi uitziet.'

'Desmond, je bent vreselijk.' Ze lachte en voelde een band met hem. Het was vreemd, maar ondanks de afstand tussen hen had ze vriendschappelijke gevoelens voor hem. Hij was een van de weinige vrienden die ze in L.A. had. Behalve Desmond had ze alleen nog Nancy en een of twee van de andere piloten. Maar er was niemand met wie ze echt omging. Ze had een groot respect voor Desmond en voor de dingen waarvoor hij stond en zo hard werkte. Hij geloofde in uitmuntendheid, tot elke prijs, voor hem of voor zijn bedrijf. Hij nam nooit genoegen met minder dan perfectie. Net als het kleine geschenk van hem, het vliegtuigje dat ze in haar hand had. Het was volmaakt.

'Ben ik vreselijk, Cass?' vroeg hij ernstig na haar luchthartige commentaar. 'Ik heb dat van experts gehoord en ze hebben waarschijnlijk gelijk.' Hij zei het zo ontwapenend dat ze medelijden met hem kreeg. Ze realiseerde zich dat hij eenzaam was, ondanks al zijn belangrijkheid en zijn luxe leven. Hij had geen kinderen, geen vrouw, weinig vrienden en volgens de kranten van dat moment zelfs geen vriendin. Hij had niets anders dan zijn vliegtuigen en zijn bedrijf.

'Nou, zo vreselijk ben je niet,' zei Cass zachtjes.

'Ik wil graag bevriend met je zijn, Cass,' zei hij oprecht, en hij stak over de tafel zijn hand naar haar uit. Ze wist niet precies wat hij bedoelde, maar ze was diep geraakt door alles wat hij voor haar had gedaan en het gebaar van vriendschap.

'Je bent een vriend voor mij, Desmond. Je bent bijzonder aardig voor me geweest... zelfs hiervoor al... ik had altijd het gevoel dat ik het niet verdiende.'

'Daarom mag ik je zo graag,' zei hij glimlachend. 'Je verwacht niets en je verdient alles, zelfs meer dan dat.' Hij maakte een gebaar naar het diamanten vliegtuigje in haar hand. Hij pakte het en spelde het over de tafel heen op haar jurk. 'Je bent bijzonder, Cass. Ik heb nooit zo iemand als jij gekend.' Ze glimlachte tegen hem. Ze was ontroerd door wat hij zei en dankbaar voor zijn vriendschap.

Later bracht hij haar naar huis en liep met haar de trap op. Hij vroeg niet of hij binnen mocht komen en begon niet meer over de vlucht rond de wereld. Maar hij verraste haar de volgende dag door een bos bloemen te sturen en op zondag door haar te bellen en uit te nodigen voor een tochtje. Ze had zich nooit afgevraagd wat hij in zijn weekenden zou doen. Zij ging meestal vliegen als ze tijd had of ging naar een of andere sociale gebeurtenis die Nancy regelde als ze weer eens met een van haar begeleiders gezien moest worden.

Desmond haalde haar om twee uur op en ze reden naar Malibu, waar ze een strandwandeling maakten. Het was een prachtige dag en het strand was bijna verlaten. Hij vertelde wat dingen over zijn jeugd, zijn jaren op kostschool en daarna Princeton. In die tijd was hij niet veel thuis geweest. Zijn moeder was gestorven toen hij nog heel jong was en zijn vader had zich daarna op zijn bedrijf gestort. Hij had een imperium opgebouwd, maar daarbij zijn enige kind vergeten. Hij had Desmond niet eens thuis laten komen voor de vakanties. Hij was dan op zijn respectievelijke scholen gebleven, eerst Fessenden, daarna St. Paul's en vervolgens Princeton. Tegen die tijd interesseerde het hem ook niet meer en ging hij op eigen gelegenheid of met vrienden op vakantie.

'Had je helemaal geen familie?' Cassie vond het verhaal over zijn eenzame kindertijd verschrikkelijk.

'Nee. Mijn ouders waren allebei enig kind en al mijn grootouders waren al overleden voor ik geboren werd. Ik heb nooit iemand anders gehad dan mijn vader en die heb ik eigenlijk nooit gekend. Ik denk dat ik daarom nooit kinderen heb willen hebben. Dat soort pijn zou ik niemand willen aandoen. Ik ben gelukkig zo en ik zou geen kind willen teleurstellen.' Hij had iets verdrietigs en zwaarmoedigs en ze begreep hem nu beter. Het was de eenzaamheid die ze gevoeld had, de geïsoleerdheid van jaren. Hij had er een positief gebruik van gemaakt, maar het moest bijzonder pijnlijk geweest zijn. En hij leek nog steeds eenzaam.

'Desmond... je zou niemand teleurstellen... je bent voor mij zo aardig geweest.' Dat was hij geweest. Haar contacten met hem waren altijd plezierig geweest. Hij was de perfecte heer, de perfecte vriend, de perfecte werkgever. Er was geen reden waarom hij niet de perfecte echtgenoot of ouder kon zijn. Ze wist dat hij twee keer getrouwd was geweest en geen kinderen had. In de tijdschriften die ze had gelezen werd een heel punt gemaakt van het feit dat er geen erfgenaam was voor zijn gigantische fortuin. Ze wist nu waarom. Hij wilde er geen een.

'Ik ben heel jong getrouwd,' legde hij uit toen ze tenslotte op het zand waren gaan zitten en uitkeken over het water. 'Ik studeerde nog aan Princeton. En het was ongelooflijk stom. Amy was een schat van een meisje, maar volledig verwend door haar ouders. Nadat ik mijn studie had afgerond, gingen we hier wonen en ze haatte alles.' Hij keek Cass ineens geamuseerd aan en zei: 'Ik was net zo oud als jij nu bent, maar ik had geweldige illusies over volwassen zijn en dacht dat ik wist wat ik deed. Zij wilde dat we naar New York zouden gaan en ik wilde niet. Ze wilde dicht bij haar familie zijn en ik vond dat alleen maar vreemd. In plaats daarvan ging ik met haar op safari in Afrika en daarna zes maanden naar India. Vervolgens gingen we naar Hongkong, waar ze het eerste schip terugnam naar haar ouders. Ze zei dat ik haar gemarteld had en meegenomen had naar de vreselijkste plaatsen. Ze zei dat ze gevangen had gezeten bij wilden.' Hij glimlachte om het absurde karakter ervan en Cassie lachte. Hij vertelde het allemaal heel grappig. 'Toen ik terugkwam hadden haar vaders advocaten de scheiding aangevraagd. Ik had gewoon niet begrepen dat ze in de buurt van haar moeder wilde zijn. Ik wilde haar veel spannender dingen laten zien.'

'Mijn tweede vrouw was veel boeiender. Ik was vijfentwintig en zij een fascinerende Engelse vrouw in Bangkok. Ze was tien jaar ouder dan ik en had blijkbaar een bijzonder druk leven geleid. Ze bleek getrouwd te zijn met iemand anders en hij verscheen nogal onverwacht terwijl wij vrolijk samenleefden. Hij was er niet bepaald blij mee en ons huwelijk werd ongeldig verklaard. Daarna ben ik teruggekomen en heb ik me hier gevestigd. Ik heb er wel van genoten, maar ik ben bang dat het in geen van beide gevallen een echt huwelijk was. Ik heb het hier nooit echt geprobeerd of gedaan wat van me verwacht werd. En toen ik het bedrijf over moest nemen, had ik geen tijd meer voor al die onzin. Ik had nergens tijd voor... behalve het bedrijf. Nu zijn we tien jaar verder en ben ik alleen en nogal saai.'

'Ik zou dat niet saai noemen... safari's... India... Bangkok... Het is in elk geval een heel eind van Illinois, waar ik vandaan kom. Ik ben de vierde van vijf kinderen, ik heb zestien neefjes en nichtjes en heb mijn hele leven op een vliegveld gewoond. Alledaagser dan dat kan het niet. Ik ben de eerste in mijn familie die naar de universiteit is gegaan, de eerste vrouw die is gaan vliegen en de eerste die uit zijn omgeving is weggegaan, hoewel mijn ouders uit New York zijn gekomen en voor die tijd uit Ierland. Maar het is allemaal verschrikkelijk gewoon en het heeft niets betoverends of spannends.'

'Je bent nu betoverend, Cass,' zei hij rustig terwijl hij naar haar keek. Hij leek altijd geïnteresseerd in haar reacties.

'Nee, dat denk ik niet. Ik ben nog steeds dat meisje in die overall met smeerolie op haar gezicht.'

'Andere mensen zien andere dingen.'

'Misschien begrijp ik dat niet.'

'Je kunt moeilijk zeggen dat we veel gemeen hebben,' zei hij nadenkend, 'maar soms werkt dat. Eigenlijk weet ik niet meer zo goed wat wel of niet werkt. Het is zo lang geleden dat ik geprobeerd heb daarachter te komen dat ik het me niet meer kan herinneren.' Ze glimlachte, en plotseling kreeg ze het gevoel dat ze een soort sollicitatiegesprek voerde, maar ze wist niet precies voor welke functie. 'Hoe zit het met jou, Cass. Hoe komt het dat je op de rijpe leeftijd van eenentwintig jaar en twee dagen nog niet getrouwd bent?' Het was maar half plagend bedoeld. Hij wilde weten hoe vrij ze was. Hij was er nooit zo zeker van geweest, hoewel ze geen speciale band met iemand leek te hebben behalve misschien met die RAF-piloot in Engeland.

'Niemand wil me,' zei ze luchtig, en hij lachte en zij ook. Ze voelde zich verrassend op haar gemak bij hem.

'Nieuwe poging.' Hij lag achterover op het zand naar haar te kijken.

Hij amuseerde zich en voelde zich volledig ontspannen in haar onge-kunstelde gezelschap. 'Vertel me iets wat ik kan geloven.' Ze was veel te mooi om door niemand gewild te worden.

'Ik meen het. Jongens van mijn leeftijd zijn doodsbenauwd voor vrou-welijke piloten. Tenzij ze zelf vliegen, maar het laatste wat ze dan wil-len is de rivaliteit van een andere piloot.'

'En hoe zit het met jongens van mijn leeftijd?' vroeg hij voorzichtig, terwijl zij zich herinnerde dat hij vier jaar jonger was dan Nick, die nu negenendertig was.

'Ze lijken last te hebben van het leeftijdsverschil. Of in elk geval som-mige van hen, degenen die laten we zeggen… vier jaar ouder zijn dan jij.'

'Juist. Vinden ze je te onvolwassen?' Maar dat was ze ook niet.

'Nee, ze denken dat zij te oud zijn en niet genoeg in het leven hebben bereikt en me niets te bieden hebben. Ze nemen het vliegtuig naar En-geland en zeggen tegen me dat ik maar met kinderen van mijn eigen leeftijd moet gaan spelen. Geen beloften. Geen verwachtingen.'

'Juist. En speel je ook met jongens van je eigen leeftijd?' Hij vond haar verhaal intrigerend en vroeg zich onmiddellijk af of het over haar va-ders partner op het vliegveld ging, maar die vraag sprak hij niet hard-op uit. Hij nam wel aan dat het over hem ging, na de manier waar-op die man geprobeerd had haar tegen hem te beschermen toen hij voor het eerst op het vliegveld was.

'Nee,' zei ze eerlijk. 'Ik heb geen tijd gehad voor jongens van mijn leeftijd. Ik heb het veel te druk met vliegen voor jou en met al die so-ciale verplichtingen die jij belangrijk vindt.' Bovendien wilde ze geen relatie. Ze was veel te verliefd op Nick om iets met een ander te kun-nen hebben, maar dat zei ze niet.

'Sociale gebeurtenissen zijn belangrijk, Cassie.'

'Niet voor mij,' zei ze glimlachend.

'Je bent niet snel tevreden, Cassie O'Malley. Je bent nu al bijna een jaar lang vijf avonden per week uit geweest met een andere man en er was niemand bij die je leuk vond?'

'Nee, ik neem aan van niet. Te druk, geen tijd, geen belangstelling. Ze vervelen me allemaal.' Ze nam niet de moeite om hem te vertellen dat de meeste van hen mannelijke modellen waren of minder dan manne-lijke acteurs. Niet dat het haar iets uitmaakte.

'Je bent verwend.' Hij stak een vermanende vinger op en ze lachte.

'Als dat zo is, is het jouw schuld. Kijk eens wat je voor me gedaan hebt: appartementen, kleren, alle vliegtuigen waar ik ooit in zou willen vliegen, inclusief een kleine met briljantjes,' zei ze dankbaar glimlachend – ze had hem die ochtend een bedankbriefje geschreven – 'auto's... hotels... chique restaurants... wie zou daar niet verwend door raken?'

'Jij,' zei hij oprecht. Hij trok haar omhoog en ze liepen op blote voeten verder over het strand en vertelden elkaar grappige verhalen. Ze aten in een klein Mexicaans restaurant in de buurt van haar appartement. Hij zei dat het eten verschrikkelijk was, maar zij vond het heerlijk. Toen bracht hij haar naar huis en beloofde de volgende ochtend te bellen.

'Ik ga om vier uur naar mijn werk,' zei ze. 'Ik ben hier dan niet.'

'Ik ook,' zei hij glimlachend. 'We werken allebei voor dezelfde tiran. Ik bel je om halfvier.' Ze was verbaasd toen hij het deed. Hij was een merkwaardige man. En zo alleen. Zijn verhalen over zijn kindertijd waren hartverscheurend. Geen wonder dat hij nooit van iemand gehouden had. Niemand had ooit van hem gehouden. Ze had het gevoel dat ze hem wilde beschermen en het allemaal ongedaan wilde maken, maar tegelijkertijd deed hij steeds dingen voor haar. Hij was een merkwaardige combinatie van warm en koud, van onkwetsbaar en diep gewond.

Die middag haalde hij haar op van het vliegveld en reed haar naar huis, maar hij kwam niet binnen. En vanaf dat moment belde hij haar elke dag en ging een paar keer per week met haar eten in rustige restaurants. Hij deed nooit meer dan dat en Cassie had nooit het gevoel dat ze meer waren dan vrienden, maar binnen korte tijd waren ze wel heel goede vrienden geworden. Hij had het nooit meer over de vlucht rond de wereld gehad, maar zij moest er soms tijdens het vliegen aan denken en ook aan de waarschuwingen van Nick. Ze vond het onzin dat hij zich zoveel zorgen had gemaakt. Desmond was absoluut niet van plan iets te doen wat gevaarlijk voor haar kon zijn of haar onder druk te zetten. Hij wilde alleen maar het beste voor haar. Daar was ze van overtuigd. Maar het belangrijkste was dat hij nu haar vriend was. Hij kwam op de vreemdste tijden aanzetten, wanneer ze uit een vliegtuig klom of om vier uur 's morgens naar haar werk ging. Hij was er voor haar wanneer ze hem nodig had. Hij viel haar nooit lastig en vroeg nooit meer dan ze wilde geven. Hij leek zo weinig van haar te willen, en toch voelde ze zijn aanwezigheid altijd.

Eind juni kwam hij zelf met haar nieuwe contract aanzetten en ze was

verbaasd over wat erin stond. De meeste voorwaarden waren hetzelfde gebleven, alleen was een aantal van de sociale gebeurtenissen niet
meer verplicht en was het salaris verdubbeld. Hij beloofde haar dat ze
al hun beste vliegtuigen mocht testen en wilde van haar de garantie
dat ze mee zou werken aan een minimaal aantal reclameboodschap-
pen. Maar de laatste clausule in het contract verbijsterde haar echt.
Hierin werd gesteld dat ze voor een extra honderdvijftigduizend dollar plus de extra voordelen en vergoedingen die eruit voort zouden
vloeien binnen het jaar een vlucht rond de wereld zou kunnen maken,
in het beste vliegtuig dat ze hadden en via de veiligste route die uitgestippeld zou kunnen worden, en waaraan begonnen zou worden op
2 juli 1941, bijna precies een jaar later, op de dag waarop Amelia Earhart vier jaar daarvoor was verdwenen. Het moest de grootste publi-
citeitstournee aller tijden worden en ze zou ongetwijfeld nieuwe records vestigen. Het vooruitzicht was ongelooflijk verleidelijk, maar ze
vond dat ze het eerst met haar vader moest bespreken. Ze ging die
week toch naar huis voor de vliegshow.
'Denk je dat hij ertegen zal zijn?' vroeg Desmond zenuwachtig voor
ze vertrok. Hij zag eruit als een jongetje dat als de dood is dat zijn
favoriete speeltje wordt afgepakt. Ze glimlachte en probeerde hem gerust te stellen.
'Ik denk het niet. Hij zal waarschijnlijk vinden dat het gevaarlijk is,
maar als jij zegt dat het zonder al te veel risico's kan worden gedaan,
geloof ik je.' Hij had nooit tegen haar gelogen, had haar nooit bedrogen en nooit misleid. Hij had haar als vriend en als werkgever nooit
teleurgesteld. En ze brachten veel tijd in elkaars gezelschap door. Voor
een meisje van haar leeftijd en een man van zijn leeftijd hadden ze een
vreemde relatie, een relatie die alleen gebaseerd was op zaken en vriendschap. Niets meer. Hij had zelfs nooit geprobeerd haar te kussen, en
toch had hij willen weten of ze vrij was. En hij was zichtbaar opgelucht geweest toen hij hoorde dat ze dat inderdaad was, als ze tenminste Nick niet meerekende, die haar al in geen maanden had geschreven. Ze wist hoe hard hij zich zou verzetten tegen dit contract.
'Mijn vader is heel redelijk,' verzekerde ze hem.
'Cassie, ik heb dit altijd willen doen, maar er was nooit iemand die
het kon, of die ik genoeg vertrouwde of met wie ik wilde werken. Ik
vertrouw jou volledig. En ik heb nog nooit iemand zo zien vliegen als
jij.' Ze kon het niet helpen dat ze zich gevleid voelde door zijn woorden.

'We bespreken het wanneer ik terug ben,' beloofde ze hem. Ze wilde een paar dagen om erover na te denken, maar ze vond het bijzonder verleidelijk en dat wist hij.

'Je doet dit jaar toch niet aan de vliegshow mee?' vroeg hij bezorgd, maar ze schudde snel haar hoofd. Ze was nu feitelijk elke dag met een vliegshow bezig en ze had niet geoefend. Ze had er dit jaar gewoon geen tijd voor gehad, maar ze had wel zin om erheen te gaan.

'Nee, maar mijn broer wel. God mag weten waarom. Hij houdt niet echt van vliegen. Hij doet het alleen maar om mijn vader een plezier te doen.'

'Hij verschilt niet veel van de rest van ons. Ik heb geworsteld toen ik op Princeton zat, alleen omdat mijn vader het ook had gedaan. Het is de walgelijkste sport die er is en ik haatte elke minuut ervan, maar ik dacht dat mijn vader het prachtig zou vinden. Ik weet niet eens zeker of hij het ooit heeft geweten, en als ik dan aan al die stijve nekken en bloedneuzen en blauwe plekken denk...' Ze lachte om zijn beschrijving en beloofde hem te bellen en hem te vertellen hoe de vliegshow geweest was.

'Ik zal je missen als je weg bent. Ik heb niemand anders die ik om drie uur in de ochtend kan bellen.'

'Je kunt mij bellen,' zei ze grootmoedig. 'Ik zal opstaan en met je praten. Het is daar dan vijf uur.'

'Nee, zorg gewoon maar dat je plezier hebt,' zei hij glimlachend, 'en kom dan terug en teken het contract voor de wereldvlucht. Maar als je dat niet wilt,' zei hij plotseling serieus, 'zijn we nog steeds vrienden. Als je het niet wilt doen, begrijp ik dat.' Door de manier waarop hij het zei, wilde ze haar armen om hem heen slaan en hem vertellen dat ze van hem hield. Hij was zo'n eenzame ziel en wilde zo graag doen wat goed was en eerlijk zijn, en hij wilde zo graag dat die vlucht rond de wereld door zou gaan, dat ze het moeilijk vond hem teleur te stellen.

'Ik doe mijn best om je niet teleur te stellen, Desmond. Dat beloof ik. Ik heb alleen wat tijd nodig om erover na te denken.' Ze was blij dat ze niet met Nick te maken zou krijgen en zou moeten toezien hoe hij als een vulkaan zou ontploffen.

'Ik begrijp het.' Hij kuste haar op haar wang en zei dat ze haar broer geluk moest wensen van hem, en ze zei dat ze dat zou doen.

Ze vloog in een van Desmonds tweemotorige transportvliegtuigen naar huis en vroeg zich af wat haar vader zou zeggen over een vlucht rond de wereld. Er waren ongetwijfeld gevaren aan verbonden, zelfs zonder de oorlog en de problemen in het gebied van de Grote Oceaan. Het vliegen van zulke lange afstanden kon rampzalig zijn als je niet wist wat je deed of pech had en in onverwachte stormen terechtkwam. Niemand had ooit ontdekt wat er met Amelia Earhart was gebeurd. Er was geen redelijke verklaring voor haar verdwijning, behalve misschien dat haar brandstof op was geraakt en dat ze daardoor zonder een spoor achter te laten was verdwenen. Het was de enige logische oorzaak die ze hadden kunnen bedenken. Er waren ook wat wildere theorieën, maar Cassie had ze nooit geloofd.

De vlucht rond de wereld bleef Cassie de hele weg naar huis hevig bezighouden. Gevaarlijk of niet, ze wilde het dolgraag doen.

14

De vliegshow van Peoria was nog hetzelfde prachtige circus als in Cassies herinnering. Ze was nooit gelukkiger geweest dan toen ze daar met Billy en haar vader stond. Haar moeder en de andere meisjes waren ergens anders met de kinderen. En Chris liep zenuwachtig te ijsberen en hot dogs te eten.

'Ik word misselijk als ik je zie,' zei Cassie tegen hem, en hij grinnikte en kocht een suikerspin.

Al haar oude vrienden waren er, plus de kameraden van haar vader en de jongere vliegeniers. De meeste vliegliefhebbers van kilometers in de omtrek waren op haar vaders verzoek al een dag eerder gekomen. De vliegshow van Peoria was een belangrijke gebeurtenis in luchtvaartkringen. Op de wat tammere onderdelen deden dit jaar zelfs een paar meisjes mee. En in het laatste onderdeel van de middag zou Chris zoals gewoonlijk de hoogteprijs in de wacht proberen te slepen. Het was geen spectaculair onderdeel, maar ze wisten dat het haar vader plezier zou doen.

'Wil jij niet iets doen, Cass? Papa zou je wel een vliegtuig willen lenen.' Het vliegtuig waarin ze gekomen was, was veel te groot en onhandig. Het was bovendien veel te kostbaar. En het was van Desmond. Kort nadat ze voor hem was gaan werken, had ze het getest, en ze hadden pas kortgeleden de door haar aanbevolen verbeteringen aangebracht. Voor een meisje van eenentwintig had ze een bijzonder belangrijke baan. Iedereen die er was wist hoe beroemd ze nu was, en er werd heel wat gepraat over haar aanwezigheid. Op voorstel van Desmond waren de radioverslaggevers in groten getale op komen dagen om haar te begroeten.

Maar Cassie vertelde haar broer meteen dat ze niet mee zou doen aan de vliegshow. 'Ik ben niet goed genoeg meer. Ik heb het hele jaar van die bakken gevlogen, Chris, en bovendien heb ik niet geoefend.'

'Ik ook niet,' zei hij grijnzend. Hij was nu twintig en leek precies op hun vader. Zijn opleiding ging goed en hij wilde nog steeds architect worden als hij over een jaar of twee een beurs zou kunnen krijgen voor de Universiteit van Illinois. Momenteel bracht hij elk vrij uurtje met Jessie door. Ze waren een schattig paar en Pat zei dat het hem niet zou verbazen als ze zouden trouwen.

Billy zag er niet ouder uit dan Chris. Hij leek dit jaar nog meer sproeten te hebben, maar uit zijn prestaties in de eerste twee wedstrijden bleek dat hij, in tegenstelling tot haar broer, wel had geoefend. Hij won twee keer de eerste prijs en een halfuur later nog een keer in drie van de moeilijkste onderdelen van de show.

'Wat heb je het hele jaar gedaan, oefenen? Allemachtig, jullie hebben blijkbaar tijd genoeg om een beetje te spelen,' plaagde ze hem met haar arm om hem heen, terwijl een fotograaf een foto van hen nam. Cassie zorgde dat hij Billy's naam kreeg en die ook goed spelde en herinnerde hem eraan dat Billy tot nu toe al drie eerste prijzen had gewonnen.

'En de dag is nog niet voorbij,' zei hij met een knipoog naar Cassie.

'En hoe zit het met u, juffrouw O'Malley?' vroeg een van de verslaggevers. 'Geen show vandaag?'

'Ik ben bang van niet. Vandaag is het de show van mijn broer en van mijnheer Nolan.'

'Is er ook enige romantische betrekking tussen u en de heer Nolan?' vroeg hij scherp, en ze liet een grijns zien terwijl Billy deed alsof hij zich in zijn limonade verslikte.

'Geen,' antwoordde ze koeltjes.

'En hoe zit het met u en mijnheer Williams?'

'We zijn goede vrienden,' zei ze glimlachend.

'Niets méér?' drong de man aan, en haar vader vroeg zich af hoe ze het volhield. Maar ze was heel aardig en heel geduldig tegen hen. Desmond had het haar goed geleerd, en met de verslaggevers in de buurt voelde ze zich verplicht om zich onberispelijk te gedragen, hoewel een beetje ondeugend zijn ook wel verleidelijk was. Ze namen zichzelf zo serieus, en dat deed Cassie natuurlijk niet.

'Dat heeft hij mij in elk geval niet verteld,' zei ze vriendelijk. Toen draaide ze zich om om met wat vrienden te praten en uiteindelijk lieten ze haar met rust.

'Wat een plaag is dat,' zei Billy met een geërgerde blik. 'Krijg je daar niet de zenuwen van?'

'Ja, maar mijnheer Williams denkt dat het goed is voor het bedrijf.'

'Is daar trouwens iets van waar?' vroeg Billy toen ze weer alleen waren. 'Is er iets tussen jou en Williams?'

'Nee,' zei ze voorzichtig. 'We zijn gewoon vrienden. Ik denk ook niet dat hij een relatie wil. Ik sta waarschijnlijk niet dichter bij hem dan anderen. Het is een erg eenzame man. Soms heb ik medelijden met hem.' Ze zei het zachtjes, zodat niemand het zou horen. Maar Billy was niet in de stemming om serieus te zijn en bovendien was hij nooit onder de indruk van magnaten, ook al waren ze meer dan een miljard waard.

'Ik heb ook medelijden met hem. Al dat lastige oude geld waar hij mee om moet gaan. En al die filmsterren die hij waarschijnlijk mee uit moet nemen. Arme kerel.'

'O, hou op.' Ze gaf hem een duw en zag Chris naar hen toe komen. Hij was weer aan het eten en Cassie trok een gezicht tegen hem. Hij was al sinds zijn veertiende onophoudelijk aan het eten en was nog steeds zo mager als een vogelverschrikker. Jessie stond naast hem en keek in stille aanbidding naar hem op. Ze werkte in de plaatselijke bibliotheek. Ze was een serieus meisje en gaf al het geld dat ze verdiende aan haar ouders om hen te helpen met het grootbrengen van haar vier jongere zusjes. Voor iedereen was duidelijk te zien dat ze gek was op Chris. Ze was heel lief voor alle O'Malley's, vooral voor de jongere kinderen.

'Hou je nooit eens op met eten?' vroeg Cassie hem met gespeelde ergernis.

'Als het aan mij ligt niet. Als je het goed plant, kun je zo ongeveer eten van het moment waarop je opstaat tot je 's avonds weer naar bed gaat. Mam zegt dat ik meer eet dan de hele familie bij elkaar.'

'Je eindigt nog een keer als een dikke ouwe man,' waarschuwde Billy, met een knipoog naar een giechelende Jessie.

Ze waren allemaal in een vrolijke stemming, en er waren een paar echt opzienbarende prestaties, maar niets wat die van Cassie van het jaar daarvoor kon evenaren, haar angstaanjagende duik die ze op het allerlaatste moment had hersteld.

'Ik vond het vreselijk toen je dat deed,' zei Chris. 'Mijn maag draaide zich om terwijl ik stond te kijken. Ik dacht dat je ging verongelukken.'

'Daar ben ik te slim voor,' zei ze zelfvoldaan. Maar ze was blij dat hij niets gevaarlijks deed. Hoogte was over het algemeen niet iets waarmee mensen in de problemen kwamen. Het was ook niet erg spannend, maar ze was blij dat hij geen risico's zou nemen.

'En hoe is het in L.A.?' vroeg Billy tijdens een pauze. Ze vertelde hem over haar werk en de nieuwe vliegtuigen en repte met geen woord over de vlucht rond de wereld. Ze wilde er eerst met haar vader over praten. Ze wilde nog niets tegen Billy zeggen. Ze had er veel over nagedacht, en als ze het ging doen wilde ze hem erbij hebben. Hij was de beste piloot die ze ooit had gezien. Zelfs nadat ze een jaar in Los Angeles met een paar echt goede piloten had gevlogen, vond ze nog steeds dat Billy beter was.

Nadat ze een tijdje gepraat hadden, ging hij weer de lucht in en won nog een eerste prijs, als was het om haar standpunt te onderstrepen. Kort daarna leek er een ramp te gebeuren toen twee vliegtuigen bijna met elkaar in botsing kwamen, maar ze wisten zich op het laatste moment te redden en na wat angstig gegil en geschreeuw van de toeschouwers kwam alles goed. Maar het herinnerde de aanwezigen wel aan het jaar daarvoor, toen Jimmy Bradshaw tijdens de vliegshow was verongelukt. Onnodig te zeggen dat Peggy er dit jaar niet bij was, maar Cassie had al van Chris gehoord dat Bobby Strong en zij gingen trouwen. Ze had er geen spijt van dat ze haar verloving met hem had beëindigd. Haar leven had zich zo anders ontwikkeld. Ze wenste hem alle geluk toe en was blij voor Peggy.

Ze stond met Chris over een aantal van hun oude vrienden te praten toen zijn groep werd opgeroepen om naar hun vliegtuigen te gaan.

'Nou, daar gaan we dan. Het wordt toch niets,' zei hij. Hij zag er nerveus uit, wat begrijpelijk was, en keek Cassie aan en grinnikte. Ze stak haar hand uit en raakte hem aan.

'Veel geluk, broertje. Als je terug bent krijg je iets te eten. Tot die tijd moet je het proberen vol te houden.'

'Bedankt.' Hij lachte tegen haar, terwijl Jessie op zoek ging naar een van haar zusjes.

En toen hij wegliep riep Cassie, zonder daar een bepaalde reden voor te hebben behalve dat ze van hem hield: 'Ik hou van je!' Hij draaide zich om, liet met een gebaar zien dat hij haar gehoord had, en was weg. En tenslotte was het zijn beurt en in zijn kleine rode vliegtuig klom hij en klom hij en klom hij steeds hoger en Cassie volgde hem scherp. Toen meende ze iets te zien, en ze kneep haar ogen dicht tegen de zon en stond op het punt iets tegen Billy te zeggen. Soms voelde ze dingen voor ze ze zag. Maar voor ze iets kon zeggen, zag ze datgene waarvoor ze bang was geweest, en ze stond daar omhoog te kijken en probeerde hem met haar wil zo snel en veilig mogelijk naar de grond te krijgen. Ze wist niet eens of hij al wist dat er een probleem was, maar meteen daarna wist hij het wel. Zijn motor stond in brand en een ogenblik later dook hij sneller naar de grond dan hij was opgestegen. Er was geen tijd om hem te stoppen, geen tijd om iets te zeggen. Er klonk het bekende geluid van mensen die hun adem inhielden, wat betekende dat er iets verschrikkelijks gebeurde, en iedereen wachtte af. Terwijl hij viel, probeerde Cassie hem haar wil op te leggen, hem aan de stuurknuppel te laten trekken, en ze klemde zich vast aan Billy's arm, maar haar ogen lieten het vliegtuig van haar broer geen moment los. En toen was hij op de grond, in een zuil van vuur, en renden zij en alle mannen die in de buurt waren naar hem toe. Maar de vlammen sloegen uit het vliegtuig en de rook was pikzwart. Billy bereikte hem voor alle anderen en zij stond direct naast hem. Samen trokken ze hem uit de vuurzee, maar hij was al overleden, en elke centimeter van zijn lichaam brandde. Er kwam iemand aanrennen met een deken om de vlammen te doven en Cassie hield hem snikkend vast. Ze realiseerde zich niet eens dat ze ernstige brandwonden aan haar arm had. Ze was zich nergens meer van bewust, behalve dat ze Chris in haar armen hield en dat hij nooit meer zou zien, of lachen, of huilen, dat hij nooit meer volwassen zou worden, of kwaad op haar zou zijn of zou trouwen. Ze kon niet ophouden met huilen terwijl ze hem vasthield, en ze hoorde een gedempte schreeuw boven zich toen het vliegtuig explodeerde en de metaalscherven door de lucht vlogen. Billy probeerde haar weg te trekken, maar ze hield Chris nog steeds vast terwijl haar vader hem van haar over probeerde te nemen. 'Mijn jongen...' snikte hij. 'Mijn jongen... o, god... nee... mijn kind...' Ze hielden hem samen vast, en overal om hen heen renden mensen rond en werd geschreeuwd, en toen tilden krachtige armen Chris uit haar armen en werd haar vader weggeleid, en in de verte zag ze Jessie huilen, en alles wat Cassie wist was dat Billy haar in zijn armen hield, en toen zag ze haar moeder snikkend in haar vaders armen. En iedereen om hen heen huilde. Het jaar daarvoor was het ook zo geweest, maar dit was erger, omdat het Chris was... haar broertje.

Ze kon zich niet herinneren wat er daarna gebeurd was, behalve dat ze in het ziekenhuis was en dat Billy bij haar was. Haar arm deed helemaal geen pijn, maar mensen deden allerlei dingen bij haar. Iemand zei dat het een derdegraadsverbranding was en ze bleven maar praten over het ongeluk... het ongeluk... het vliegtuig... maar zij was niet verongelukt... zij was niet verongelukt met haar vliegtuig en ze bleef dat maar tegen Billy zeggen.

'Dat weet ik, Cass. Dat weet ik, meisje. Jij hebt niets gedaan.'

'Is het goed met Chris?' Ze herinnerde zich plotseling dat er iets mis was met hem, maar ze kon zich niet herinneren wat het was en Billy knikte alleen. Ze was in shock, en dat was ze al sinds het ongeluk.

Ze gaven haar iets waardoor ze even sliep, en toen ze wakker werd deed haar arm vreselijk pijn, maar dat was niet belangrijk. Ze herinnerde zich weer wat er gebeurd was.

Maar Billy was er nog en ze huilden samen. Haar ouders waren er nu ook. Ze waren teruggekomen om bij haar te zijn. Haar moeder was bijna hysterisch en haar vader werd overmand door verdriet, en Glynnis en haar man Jack waren er, maar iedereen bleef maar huilen. Glynnis vertelde dat Jessie door vrienden van Chris naar huis was gebracht en dat haar ouders de dokter hadden moeten roepen.

Omdat Chris zo vreselijk verbrand was, was de kist gesloten, en de dodenwake was de volgende avond in het rouwcentrum in Good Hope. De begrafenis was de dag daarna in St. Mary's. Iedereen met wie hij op school had gezeten was er, al zijn vrienden, en Jessie. Ze zag er vreselijk uit en werd omringd door haar zusjes. Cassie ging naar haar toe om haar een kus te geven. Voor een meisje van negentien jaar was het vreselijk om dit te moeten meemaken.

Bobby Strong was er en hij kwam naar Cass toe om met haar te praten, maar Peggy kon het niet. Er waren ook wat studievrienden van Chris gekomen en bijna iedereen die op de vliegshow was geweest, net als het jaar daarvoor toen ze allemaal voor Jim waren gekomen. Het leek zo'n zinloze dood, zo'n domme manier om te sterven, de lucht in klimmen alleen om te bewijzen hoe ver je kon gaan, of erger nog, dat je het niet kon.

Cassie voelde zich alsof een deel van haar was gestorven, en terwijl ze achter de kist aan de kerk uitliep, moest ze samen met haar vader haar moeder ondersteunen. Het was het ergste dat Cassie ooit had gezien, het ergste dat ze ooit had meegemaakt.

En het was pas toen ze de kerk uitkwam en opkeek dat ze Desmond Williams zag. Ze had geen idee hoe hij het had kunnen weten, maar realiseerde zich toen dat er verslaggevers aanwezig waren geweest en dat het waarschijnlijk overal in de kranten stond. Zij was nu een ster en de dood van haar broer in een vliegshow was groot nieuws. Maar ze was blij dat hij was gekomen. Zijn aanwezigheid had iets troostends. Toen ze uit de kerk waren, reikte ze hem haar hand en bedankte hem dat hij gekomen was. Ze nodigde hem uit om na de begrafenis naar hun huis te komen, met hun andere vrienden, en als hij er eenmaal zou zijn kon ze hem vertellen wat zijn komst voor haar betekende. Hij knikte, en toen begon ze te huilen, en hij hield haar in zijn armen en voelde zich onhandig. Hij wist niet wat hij moest zeggen of doen en hield haar alleen maar vast in de hoop dat dat genoeg was. En toen zag hij haar arm en nam haar voorzichtig mee.

'Is alles goed met jou? Hoe erg is het?' Hij had zich grote zorgen gemaakt toen hij gehoord had dat ze brandwonden had opgelopen bij de poging haar broer te redden.

'Het gaat wel. Billy en ik trokken hem eruit en... en... hij brandde nog.' Het beeld dat ze schetste was zo afschuwelijk dat hij bijna misselijk werd. Maar hij was gerustgesteld toen ze hem verteld had dat de dokters zich geen zorgen maakten over haar. Hij zei dat hij haar arm in L.A. nog wilde laten onderzoeken. Daarna praatte hij even met haar ouders en met Billy. Hij zei dat hij die avond terug zou vliegen. Hij was gekomen om haar te steunen en ze was er blij om. Het betekende veel voor haar en dat zei ze ook tegen hem.

'Dank je, Desmond... voor alles...' Hij begon niet over de vlucht rond de wereld, maar ze wist dat hij daaraan dacht. En ze was nog steeds van plan met haar vader te praten. Ze had Desmond verteld dat ze een week of twee thuis wilde blijven, bij haar ouders, en hij zei dat ze zo lang kon blijven als ze wilde.

Ze liep met hem naar buiten; hij omhelsde haar en ging toen weg. Hij zag er bedrukt uit. Toen ze weer binnenkwam, trof ze haar vader huilend aan. Hij zei dat Chris het voor hem had gedaan en dat hij dat nooit had moeten toestaan.

'Hij deed het omdat hij het wilde, papa,' zei Cassie rustig. 'Dat geldt voor ons allemaal. Dat weet je.' Dat gold inderdaad voor haar, maar niet voor Chris, maar ze vond dat ze dat voor haar vader moest doen. 'Voor hij ging, zei hij dat hij het wilde doen. Hij genoot ervan.' Het was een leugen, maar een leugentje om bestwil.

'Is dat zo?' Haar vader keek haar verbaasd maar ook opgelucht aan, terwijl hij zijn tranen droogde en nog een slok whiskey nam.

'Dat was lief van je,' zei Billy later tegen haar, maar ze knikte alleen. Haar gedachten waren ergens anders.

'Ik wou dat Nick hier was,' zei ze zachtjes. En toen besloot Billy haar te vertellen wat hij gedaan had.

'De avond na het ongeluk heb ik hem een telegram gestuurd. Ik denk dat ze wel redelijk zijn als het gaat om verlof voor vrijwilligers. Ik weet niet... Ik dacht alleen...' Hij had niet zeker geweten hoe ze zou reageren, maar het was duidelijk dat ze niet kwaad op hem was.

'Ik ben blij dat je dat gedaan hebt,' zei ze dankbaar, en ze wierp een blik door de kamer en zag al hun vrienden.

Het was een verdrietige reden om samen te zijn. En ze vroeg zich af of Nick zou komen, of hij weg zou kunnen, of ze hem zouden laten gaan.

Die avond zat ze uren bij haar ouders. Ze praatten over Chris en over de dingen die hij als kind had gedaan. Ze huilden en lachten en haalden herinneringen op aan al die kleine dingen die zoveel betekenden nu hij er niet meer was.

De volgende ochtend ging Cassie naar het ziekenhuis om naar haar arm te laten kijken. Er werd een schoon verband om gedaan en daarna ging ze naar huis om bij haar vader te zijn.

Hij was sinds het ongeluk niet meer naar het vliegveld geweest en had de zaken aan Billy overgelaten. Cassie stopte daar onderweg en Billy vroeg hoe het met haar vader was.

'Niet zo goed,' zei ze. Toen ze die ochtend na het ontbijt weg was gegaan, had hij zitten drinken. Hij kon nog niet omgaan met wat er gebeurd was. Hij dronk alleen wanneer hij erg gespannen was of als er iets gevierd werd, en toen ze terugkwam zat hij alleen in de kamer en huilde.

'Hallo, pap,' zei ze toen ze binnenkwam. Ze had de hele nacht wakker gelegen. Ze moest denken aan het feit dat ze een hekel aan Chris had gehad en dat ze vaak had gedacht dat haar vader meer van hem hield. Ze vroeg zich af of Chris dat ooit had geweten. Ze hoopte van niet. 'Hoe voel je je?'

Hij haalde alleen zijn schouders op en nam niet de moeite om te antwoorden. Toen begon ze over sommige van hun bezoekers en vertelde dat ze onderweg bij Billy was langs geweest op het vliegveld. Voor het eerst vroeg haar vader niet hoe de dingen daar gingen.

'Heb je Desmond Williams hier gisteren gezien?' vroeg ze. Ze zocht naar dingen om over te praten en hij keek haar met een uitdrukkingsloos gezicht aan. Maar in elk geval gaf hij nu antwoord.

'Was hij hier?' Ze knikte en ging naast hem zitten. 'Dat was aardig van hem. Wat voor iemand is hij, Cass?' Haar vader had even met hem gepraat, maar kon zich dat nu niet meer herinneren.

'Hij is heel rustig, heel eerlijk... werkt hard... eenzaam.' Het waren rare dingen om te zeggen over de man voor wie ze werkte. 'Gedreven is denk ik het juiste woord. Hij leeft voor zijn bedrijf. Het is alles wat hij heeft.'

'Dat is triest voor hem,' zei hij, terwijl hij haar aankeek. En toen moest hij weer aan de vliegshow denken en begon hij weer te huilen. De arme jongen was nog maar twintig geweest. 'Het had jou kunnen overkomen, Cass,' zei hij door zijn tranen heen. 'Het had jou vorig jaar kunnen overkomen. Ik ben nog nooit zo bang geweest als toen ik naar jou keek.'

'Dat weet ik,' zei ze glimlachend. 'Ik heb Nick ook de stuipen op het lijf gejaagd, maar ik wist wat ik deed.'

'Dat denken we allemaal,' zei hij somber. 'Chris dacht het waarschijnlijk ook.'

'Hij wist het niet, pap. Hij was anders dan wij.'

'Dat weet ik,' zei hij. Ze wisten het allemaal. Chris had nooit echt geweten wat hij deed. 'Ik blijf maar denken aan hoe hij eruitzag toen Billy en jij hem eruit hadden getrokken.' Hij zag er ziek uit bij die gedachte, en omdat ze niet wist wat ze anders moest doen, schonk ze zijn glas nog eens vol. Tegen lunchtijd was hij aangeschoten en half in slaap. Tenslotte dutte hij in en ze liet hem gewoon zitten waar hij zat. Het was misschien maar het beste als hij sliep. 's Middags kwam haar moeder terug met twee van Cassies zusters, en tegen die tijd was haar vader weer wakker en wat nuchterder. Cassie maakte iets te eten klaar en daarna zaten ze allemaal rustig in de keuken te praten.

Het was vreemd om daar met zijn allen te zitten, en Cassie besefte dat ze op iets leken te wachten. Het was alsof de werkelijkheid van het overlijden van Chris nog niet echt doorgedrongen was en iedereen in afwachting was van zijn thuiskomst of wachtte tot er iemand zou komen om hun te vertellen dat het niet gebeurd was. Maar het was gebeurd. Het ergste dat had kunnen gebeuren, was gebeurd. Het had niet erger gekund, behalve als hij geleden had.

Glynnis en Megan gingen weg toen Colleen kwam, met al haar kinderen, en de kortstondige chaos deed hen allemaal goed. En daarna waren ze weer alleen. Cassie maakte het eten voor haar ouders klaar en was blij dat ze er voor hen was. Ze had nog geen idee wanneer ze weg zou gaan. Toen ze bijna klaar waren met eten begon haar moeder weer te huilen, en Cassie stopte haar in bed, als een kind, maar met haar vader leek het die avond iets beter te gaan. Hij was veel kalmer en helder, en hij wilde met haar praten nadat Oona naar bed was gegaan. Hij vroeg haar naar haar werk en of het haar beviel, in wat voor vliegtuigen ze had gevlogen en hoe haar leven was in L.A. Hij wist dat het jaar voorbij was en vroeg zich af of Cassie in L.A. zou blijven of weer thuis zou komen. Nu Chris er niet meer was, waren zijn zorgen groter.

'Ze hebben me een nieuw contract aangeboden,' antwoordde Cassie direct.

'Wat betaalt hij je?' vroeg hij belangstellend.

'Het dubbele van vorig jaar,' zei ze trots, 'Maar ik wil de helft daarvan naar jou en mam sturen. Ik heb het niet nodig.'

'Je zult het misschien nog eens nodig hebben,' zei haar vader kortaf. 'Je zusters hebben een man om voor ze te zorgen, maar jij en Chris...' En toen betrapte hij zich op wat hij zei en vulden zijn ogen zich weer met tranen, terwijl ze zijn hand aanraakte en hij de hare omklemde.

'Af en toe vergeet ik het,' zei hij door zijn tranen heen.

'Ik weet het, papa... ik ook...' Die middag had ze aan Chris gedacht en zich afgevraagd of hij in Walnut Grove was bij Jessie, en toen had ze het zich weer herinnerd. Het was alsof hun hart en hun geest het gewoon niet wilden aanvaarden. Ze had Jessie die middag ook gebeld en ook zij had dat gevoel. Ze zei dat ze steeds bleef luisteren of ze zijn truck hoorde. Dat deden ze allemaal.

'Maar goed, ik wil dat je dat geld houdt,' zei Pat vastbesloten.

'Dat is onzin.'

'Waarom betaalt hij je zoveel?' vroeg hij met een bezorgd gezicht. 'Hij laat je toch geen dingen doen die oneerlijk zijn, hè Cass, of te gevaarlijk?'

'Niet gevaarlijker dan elke andere testpiloot die voor hem werkt, en waarschijnlijk nog minder. Ik ben een grote investering voor hem. Ik denk dat hij me gewoon nuttig vindt voor het bedrijf omdat ik een vrouw ben, en alle publiciteit... de snelheidsrecords die ik heb gevestigd zijn belangrijk voor zijn vliegtuigen.' Ze keek naar hem en vroeg zich af of het nog te vroeg was om het te vertellen. Maar ze wilde het nu doen. Zodra ze terug zou zijn wilde ze het contract tekenen. Ze had er de afgelopen dagen veel over nagedacht, ondanks Chris, en ze wist wat ze wilde.

'Hij wil dat ik een vlucht rond de wereld maak, papa,' zei ze rustig, en er viel een lange stilte terwijl hij dit nieuws verwerkte.

'Wat voor vlucht rond de wereld. Er is een oorlog gaande.'

'Dat weet ik. Hij zegt dat we eromheen moeten werken. Volgens hem kan het veilig gedaan worden als we de route zorgvuldig plannen.'

'Dat zei George Putnam ook,' zei haar vader grimmig. Hij had net een kind verloren en wilde er niet nog een kwijtraken.

'Een vlucht rond de wereld is nooit veilig, Cass, of er nu oorlog is of niet. Er zijn te veel onvoorspelbare factoren, te veel gevaren. Je motoren kunnen het begeven. Je navigatie kan fout zijn. Je kunt in een storm terechtkomen. Er kunnen duizenden onverwachte dingen gebeuren.'

'Maar het risico is minder groot als ik in een van zijn vliegtuigen vlieg en de juiste man meeneem.'

'Heb je iemand in gedachten?' Hij dacht onmiddellijk aan Nick, maar die kon nu niet.

Cassie knikte. 'Ik denk aan Billy.' Pat aarzelde terwijl hij erover nadacht en knikte toen.

'Hij is goed,' gaf hij toe. 'Maar hij is jong.' Toen zei hij: 'Maar misschien moet je dat wel zijn. Niemand die ouder is dan jullie is gek genoeg om het te willen doen.' Er verscheen een flauwe glimlach op zijn gezicht en Cass voelde zich ineens een stuk beter. Het was bijna alsof hij het had goedgekeurd. En dat wilde ze. Ze wilde het met zijn zegen doen. 'Is dat de reden waarom ze je zoveel betalen?'

'Nee,' zei ze. 'Voor die vlucht betalen ze nog meer.' Ze durfde hem niet te vertellen hoeveel. Honderdvijftigduizend zou in zijn ogen een fortuin zijn, en dat was het ook. Maar ze wilde niet dat hij zou denken dat ze het uit hebzucht deed, want dat was niet zo. 'En er zouden nog bonussen komen en andere contracten die eruit voortkomen en promotiewerk. Het ziet er behoorlijk goed uit,' zei ze bescheiden. Maar alleen al het praten over zulke geldbedragen vond ze eng.

'Het ziet er niet meer zo goed uit als je dood bent,' zei Pat botweg, en ze knikte. 'Je moet er nog maar eens zorgvuldig over nadenken, Cassandra Maureen. Het is geen spel. Je neemt je eigen leven in handen als je het doet.'

'Wat denk jij dat ik moet doen, pap?' Ze smeekte om zijn goedkeuring en hij wist het.

'Ik weet het niet,' zei hij. Toen sloot hij zijn ogen en dacht erover na. Hij opende ze weer en nam haar handen in de zijne. 'Doe wat je moet doen, Cass. Volg je hoofd en je hart. Ik kan niet in de weg gaan staan van de geweldige toekomst die je misschien hebt. Maar als je gewond raakt, zal ik het mezelf... of Desmond Williams nooit vergeven. Wat ik het liefst wil is dat je hier blijft en nooit meer een risico neemt... vooral na wat er met Chris is gebeurd. Maar dat is niet eerlijk. Je moet je hart volgen. Dat heb ik ook tegen Nick gezegd toen hij naar Engeland wilde gaan. Je bent nog jong en het zou geweldig zijn als je het redt, maar het zou verschrikkelijk voor ons zijn als dat niet het geval zou zijn.' Hij keek haar lang en doordringend aan, niet wetend wat hij verder moest zeggen. Het was uiteindelijk haar beslissing. Vorig jaar had ze de juiste beslissing genomen door naar Los Angeles te gaan, maar nu wist hij het niet.

'Ik wil het graag doen, papa,' zei ze rustig, en hij knikte.

'Op jouw leeftijd had ik het ook gedaan. Het zou de grootste kans van mijn leven zijn geweest als ze het mij hadden aangeboden, maar dat deden ze niet.' Hij glimlachte en leek weer wat meer zichzelf te zijn. 'Je hebt geluk, Cass. Die man geeft je een geweldige kans om belangrijk te worden. Het is een geschenk… maar een gevaarlijk geschenk. Ik hoop dat hij weet wat hij doet.'

'Ik ook, pap, maar ik vertrouw hem. Hij is te slim om risico's te nemen. Hij gelooft volledig in wat hij doet.'

'Wanneer zou je moeten gaan?' vroeg Pat.

'Pas over een jaar. Hij wil een perfecte planning maken.'

'Dat klinkt goed,' zei Pat. 'Denk er maar over na en laat me weten wat je beslissing is. Als je beslist om het te doen, zou ik het voorlopig niet aan je moeder vertellen.' Ze knikte, en even later deden ze de lichten uit en gingen naar bed. Ze voelde zich geweldig opgelucht nu ze met hem had gepraat en nog meer doordat hij niet kwaad was geworden. Hij leek eindelijk geaccepteerd te hebben wie ze was en wat ze deed. Hij was behoorlijk veranderd sinds hij haar verboden had om vlieglessen te nemen. De herinnering daaraan bracht een glimlach op haar gezicht.

Ze praatte er de volgende dag met Billy over en hij werd helemaal gek toen ze hem vertelde dat ze hem had voorgesteld als co-piloot en navigator.

'Je wilt míj!' gilde hij en sloeg zijn armen om haar nek en gaf haar een kus. 'Joepie!!!'

'Zou je het willen?'

'Wat dacht je! Wanneer vertrekken we? Ik ga nu pakken.'

'Rustig aan,' zei ze lachend. 'Het duurt nog een jaartje… 2 juli 1941 om precies te zijn. Hij wil beginnen op de dag waarop Earhart verdwenen is. Het is een beetje luguber, maar hij wil dat nu eenmaal.' Dat had met publiciteit te maken en wat dat betreft vertrouwde ze op Desmonds oordeel.

'Waarom duurt het nog zo lang?' vroeg Billy teleurgesteld.

'Hij wil het zorgvuldig opbouwen, plannen, het juiste vliegtuig zoeken. Hij denkt aan de Starlifter, want dat zou een geweldige reclame voor dat vliegtuig zijn, voor afstand en uithoudingsvermogen.' Dat was natuurlijk waar het echt om ging, maar als zij het zouden redden, zou hun leven nooit meer hetzelfde zijn. Ze wist ook al dat er vijftigduizend dollar voor Billy in zat en ze vertelde het hem.

'Daar kan ik wel een tijdje plezierig van leven.' Maar net als Cassie deed hij het niet om het geld, maar om de spanning en de uitdaging. Het was hetzelfde als wat Desmond zo aantrekkelijk vond en wat zelfs een sprankje opwinding in haar vader had opgewekt. 'Nou, laat me maar weten wat je besluit.' Net als haar vader vermoedde hij dat zij haar beslissing al genomen had. Dat had ze ook, maar ze nam nog wat tijd om erover na te denken en om zeker te weten dat ze die uitdaging aan wilde gaan. Nog een jaar voor Desmond werken was één ding, dat was geen moeilijke keuze, maar een vlucht rond de wereld was iets heel anders en daar was ze zich van bewust. Ze wist hoe groot het risico was, en de voordelen als ze het zou halen. Ze hoefde alleen maar te denken aan wat Earhart geweest zou zijn als het haar gelukt was. Earhart had nauwelijks nog legendarischer kunnen worden dan ze al was, maar als ze het gehaald had...

Billy vertrok die middag voor een snelle vlucht naar Cleveland, en omdat haar vader nog thuis was bood Cassie aan nog even op het vliegveld te blijven en het kantoor te sluiten. Ze borg wat papieren op en trok toen de vertrouwde overall aan om enkele vliegtuigen vol te tanken. Ze had niets beters te doen en het zou Billy de volgende ochtend werk besparen.

Toen ze net klaar was met tanken en wat gereedschap had opgeborgen, zag ze een klein vliegtuig binnenkomen op de hoofdbaan. De piloot leek zeker van zijn zaak: het vliegtuig vloog recht op de baan af en taxiede na de landing naar de achterste hangar. Ze vroeg zich af of het een vaste bezoeker was, dat moest wel. Ze kende ze niet meer allemaal. Hij scheen precies te weten waar hij heen wilde en wat hij moest doen. Ze stond even te kijken, maar de zon scheen recht in haar ogen. En toen zag ze hem. Het leek onmogelijk... onmogelijk... maar hij was thuisgekomen. Het was Nick. En ze huilde terwijl ze op hem af rende. Ze wierp zich in zijn armen en hij hield haar vast, rekening houdend met haar verbonden arm. Het kwam allemaal terug toen ze daar met hem stond, het verdriet en de pijn, de schok van het verliezen van Chris, nu vermengd met de blijdschap Nick weer te zien. Hij kuste haar lang en onstuimig, en plotseling voelde ze zich veilig en rustig in de wetenschap dat hij weer thuis was.

'Zodra het nieuws kwam mocht ik weg,' legde hij uit toen ze even op adem kwamen. 'Maar het was ontzettend moeilijk om naar New York te komen. Ik moest vanuit Lissabon vertrekken en ben gisteravond gearriveerd. Deze kist heb ik vanmorgen in New York gehuurd. Ik dacht dat ik het nooit zou halen. Het ding wilde in New Jersey nauwelijks van de grond komen.'

'Ik ben zo blij dat je er bent.' Ze omhelsde hem opnieuw. Ze was zo opgelucht hem te zien. Hij zag er ongelooflijk knap uit in zijn RAF-uniform, maar ook erg bezorgd.

'Hoe is het met je vader?'

'Niet zo goed,' zei ze eerlijk. 'Hij zal blij zijn je te zien. Ik breng je wel. Je kunt bij ons logeren.' En bijna stikkend in de woorden zei ze: 'Je kunt de kamer van Chris krijgen… of de mijne… Ik slaap wel op de bank.' Billy woonde in de oude hut van Nick en voor hen allebei zou het wat te vol zijn daar.

'Ik kan wel op de grond slapen,' grinnikte hij. 'Dat is geen probleem. De Engelsen staan niet bekend om hun comfortabele barakken. Sinds september heb ik geen fatsoenlijke nachtrust meer gehad.'

'Wanneer kom je weer thuis?' vroeg ze toen ze hem naar het huis van haar ouders reed.

'Als de oorlog voorbij is.' Maar het zou niet snel voorbij zijn. Nu Frankrijk gevallen was, drie weken daarvoor, had Hitler een nog groter stuk van Europa in handen. En de Engelsen hadden er hun handen vol aan om te voorkomen dat hij de controle zou krijgen over wat er nog over was van de Franse vloot in Noord-Afrika. Hun problemen waren nog lang niet voorbij.

Nick vroeg hoe het met haar arm ging en ze zei dat het pijn deed maar ook steeds beter werd.

Ze waren inmiddels bij het huis gearriveerd en haar vader zat in een stoel op de veranda. Hij zag er verdrietig uit. 'Heb je nog een bed voor een soldaat, Ace?' zei Nick zacht, terwijl hij op de veranda stapte en snel naar zijn oude vriend liep en hem omarmde. De twee mannen huilden. Ze deelden elkaars pijn. Cassie liet hen alleen om te praten en ging iets te eten klaarmaken. Haar moeder was naar bed gegaan met een vreselijke hoofdpijn. Het was voor haar nog steeds heel moeilijk, wat begrijpelijk was want hij was haar jongste kind geweest en nog zo jong. Hij was pas twintig geweest.

Cassie smeerde wat broodjes en schonk een glas bier in. Haar moeder had een grote salade gemaakt voor het geval ze daar trek in zouden hebben. Het was genoeg. Geen van hen had veel honger. Terwijl ze zaten te eten vertelde Nick over de gebeurtenissen in Europa. Hij had verhalen gehoord over de val van Frankrijk, drie weken daarvoor, en de hartverscheurende val van Parijs. De Duitsers zaten overal en de Engelsen waren bang dat Hitler het nu op hen gemunt had, en hoewel niemand het zei, waren ze bang dat het hem nog zou lukken ook.

'Word je nu ook ingezet voor gevechtsmissies?' vroeg Pat. Hij glimlachte bij de herinnering aan hun tijd samen aan het eind van de vorige oorlog.

'Daar zijn ze te slim voor, Ace. Ze weten dat ik te oud ben.'

'Niet op jouw leeftijd. Geef ze wat tijd. Als de dingen echt moeilijk worden, weten ze je wel te vinden. Dan stoppen ze je in een bommenwerper en zwaaien je uit.'

'Ik hoop van niet.' Cassie werd boos toen ze hen hoorde praten. Ze waren zo gek op oorlog, en wat hen betreft was het niet erg om risico's te nemen, zolang zij maar degenen waren die ze namen.

Laat die avond liet ze hen pratend op de veranda achter. Ze had graag met Nick gesproken, maar wist dat haar vader hem harder nodig had. En ze had de tijd. Nick zou drie dagen blijven. Ze zou hem de volgende ochtend weer zien.

De volgende dag ging haar vader voor het eerst weer naar zijn kantoor en was blij alles netjes aan te treffen. Billy had goed voor de vliegtuigen gezorgd. Cassie had zijn bureau bijgehouden en zijn piloten stonden klaar voor instructies. Het deed hem goed om terug te zijn. Halverwege de ochtend werd Cassie verrast door een telefoontje van Desmond. Hij vroeg of ze konden praten, en ze stapte naar binnen en deed de deur van haar vaders kantoor dicht.

'Dat kan. Aardig van je om te bellen.'

'Ik heb me zorgen om je gemaakt, Cass, maar ik wilde je niet lastig vallen. Hoe is het met je arm?'

'Dat komt wel goed.' Ze wilde hem niet vertellen hoe erg het echt was, maar tot nu toe was het aardig aan het genezen. 'Is alles in orde daar?' vroeg ze. Ze voelde zich schuldig omdat ze zo lang wegbleef. Ze was nu al bijna een week thuis, maar hij had gezegd dat ze zich niet hoefde te haasten. Ze verontschuldigde zich weer en hij zei dat ze zo lang kon blijven als ze wilde.

'Hoe is het met je ouders?'

'Redelijk. Mijn vader is vandaag weer aan het werk gegaan. Ik denk dat het goed voor hem is, vooral als hij zich ergens over kan opwinden. Dat leidt zijn gedachten wat af.' Hij lachte om wat ze zei en vroeg toen of ze nog had nagedacht over de vlucht rond de wereld. Ze glimlachte en zei: 'Ik heb erover nagedacht en er met mijn vader over gepraat.'

'Ik kan me voorstellen dat hij er op dit moment niet al te enthousiast over is. Je timing had misschien wel iets beter gekund, juffrouw O'-Malley.' Hij kreunde bijna bij de gedachte dat ze het hem nu had verteld. Hij kon zich wel voorstellen wat haar vader gezegd had. Maar ze verraste hem.

'Eigenlijk was hij er niet zo erg tegen nadat we een tijdje hadden gepraat. Ik geloof dat hij zich over allerlei dingen zorgen maakt, maar hij was verrassend redelijk. Ik denk dat hij het als een geweldige kans ziet. Hij zei dat ik zelf moet beslissen.'

'En heb je een beslissing genomen?' vroeg hij, en hield zijn adem in. Hij had zich zorgen gemaakt sinds ze weg was. En hij was verbaasd over de manier waarop hij haar miste. Maar hij was vooral bang dat ze na de dood van haar broer niet terug zou komen naar L.A. en haar contract niet zou verlengen. Ze was een belangrijk deel van zijn leven geworden.

'Bijna,' zei ze, en het was een kwelling voor hem. 'Ik wil het alleen goed doordenken terwijl ik hier ben. Zodra ik terug ben zal ik het je vertellen, Desmond, dat beloof ik je.'

'Ik kan de spanning niet aan.' En hij meende het. Hij werd er gek van. 'Ik denk dat je het antwoord wel de moeite van het wachten waard zult vinden,' zei ze plagend, en hij grinnikte. Dat klonk goed. En hij kon het niet helpen, maar moest denken aan hoe ze eruitzag terwijl hij met haar praatte. Zelfs tijdens de begrafenis had ze er prachtig uitgezien, ondanks haar verdriet en haar verbonden arm, maar het leek verkeerd zo te denken.

'Beloften, beloften. Schiet op en kom terug. Ik mis je.'

'Ik mis jou ook.' Ze zei het zoals ze het tegen een vriend zou zeggen, tegen Chris of Billy. Ze miste de gesprekken met hem op die krankzinnige tijden waarop ze allebei wakker waren, gesprekken over de dingen waar ze allebei om gaven, zijn vliegtuigen.

'Tot gauw, Cass.'

'Pas op jezelf. En bedankt voor je telefoontje.' Ze hing op en ging weer naar buiten, naar haar vader en Nick. Haar vader vroeg met wie ze had gesproken en ze vertelde hem dat het Desmond Williams was.

'Wat wilde hij?' vroeg Nick op een geërgerde toon.

'Met me praten,' zei ze koel. De manier waarop Nick het had gevraagd beviel haar niet. Hij gedroeg zich alsof ze zijn bezit was. En voor een man die drie maanden lang niet eens de moeite had genomen haar te schrijven, ging hij wel ver.

'Waarover?' bleef Nick doorgaan.

'Zaken,' zei ze botweg en veranderde van onderwerp.

Pat liep glimlachend weg. Daar kwam een storm opzetten en hij kon alleen maar glimlachen. Ze was beslist een O'Malley.

'Hoe is het met je arm?' vroeg Nick toen ze weer alleen waren.

'Het gaat,' zei ze eerlijk. 'Het begint verschrikkelijk pijn te doen, maar ze zeggen dat dat een goed teken is.' Ze haalde haar schouders op en vroeg hem toen een eindje met haar te gaan lopen. Hij stemde erin toe en ze liepen naar de rand van het vliegveld.

'Wat doe je tegenwoordig, Cass?' Hij klonk veel vriendelijker dan een paar minuten daarvoor, en op het moment waarop hij dichterbij kwam en een arm om haar heen legde, smolt haar hart weer.

'Hetzelfde. Vliegen, grenzen verleggen. Deze week loopt mijn contract af. Ze hebben me een nieuw contract aangeboden.'

'Dezelfde voorwaarden?' vroeg hij kortaf.

'Beter.' Zij kon het ook zijn.

'Ga je het tekenen?'

'Ik denk van wel.'

En toen stelde Nick haar een vraag die ze niet had verwacht. 'Ben je verliefd op hem, Cass?' Hij zag er bezorgd uit en ze glimlachte om de directe manier waarop hij het vroeg.

'Op Desmond? Natuurlijk niet. We zijn vrienden, dat is alles. Hij is erg eenzaam.'

'Dat ben ik ook in Engeland.' Maar het klonk niet alsof hij medelijden met zichzelf had. Hij klonk boos en jaloers op Desmond.

'Blijkbaar niet eenzaam genoeg om de moeite te nemen mij te schrijven,' zei ze bits. Ze vond het vreselijk dat ze niets van hem hoorde, vooral omdat hij af en toe wel aan haar vader schreef en aan Billy.

'Je weet hoe ik daarover denk. Het heeft geen zin jou aan het lijntje te houden of aan een relatie te beginnen. Er zit voor jou geen toekomst in.'

'Ik begrijp nog steeds niet waarom niet, tenzij je niet van me houdt.

Dat zou ik kunnen begrijpen. Dit niet. Dit is krankzinnig.'
'Het is heel simpel. Ik kan volgende week dood zijn.'
'Ik ook. En wat dan nog. We zijn vliegeniers. Ik ben bereid dat risico met jou te nemen. Ben jij bereid het met mij te nemen?'
'Daar gaat het niet om en dat weet je. Als ik geluk heb en het overleef, wat gelukkig voor mij zou zijn en misschien niet zo gelukkig voor jou, wat dan? Wil je in een hut wonen en de rest van je leven honger lijden? Felicitaties voor de grote winnaar. Ik vlieg, Cass. Ik zal het grote schip met geld nooit binnenhalen. Tot nu toe interesseerde dat me niet. Ik heb er nooit aan gedacht, net als Billy dat niet doet. Hij geniet van zijn werk. Dat deed ik ook. Dat doe ik nog steeds. Maar wat dan? Dat is geen toekomst voor jou, Cass. Ik wil het zo niet. En je vader zou me vermoorden als ik je dat zou aandoen.'
'Hij zou je wel eens eerder kunnen vermoorden als je geen relatie met me aangaat. Hij denkt dat we allebei gek zijn, ik omdat ik van je hou en jij omdat je wegloopt.'
'Misschien heeft hij wel gelijk. Wie weet, maar dat is de manier waarop ik het zie.'
'En als ik wat geld spaar?' Het was een interessante vraag.
'Dat lijkt me mooi voor je. Geniet ervan. Ik hoop dat je dat doet. Je bent inmiddels zo ongeveer een filmster. Elke keer als ik een journaal zie, zie ik jou meer dan Hitler.'
'Goh, dank je.'
'Het is echt waar. Williams weet blijkbaar wat hij doet. Maar wat vraag je me eigenlijk? Of ik van jouw geld wil leven als jij rijk wordt dank zij hem? Als dat de vraag is, is het antwoord nee.'
'Je maakt het me ook niet gemakkelijk, vind je niet?' Ze begon zich te ergeren. Hij maakte alles onmogelijk. Kop, ik win, munt, jij verliest. Hij had de kaarten geschud en er was geen kans dat ze zou winnen. Ze werd er doodziek van. 'Wou je zeggen dat je, als je de afgelopen jaren wat geld had gespaard, naar huis zou komen en met me zou trouwen. Maar dat je dat nu eenmaal niet hebt gedaan en dat het ook niet goed is als ik wat verdien. Is dat het? '
'Goed begrepen,' zei hij zelfgenoegzaam. Hij had besloten dat hij haar leven niet zou ruïneren en zou alles doen om zich daaraan te houden.
'Ik laat me niet onderhouden.'
'Het klinkt niet erg logisch. Je bent de enige man die ik ken die nog koppiger is dan mijn vader. En die begint op zijn oude dag in elk geval wat normaler te worden. Hoe lang moet ik nog wachten voor dat

bij jou gebeurt?' vroeg ze ongeduldig.

'Tot het wat week wordt daarboven,' zei hij met een grijns, 'en dat duurt niet zo lang meer.' Hij wilde geen ruzie meer met haar maken. Hij wilde alleen maar zijn armen om haar heen slaan en haar kussen. Hij werd helemaal gek als hij haar in de journaals zag. Hij wilde alleen maar schreeuwen: 'Hé, dat is mijn meisje.' Maar dat was ze niet. Dat kon hij haar niet laten worden. Ze was de dochter van zijn beste vriend en het meisje waarop hij al verliefd was sinds ze drie jaar oud was. Probeer dat maar eens uit te leggen aan een stel kerels in de RAF. Hij was er helemaal ondersteboven van geweest toen hij zich dat realiseerde. Twee of drie van de mannen hadden haar als pin-up aan de muur hangen.

'Kom eens hier,' zei hij knorrig. Ze stond een paar passen van hem af. Ze had haar armen over elkaar geslagen en tikte woedend met haar voet op de grond. 'En kijk me niet zo aan.'

'Waarom niet?' zei ze stuurs.

'Omdat ik dan wel een ontzettende klootzak mag zijn, en vind dat je met iemand moet trouwen die twee keer zo jong is als ik en tien kinderen moet krijgen, maar nog steeds van je hou, Cass... Dat zal altijd zo blijven, meisje... dat weet je.'

'O, Nick.' Ze smolt helemaal, en toen hij haar in zijn armen trok, wilde ze niets anders dan hem. Ze stonden een hele tijd bij elkaar en kusten elkaar en vergaten alle woorden en ruzies en problemen. Toen liepen ze langzaam terug naar het vliegveld. Haar vader zag hen vanuit zijn kantoor en veronderstelde dat ze hun problemen hadden opgelost. Hij vroeg zich af wanneer ze slim genoeg zouden worden om te weten dat ze iets zeldzaams en belangrijks hadden samen. Maar ze waren allebei zo koppig als wat en hij was niet van plan zich in hun zaken te mengen. Hij vroeg zich af of ze Nick al over de wereldvlucht had verteld en wat hij zou zeggen. Maar dat kwam pas de volgende dag op, toen ze alledrie in Pats kantoor zaten.

'Waar heb je het over?' Nick keek verbaasd. Pat had er iets over gezegd en Nick had geen idee waar hij het over had.

Pat keek zijn dochter aan en trok een wenkbrauw op: 'Ga je het hem niet vertellen?'

'Vertellen? Wat vertellen? O, geweldig. Wat is het grote geheim?' Hij wist dat ze niet verliefd was op een ander en zelfs niet met iemand uitging, hoewel hij haar had verteld dat ze dat zou moeten doen. Maar daar was ze alleen maar kwaad om geworden. En ze was zeker niet zwanger, want hij was ervan overtuigd dat ze nog maagd was. Er was niemand anders in Cassies leven geweest dan Bobby, en Nick. En het enige dat ze met Bobby had gedaan was een beetje zoenen op de veranda. En Nick zou haar nooit hebben aangeraakt. 'Waar hebben jullie het over?'

Ze besloot het zelf aan hem te vertellen. Het was nog geen voldongen feit, maar ze was er zo goed als zeker van. En als ze terug zou zijn in L.A., zou ze Desmond vertellen dat ze het ging doen.

'Ik heb een interessant aanbod gekregen van Williams Aircraft.'

'Dat weet ik. Een nieuw contract voor een jaar. Dat heb je me verteld,' zei hij, maar Cassie keek hem aan en schudde langzaam haar hoofd, terwijl Pat toekeek.

'Nee, voor een vlucht rond de wereld. Over een jaar. Ik heb erover nagedacht en er met papa over gepraat voor je hier kwam. Maar ik wilde een beslissing nemen voor ik het jou zou vertellen.'

'Een vlucht rond de wereld?' Hij ontplofte zo ongeveer en kwam met een woedende blik overeind.

'Ja, Nick,' zei ze kalm. Ze vertelde hem niet welke beloning eraan verbonden was, want dat was niet de reden waarom ze het wilde doen en het zou zo banaal klinken als ze het zou zeggen.

'Ik zei toch al dat die klootzak dat van het begin af aan in zijn hoofd had! Verdomme, Cassie, luister je dan nooit eens?' Hij ging tegen haar tekeer en zwaaide met opgeheven vinger door de lucht. 'Daar zijn die journaals voor en die voortdurende publiciteit. Hij wilde dat je bekend zou worden, en nu gaat hij je gebruiken en je leven op het spel zetten. Er is een oorlog aan de gang. Hoe denk je dat te doen? Zelfs als je een of andere krankzinnige route weet uit te stippelen, wat ik betwijfel. Verdomme, Cass, ik wil niet dat je dat doet.'

'Dat is mijn beslissing, Nick,' zei ze rustig, 'niet de jouwe. Net zomin als jouw besluit om bij de RAF te gaan het mijne was. We nemen onze eigen beslissingen.'

'O, geweldig. Wat is dit dan? Wraak? Omdat ik me vrijwillig heb aangemeld? Of omdat ik je niet schrijf? Begrijp je dan niet wat die kerel doet? Hij gebruikt je, Cass. Word wakker, in godsnaam, voor hij je vermoordt.' Nick was furieus om wat Williams wilde en omdat Cass dat niet wilde zien.

'Hij gaat me niet vermoorden. Dat is belachelijk.'

'Ben je gek geworden? Begrijp je niet hoe gevaarlijk zo'n tocht is, met of zonder oorlog? Het is zelfmoord. Je redt het nooit. Je hebt de ervaring en het uithoudingsvermogen niet.'

'Die heb ik nu wel.'

'Onzin, je doet alleen maar testvluchten. Dat lijkt er niet op. Wanneer heb je voor het laatst een lange afstand gevlogen?'

'Vorige week, toen ik hierheen kwam. Dat doe ik voortdurend, Nick.'

'Het is je reinste zelfmoord, jij idioot. En hoe zit het met jou?'

Hij wendde zich met een furieuze blik tot Pat. 'Laat je haar dit gewoon doen?'

'Ik ben er niet zo gelukkig mee,' zei Pat verdrietig. Hij had tenslotte net een zoon verloren, maar hij had de afgelopen jaren ook veel geleerd, en veel ervan van Cassie. 'Maar ze is oud genoeg om haar eigen beslissingen te nemen, Nick, hoe het ook uitpakt. Ik heb het recht niet om haar beslissingen voor haar te nemen.' Cassie kon wel juichen toen ze hem hoorde.

'Wat is er met jou gebeurd?' Nick zag er verbijsterd uit. 'Hoe kun je dat zeggen?'

'Doordat ik ouder en wijzer ben geworden. Misschien ben jij daar ook aan toe. Aan de ene kant zeg je dat ze het alleen moet doen, dat je niet met haar trouwt omdat je te oud voor haar bent of God mag weten waarom, en aan de andere kant wil jij beslissen wat ze wel en niet mag doen. Zo werkt het niet, Nick. En zelfs als je met haar zou trouwen, laat ze zich misschien niet vertellen wat ze moet doen. We hebben te maken met een nieuwe generatie vrouwen. Dat begin ik snel te leren. En ik ben allemachtig blij dat Oona daar niet bij hoort, dat kan ik je wel vertellen. Ze zijn verdomd ingewikkeld, die moderne vrouwen.'

'Ik geloof je niet. Je hebt het opgegeven. Je hebt je door haar laten overhalen.'

'Nee,' zei Pat vol overtuiging. 'Ze heeft me nog niet eens verteld of ze het gaat doen. Dit is haar beslissing, Nick. Haar beslissing. Niet de jouwe of de mijne. Ik wil niet degene zijn die haar heeft tegengehouden en dat moet jij ook niet willen zijn.'

'En als ze het niet overleeft?' vroeg Nick botweg.

'Dan zal ik het mezelf nooit vergeven,' antwoordde Pat eerlijk. 'Maar ik moet haar beslissing respecteren.' Er stonden tranen in zijn ogen terwijl hij dit zei, en ze liep naar hem toe en gaf hem een kus.

Nick zat naar haar te kijken toen ze zich weer tot hem wendde. 'Nou, ga je het doen of niet?' Beide mannen hielden hun adem in terwijl ze wachtten. Ze knikte, en Nick zag eruit alsof hij in tranen zou uitbarsten.

'Ja, ik doe het, maar ik heb het nog niet aan Desmond verteld.'

'Geen wonder dat hij gisteren belde,' kreunde Nick in afschuw. Hij kon niet geloven dat ze het ging doen. Hij had haar zelf leren vliegen. Hij wist dat ze in staat was tot grote dingen, maar niet dit... nog niet... niet nu... en misschien wel nooit.

'Hij belde om te vragen hoe het met mij en met papa ging.'

'Hoe ontroerend.' Toen keek hij haar met frisse woede aan. 'En dat wordt het volgende, niet?'

'Wat bedoel je?' Ze begreep hem niet en dat gold ook voor Pat, maar Nick was op een nieuwe gedachte gekomen.

'Meer publiciteit. Meer stunts. Het was geen toeval dat jullie vorig jaar op de foto werden gezet toen hij je meegenomen had naar dat restaurant. Zo bleven de dingen spannend in de pers, geheimzinnig... maar nu zal hij je nog veel verder moeten gaan om de zaak interessant te houden, om de aandacht vast te houden. Voor hoeveel wil je met me wedden dat hij je ten huwelijk vraagt?' Nick was razend, en Cassie nam hem met afschuw op terwijl haar vader geamuseerd toekeek. Hij had bij zijn oude vriend nooit eerder een aanval van jaloezie gezien, maar dat was duidelijk wat er aan de hand was, en hij genoot ervan.

'Dat is het walgelijkste wat ik ooit heb gehoord,' zei Cassie beschuldigend, maar hij was zeker van zijn zaak.

En Pat sprak enige verstandige woorden tegen hem. 'Als jij haar vertelt dat je onder geen enkele voorwaarde met haar zult trouwen als je terugkomt en haar niet eens schrijft, wat verwacht je dan eigenlijk? Dat ze voor de rest van haar leven in een klooster gaat of maagd blijft? Ze heeft het recht om te leven, Nick, en als dat niet met jou is, dan met iemand anders. En hij lijkt mij een fatsoenlijk man, welke commerciële motieven hij met die vlucht of die publiciteit ook mag hebben. Hij verkoopt vliegtuigen. Hij moet doen wat hij kan om ze interessant te maken, en het helpt nou eenmaal als hij ze door een mooi meisje laat vliegen dat toevallig ook nog een verdomd goede pilote is. En als jij niet met haar wilt trouwen en hij wel, dan denk ik niet dat je er veel over te zeggen hebt, vind je niet?' Cassie moest een glimlach onderdrukken toen ze naar hem luisterde. Ze had haar vader nog nooit zo'n toespraak horen houden en het grootste deel van wat hij zei klopte. Maar Nick wilde niet toegeven.

'Hij houdt niet van haar, Pat... Ik wel.'

'Trouw dan met haar,' zei Pat rustig, en liep de deur uit om hen wat tijd samen te geven. Ze hadden dat meer nodig dan elk ander stel mensen dat hij kende, maar een uur later waren ze nog steeds aan het bekvechten en geen stap verder gekomen. Hij beschuldigde haar ervan dat ze naïef was of Desmond aan het lijntje hield en zij beschuldigde hem ervan infantiel te zijn. Het was een afschuwelijke middag en aan het eind van de dag waren ze allebei uitgeput. En de volgende ochtend moest Nick terug naar New York.

Ze praatten er nog de hele avond over, maar er werd niets opgelost. Hij bleef maar tegen haar zeggen dat hij een man van negenendertig was en niet van plan was met een kind te trouwen en haar leven te ruïneren.

'Laat me dan met rust,' schreeuwde ze tegen hem. Tenslotte ging ze naar bed, en toen hij de volgende ochtend vertrok waren ze nog steeds kwaad op elkaar.

'Ik verbied je om die wereldvlucht te doen,' zei hij voor hij in zijn gecharterde vliegtuig vertrok, en zij smeekte hem redelijk te zijn en haar geen ultimatums te stellen.

'Waarom kunnen we dit voorlopig niet even vergeten? Het duurt nog zeker een jaar en jij vertrekt weer naar Engeland.'

'Al zou ik naar de maan vliegen, ik wil niet dat je dat contract tekent.'

'Je hebt het recht niet om dat te zeggen. Hou ermee op, Nick!'

'Nee, ik hou er niet mee op, verdomme, tot je zegt dat je het niet zult doen.'

'Nou, ik doe het wel!' schreeuwde ze tegen hem, haar rode haar wapperend in de wind. Hij greep haar vast en trok haar met een ruk naar zich toe.

'Nee, je doet het niet.' Hij kuste haar ruw op haar lippen, maar ze bleven gewoon doorvechten.

'Ik doe het wel.'

'Hou je mond.'

'Ik hou van je.'

'Doe het dan niet.'

'O, hou toch op.' Hij kuste haar weer, maar toen hij vertrok was er nog niets opgelost, wat ook te verwachten was, en terwijl hij opsteeg stond ze huilend bij de startbaan. Vijf minuten later stormde ze haar vaders kantoor binnen. 'Ik word gek van die man.'

'Een dezer dagen vermoorden jullie elkaar nog. Het is een wonder dat het nog niet gebeurd is,' zei hij glimlachend. 'Zo koppig als twee muilezels. Het zou echt jammer zijn als jullie niet zouden trouwen. Jullie zijn aan elkaar gewaagd. Jullie kunnen elkaar volledig uitputten.' Toen keek hij haar ernstig aan en vroeg: 'Denk je dat hij gelijk heeft, dat Williams je alleen vanwege de publiciteit rond die wereldvlucht ten huwelijk zou kunnen vragen?'

'Nee, dat denk ik niet.' Ze zag er kwaad uit. 'De man is als de dood voor relaties. Hij heeft twee rampzalige huwelijken achter de rug en als hij ooit weer trouwt zal dat volgens mij uit liefde zijn.'

'Ik hoop het.' Maar hij voelde zich beter door haar antwoord. 'Heeft hij ook speciale belangstelling voor je getoond, Cassie?' Behalve dan dat hij naar de begrafenis van Chris was gekomen, wat Pat bijzonder gewaardeerd had, en dat zei hij ook.

'Niet echt. We zijn gewoon vrienden. Nick weet niet waar hij het over heeft.'

'Nou ja, het zou een stuk slechter kunnen als je tenminste niet trouwt met die idioot die onderweg is naar Engeland. Ik zweer je, hij wordt mijn dood nog eens. Vroeger hadden hij en ik dit soort aanvaringen. Hij is de koppigste klootzak die ik ooit heb gekend.' Cassie sprak dat niet tegen en ging naar huis om te kijken hoe het met haar moeder was.

De week daarna vertrok ze uit Illinois en ging terug naar Newport Beach, naar haar appartement en naar haar werk, en ze tekende haar contract voor een tweede jaar voor twee keer zoveel geld. En de eerste dag dat ze terug was, ging ze naar het kantoor van Desmond om met hem te praten.

Toen ze binnenkwam stond hij snel op en vroeg zenuwachtig: 'Is er iets mis?' Hij deed dat altijd voor haar wanneer ze binnenkwam en ze vond het prettig. 'Fitzpatrick zei dat het dringend was.'

'Het hangt ervan af hoe je het bekijkt,' zei ze rustig. 'Ik dacht dat je mijn antwoord wilde over de vlucht rond de wereld.' Door de uitdrukking op haar gezicht had hij plotseling het gevoel dat ze het niet wilde doen en hij was hevig teleurgesteld.

'Ik... Ik begrijp het, Cass... Ik dacht ook wel... na je broer... Ik kan me voorstellen dat je ouders het geen geweldig idee vinden... het zou ten opzichte van hen ook niet eerlijk zijn...' Hij probeerde haar beslissing op een waardige manier te accepteren, maar het was bijzonder pijnlijk voor hem. Hij wilde dit zo graag. Hij wilde er deel van uitmaken en haar helpen het te doen.

'Nee, het is misschien ook niet eerlijk ten opzichte van hen,' zei ze instemmend, 'en mijn vader was er niet bepaald enthousiast over.' Ze hadden afgesproken dat ze het haar moeder nog niet zouden vertellen. 'Maar hij zei dat het mijn beslissing was en zo heb ik die ook genomen.' Hij zei geen woord en keek haar aan terwijl ze een stap dichterbij kwam. 'Ik doe het, Desmond.'

'Wat?' fluisterde hij.

'Ik doe de vlucht. Ik wil het voor jou doen.'

'O god.' Hij liet zich met gesloten ogen achterover in zijn stoel vallen. Toen keek hij weer op en zag haar. Hij sprong overeind en kwam achter zijn bureau vandaan om haar een kus te geven. Het was een kus op haar wang, maar ook een kus die alle vurige dankbaarheid uitdrukte die hij voor haar voelde. Het was het belangrijkste moment van zijn leven. Niets zou ooit zo belangrijk zijn. Daar zou hij voor zorgen. Hij had duizenden plannen en hij zou ze allemaal met haar delen. Ze hadden een ongelooflijk jaar voor de boeg. Toen ging hij weer zitten en begon te vertellen, en al die tijd hield hij haar hand stevig in de zijne en bleef haar maar bedanken. En ze was gelukkiger dan ooit dat ze besloten had het te doen. Nick kon naar de duivel lopen. Dit was haar leven.

15

De publiciteit voor de vlucht rond de wereld kwam vrijwel meteen op gang met een indrukwekkende aankondiging tijdens een persconferentie in Newport Beach. Hierop volgden een serie aankondigingen en korte lezingen gegeven door Cassie, allemaal georganiseerd en georkestreerd door Desmond. Ze sprak voor mannen- en vrouwengroepen, politieke organisaties en clubs. Ze werd geïnterviewd op de radio en er kwam een speciaal bioscoopjournaal over haar. Binnen twee weken was de pers volledig verzadigd van nieuws over haar komende vlucht rond de wereld. Maar halverwege augustus werd Cassie plotseling van de voorpagina's verdrongen door de escalatie van de oorlog in Europa. De Battle of Britain was begonnen, de *Blitzkrieg*, zoals deze werd genoemd. De Luftwaffe bestookte Engeland met de bedoeling het land te vernietigen. En ze wist dat Nick in gevaar was, gewoon doordat hij zich daar bevond. En hoe kwaad ze ook op hem was, het nieuws schokte haar en ze kon nergens anders aan denken dan aan Nick.

Ze belde haar vader om te vragen of hij iets van hem gehoord had, maar dat was niet het geval, zelfs eind augustus nog niet.

'Ik denk niet dat er iets naar buiten kan komen, Cass. Je moet gewoon geloven dat het goed met hem is. Hij heeft mij opgegeven als zijn naaste verwant, dus als er iets gebeurt hoor ik het.' Het was een kleine geruststelling, maar net als zij dacht haar vader dat Nick nu wel in actieve dienst zou zijn. Hij zou waarschijnlijk niet meer als instructeur werken, maar bommenwerpers of gevechtsvliegtuigen vliegen. Het belangrijkste doel van de Luftwaffe was de vernietiging van de RAF en Cassie wist dat Nick zou moeten vechten om de RAF te verdedigen. Die wetenschap baarde haar voortdurend zorgen. Het leek nu nog veel erger dat ze met ruzie afscheid hadden genomen. Ze kon alleen maar hopen dat hij in veiligheid zou zijn. Dat was het enige dat belangrijk was.

Ondanks de oorlog ging Desmond door met het plannen van de vlucht en hij deed dat met een ongelooflijke zorgvuldigheid en precisie. Ze hadden besloten welk vliegtuig het zou worden en het werd al voorbereid en uitgerust met bijzondere nieuwe apparatuur, extra brand-stoftanks en navigatie-instrumenten voor de lange afstand. Door Desmonds nauwgezette aandacht voor details, wist Cassie zeker dat er goed aan werd gewerkt.

Het grootste probleem waarmee ze geconfronteerd werden, was de route. Dit kwam door de oorlog in Europa en leidde tot grote veranderingen. In 1940 had de oorlog zich al naar te veel plaatsen verspreid. Er waren veel onveilige gebieden, zoals delen van de Grote Oceaan, grote delen van Noord-Afrika en natuurlijk heel Europa. Een vlucht rond de wereld werd daardoor onmogelijk, maar er waren nog steeds enorme afstanden die gevlogen konden worden en uitdagende records die gevestigd konden worden. En omdat Desmond nu heviger geïnteresseerd was in gevechtsvliegtuigen, wilde hij bewijzen hoe betrouwbaar zijn vliegtuig was voor grote afstanden over de oceaan. Waar het op neer zou komen was een vlucht over de Grote Oceaan, bestaande uit acht etappes in tien dagen waarbij 25 000 kilometer zou worden afgelegd. Het vliegtuig zou van Los Angeles naar Guatemala-Stad vliegen en daarvandaan naar de Galápagos Eilanden. Van de Galápagos zouden ze naar Paaseiland gaan en dan door naar Tahiti. Van Tahiti naar Pago Pago en dan verder naar Howland Island, waar Desmond een korte plechtigheid wilde organiseren als eerbetoon aan Amelia Earhart. Van Howland zou de tocht verder gaan naar Honolulu. Daar zou natuurlijk een grootse viering plaatsvinden, waar hij bij zou zijn, en dan zou hij met hen terugvliegen naar San Francisco voor de laatste, triomfantelijke etappe. Hij was teleurgesteld dat het geen vlucht rond de wereld kon worden, maar met de oceaanvlucht, zoals hij het nu noemde, konden veel van dezelfde doelen worden bereikt. De vlucht rond de wereld zou moeten wachten tot later, wanneer de oorlog in Europa voorbij zou zijn. En een afstand van 25 000 kilometer zou vrijwel hetzelfde betekenen voor Cassies naam en de reputatie van zijn vliegtuigen. Cassie was onder de indruk van de verstandige aanpassingen die hij maakte. In bepaalde opzichten werden daardoor alle vreselijke dingen die Nick over Desmond had gezegd ontkracht. Hij was geen gek die van plan was haar de dood in te jagen. Duidelijk was dat in dat jaar niemand, of hij nu gek was of niet, een poging zou hebben gedaan om over Europa te vliegen.

In het najaar belegde Desmond nog meer persconferenties voor haar en hij zorgde ervoor dat ze altijd in het nieuws was. Hij probeerde haar zoveel mogelijk in de publiciteit te houden. Voor het publiek was het ook een goede afleiding van de oorlog in Europa. Dit was iets spannends en hoopvols en gezonds en ze zag er op de foto's zo prachtig uit dat ze de harten van het publiek had gestolen en iedereen wilde dat ze het zou halen. Mensen hielden haar nu op straat aan en mannen hingen uit hun auto om naar haar te zwaaien. Ook werd ze voortdurend om haar handtekening gevraagd. In die zin had Nick gelijk; ze werd behandeld als een filmster. Maar Desmond had haar sociale verplichtingen de laatste tijd op een wat lager pitje gezet. Hij leek haar 'zuiver' te willen houden en haar te willen beschermen tegen geroddel over romances. Nancy Firestone werkte nog steeds voor haar, maar hoefde geen begeleiders meer te organiseren. Als Cassie nu naar belangrijke gebeurtenissen ging, werd ze vergezeld door Desmond. Hij zei dat hij de zaken beter onder controle kon houden als hij erbij was. Ze gingen naar openingen en premières in Hollywood. Ook gingen ze 's avonds dansen en naar het theater. Ze genoot van zijn gezelschap, en omdat hij altijd net zo vroeg opstond als zij, vond hij het ook goed om vroeg naar huis te gaan. Het was een perfecte regeling.

Intussen werd Engeland nog steeds meedogenloos bestookt door de Luftwaffe. Cassie wist dat haar vader eindelijk iets van Nick had gehoord en dat hij in elk geval begin oktober nog gezond en wel was geweest. Hij vloog Spitfires in het 54ste Squadron en was nog steeds gestationeerd in Hornchurch. Het klonk alsof hij ervan genoot en hij beloofde dat ze, als het aan hem zou liggen, de Duitsers binnenkort geweldig op hun sodemieter zouden geven. Het enige verband waarin hij Cassie noemde, was dat hij Pat vroeg zijn groeten over te brengen aan zijn bijzonder onredelijke dochter. Het gevecht tussen hen was dus nog niet voorbij, maar hij was in elk geval in leven en dat was een grote opluchting voor alle O'Malley's.

Zelfs Desmond was vriendelijk genoeg geweest om naar zijn welzijn te informeren, en ze had hem verteld wat ze wist. In november leek de Luftwaffe gelukkig wat gas terug te nemen. Tot die tijd was Engeland onophoudelijk gebombardeerd. Er waren kinderen naar de Verenigde Staten gekomen om daar verzorgd te worden tot na de oorlog, en Cassie was ontroerd toen ze hoorde dat haar zuster Colleen er twee in huis had genomen. Het waren schatten van kinderen, die nog steeds hun angst niet kwijt waren toen Cassie ze op Thanksgiving ontmoette. Het grappige was dat ze allebei rood haar hadden, net als zij. Annabelle was drie en Humphrey vier. Hun ouders waren hun huis in Londen kwijtgeraakt en hadden geen familie op het platteland. Het

Rode Kruis had hun reis naar New York geregeld en Billy was daarheen gevlogen om ze op te halen. Hij was geschokt geweest toen de kinderen hem op de terugweg hadden gevraagd of hij het vliegveld ging bombarderen.

Net als iedereen was Cassie helemaal verliefd op ze geworden. Doordat de twee kinderen daar waren, had haar moeder iets om zich mee bezig te houden en door de zorg voor hen werd ze afgeleid en miste ze Chris wat minder. Thanksgiving was een bijzonder moeilijke dag voor hen allemaal, maar ze kwamen er op de een of andere manier doorheen en waren er dankbaar voor dat ze elkaar nog hadden. Toen Cassie thuis was voor Thanksgiving ging ze ook Jessie opzoeken, die het beter scheen te kunnen verwerken dan de O'Malley's. Ze was nog jong en zou uiteindelijk iemand anders vinden, maar Cassie zou nooit meer een broer hebben.

Ook kwam ze Bobby en Peggy tegen. Cassie had het vermoeden dat Peggy zwanger was en dat bleek te kloppen. Ze feliciteerde hen, en Bobby leek sinds zijn huwelijk volwassener te zijn geworden en het leek hem goed te gaan. Zijn vader was overleden en de kruidenierswinkel was nu van hem. Hij droomde nog steeds van een winkelketen door heel Illinois, maar was nu vooral opgewonden over de baby.

'En hoe zit het met jou, Cass?' vroeg hij aarzelend. Hij wilde niet nieuwsgierig zijn en had gehoord over de vlucht rond de wereld, maar was vooral geïnteresseerd in het leven dat ze naast het vliegen leidde. 'Ik heb het behoorlijk druk met de voorbereidingen voor de oceaanvlucht,' zei ze eerlijk. En hij had medelijden met haar. Hij was al lang geleden tot de conclusie gekomen dat ze waarschijnlijk nooit zou trouwen en dus nooit het geluk zou kennen dat hij nu met Peggy had.

De vlucht maakte niet zoveel indruk op hem, maar het was verbazingwekkend hoeveel uren er elke dag opgingen aan het lezen van rapporten, het controleren van het vliegtuig en de extra controles na elke kleine verandering die door de technici werden aangebracht. Ook vloog ze lange afstanden als voorbereiding op de oceaanvlucht en probeerde ze vertrouwd te raken met de route over de Grote Oceaan.

Toen ze thuis was, legde ze het allemaal aan haar vader uit. Hij vond alle voorbereidingen fascinerend. Omdat hij het vliegtuig graag wilde zien, nodigde ze hem uit naar Californië te komen en het te bekijken. Maar hij zei dat hij het te druk had met zijn vliegveld en daar geen tijd voor had. Meteen na Kerstmis zou Billy ook naar Newport Beach gaan om zich op de vlucht voor te bereiden. Hij was zo opgewonden dat hij nergens anders over praatte, en Pat mopperde voortdurend dat het zo lastig was om hem zeven of acht maanden te moeten missen. De verwachting was dat de vlucht zelf niet meer dan een maand zou duren, maar daarna zouden er persconferenties en interviews zijn, en ze moesten nog maar afwachten of hij wel terug zou komen. Net als Cassie zou hij een held worden en veel betere aanbiedingen krijgen dan O'Malley's Airport, en Pat vond het een vreselijk idee om hem kwijt te raken.

In december probeerde Cassie nog duizend dingen te doen voor ze weer naar huis zou gaan voor de kerstdagen. De dagen leken nooit lang genoeg en tenslotte moest ze Nancy op pad sturen om speelgoed te kopen voor al haar neefjes en nichtjes en Annabelle en Humphrey. De cadeautjes voor haar zusters, zwagers en ouders kocht ze zelf. Bedroefd realiseerde ze zich dat ze dit jaar geen cadeau voor Chris meer hoefde te kopen en dat ook nooit meer zou doen. Toen hij nog klein was, gaf ze hem altijd autootjes die ze ruilde voor haar poppen. In die tijd had ze alles voor hem over en nu was hij er niet meer. Ze kon het nog steeds niet echt geloven.

Ze wist dat de kerstdagen dit jaar moeilijk zouden zijn en was ontroerd toen Desmond de avond voor ze zou vertrekken langskwam om haar een cadeau te brengen. Ze had voor hem een prachtige blauwe kasjmieren sjaal gekocht, die ze zelf had uitgezocht bij Edward Bursals in Beverly Hills, en een mooie nieuwe aktentas, die ze gevonden had in de winkel in Beverly Hills waar hij volgens Nancy al zijn tassen en koffers aanschafte. Ze kon zich niet voorstellen dat ze hem iets frivools zou geven, zoals een schreeuwerige das of een floddertrui. Het idee alleen al maakte haar aan het lachen, en ze vond het heerlijk dat hij haar cadeaus mooi vond. Ze waren niet persoonlijk, maar nuttig, en daar hield hij van.

De geschenken die hij haar gaf, herinnerden er haar zoals altijd aan hoe attent hij was. Ze kreeg het boek *Listen! the Wind* van Anne Morow Lindbergh, de vrouw van de beroemde vliegenier en zelf ook een bevoegd pilote, en een prachtige aquarel van het strand bij Malibu, omdat hij wist dat ze het daar heerlijk vond. Toen overhandigde hij haar een kleiner doosje en keek glimlachend toe hoe ze het uitpakte. 'Ik weet niet zeker of je deze mooi zult vinden,' zei hij gespannen, wat ongewoon voor hem was. Toen hield hij haar tegen en pakte haar hand. 'Als je hem niet mooi vindt, Cass, geef hem dan gewoon terug. Voel je niet verplicht om hem te accepteren.'

'Ik kan me niet voorstellen dat ik je iets terug zou geven wat ik van jou heb gekregen,' zei ze vriendelijk, en hij liet haar doorgaan met uitpakken. Onder het rode papier vond ze een klein zwart doosje en ze had geen idee wat erin zou kunnen zitten. Het was bijzonder klein en moest dus een heel klein voorwerp bevatten. Toen hield hij haar weer tegen en nam haar beide handen in de zijne. Hij zag zo bleek dat ze zich zorgen om hem maakte. Dit was zo ongebruikelijk voor hem. Het leek wel of hij spijt had van het cadeau of bang was voor haar reactie.

'Ik heb zoiets nog nooit gedaan,' zei hij zenuwachtig. 'Je zult nog denken dat ik gek ben.'

'Maak je geen zorgen,' zei ze zacht. Haar gezicht was heel dicht bij het zijne en voor het eerst in anderhalf jaar voelde ze een vreemde stroom tussen hen beiden. 'Ik weet zeker dat ik het mooi zal vinden, wat het ook is,' verzekerde ze hem. Ze sprak heel zacht en hij leek opgelucht, maar nog steeds onzeker. Hij was een machtig man, maar op dit moment leek hij bijzonder kwetsbaar. Ze had geen idee wat er gaande was en waarom. Ze vroeg zich af of hij tegen de kerstdagen opzag omdat hij alleen zou zijn. Toen ze daaraan dacht, kreeg ze medelijden met hem en glimlachte tegen hem.

'Het is goed, Desmond. Dat beloof ik je.' Ze wilde hem geruststellen. Ze waren tenslotte vrienden nu. De lange voorbereidingen voor de oceaanvlucht hadden hen nog dichter bij elkaar gebracht.

'Kijk eerst maar naar mijn cadeau voor je dat zegt.'

'Goed. Laat het me dan openmaken,' zei ze kalm. Hij nam zijn handen weg en ze opende eindelijk het doosje. Ze kon haar ogen niet geloven toen ze de inhoud zag. Het was een verlovingsring met een volmaakt ronde, bijzonder grote diamant van vijftien karaat, en terwijl ze er verbijsterd naar stond te staren, pakte hij de ring en schoof hem om haar vinger.

'Desmond, ik...' Ze wist niet wat ze tegen hem moest zeggen. Ze had dit niet verwacht. Hij had haar zelfs nog nooit echt gekust.

'Wat je ook doet, wees niet boos op me,' zei hij zacht. 'Ik was niet van plan dit te doen... niet op deze manier... maar... Cass,' zei hij smekend, plotseling zo kwetsbaar, zo open, 'ik ben zo verschrikkelijk verliefd op je geworden. Dat was niet mijn bedoeling. Ik dacht dat we gewoon vrienden zouden zijn en toen... Ik weet niet wat er gebeurde, maar als je niet met me wilt trouwen, begrijp ik dat. Dan gaan we gewoon verder zoals we deden... en we doen de vlucht... Cass... alsjeblieft... zeg iets... o god, Cassie... ik hou van je.' Hij begroef zijn gezicht in haar haar en ze werd overweldigd door een gevoel van tederheid voor hem. Ze hield niet van hem zoals ze van Nick hield, dat zou onmogelijk zijn geweest, maar ze hield van hem als van een dierbare vriend of iemand die je heel erg nodig heeft. Ze wilde de dingen beter voor hem maken, er voor hem zijn, hem helpen. Ze wilde zelfs de pijn uit het verleden voor hem verdrijven, als ze dat zou kunnen. Maar ze had geen moment aan de mogelijkheid gedacht dat ze zouden trouwen.

'O, Desmond,' zei ze zacht, terwijl hij achteruitstapte om naar haar gezicht te kijken en te zien wat ze echt wilde zeggen.

'Ben je boos op me?'

'Hoe zou ik dat kunnen zijn...?' Ze was vooral verbluft en had geen idee wat ze moest zeggen.

'O, Cassie, ik hou zoveel van je,' fluisterde hij, en toen kuste hij haar voor het eerst, zonder op haar antwoord te wachten, en ze was verbijsterd door zijn hartstocht. Hij was emotioneel op een manier die ze nooit had vermoed. Hij had al zijn gevoelens opgekropt en had dat waarschijnlijk al jaren gedaan. Hij kuste haar opnieuw en ze was verbaasd over zichzelf toen ze zijn kus beantwoordde. Toen duwde ze hem buiten adem van zich weg. Het was een verbijsterende ervaring en haar gevoelens verwarden haar. Hij was een veel krachtiger iemand dan zij was.

'Ik neem aan dat dit verondersteld wordt de verloving te zijn en niet de huwelijksreis,' zei ze een beetje schor, en hij grinnikte een beetje jongensachtig en opgetogen.

'Is het dat? Is het de verloving, Cass?' Hij kon niet geloven wat hij hoorde. Hij wilde graag dat het zo was, maar zij was er nog niet zeker van. Het was allemaal zo onverwacht.

'Ik weet niet... Ik... Ik verwachtte dit niet...' Maar ze keek hem tenminste niet boos aan en had ook nog geen nee gezegd.

'Ik verwacht niet dat je onmiddellijk van mij zult houden. Ik weet van je vriend in de RAF... Als... als je denkt dat... Cassie, je moet doen wat goed is voor jou... Hoe zit het met hem?' Hij moest het nu weten en ze wilde eerlijk tegen hem zijn.

'Ik hou nog steeds van hem.' Ze kon zich niet voorstellen dat ze van iemand anders zou houden. Ze had altijd van hem gehouden, zolang ze zich kon herinneren. 'Hij zegt dat hij nooit met me zal trouwen... De laatste keer dat hij wegging was hij woedend over de vlucht rond de wereld en sinds die tijd heb ik niets meer van hem gehoord. Ik denk ook niet dat ik nog iets zal horen.' Ze dacht aan de laatste keer dat ze Nick had gezien en wierp een enigszins wanhopige blik op Desmond. Maar met hem was alles zo anders.

'Wat betekent dat voor ons?' vroeg hij zachtjes. Ze keek hem aan en huiverde. Hij was zo goed voor haar, zo vol begrip. En ze wist dat ze hem nu niet in de steek kon laten, niet na alles wat hij voor haar had gedaan. Maar het leek niet eerlijk om van de ene man te houden en met de andere te trouwen. Het was vooral niet eerlijk tegenover Desmond, maar hij leek bereid de situatie te accepteren. En Nick zou nooit met haar trouwen, daar was ze zeker van. Hij was de koppigste man die er op de aardbodem rondliep. En zij en Desmond hadden zoveel gemeen. Ze waren samen met zijn bedrijf en met de oceaanvlucht bezig. Samen zouden ze geweldige dingen kunnen doen. En als ze Nick niet kon hebben, kon ze misschien maar het beste met een goede vriend trouwen. Het leek niet waarschijnlijk dat ze in haar leven nog een andere man zou ontmoeten van wie ze zoveel hield als van Nick. En misschien zou ze in de loop der tijd wel zo van hem kunnen gaan houden als ze van Nick hield, hoewel ze dat onvoorstelbaar vond. Maar in vele opzichten gaf ze al erg veel om Desmond. Een huwelijk zou de uiteindelijke voltooiing zijn van de band die al tussen hen bestond. Maar de gedachte met iemand anders dan Nick Galvin te trouwen deed pijn.

'Ik weet het niet,' zei ze oprecht tegen Desmond. 'Ik wil niet oneerlijk tegen je zijn. Je hebt al twee huwelijken achter de rug die je niet gegeven hebben waar je recht op had. Ik...' Ze keek hem in zijn ogen en zag daar de vurige hoop die hij koesterde. Het was een stille smeekbede, en ze wilde zo graag goed voor hem zijn. Ze wilde hem helpen en er voor hem zijn... en misschien betekende dat wel dat ze van hem hield.

'Ik weet hoeveel hij voor je moet betekenen,' zei hij begrijpend. 'Ik verwacht niet dat ik hem zomaar kan vervangen, Cass... Ik begrijp het... Ik hou alleen van je.'

'Ik hou ook van jou,' zei ze zacht. En dat deed ze ook. Ze waardeerde zijn vriendschap en zijn loyaliteit. Ze respecteerde hem en bewonderde alles aan hem. Hij had niets dan goed voor haar gedaan. Vanaf het moment dat ze hem had leren kennen, was hij geweldig voor haar geweest. En nu wilde hij haar alles geven. Hij wilde dat ze mevrouw Desmond Williams zou worden. Ze moest glimlachen bij het idee. Het was nogal overweldigend, vond ze.

'Als het niet blijkt te zijn wat je ervan verwachtte, kunnen we scheiden,' zei hij. Hij bedoelde het als geruststelling, maar ze schrok van het idee.

'Dat zou ik nooit doen.' Ze had het huwelijk van haar ouders als voorbeeld. 'Ik wil niet... ondankbaar lijken, of twijfelend.' Ze zocht wanhopig naar de juiste woorden, terwijl hij naar haar keek. Zijn ogen lieten de hare geen moment los en ze voelde de kracht van zijn verlangen. Ze was verbaasd over die kracht toen hij haar hand vasthield en naast haar ging zitten. Ze voelde hoe sterk hij naar haar verlangde en hoe hij haar alles wilde schenken.

'Ik zal je nooit pijn doen, Cass. En ik zal je altijd de ruimte geven om jezelf te kunnen zijn. Je bent veel te belangrijk voor me om je te willen kortwieken. Als we trouwen kun je alles doen en zijn wat je wilt.'

'Zou je ooit kinderen willen?' Ze schaamde zich bijna om dat te vragen. Het was zo'n intieme vraag en hun relatie was dat nooit geweest. 'Kinderen zijn niet belangrijk voor me,' zei hij eerlijk. 'Misschien wil ik het ooit wel, als jij het echt zou willen en het niet te druk hebt met vliegen. Maar ik vind dat je daar eerst goed over zou moeten nadenken. Je kunt een heleboel belangrijke dingen doen in je leven. Kinderen krijgen is misschien geschikter voor vrouwen als je zusters. Dat is hun taak. Jij hebt de jouwe, en het is een bijzonder belangrijke. Maar ik bedoel hier niet mee dat ik het niet wil. Ik vraag me alleen af of jij het echt zou willen.'

'Ik ben er nooit zeker van geweest. Ik dacht vaak dat ik het niet wilde.' En met Nick had ze gedacht dat ze heel graag kinderen met hem had willen hebben. Ze was er nog niet aan toe om het idee voor altijd op te geven. Het was te vroeg en ze was nog te jong om daar een beslissing over te nemen, en dat wist hij.

'Je hebt nog genoeg tijd om die beslissing te nemen. Je bent eenentwintig en op die leeftijd is dat nog niet zo belangrijk. Voorlopig heb je genoeg aan de vlucht.' Dat was wat hen samen had gebracht. En ze kon zich voorstellen dat hun band nog hechter zou worden als ze zouden trouwen.

'Desmond, ik weet niet wat ik tegen je moet zeggen.' Ze was bijna in tranen, en hij trok haar naar zich toe.

'Zeg dat je met me wilt trouwen,' zei hij, terwijl hij een arm om haar heen legde en haar tegen zich aan trok. 'Zeg dat je me vertrouwt... Zeg dat je denkt dat je op een dag echt van me zou kunnen houden, ook als je het nu nog niet zeker weet. Ik hou al van je, Cass. Ik hou meer van je dan ik ooit van iets of iemand in mijn leven heb gehouden.'

Hoe kon ze dat afwijzen? Hoe kon ze hem in de steek laten of weglopen? Hoe zou ze een leven lang op Nick kunnen wachten terwijl ze wist dat hij niet met haar zou willen trouwen? Haar vader had het al min of meer tegen hem gezegd toen hij de laatste keer thuis was. Als Nick niet met haar wilde trouwen, had hij het recht niet om zich met haar toekomst en haar beslissingen te bemoeien.

'Ja...' Het woord was nauwelijks meer dan gefluister en hij keek haar stomverbaasd aan. 'Ja,' zei ze heel zacht, en verder niets. Hij kuste haar. Het leek uren te duren voor hij haar weer losliet en Cassie beefde van emotie.

'Mijn ouders zullen verbijsterd zijn,' zei ze, plotseling kinderlijk. En toen kwam er een gedachte in haar op. Alles zou zo anders worden. 'Waarom ga je niet met me mee naar huis voor Kerstmis?' Ze wilde hem meenemen naar haar familie. Als ze zouden gaan trouwen, was het belangrijk voor haar dat hij haar familieleden zou leren kennen en tijd met hen zou doorbrengen. Haar ouders wisten niet eens meer dat ze hem ontmoet hadden toen Chris was gestorven. En deze aankondiging zou de kerstdagen voor de O'Malley's zeker wat gelukkiger maken.

Maar hij reageerde ongemakkelijk op de uitnodiging. Hij had al in geen jaren Kerstmis in familiekring doorgebracht. Hij miste het niet eens meer. 'Cass, liever, ik wil geen indringer zijn. Vooral niet dit jaar. Het kan nogal overweldigend zijn voor je ouders. En feestdagen zijn niet mijn sterkste punt.'

Maar ze zag er vreselijk teleurgesteld uit. 'Desmond, alsjeblieft. Ze zullen denken dat ik het maar bedacht heb en de ring gestolen heb.'

'Nee, dat zullen ze niet. Ik zal je drie keer per dag bellen. Echt, er ligt een lading werk op me te wachten. Jij weet dat beter dan wie dan ook. En als je terug bent gaan we een weekend skiën.' Het laatste wat hij wilde was de kerst in Illinois doorbrengen met de O'Malleys. Bij de gedachte daaraan kreeg hij het vreselijk benauwd en niets wat ze zei kon hem overtuigen.

'Ik wil niet gaan skiën. Ik wil dat je met mee naar huis gaat,' zei ze met tranen in haar ogen. Ze voelde zich plotseling overweldigd door de gebeurtenissen en de emoties. Ze was verloofd met Desmond Williams! Het was ongelooflijk. En al die tijd probeerde ze de gedachte aan Nick Galvin uit haar hoofd te zetten.

'Ik beloof je dat we volgend jaar gaan,' zei hij vastbesloten.

'Nou, dat mag ik hopen,' zei ze, geschokt bij het idee dat ze dat niet zouden doen. 'Je krijgt niet alleen mij, maar ook mijn familieleden. En daar zijn er nogal veel van.' Ze straalde doordat ze aan het idee begon te wennen dat ze haar verloving bekend zou maken.

'Er is er maar één zoals jij,' zei hij intens en kuste haar opnieuw. En een fractie van een seconde dacht ze aan Nick en ze wist dat ze hem verraden had. En toen ze aan hem dacht, herinnerde ze zich dat hij haar voor Desmond had gewaarschuwd. Maar wat Desmond betreft had hij het mis gehad. Hij was een fatsoenlijk man. Hij hield van haar en zij wist dat ze van hem zou gaan houden en dat ze een geweldig leven zouden hebben.

'Laten we de trouwdatum vaststellen,' zei Desmond, haar gedachten onderbrekend terwijl hij haar nog een glas champagne inschonk. 'Laten we niet te lang wachten. Ik weet niet of ik dat zou kunnen volhouden nu je eenmaal ja hebt gezegd. Je moet Nancy maar in de buurt houden om je te beschermen.' Hij glimlachte veelbetekenend en blozend glimlachte ze terug.

'Ik zal haar waarschuwen,' zei Cassie zacht. Ze was gelukkig met hem, dat was ze steeds geweest, zelfs nu ze meer vrienden dan minnaars waren, behalve dan dat hij haar soms plotseling vurig kuste.

'Wat vind je van Valentijnsdag?' stelde hij voor. 'Het is een beetje afgezaagd, maar het bevalt me wel. Wat denk je ervan?' Hij klonk alsof hij de oceaanvlucht aan het plannen was, maar dat vond ze niet erg. Ze was eraan gewend dat Desmond de zaken regelde, maar ze wist ook dat hij haar mening respecteerde.

Het was allemaal zo romantisch. Ze ging trouwen met een man voor wie elke vrouw ter wereld alles zou willen geven en hij wilde ook nog trouwen op Valentijnsdag. Zou het nog volmaakter kunnen, vroeg ze zich af. Niet veel... behalve als Nick het anders had gewild. Maar daar wilde ze niet aan denken. Dat kon ze niet. Ze kon niet eeuwig aan die droom blijven vasthouden, want dat was alles wat het nog was.

'Valentijnsdag? Dat duurt nog maar twee maanden,' zei ze geschrokken. 'Wordt het een grote bruiloft?' Ze keek naar haar ring en liet hem schitteren in het licht. Hij zag eruit als een koplamp. Alles leek zo onwerkelijk. Het was een bijzondere avond geweest.

'Vind je hem mooi?' vroeg hij, terwijl hij haar weer tegen zich aan trok en kuste.

'Ik vind hem prachtig.' Ze had nog nooit zo'n grote diamant gezien. De ring was ongelooflijk, en dat gold ook voor Desmond Williams. 'Om je vraag te beantwoorden,' zei hij glimlachend, terwijl ze haar ring weer liet schitteren en giechelend een slok van haar champagne nam, 'nee, ik denk niet dat we er een grote bruiloft van moeten maken. Ik denk dat we het heel bescheiden moeten houden, met alleen wat speciale mensen erbij.' Hij kuste haar weer en legde uit: 'Dit mag dan jouw eerste huwelijk zijn, lieveling, maar dat geldt niet voor mij. Ik denk dat de derde keer maar wat discreet moet zijn, om zo weinig mogelijk commentaar uit te lokken.'

'O...' Ze had daar niet aan gedacht, maar hij had gelijk. En omdat hij gescheiden was, was een kerkelijke inzegening niet mogelijk. Ze vroeg zich af of haar ouders dat heel erg zouden vinden, hoewel ze nooit verschrikkelijk godsdienstig waren geweest. 'Wat ben je eigenlijk?' vroeg ze onschuldig. Ze had er nooit aan gedacht hem dat te vragen. 'Ik ben katholiek.'

Hij glimlachte. Soms was ze nog een kind en hij genoot daarvan. 'Ik ben anglicaans, maar ik denk dat een aardige, vriendelijke rechter uitstekend zou zijn, denk je niet?' Ze voelde zichzelf meegesleept door zijn enthousiasme en knikte. 'En jij hebt een prachtige jurk nodig... Ik zou zeggen kort, maar heel elegant en van wit satijn. En een hoed met een korte sluier. Het is jammer dat we niet iets in Parijs kunnen bestellen...' Hoeden uit Parijs, een vijftien-karaats ring... een huwelijk met Desmond Williams op Valentijnsdag. Plotseling keek ze naar hem en vroeg zich af of ze het allemaal gedroomd had, maar nee. Hij zat daar en praatte over witte jurken en hoeden met sluiers en ze droeg de grootste diamant die ze ooit had gezien. Ze keek naar hem op en haar ogen vulden zich met tranen. Ze zag eruit als een kind zoals ze daar naast hem zat.

'Desmond, vertel me dat ik niet droom.'

'Je droomt niet, lieveling. We zijn verloofd. En binnenkort zul je met me getrouwd zijn, in voor- en tegenspoed, voor altijd.' Hij zag er verrukt en triomfantelijk uit.

'Wil je hier trouwen?' vroeg ze rustig, tegen hem aan leunend. Het was te veel om te verwerken. Ze voelde zich bijna zwak wanneer ze naar hem keek, en plotseling realiseerde ze zich meer dan ooit tevoren hoe machtig hij was en hoe knap. Hij had een kalme seksualiteit die hij altijd onder controle hield, maar nu voelde ze zijn nabijheid en zijn interesse. Vanaf het moment van zijn aanzoek was hij niet gestopt met kussen en ze voelde zich bijna duizelig.

'Ik denk dat we hier moeten trouwen. We kunnen toch geen kerkelijk huwelijk hebben in Illinois, Cass. Ik denk dat het hier eenvoudiger zal zijn, discreter, dat we minder uitleg hoeven te geven.'

'Ik neem aan dat je gelijk hebt. Ik hoop dat mijn ouders willen komen.'

'Natuurlijk komen ze. We sturen een vliegtuig om ze te halen. Ze kunnen in het Beverly Wilshire logeren.'

'Mijn moeder krijgt een hartaanval,' zei ze grinnikend.

'Ik hoop van niet.' En toen nam hij haar weer in zijn armen en dacht niet meer aan alles wat geregeld moest worden. Ze was zo jong, zo lief, zo puur. Hij voelde zich bijna schuldig wanneer hij haar kuste, en nu wilde hij nog veel meer. Maar het was te vroeg en dat wist hij. Die avond moest hij zichzelf dwingen om bij haar weg te gaan, en zodra hij thuis was, belde hij haar, en toen weer, zoals hij altijd deed, de volgende morgen om halfvier. Ze praatten als oude vrienden, en het was heerlijk om te weten dat ze binnenkort zijn vrouw zou zijn en zijn leven voor altijd zou delen. En samen besloten ze het nieuws nog geheim te houden tot ze het haar ouders had verteld. Ze wisten dat het door het hele land indruk zou maken.

Hij bracht haar zelf naar het vliegveld en zoals gewoonlijk had ze al een vliegtuig klaarstaan om naar huis te vliegen. Maar deze keer bleef hij maar herhalen dat ze voorzichtig moest zijn.

'Het heeft mijn hersenen niet aangetast, of misschien ook wel.' Ze grinnikte en kuste hem weer. Ze zag hoe iemand van het grondpersoneel naar hen keek en glimlachte. 'Als je niet uitkijkt, staat het morgen in de krant.'

'Als je niet opschiet en snel met me trouwt, Cassie O'Malley, kon er wel eens iets veel dramatischer in de kranten komen.'

'Je hebt me gisteravond pas gevraagd! Geef me in 's hemelsnaam de kans om een jurk en een paar schoenen aan te trekken. Je verwacht toch niet dat ik in mijn uniform ga trouwen, of wel?'

'Misschien wel. Of minder. Misschien had ik met je mee moeten gaan naar Illinois.' Maar hij plaagde alleen maar. Met alle plannen voor de oceaanvlucht wist ze dat hij veel te veel te doen had om ook maar ergens heen te gaan, maar ze vond het nog steeds jammer dat hij niet meeging.

'Mijn ouders zullen teleurgesteld zijn dat je niet mee bent gekomen,' zei ze oprecht. Vooral als ze het nieuws zouden horen. Ze kon het zelf nog steeds niet geloven, ook al zag ze de ring om haar vinger. En ze

zou nooit vergeten hoe lief hij was geweest toen hij haar vroeg.
'Een veilige vlucht, lieveling,' zei hij nog een keer. Een paar minuten later liep hij weg bij het vliegtuig en zwaaide terwijl hij vanaf de startbaan toekeek. Ze steeg soepel op en de vlucht verliep goed. Ze had onderweg genoeg tijd om aan hem te denken, en aan Nick. Als ze aan hem dacht deed haar hart nog steeds pijn, maar hij had zijn keuze gemaakt en zij nu ook. Ze moesten allebei verder.

De vlucht naar Good Hope duurde precies zeven uur. Ze landde rond etenstijd en de eerste die ze op het vliegveld zag was Billy.

'Klaar om volgende week met me mee te gaan naar Californië?' vroeg ze, maar de vraag was overbodig. Hij was klaar om die avond te vertrekken. Het was al wekenlang het enige waar hij aan kon denken. Toen ze het logboek tekende, zag hij haar ring en stond er verbaasd naar te kijken.

'Wat is dàt? Een vliegende schotel?'

'Min of meer.' Plotseling voelde ze zich een beetje opgelaten en ze grinnikte tegen hem. Maar ze zou het vroeger of later toch moeten vertellen. 'Het is mijn verlovingsring. Desmond en ik hebben ons gisteravond verloofd.'

'Echt waar?' Hij keek haar ongelovig aan. Dat was onmogelijk. 'En Nick dan?'

'Hoezo, en Nick dan?' vroeg ze koeltjes.

'Oké... sorry dat ik het vroeg... maar weet hij het? Heb je het hem verteld?' Ze schudde haar hoofd. 'Ga je het wel doen? Heb je hem geschreven?'

'Hij schrijft mij toch niet,' zei ze ongelukkig. Waarom probeerde Billy haar een schuldgevoel te bezorgen? 'Hij hoort het wel een keer.'

'Ja, dat neem ik wel aan,' zei Billy. Hij begreep het niet. Vanaf het moment dat hij hen had leren kennen, had hij geweten hoeveel Nick en zij van elkaar hielden. 'Hij zal het vreselijk vinden, denk je niet?' zei Billy zacht, en ze knikte en probeerde haar tranen tegen te houden. Maar ze had een beslissing genomen en kon Desmond nu niet meer in de steek laten. Hij wilde haar als zijn vrouw. Nick niet. Dat had hij duidelijk gezegd. Maar nu ze thuis was leek Nick veel werkelijker te worden en dat maakte het moeilijker voor haar.

'Ik kan er niets aan doen dat Nick het vreselijk zal vinden,' zei ze rustig tegen Billy. 'Hij wilde niet aan mij gebonden zijn toen hij wegging. Hij zei dat hij wilde dat ik met een ander zou trouwen.' Ze keek hem verdrietig aan.

'Ik hoop dat hij het meende,' zei Billy zacht. Hij bracht haar naar het huis van haar ouders. Iedereen zat daar op haar te wachten en het was een kwestie van seconden voor een van haar zusters een schreeuw liet horen en naar haar vinger wees.

'Lieve hemel, wat is dat?' riep Megan, en Glynnis en Colleen wezen hun moeder erop, die met de kinderen aan het spelen was.

'Ik denk dat het een lamp is,' legde Colleens echtgenoot uit.

'Ik zou niet weten wat het anders moet zijn,' zei Megan plagerig, terwijl haar ouders een blik wisselden. Cassie had niets gezegd toen ze hen opbelde.

'Het is mijn verlovingsring,' zei Cassie rustig.

'Dat had ik inmiddels ook bedacht,' zei Glynnis. 'Wie is de gelukkige? Alfred Vanderbilt? Wie is het?'

'Desmond Williams.' Vrijwel op hetzelfde moment ging de telefoon, alsof het een teken was. Het was Desmond. 'Ik heb het net verteld,' legde ze uit. 'Mijn zusters kregen zo ongeveer een shock toen ze mijn ring zagen.'

'Wat zeiden je ouders?'

'Ze hebben nog niet de kans gehad iets te zeggen.'

'Mag ik je vader even spreken?' vroeg Desmond vriendelijk, en ze gaf de telefoon aan hem door en daarna praatte Desmond nog met haar moeder. Haar zusters waren inmiddels in alle staten en haar zwagers plaagden haar. Ze had net verteld dat ze op Valentijnsdag in Los Angeles zou trouwen en dat Desmond haar ouders naar de bruiloft zou laten vliegen.

Haar ouders waren inmiddels teruggekomen van de telefoon. Haar moeder huilde zachtjes, wat ze dezer dagen nogal eens deed, en trok Cassie stevig tegen zich aan. 'Hij klinkt als een aardige man. Hij heeft me beloofd dat hij altijd voor je zal zorgen als een klein meisje.' Ze gaf Cassie een kus en ook Pat leek blij te zijn met het nieuws. De man had precies de goede dingen tegen hem gezegd. Maar toen hij die avond met zijn dochter alleen was, kwam hij met een aantal vragen waarop hij antwoorden wilde.

'Hoe zit het met Nick, Cass? Als God het wil komt hij een keer terug. Je kunt niet eeuwig kwaad op hem blijven en je kunt niet met een andere man trouwen omdat je kwaad op hem bent. Dat is kinderachtig en mijnheer Williams verdient dat niet.' Hij had het telefoongesprek met hem plezierig gevonden, maar hij wilde weten of zijn dochter eerlijk was ten opzichte van hem en zichzelf.

'Ik zweer je dat ik niet uit wraak met hem trouw. Hij heeft me gisteravond gevraagd en ik werd er volledig door verrast... Maar hij is zo alleen... Hij heeft zo'n rotleven gehad. Hij is een fatsoenlijk man en hij wil met me trouwen. En op een bepaalde manier hou ik ook van hem, maar niet zoals van Nick. We zijn vrienden en ik ben hem dat verschuldigd. Hij heeft zoveel voor me gedaan.'

'Je bent niemand zoveel verschuldigd, Cassie O'Malley. Hij betaalt je een salaris en dat verdien je.'

'Dat weet ik, maar hij is zo goed voor me geweest, papa. Ik wil er voor hem zijn. En hij weet van Nick. Hij zegt dat hij het begrijpt. Ik denk dat ik wat tijd nodig heb, maar dat ik echt van hem kan gaan houden.'

'En Nick. Hoe zit het dan met hem?' Hij keek haar recht in haar ogen en zei: 'Kun je zeggen dat je niet van hem houdt?'

'Ik hou nog steeds van hem, papa, maar hij komt straks terug en vertelt me dan weer dat hij niet met me kan trouwen, dat hij te oud is en te arm. Misschien houdt hij niet echt van me. Hij heeft me niet geschreven sinds hij weg is. En voor hij vertrok bleef hij maar zeggen: geen banden, geen toekomst. Hij wil me niet, pap. Desmond wel. Hij heeft me echt nodig.'

'En heb je daar vrede mee? Met de wetenschap dat je van een andere man houdt?'

'Ik denk dat ik dat heb, papa,' zei ze rustig, maar alleen al bij de gedachte aan Nick voelde ze haar benen slap worden. Hij werd veel werkelijker voor haar nu ze hier terug was. Ze wist echter dat ze hem nu uit haar hoofd moest zetten, voor Desmond.

'Je kunt maar beter heel zeker van je zaak zijn voor je met deze man trouwt, Cassie O'Malley.'

'Dat weet ik en dat ben ik ook. Ik zal eerlijk tegen hem zijn. Dat beloof ik.'

'Ik zal niet toestaan dat je hem bedriegt als je hier bent, dat je er met Nick vandoor gaat als hij terugkomt. In dit huis is een getrouwde vrouw een getrouwde vrouw.'

'Ja, pap.' Ze was onder de indruk van wat hij gezegd had en de manier waarop hij het gezegd had.

'De trouwbelofte is heilig, waar je ook trouwt.'

'Dat weet ik, pap.'

'Zorg dat je dat niet vergeet en dat je je belofte aan deze man in ere houdt. Hij lijkt van je te houden.'

'Ik zal hem niet teleurstellen... of jou... dat beloof ik.'

Haar vader knikte. Hij was tevreden met haar antwoorden. Maar er was nog iets wat hij haar wilde vragen. Het was misschien niet eerlijk, maar hij moest het vragen. 'Weet je nog wat Nick zei voor hij vertrok, dat Williams voor de vlucht rond de wereld zou proberen met je te trouwen, ter wille van de publiciteit? Denk je dat hij daarmee bezig is of denk je echt dat hij oprecht is? Ik ken de man niet, Cassie, maar ik wil graag dat je er een minuut over nadenkt en me dan antwoord geeft.' Die woorden van Nick hadden de hele avond door zijn hoofd gespeeld, vanaf het moment waarop Cassie had verteld dat ze met Desmond Williams ging trouwen.

Ze was tenslotte nog maar eenentwintig en nog vrij naïef. Williams was vijfendertig en een man van de wereld. Als hij haar voor de gek wilde houden, zou dat kinderspel voor hem zijn. Maar ze schudde haar hoofd toen ze daarover nadacht. Wat dat betreft had Nick ongelijk, dat wist ze zeker.

'Ik geloof niet dat hij me dat zou aandoen. Ik denk dat het toeval is. Sinds ik gezegd heb dat ik de vlucht zou doen, hebben we heel nauw samengewerkt... en hij is zo eenzaam. Ik weet zeker dat het gewoon toeval is. En ik denk dat het toeval is dat Nick dat zei. Het was een gemene opmerking. Ik denk dat hij jaloers was.'

Pat knikte. Hij wilde haar graag geloven en was opgelucht. Ondanks zichzelf glimlachte hij tegen haar en zei: 'Dat is waarschijnlijk nog niets vergeleken bij de woedeaanval die hij krijgt als hij thuiskomt en hoort dat je getrouwd bent. Ik heb hem ervoor gewaarschuwd.'

'Dat weet ik. Ik denk dat hij gewoon geen vaste relatie wil... en zeker niet met mij...' zei ze, maar ze scheen haar lot nu te aanvaarden. Het leek in elk geval een gelukkig lot en haar vader was tevreden over wat ze hem had verteld.

Het was kerstavond en terwijl hij haar met een tedere blik aankeek, hield hij haar hand in de zijne. Hij kuste haar op haar wang. Toen hij tegen haar sprak, kwamen er tranen in zijn ogen. En in de hare toen ze zijn woorden hoorde.

'Cassandra Maureen, je hebt mijn zegen.'

16

Cassie bleef thuis tot de ochtend van 31 december en vloog toen met Billy terug naar Los Angeles. Het afscheid was voor iedereen emotioneel. Deze keer kwam bijna de hele familie naar het vliegveld, en zelfs de kleine Annabelle en Humphrey. Cassie wilde de oudejaarsavond met Desmond doorbrengen. Toen ze terugkwam stond hij bij de landingsbaan op haar te wachten. Hij droeg een marineblauwe jas die heen en weer bewoog in de wind en de zon ging net achter hem onder. Hij zag er knap, lang en zeer gedistingeerd uit. Hij was een bijzonder aristocratische man en samen vormden ze een opvallend paar. Desmond klom moeiteloos in de cockpit en verraste haar door haar glimlachend op haar lippen te kussen voor ze zelfs maar uit haar stoel was gekomen. Hij leek Billy niet eens op te merken, die met een glimlach de andere kant op keek toen ze elkaar kusten.

'Hallo, juffrouw O'Malley... ik heb je gemist...'

'Ik jou ook,' zei ze met een verlegen glimlach. De vorige avond had ze met de hele familie gegeten en iedereen had geproost op haar verloving. Ze waren allemaal opgewonden over het feit dat ze over zes weken zou gaan trouwen en iedereen wilde hem ontmoeten. Plotseling was zij degene die het goed voor elkaar had. Ze was de ster van het gezelschap. En haar verlovingsring sprankelde indrukwekkend aan haar linkerhand, als om dat te bewijzen.

Nadat hij Billy eindelijk begroet had, zei hij met een brede glimlach: 'Ik heb een verrassing voor je.' Billy was bezig zijn spullen te verzamelen en op het punt om uit het vliegtuig te stappen.

'Niet weer een verrassing,' zei ze stralend, terwijl ze achterover in haar stoel leunde. 'Ik heb de afgelopen week niets anders dan verrassingen gehad.' Het leek nauwelijks te geloven dat ze zich nog maar een week geleden hadden verloofd. Ze begon er al aan te wennen en het een heerlijk idee te vinden. Hij was een spannende man om als verloofde te hebben.

Toen ze in Illinois was, had ze veel aan Nick moeten denken, maar ze had zichzelf gedwongen om niet te vergeten dat hij had gezegd dat ze met een ander moest trouwen. Hij had haar bewust opgegeven en Desmond wilde haar en had haar nodig. Ze was van plan een goede vrouw voor hem te zijn. Ze glimlachte tegen hem toen ze daaraan dacht en hij raakte met zijn vingers teder haar gezicht aan. Het grondpersoneel stond eerbiedig buiten te wachten. Ze hadden het al gehoord: O'Malley zou de volgende mevrouw Williams worden.

'Wat voor verrassing?' vroeg ze opgewonden, terwijl Billy naar hen keek. Williams leek in elk geval gek op haar te zijn, maar Billy had medelijden met Nick Galvin. Hij zou kapot zijn als hij merkte dat hij haar kwijt was.

'Er staan wat vrienden op ons te wachten,' legde Desmond uit, en met een schaapachtige grijns die haar aan het lachen maakte, liet hij zijn hoofd hangen. 'Ik ben bang dat ik zo opgewonden was dat ik een beetje te veel heb gepraat… Een paar jongens van de Associated Press willen een foto van ons maken. Iedereen wil er het eerst bij zijn. En ik heb eerst tegen iedereen gezegd dat je weg was, maar ik dacht… Ik heb ze verteld dat je vanavond terug zou komen, en toen ik hier kwam stonden ze al te wachten… Vind je het heel erg, Cass? Ben je moe van de vlucht? Ik kon het niet laten om te vertellen dat we verloofd waren… Ik ben zo trots…' Hij zag er jongensachtiger en kwetsbaarder uit dan ooit. Er waren momenten waarop hij eruitzag als een echte magnaat of een keiharde zakenman, maar er waren ook momenten waarop hij meer op een klein jongetje leek, en ze wilde haar armen om hem heen slaan.

'Het is goed. Ik ben er ook opgewonden door. Ik heb het iedereen in Illinois verteld. Als de pers daar was geweest, hadden we waarschijnlijk 's morgens, 's middags en 's avonds verslaggevers op de stoep gevonden.' Ze stond op in de volle cockpit en pakte haar vliegtas met haar logboek en haar kaarten, en Desmond stak zijn hand uit en nam de spullen van haar over. Toen keek hij naar Billy alsof hij hem even vergeten was.

'Weet je, het kan denk ik ook geen kwaad om je co-piloot voor de oceaanvlucht erbij te hebben. Ik nodig je uit om je bij ons te voegen.' Hij zei het met een glimlach, maar de jongere man zag er wat gegeneerd uit.

'Ik wil me niet opdringen.'

'Dat doe je ook niet.' Hij stond erop dat Billy erbij zou zijn, terwijl Cassie een kam door haar haar haalde en haar lippenstift bijwerkte. Desmond stapte als eerste naar buiten en Cassie liep vlak achter hem.

En toen ze naar buiten kwam, leken er wel honderd flitslampen af te gaan en werd ze bijna verblind. Desmond en zij zwaaiden speels naar hen en toen keerde Desmond zich om en kuste haar. En toen ze samen met hem op de landingsbaan stapte, realiseerde ze zich verbaasd dat er wel twintig verslaggevers stonden te wachten. Voor Billy hadden ze geen belangstelling.

'Wanneer is de grote dag?' schreeuwde de *L.A. Times* tegen hen, terwijl de *Pasadena Star* dichterbij kwam om nog een foto te nemen. De *New York Times* maakte nog twee foto's en de man van de *San Francisco Chronicle* wilde informatie over de oceaanvlucht èn hun huwelijksreis.

'Wacht even, wacht even...' Desmond lachte gemoedelijk naar hen. 'De grote dag is Valentijnsdag... De oceaanvlucht is in juli... en nee, we zullen onze huwelijksreis niet met de *Poolster* maken.' Het was de naam die zij gekozen had voor het vliegtuig waarmee ze de vlucht zou maken.

En het bleef maar vragen regenen, en al die tijd stond hij naast haar te glimlachen en te lachen tegen de pers, terwijl zij op adem probeerde te komen en probeerde te begrijpen wat er allemaal gebeurd was. 'Ik denk dat het zo genoeg is, jongens. Mijn jonge bruid heeft een lange vlucht achter de rug. We moeten naar huis om haar wat rust te gunnen. Bedankt dat jullie gekomen zijn.'

Er werden nog een stuk of tien foto's gemaakt toen het paar in zijn Packard stapte en Billy reed met een van de mannen van het grondpersoneel mee. Toen ze wegreden wuifde Cassie nog even vrolijk. In één klap was ze de bruid van het jaar geworden en Amerika's lieveling in vliegenierspak.

'Het lijkt zo raar, vind je niet?' zei Cassie, die nog bezig was het allemaal te verwerken. 'Ze doen alsof we filmsterren zijn. Iedereen is zo enthousiast.' Thuis hadden mensen haar op straat aangehouden om te vragen over de oceaanvlucht en ze wisten toen nog niet eens dat ze verloofd was.

'Mensen zijn gek op sprookjes, Cass,' zei hij rustig, terwijl hij haar onder het rijden even op haar knie klopte. Hij had haar echt gemist. 'Het is leuk om ze dat te kunnen geven.'

'Dat zal wel. Maar het voelt vreemd aan om er onderdeel van te zijn. Ik blijf maar denken dat ik gewoon mezelf ben... maar ze gedragen zich alsof... ik weet niet... alsof ik iemand anders zou zijn... iemand die ik niet eens ken... en nu willen ze alles weten, willen ze er deel van uitmaken.' Het was bijna alsof ze haar wilden bezitten, en de gedachte daaraan bezorgde haar een ongemakkelijk gevoel. Ze had dat op een avond aan haar vader proberen uit te leggen en hij had haar erop gewezen dat het na de vlucht nog erger zou worden. Kijk naar de prijs die die arme Lindy heeft betaald... zijn zoontje ontvoerd en vermoord... de prijs van roem kon angstaanjagend zijn. Pat hoopte maar dat Desmond haar kon beschermen.

'Je bent nu van hen, Cass,' zei Desmond alsof hij dat geloofde. En vreemder nog... hij leek dat te accepteren. 'Ze willen je. Het is niet eerlijk om je dan terug te trekken. Ze willen deel uitmaken van jouw geluk. Het is plezierig om ze dat te kunnen geven.' Desmond leek altijd het gevoel te hebben dat hij verplichtingen had tegenover het publiek.

Maar ze was niet voorbereid op de intensiteit waarmee ze de volgende zes weken, tot aan hun huwelijk, in de publieke aandacht stonden. Ze werd overal gevolgd en gefotografeerd, in de hangar, in het kantoor terwijl ze met Billy de kaarten bestudeerde, bij haar appartement, op weg naar haar werk, in warenhuizen, op zoek naar haar trouwjurk en verder elke keer wanneer ze ergens met Desmond verscheen.

Ze nam Nancy Firestone nu overal met zich mee, en soms probeerde ze zich te verbergen, met een grote hoed of een sjaal en een donkere bril. Maar de verslaggevers bleven maar komen. Ze hingen aan brandtrappen, sprongen van richels, stonden op luifels, lagen in de bosjes of zaten in auto's. Ze sprongen overal te voorschijn en wisten haar altijd te vinden, en begin februari had Cassie het gevoel dat ze gek werd. En deze keer kreeg ze weinig steun van Nancy. Ze hielp haar eigenlijk in geen enkel opzicht. Zo georganiseerd als ze was, leek Nancy een heleboel aan haar hoofd te hebben en minder geïnteresseerd te zijn dan normaal in alle dingen die moesten gebeuren, in dit geval voor Cassies huwelijk. Desmond had tegen Cassie gezegd dat ze zich geen zorgen moest maken en dat alles geregeld werd door juffrouw Fitzpatrick en een assistente. Cassie had genoeg aan haar hoofd met de pers en de voorbereidingen voor de oceaanvlucht. Hij wilde niet dat ze te veel zou worden afgeleid door het organiseren van haar eigen bruiloft.

Maar toen Cassie met hem probeerde te praten over Nancy Firestone nam hij haar niet serieus. Ze probeerde hem uit te leggen dat ze de laatste tijd de indruk had dat Nancy boos op haar was en dat ze niet wist waarom. Vanaf het moment waarop Desmond en zij hun verloving bekend hadden gemaakt, was Nancy humeurig en afstandelijk tegen haar. En er was geen enkele redelijke verklaring voor. Nancy leek minder tijd met haar door te brengen en toen Cassie haar een keer uitnodigde om te blijven eten had ze gezegd dat ze naar huis moest om Jane met haar huiswerk te helpen.

'Ik weet niet wat er met haar aan de hand is. Ik vind dit heel vervelend. Soms krijg ik het gevoel dat ze een hekel aan me heeft.' Ze hadden nooit zo'n hechte band gekregen als Cassie verwacht had toen ze elkaar net hadden leren kennen, maar ze hadden het samen altijd goed kunnen vinden en van elkaars gezelschap genoten wanneer ze samenwerkten.

'Het komt waarschijnlijk door de bruiloft,' zei Desmond met de rationaliteit van een man. 'Het herinnert haar misschien aan haar man. Dus trekt ze zich terug om er niet te veel bij betrokken te hoeven zijn en niet van streek te raken. Er komen waarschijnlijk pijnlijke herinneringen bij haar boven,' zei hij en glimlachte tegen zijn bruid. Ze was zo jong en er waren waarschijnlijk zoveel dingen waar ze niet aan dacht. 'Zoals ik al zei, werk gewoon maar samen met juffrouw Fitzpatrick.'

'Dat zal ik doen, en je hebt vast gelijk. Ik voel me een sufferd dat ik daar niet aan gedacht heb.' De volgende keer dat ze Nancy zag, realiseerde ze zich dat Desmonds verklaring precies klopte. Nancy was meer dan eens kortaf tegen haar en een beetje nors toen Cassie haar advies vroeg over een of ander detail van de bruiloft. En in het belang van Nancy volgde Cassie vanaf dat moment Desmonds advies op en werd wat afstandelijker.

Ze deed haar best om zelf met de pers om te gaan, maar soms waren de verslaggevers echt onmogelijk.

'Houdt het nooit eens op?' riep Cassie op een dag hijgend uit, terwijl ze door de keuken Desmonds huis kwam binnenrennen en uitgeput in een stoel neerviel. Ze was bezig geweest met het verhuizen van een aantal van haar spullen, maar iemand had de pers blijkbaar een tip gegeven en die was massaal gearriveerd voor ze nog maar de deur uit was en vanaf dat moment was het één groot gekkenhuis geweest.

Een halfuur later kwam Desmond bij de voordeur aan en werd letterlijk belegerd, en tenslotte wist hij haar over te halen om naar buiten te komen en voor een paar foto's met hem te poseren, zodat ze ervan af zouden zijn. Hij was fantastisch met de verslaggevers. Hij gaf hun altijd net genoeg om ze tevreden te houden.

'Ben je al zenuwachtig?' riep een verslaggever tegen haar, en ze knikte glimlachend.

'Alleen omdat ik bang ben dat jullie op mijn trouwdag over me heen zullen lopen,' reageerde ze geestig, en ze lachten en schreeuwden tegen haar.

'We zullen er zijn.'

Een paar minuten later liepen Desmond en Cassie weer naar binnen en daarna vertrokken de verslaggevers, tot de volgende ochtend.

De dag voor ze zouden trouwen, arriveerden haar ouders. Desmond had een suite voor hen besproken in het Beverly Wilshire. Uiteindelijk was geen van haar zusters gekomen. Het was gewoon te ingewikkeld met al hun kinderen. Cassie was bijzonder geroerd toen ze hoorde dat Desmond Billy als zijn getuige had gevraagd. Hun trouwdag zou echt een teamgebeurtenis worden. En hoewel hun huwelijk voltrokken zou worden door een rechter, zou haar vader haar weggeven. Ze had Nancy Firestone gevraagd haar bruidsmeisje te zijn. Nancy had het eerst afgewezen en gezegd dat het een van haar zusters zou moeten zijn, maar uiteindelijk had ze toegestemd nadat Desmond met haar had gepraat. Ze hadden voor haar een grijze satijnen jurk gekozen en voor Cassie een prachtige witte van Shiaparelli. Er kwam een kleine hoed met een korte sluier van I. Magnin bij en haar bruidsboeket zou bestaan uit witte orchideeën, lelietjes-van-dalen, die plaatselijk gekweekt werden, en witte rozen.

Desmond had haar een parelketting van zijn moeder gegeven en een schitterend paar oorbellen gemaakt van parels en diamanten.

'Je wordt de bruid van het jaar,' zei haar moeder trots terwijl ze haar bekeek. Ze waren in het hotel en er stonden tranen in Oona's ogen. Ze had Cassie nog nooit zo mooi gevonden. Ze zag er zo stralend en opgewonden uit. 'Je bent een schoonheid, Cass,' zei haar moeder en voegde er trots aan toe: 'Elke keer dat ik in een krant of een tijdschrift kijk, zie ik een foto van je!'

De volgende dag beantwoordde volledig aan hun verwachtingen. Bij het huis van de rechter waar het huwelijk voltrokken zou worden, stonden fotografen, verslaggevers en journaalploegen te wachten. Zelfs de internationale pers was vertegenwoordigd. Toen het gezelschap naar het Beverly Wilshire vertrok, waar Desmond in een privé-ruimte een kleine receptie had georganiseerd, gooiden ze rijst en bloemen naar haar. Zelfs buiten het hotel en in de hal stonden mensen doordat iemand aan de pers had laten uitlekken dat ze daarheen zouden gaan.

Desmond had een stuk of tien vrienden uitgenodigd en ook een paar van zijn belangrijke ontwerpers waren er, met name de man die Cassies vliegtuig voor de oceaanvlucht had ontworpen. Het was een indrukwekkend gezelschap en Cassie zag eruit als een filmster. Ze was het mooiste dat Desmond ooit had gezien en hij straalde toen ze langzaam op de muziek van de 'Blauwe Donau' walsten.

'Je ziet er fantastisch uit, lieveling,' zei hij trots. Toen verscheen er een nog bredere grijns op zijn gezicht en zei hij: 'Wie had ooit gedacht dat die kleine aap die ik minder dan twee jaar geleden bedekt met smeerolie onder een vliegtuig vond zo'n schoonheid zou zijn. Had ik die dag maar een foto van je gemaakt... Ik zal dat beeld nooit vergeten.'

Ze tikte hem op zijn schouder met haar boeket en lachte gelukkig, terwijl haar ouders naar haar keken.

Het was een volmaakte dag, en nadat ze met Desmond had gedanst, danste ze met haar vader en toen met Billy. Hij zag er bijzonder knap uit in het nieuwe pak dat hij voor de gelegenheid had gekocht. Hij vermaakte zich uitstekend in L.A., vooral met het geld dat hij verdiende. En hij genoot van het vliegen omdat hij eindelijk in de vliegtuigen vloog waarin hij zijn hele leven al had willen vliegen.

'U hebt een prachtige dochter, mevrouw O'Malley,' zei Desmond warm tegen zijn nieuwe schoonmoeder. Cassie had voor haar een blauwe jurk gekocht, in dezelfde kleur als haar ogen, en een bijpassend hoedje, en ze zag er heel mooi uit en leek veel op haar dochter.

'Ze mag zich heel gelukkig prijzen,' zei Oona verlegen. Ze was zo onder de indruk van Desmonds elegante en verzorgde uiterlijk dat ze nauwelijks met hem durfde te praten. Maar hij was heel beleefd en vriendelijk tegen haar.

'Ik ben degene die zich gelukkig mag prijzen,' zei hij. Kort daarna bracht Pat een toost op het bruidspaar uit en wenste hun nog vele gelukkige jaren en veel kinderen.

'Pas na de oceaanvlucht,' merkte Desmond op, en iedereen lachte. 'Maar dan ook meteen!'

'Bravo!' riep haar vader trots.

Desmond had besloten de verslaggevers binnen te laten om een serie foto's te maken. Ze stonden toch al in de hal en het leek hem beter om het op een beheerste manier af te handelen. Ze kwamen massaal binnen, onder leiding van Nancy Firestone, en maakten mooie foto's van de bruid, eerst met Desmond en daarna met haar vader op de dansvloer. Ze maakten een geweldige toestand van het feit dat hij in de Eerste Wereldoorlog had gevlogen en Cassie gaf hun alle informatie daarover omdat ze wist dat haar vader zich daardoor belangrijk zou voelen.

En toen, eindelijk, ontsnapten ze in een regen van rozeblaadjes en rijst naar een wachtende limousine. Cassie droeg een smaragdgroen pakje en een chique breedgerande hoed, en de foto's die daarna van haar verschenen waren spectaculair, want Desmond had haar moeiteloos in zijn armen getild en naar de limousine gedragen. Terwijl de auto wegreed, zwaaiden ze voor het achterraam en haar moeder huilde en zwaaide terug. Haar vader stond met tranen in zijn ogen naast haar.

De jonggehuwden brachten de nacht door in het Bel Air Hotel en vlogen de volgende ochtend naar Mexico, naar het verlaten strand van een klein eiland voor de kust bij Mazatlán, waar Desmond een heel hotel voor hen tweeën had afgehuurd. Het was een klein hotel, maar het lag heerlijk afgezonderd. Het strand was parelwit, de zon schitterend en heet, er was altijd een lichte bries en 's avonds kregen ze serenades van de *mariachis*. Het was de meest romantische plaats die Cassie ooit had gezien en toen ze op het strand lagen te praten, herinnerde Desmond haar eraan dat ze tijdens haar oceaanvlucht naar nog lieflijker en exotischer plaatsen zou gaan.

'Maar ik denk niet dat ik dan veel tijd zal hebben om op het strand te liggen,' zei ze glimlachend, 'of om met jou door te brengen. Ik zal je echt missen.'

'Je zult iets voor de luchtvaart doen dat van grote betekenis is, Cassie. Dat is belangrijker.' Hij zei het op vastberaden toon, alsof hij het tegen een kind had dat niet genoeg aandacht besteedde aan haar huiswerk.

'Niets is belangrijker dan wij,' corrigeerde ze hem, maar hij schudde zijn hoofd.

'Dat is niet waar, Cass. Wat jij gaat doen heeft verstrekkende consequenties. Mensen zullen zich jou nog honderd jaar herinneren. Mannen zullen proberen je voorbeeld te volgen. Er zullen vliegtuigen naar jouw vliegtuig ontworpen worden en naar je genoemd worden. Je zult bewezen hebben dat een vliegreis over uitgestrekte wateroppervlakken, in het juiste vliegtuig, veilig kan zijn. Er zullen heel veel mensen door beïnvloed worden en heel veel ideeën uit voortkomen. Je mag geen moment denken dat het niet uiterst belangrijk is.' Het klonk zo serieus en zo plechtig dat het niets meer met vliegen te maken leek te hebben. Soms vroeg ze zich af of hij er niet te veel betekenis aan hechtte, als een spel dat niet leuk meer was, maar zo belangrijk was geworden dat de levens van mensen ervan afhingen. Dat gold natuurlijk voor haar en voor Billy, maar toch... zij verloor het plezier ervan nooit uit het oog, maar hij wel.

'Ik vind nog steeds dat jij het allerbelangrijkst bent.' Ze rolde op haar buik, in haar nieuwe witte badpak, en steunde op haar ellebogen. En hij glimlachte naar haar.

'Je bent veel te mooi, weet je,' zei hij, terwijl hij naar de zachte gleuf tussen haar borsten keek. Ze had een bijzonder opwindend lichaam. 'Je leidt me af.'

'Goed,' zei ze vol zelfvertrouwen, 'dat heb je nodig.'

'Je moest je schamen.' Hij boog zich over haar heen en kuste haar, en even later gingen ze terug naar hun kamer. Hij was verbaasd, en ook zij, over het gemak waarmee ze zich aan elkaar hadden aangepast. Ze was eerst bang van hem geweest, bang van wat lichamelijke liefde zou inhouden, maar hij had haar verrast door niets te forceren en hun nacht in het Bel Air niets anders te doen dan haar in zijn armen houden, strelen, praten over hun leven, hun dromen en hun toekomst. Ze hadden zelfs over de vlucht gepraat en wat deze voor hen betekende.

Daardoor had ze zich op haar gemak kunnen voelen bij hem, zoals ze altijd deed. Pas nadat ze de volgende middag in het hotel in Mexico waren gearriveerd, had hij zichzelf toegestaan haar uit te kleden. Hij had voorzichtig haar kleren uitgetrokken en toen naar haar prachtige lichaam gekeken. Ze had een lang en slank lichaam, met hoge ronde borsten en een rank middel dat overging in smalle, maar aantrekkelijke heupen, en benen die bijna zo lang waren als de zijne. Hij had haar langzaam en voorzichtig genomen, en in de afgelopen week had hij haar kennis laten maken met alle intense verrukkingen van het samenzijn van hun lichamen. En zoals bij alles wat hij deed, deed hij het deskundig en goed, en met buitengewone nauwkeurigheid. En ze was klaar geweest voor hem. Ze wilde zijn vrouw zijn en er voor hem zijn, en hem beminnen en hem bewijzen dat er iemand was die van hem hield. Ze was gezond en jong en levendig en vitaal en opwindend. Hij was veel gereserveerder, maar ze bracht hem tot hoogten waarvan hij het bestaan lange tijd vergeten was en hij merkte dat hij genoot van de onverwachte jeugdigheid en ongedwongenheid die ze hem bracht.

'Ik weet niet wat jij ervan vindt,' zei hij die middag met schorre stem, nadat ze met elkaar gevreeën hadden, 'maar je bent gevaarlijk.' Hij genoot ervan om de liefde met haar te bedrijven, veel meer dan hij verwacht had. Er was een warmte en oprechtheid aan haar die haar hartstocht versterkte en hem verraste en ontroerde.

'Misschien moet ik het vliegen maar opgeven en moeten we maar gewoon in bed blijven liggen en kinderen maken,' zei ze, en toen kreunde ze bij de gedachte dat ze net als haar zusters zou worden. Ze vroeg zich af of het hun ook zo was vergaan. Het was zo gemakkelijk om in de armen te liggen van de man van wie je hield en nergens anders meer aan te denken dan aan de geneugten van het vlees en hun duidelijke beloningen, in de natuurlijke orde.

'Ik dacht altijd dat ze zoveel gemist hadden door zo jong te trouwen en zoveel kinderen te krijgen,' legde ze uit, terwijl ze naast elkaar op het bed lagen, hun lichamen heet en vochtig en bevredigd. 'Maar ik denk dat ik nu begrijp hoe dat kan gebeuren. Het is zo gemakkelijk om de dingen maar te laten voor wat ze zijn en gewoon een vrouw te zijn en te trouwen en baby's te krijgen.'

Maar Desmond schudde zijn hoofd terwijl hij naar haar luisterde. 'Dat kun jij nooit doen, Cass. Je bent voorbestemd voor veel grootsere dingen.'

'Misschien. Voor nu.' Als hij dat zei... Op dit moment voelde ze zich alsof ze nergens anders voor bestemd was dan in zijn armen liggen. Verder hoefde ze niets. Het was genoeg voor haar. Voor altijd. Haar plotselinge kennismaking met de lichamelijke kant van hem, had haar meegesleept naar een plaats die ze nooit gekend of begrepen had, en ze genoot ervan. 'Maar op een dag wil ik kinderen.' En hij had gezegd dat hij het goed vond als dat was wat zij wilde.

'Je hebt eerst nog veel dingen te doen. Belangrijke dingen,' zei hij. Hij klonk weer als een onderwijzer, en ze grinnikte en draaide zich om om naar hem te kijken en langzaam en verleidelijk een vinger over hem heen te laten glijden.

'Ik kan wel een paar bijzonder belangrijke dingen bedenken...' zei ze ondeugend, en hij lachte en liet haar doen wat ze wilde. De gevolgen daarvan waren onvermijdelijk, en de zon verdween achter de horizon van hun verlaten eiland toen ze tenslotte als twee levenloze stukken drijfhout in de oceaan langzaam van elkaar afgleden.

'Hoe was de huwelijksreis?' riepen de verslaggevers vanaf het gazon toen ze thuiskwamen. Zoals gewoonlijk wisten ze op de een of andere manier weer wanneer het echtpaar Williams thuis zou komen, en toen de limousine voorreed kwamen ze op hen afgestormd. Ze vroeg zich wel eens af hoe ze altijd wisten waar ze zouden zijn en waar ze heen gingen.

Ze konden nauwelijks de deur door en het huis binnengaan, en Desmond stopte even, zoals gewoonlijk, om met hen te praten. Terwijl hij dat deed namen ze tientallen foto's. De week daarna stond een foto op het omslag van *Life* van Desmond die Cassie over de drempel droeg.

Maar vanaf dat moment was Cassies huwelijksreis voorbij. Ze hadden twee sprookjesachtige weken gehad, maar de eerste ochtend na hun thuiskomst maakte hij haar om drie uur wakker en was ze om vier uur weer aan het oefenen in haar *Poolster*.

Hun programma was afmattend en Billy en zij werden op alle mogelijke manieren getest. Ze simuleerden elke ramp die zich maar kon voordoen en oefenden in het opstijgen en landen op één motor, en twee, in het aanvliegen zonder motorvermogen, en in het landen op de kortste landingsbanen en met de meest woeste zijwinden. Ook oefenden ze landingen onder alle mogelijke omstandigheden, van moeilijke tot bijna onmogelijke, en simuleerden ze vluchten over zeer lange afstanden. En wanneer ze niet vlogen, waren ze bezig met landkaarten, weerkaarten en brandstoftabellen. Ze hadden bijeenkomsten met de ontwerpers en technici en leerden van de monteurs alle mogelijke reparaties. Billy bracht uren door met oefenen met de zendapparatuur en Cassie in een simulator waarin ze onder alle omstandigheden blind leerde vliegen.

Billy en zij vlogen hard en goed. Ze vormden een geweldig team, en toen het april werd deden ze stunts die op elke vliegshow de show hadden gestolen. Ze brachten dagelijks veertien uur samen door, en Desmond bracht haar elke ochtend om vier uur naar haar werk en haalde haar precies om zes uur 's middags weer op. Dan gingen ze naar huis waar ze, nadat zij een bad had genomen, een snel diner hadden. Daarna trok hij zich terug in zijn werkkamer met een tas vol aantekeningen en plannen voor de vlucht en de laatste tijd ook aanvragen voor visums. Ook was hij bezig met het regelen van brandstof die naar elk van hun stops vervoerd moest worden. En natuurlijk onderhandelde hij ook al over contracten voor artikelen en boeken die daarna zouden komen. Ook bracht hij meestal stukken mee die zij moest bekijken, over weersomstandigheden over de hele wereld, belangrijke nieuwe ontwikkelingen in de luchtvaart en gebieden waar ze gezien de situatie in de wereld tijdens de vlucht voorzichtig mee moesten zijn. Het was alsof ze elke avond huiswerk moest maken, en na een lange dag van vliegen was ze daar zelden voor in de stemming. Ze wilde af en toe eens met hem uit eten of naar een film. Ze was een meisje van eenentwintig jaar en hij behandelde haar als een robot. Ze gingen alleen maar uit wanneer er belangrijke sociale gebeurtenissen waren waarvan hij het nuttig vond om daar gezien te worden.

'Kunnen we niets meer doen wat niet met de vlucht te maken heeft?' zei ze op een avond, nadat hij haar een bijzonder dikke stapel papieren had gegeven met de mededeling dat ze die onmiddellijk moest doornemen.

'Niet nu. Volgende winter kun je weer spelen, tenzij je weer een recordpoging hebt gepland. Nu zul je je met de vlucht moeten bezighouden,' zei hij vastbesloten.

'Maar we doen niets anders meer,' klaagde ze, en hij keek haar met een afkeurende blik aan.

'Wil je soms eindigen als de *Ster van de Plejaden*,' vroeg hij kwaad. Dat was het vliegtuig van Earhart geweest en Cassie werd er af en toe doodziek van wanneer hij dat zei.

Ze pakte de papieren van hem aan en ging weer naar boven. Ze liep haar kamer in en sloeg de deur met een klap achter zich dicht. Later verontschuldigde ze zich, en zoals gewoonlijk was hij heel begripvol.

'Ik wil dat je voorbereid bent, Cass, op elke manier die maar mogelijk is. Ik wil dat er niets mis kan gaan.' Maar ze wisten allebei dat er elementen waren waarop ze zich niet konden voorbereiden, zoals stormen of problemen met de motor. Tot nu toe had hij echter aan alles gedacht, tot aan het kleinste detail toe.

Zelfs Pat was diep onder de indruk van wat ze hem vertelde over hun voorbereidingen. De man was een genie als het ging om planning en nauwkeurigheid, en nog meer als het om public relations ging. Hij mocht dan misschien dwangmatig zijn als het om de plannning ging, maar dat was wel in het belang van haar veiligheid en haar welzijn.

En als beloning voor haar harde werk nam hij haar eind april mee voor een lang en romantisch weekend in San Francisco, en Cassie genoot ervan, met uitzondering van het feit dat hij, toen ze daar kwamen, drie interviews georganiseerd bleek te hebben.

In mei werd er nog meer aan publiciteit gedaan. Er waren wekelijkse persconferenties en er waren beelden over haar in de bioscoopjournaals. Samen met Billy verscheen ze overal: op de radio en voor vrouwenclubs. Ze waren voortdurend bezig met het werven van steun en poseerden voor fotografen. Ze had soms het gevoel dat ze geen privéleven meer had, en in feite was dat ook zo. En hoe harder ze werkten en hoe dichter ze bij de oceaanvlucht kwamen, hoe minder tijd Desmond en zij samen doorbrachten. Soms ging hij 's avonds zelfs een paar uur naar zijn club, gewoon om even tot rust te komen. En toen de maand mei ten einde liep, zat hij vaak in zijn werkkamer te lezen tot hij daar in slaap viel.

Ze had er zo genoeg van dat hij haar voorstelde om in mei een weekend naar huis te gaan om even bij te komen, en ze vond het heerlijk. Ze was ook blij haar ouders weer eens te zien. Het betekende wel dat ze haar verjaardag deze keer niet samen met Desmond kon vieren, maar hij gaf haar voor haar vertrek een prachtige saffieren armband en zei dat ze de volgende vijftig verjaardagen samen zouden vieren. Zelfs zij vond het niet erg om deze over te slaan. Ze was inmiddels toch te gespannen door de vlucht om er echt van te kunnen genieten. En Desmond en zij leken nu kilometers van elkaar verwijderd te zijn. Het enige waar hij mee bezig was was de vlucht.

Het was belachelijk: ze werd tweeëntwintig jaar en was getrouwd met een van de belangrijkste mannen ter wereld. Ze was zelf een van de beroemdste vrouwen en ze voelde zich rusteloos en ongelukkig. Het enige waar Desmond over praatte was de vlucht, het enige dat hij wilde doen was erover lezen, het enige dat hij wilde dat zij deed was poseren voor foto's en vijftien uur per dag vliegen. Het leven bestond toch uit meer dan dat. Volgens haar in elk geval wel, maar hij leek zich dezer dagen niet eens te realiseren dat ze leefde. En in sommige opzichten deed ze dat ook niet. Er was niets romantisch meer in haar leven. Het bestond alleen nog uit de vlucht en de vele voorbereidingen.

'Hoeveel vlieguren kunnen we verdomme maken?' klaagde ze tegen Billy toen ze op weg waren naar huis. Hij had besloten haar voor een lang weekend te vergezellen. 'Ik zweer je, zo af en toe denk ik dat ik er een hekel aan begin te krijgen.'

'Je zult je beter voelen als we eenmaal op weg zijn, Cass. Dat wachten is gewoon moeilijk.' De vlucht zou over vijf weken plaatsvinden en ze begonnen allebei gespannen te raken. Cassie voelde het. Maar daarbij was ze nu drieëneenhalve maand getrouwd en had het gevoel dat ze niet dichter bij Desmond was gekomen dan ze voor haar huwelijk was geweest. Hun avonden samen waren in elk geval verre van romantisch, dacht ze bij zichzelf terwijl ze in oostelijke richting vlogen, maar ze zei niets tegen Billy.

In plaats daarvan praatten ze over de persconferenties die Desmond georganiseerd had in L.A. en New York. Bovendien wilde hij dat ze na het weekend naar Chicago zouden gaan voor een interview, maar Cassie had hier nog niet mee ingestemd.

'God, het is vermoeiend, vind je niet?' zei ze glimlachend tegen Billy toen ze halverwege waren. Ze was blij dat ze naar huis ging. Ze had er behoefte aan om haar ouders te zien.

'Achteraf zullen we wel vinden dat het allemaal de moeite waard was,' zei Billy bemoedigend, en ze haalde haar schouders op en voelde zich wat beter.

'Ik hoop het.'

Ze vlogen een tijdje zwijgend verder en toen keek hij naar haar. Ze zag er de laatste tijd erg moe en ongelukkig uit. Hij was bang dat de constante druk van de pers te veel voor haar werd. Voor hem was het veel gemakkelijker. Maar Cassie werd zo ongeveer verslonden door verslaggevers en Desmond leek haar nooit te beschermen. Hij leek ze zelfs te mogen.

'Gaat het wel, Cass?' vroeg Billy na een tijdje. Ze was als een jonger zusje voor hem of een goede vriendin. Ze brachten elke dag zo ongeveer al hun tijd samen door en hadden nooit ruzie, snauwden elkaar nooit af en kregen nooit genoeg van elkaars gezelschap. Ze zou de volmaakte metgezel zijn voor de oceaanvlucht en hij was blijer dan ooit dat hij meeging.

'Jaaa... het gaat wel... Ik voel me al beter. Het is goed om even thuis te zijn en iedereen te zien.'

Hij knikte. Hij was de week daarvoor naar San Francisco geweest om zijn vader op te zoeken, die geweldig trots op hem was. Hij wist hoe belangrijk Cassies familie voor haar was. Ze had die nu nodig, zoals hij het nodig had gehad om zijn vader te zien. En toen, plotseling, zo alleen in het vliegtuig, wilde hij haar de vraag stellen die hij niet eerder had durven stellen. Maar ze leek nu heel ontspannen.

'Hoor je wel eens iets van Nick?' vroeg hij nonchalant, en ze staarde een hele tijd naar de wolken om hen heen voordat ze haar hoofd schudde.

'Nee, nooit. Hij wilde dat we allebei vrij zouden zijn. Hij zal wel gekregen hebben wat hij wilde.'

'Weet hij het al?' vroeg Billy rustig. Hij vond het jammer voor hen dat de dingen zo gelopen waren. Nick was een geweldige vent en Billy had altijd gevoeld hoeveel Cassie van hem hield. Vanaf de eerste dag dat hij die twee had ontmoet. Het was alsof ze bij elkaar hoorden.

'Van Desmond?' vroeg ze, en hij knikte. 'Nee. Omdat hij niet wilde schrijven, ben ik er maar vanuit gegaan dat hij het wel een keer zou horen. Ik had geen zin om hem dat te schrijven.' Bovendien wilde ze hem niet schrijven omdat ze zijn gemoedsrust niet wilde verstoren. Zulk soort nieuws kon je net genoeg afleiden om in een gevechtsvliegtuig een fatale fout te maken, en dat wilde ze niet. 'Hij zal het inmiddels wel weten. Ik weet dat hij af en toe naar mijn vader schrijft.' Maar ze had Pat nooit gevraagd of hij het hem had verteld. Het was nog steeds te pijnlijk om zelfs maar aan te denken, en terwijl ze over Kansas vloog dwong ze zichzelf om met andere dingen bezig te zijn.

Toen ze in Illinois landden, stonden de verslaggevers al te wachten. Ze hadden de hele dag al op haar vaders vliegveld rondgehangen, en ze wist dat er geen rust meer zou zijn, niet voor de vlucht voorbij was. Het tijdstip van vertrek was te dichtbij.

Ze deed wat Desmond altijd van haar wilde. Ze gaf ze voldoende kansen om foto's te maken, beantwoordde wat vragen en zei toen dat het mooi was geweest voor die dag en dat ze naar huis wilde, naar haar moeder.

Haar vader had op haar zitten wachten, en net als Billy poseerde hij voor een paar foto's met haar. Tenslotte verdwenen de fotografen. Ze slaakte een zucht van verlichting terwijl Billy en zij hun spullen in haar vaders truck gooiden, en hij keek haar aan met een lange, trage glimlach. Maar zodra ze thuis was gekomen, had ze opgemerkt dat haar vader er niet goed uitzag.

'Alles in orde met je, pap?' Hij zag er een beetje grauw uit en het beviel haar niets, maar ze dacht dat hij misschien griep had of zo. Ze wist dat haar moeder dat had gehad toen ze terug waren gekomen uit Californië. Bovendien werkte hij hard voor een man van zijn leeftijd. Harder dan ooit, nu Nick weg was, en zij en Billy en Chris... Hij was nu volledig afhankelijk van zijn personeel en de normale groepen rondtrekkende piloten.

'Ja, prima,' zei hij, maar het klonk niet erg overtuigend. Toen keek hij bezorgd naar zijn dochter. Oona vond dat hij het aan de telefoon had moeten zeggen, maar hij wist niet hoe. Toch moest ze het weten.

Pat had het Nick ook nog niet verteld. En verbazingwekkend genoeg had ook niemand anders dat gedaan. Maar hij was er ook nog maar net, sinds de vorige avond.

'Is er iets mis?' Ze had zijn aarzeling gevoeld. Billy merkte het niet, terwijl hij door het raam naar het bekende landschap zat te kijken.

'Nick is hier,' zei hij snel, terwijl hij recht voor zich uit bleef kijken.

'Is hij hier? Waar logeert hij?' vroeg ze niet op haar gemak.

'In zijn eigen huis. Maar uiteindelijk zal hij wel een keer langskomen. Ik dacht dat ik je maar beter kon waarschuwen.'

'Weet hij dat ik hier ben?' Pat schudde zijn hoofd, en Billy keek naar haar ogen. Hij had net gehoord wat haar vader had gezegd en hoopte dat ze niet te veel van streek zou raken.

'Nog niet. Hij is gisteravond pas gekomen. Hij blijft een paar dagen. Ik heb nog niet de kans gehad om hem op de hoogte te brengen.' Ze durfde niet te vragen of hij hem verteld had dat ze getrouwd was.

Ze zei geen woord meer en een paar minuten later lag ze in de armen van haar moeder. Billy bracht haar spullen naar binnen en Pat bracht hem naar de kamer van Chris. Overal stonden nog spullen van hem, en het was een schok om daar naar binnen te lopen en het te zien. Cassie voelde de pijn in haar hart toen ze rondkeek. Het was alsof hij elk moment thuis kon komen.

Ze installeerde zich in haar oude kamer en haar moeder had het eten klaar. Het was een warme, eenvoudige maaltijd, bestaande uit de dingen die Cassie het lekkerst vond: gebraden kip, maïskolven en aardappelpuree.

'Als ik hier zou wonen zou ik inmiddels de omvang van dit huis hebben,' zei Cassie gelukkig tussen de happen door.

'Ik ook,' grinnikte Billy tevreden, en Oona voelde zich gevleid.

'Je bent magerder geworden,' zei Oona met een bezorgde blik. Maar Billy legde het snel uit.

'We hebben behoorlijk hard gewerkt, mevrouw O'Malley. Vijftien uur per dag testvluchten en lange-afstandvluchten over het hele land. We testen alles wat we kunnen voor juli.'

'Ik ben blij dat te horen,' zei Pat.

Toen Oona de tafel had afgeruimd en het nagerecht van appeltaart met zelfgemaakt vanille-ijs wilde opdienen, hoorden ze voetstappen op de veranda, en Cassie voelde hoe haar hart ophield met slaan. Ze keek naar haar bord en moest zichzelf dwingen om naar hem te kijken toen hij de deur door kwam. Ze wilde hem niet zien, maar wist dat ze wel

moest. En toen ze hem zag, benam hij haar de adem. Hij was knapper dan hij ooit was geweest, met zijn gitzwarte haar, schitterende blauwe ogen en door de zon gebruinde huid. Ze snakte naar adem toen
ze hem zag en werd vervolgens knalrood, en niemand bewoog zich of
zei iets. Het was alsof ze allemaal wisten wat er zou komen.
'Stoor ik?' vroeg Nick, niet op zijn gemak. Hij voelde de spanning in
de kamer. Toen zag hij Billy en zei: 'Hé, joh, hoe is het?' Hij liep de
kamer door om hem de hand te schudden en Billy stond op, grinnikend, zijn gezicht nog steeds vol sproeten en met ogen die oplichtten
van plezier toen hij Nick zag.
'Geweldig, en met jou, Stick?'
'Ik begin als een Engelsman te klinken.' En toen, onvermijdelijk, keek
hij naar haar, en hun ogen ontmoetten elkaar. Er lag een wereld van
droefenis in de hare en een verbaasde blik in de zijne. Hij had haar
meer gemist dan hij ooit had gewild. 'Hallo, Cass,' zei hij kalm. 'Je
ziet er goed uit. Bijna klaar voor de vlucht, neem ik aan.' Het laatste
journaal dat hij had gezien, had er aandacht aan besteed, maar het
was meer dan vijf maanden oud geweest. Door begrijpelijke oorzaken
liepen ze een beetje achter in Hornchurch. Hij had het afgelopen jaar
niets anders gedaan dan vliegen, elke dag, elk uur, elke seconde. Daarnaast had hij de dode lichamen van vrouwen en kinderen uit brandende gebouwen in Londen gehaald. Het was een zwaar jaar geweest,
maar hij had het gevoel dat hij iets nuttigs deed. Het was beter dan
hier zitten, maïs tussen zijn tanden vandaan peuteren en wachten op
postvluchten naar Minnesota.
Oona bood hem een dessert aan en hij ging voorzichtig zitten. Hij
voelde dat hij iets onderbroken had of dat ze zich niet op hun gemak
voelden in zijn gezelschap. Misschien was het ook maar verbeelding.
Hij wist het niet, maar hij praatte gemoedelijk met Billy en Pat, terwijl Cassie zweeg. Ze ging naar de keuken om haar moeder te helpen,
maar ze moest uiteindelijk weer naar binnen toen ze aan hun dessert
begonnen. Ze raakte haar appeltaart niet aan, terwijl haar moeder wist
dat ze er gek op was. Pat wist wat er met haar aan de hand was en
Billy ook, maar Nick had geen idee.
Toen ze klaar waren, stak hij een sigaret op, stond op en rekte zich
uit. Hij was ook wat magerder geworden en zag er jong, krachtig,
slank en bijzonder gezond uit.
'Zullen we een eindje gaan lopen?' vroeg hij haar nonchalant. Maar
er klonk spanning in de vraag. Hij wist dat er iets aan de hand was,

maar wilde het zelf aan haar vragen. Gedurende een afschuwelijk moment vroeg hij zich af of ze verliefd was geworden op Billy. Nick was bijna een jaar niet thuis geweest, niet meer sinds de dood van Chris. Het was gewoon een rare speling van het lot dat hij teruggekomen was terwijl zij er ook was. Maar zoals altijd was hij blij haar te zien. Meer dan dat, het vulde zijn ziel met licht en lucht en het enige dat hij wilde was haar kussen, maar ze bewaarde bewust afstand en hij wist het. Hij ging ervan uit dat ze kwaad op hem was. Hij had haar bewust het hele jaar niet geschreven omdat hij haar niet aan het lijntje wilde houden. Alles wat hij gezegd had toen hij wegging, had hij gemeend.

'Is er iets mis, Cass?' vroeg hij tenslotte, toen ze bij het riviertje waren gekomen dat langs de rand van haar vaders grond liep. Ze had tot op dat moment nog geen woord gezegd.

'Niet echt,' zei ze zacht, terwijl ze haar best deed niet naar hem te kijken. Maar ze moest wel. Ze kon haar ogen niet van hem afhouden. Wat ze zichzelf het afgelopen jaar ook had wijsgemaakt, over klaar zijn om verder te gaan, over geven om Desmond en het feit dat hij haar nodig had, ze wist zonder ook maar even te twijfelen dat ze nog steeds verliefd was op Nick, of hij nu van haar hield of niet. Zo was het nu eenmaal tussen hen. Maar ze zou Desmond nooit verraden. Ze herinnerde zich de woorden van haar vader toen ze hem verteld had dat ze met Desmond wilde trouwen. En ze zou haar huwelijk in ere houden, al zou ze eraan kapotgaan. En dat zou kunnen gebeuren, realiseerde ze zich, terwijl ze opkeek naar Nick. Ze hoefde hem alleen maar te zien om een verscheurende pijn in haar hart te voelen.

'Wat is het, meisje...? Je kunt het mij vertellen... wat het ook is, want wat er ook gebeurd is, we zijn in elk geval oude vrienden.' Hij ging naast haar op een oude boomstam zitten en nam haar hand in de zijne, en toen hij omlaagkeek zag hij het. De dunne gouden ring aan de ringvinger van haar linkerhand. Ze had haar verlovingsring deze keer niet omgedaan toen ze naar huis ging, alleen haar trouwring, en die vertelde alles, terwijl zijn ogen de hare ontmoetten en ze knikte. 'Ben je getrouwd?' Hij zag eruit alsof ze hem een klap in zijn gezicht had gegeven.

'Ja,' zei ze bedroefd. Ondanks alle verklaringen voor zichzelf en het feit dat hij tegen haar gezegd had dat ze verder moest gaan, had ze het gevoel dat ze hem verraden had. Ze had kunnen wachten, maar had dat niet gedaan. 'Ik ben drie maanden geleden getrouwd... Ik zou het je wel verteld hebben... maar je schreef nooit... en ik wist niet wat ik moest zeggen...' Langzaam rolden de tranen over haar wangen en haar stem haperde terwijl ze het vertelde.

'Wie...?' Billy had er erg ongemakkelijk uitgezien in haar gezelschap en ze waren samen naar huis gekomen. Nick had altijd gedacht dat ze bij elkaar zouden passen en bovendien had hij de juiste leeftijd. Het was wat hij voor haar gewild had, maar het idee deed zo verdomd veel pijn dat de tranen in zijn ogen sprongen. 'Billy?' vroeg hij met verstikte stem, terwijl hij zijn best deed om nobel te klinken, maar nu lachte ze door haar tranen heen en trok zachtjes haar hand terug.

'Natuurlijk niet.' Ze aarzelde heel lang. Ze keek van hem weg en keek hem toen weer aan. Ze moest het hem vertellen. 'Desmond.'

Er volgde een eindeloze stilte in de warme avondlucht en toen een schreeuw van ongeloof, van pijn bijna, toen hij het begreep. 'Desmond Williams?' Alsof ze nog tien mannen met die voornaam kenden. Met een woeste en gekwelde uitdrukking in zijn ogen keek hij haar aan terwijl ze knikte. 'In godsnaam, Cassie... hoe kon je zo dom zijn? Ik heb je gewaarschuwd, nietwaar? Waarom denk je verdomme dat hij met je getrouwd is?'

'Omdat hij dat wilde, Nick,' zei ze op geërgerde toon. 'Hij heeft me nodig. Hij houdt van me, op zijn eigen manier.' Hoewel ze beter wist dan wie ook dat er het grootste deel van de tijd geen ruimte in zijn leven was voor andere dingen dan zijn vliegtuigen en zijn papieren.

'Hij heeft niets anders nodig dan een vluchtleider en een journaalploeg en dat weet je. Ik heb in het afgelopen jaar geen journaal gezien dat minder dan vijf maanden oud is, maar ik wed dat hij alles uit jullie huwelijk heeft gehaald wat er maar in zat en dat je meer hebt moeten poseren dan Greta Garbo.'

'Het is nog maar vijf weken voor de vlucht begint, Nick, wat had je anders verwacht?'

'Ik had verwacht dat je genoeg hersens had om hem door te hebben. Hij is een charlatan en een verwaande kwast en dat heb ik gezegd sinds de dag dat ik hem heb ontmoet. Hij gebruikt je tot hij je helemaal uitgeknepen heeft, of laat je vliegen tot je erbij neervalt of jezelf ergens om een boom heen vouwt in een machine die te groot voor je is. Er is maar één ding waar hij om geeft: zijn vliegtuigbedrijf en publiciteit. De man is een machine, een publiciteitsgenie, en dat is alles. Wou je me vertellen dat je van hem houdt?' Hij schreeuwde tegen haar,

en ze kromp ineen terwijl hij recht voor haar stond en haar echtgenoot belasterde.

'Ja, ik hou van hem. En hij van mij. Hij denkt voortdurend aan me.
Hij zorgt voor... Natuurlijk geeft hij om zijn vliegtuigen en om de
vlucht, maar hij doet alles wat hij kan om me te beschermen.'

'Wat dan? Stuurt hij je op pad met onderwatercamera's en een kik-
vorsteam? Kom op, Cassie, hou daarmee op. Wou jij me vertellen dat
hij niet alles uit dat huwelijk van jullie heeft gehaald wat er aan publiciteit maar in zat? Ik heb er niets van gezien, maar ik wil wedden
dat ze het hier allemaal hebben kunnen volgen. Ik wed dat je je bruidsboeket recht naar de camera's hebt gegooid.'

'En wat dan nog, verdomme?' Hij was dichter bij de waarheid dan hij
vermoedde, maar Desmond bleef er altijd maar op hameren dat ze
mee moest werken en geduldig moest zijn, dat de pers een belangrijk
deel van hun leven en van haar vlucht was. Maar ze was er zeker van
dat hij niet daarom met haar was getrouwd. Dat was een walgelijk
idee, en ze werd kwaad toen ze Nick dat hoorde zeggen. Welk recht
had hij om kritiek op haar te hebben? Hij had haar niet eens geschreven. 'Wat kan het jou schelen?' vocht ze terug. 'Je wilde me niet.
Je wilde niet met me trouwen, je wilde me niet schrijven, je wilde niet
naar me terugkomen en je wilde me zelfs geen enkele hoop geven voor
als je terug zou komen uit de oorlog. Het enige dat je wilt is de held
spelen in het gevecht van anderen. Nou, ga je gang, vliegenier. Jij wilde me niet. Dat heb je me duidelijk genoeg gemaakt. Het enige dat je
wilde was een beetje zoenen wanneer je hier was en dan weer weggaan
om je eigen leven te leiden. Nou, ga je gang. Maar ik heb recht op
mijn eigen leven en dat heb ik nu.'

'Nee, dat heb je niet,' zei hij gemeen. 'Het enige dat je hebt is een her-
senspinsel, en zodra die vlucht voorbij is en hij geen illusies meer nodig heeft om de pers mee te voeden, dumpt hij je zo snel dat je niet
weet wat je overkomt of hij houdt je misschien gewoon aan en negeert
je verder.' Dat was precies wat hij nu deed, maar dat kwam doordat
hij te veel werk te doen had voor de vlucht. Ze wilde dat Nick ongelijk had. Alles wat hij zei was oneerlijk en kwam alleen doordat hij
niet tegen zijn verlies kon en kwaad was. En toen ging hij door en
maakte het nog erger terwijl hij nog een stap dichter bij haar kwam
staan. Hij wilde haar alleen maar van die boomstam rukken en in zijn
armen nemen, maar uit respect voor haar deed hij dat niet. 'Ik heb
gehoord dat hij er een stuk of zes maîtresses op na houdt, Cass. Heeft

iemand je dat al verteld of ben je er zelf achter gekomen?' Hij zei het op een kwaadaardige toon, maar hij keek alsof hij ervan overtuigd was.

'Dat is belachelijk. En bovendien, hoe weet je dat?'

'Die dingen worden bekend. Hij is niet de heilige... of de echtgenoot die hij lijkt te zijn,' zei hij triest. Was hij zelf maar met haar getrouwd, maar het had hem zo verkeerd geleken toen hij wegging. En dat leek het nog steeds. Maar dat gold ook voor haar huwelijk met Desmond.

'Die vent is een klootzak, Cass. Hij houdt waarschijnlijk helemaal niet van je. Wees eerlijk. Hij is een publiekspeler en een bedrieger. Je bent niet met hem getrouwd. Je bent alleen maar aan het circus toegevoegd.' Maar het was zo beangstigend voor haar om Nick al die dingen te horen zeggen dat ze alleen maar wilde uithalen om hem te laten stoppen. Ze bracht haar arm naar achteren om hem met al haar kracht te kunnen slaan, maar hij was sneller dan zij. Hij greep haar arm en trok deze op haar rug. Toen kon hij zich echter niet meer beheersen. Hij kuste haar heviger dan hij ooit had gedaan, heviger dan hij op een ander moment ooit had gedurfd, maar ze was geen meisje meer, ze was een vrouw. En zonder er ook maar bij na te denken, reageerde ze op hem en gedurende een eindeloos moment klampten de twee zich aan elkaar vast in een ongeremde hartstocht. Het was Cassie die zich tenslotte losmaakte, terwijl de tranen over haar wangen rolden. Ze vond het vreselijk wat er tussen hen gebeurde, ze haatte zichzelf voor wat ze hem had aangedaan, maar het had toen zo juist geleken om met Desmond te trouwen. Misschien had ze ongelijk gehad.

Maar daar ging het nu niet om; waar het nu om ging was Nick en de dingen die niet meer konden.

'Cassie, ik hou van je,' zei Nick op indringende toon, terwijl hij haar weer in zijn armen nam. Deze keer kuste hij haar echter niet. 'Dat is altijd zo geweest en het zal altijd zo blijven. Ik wilde je leven niet kapotmaken, maar ik had nooit gedacht dat je zoiets doms zou doen... Ik dacht dat het Billy zou worden.' Ze lachte bij het idee en ging weer op de boomstam zitten om na te denken over de puinhoop die ze ervan gemaakt had. Ze hield van twee mannen... of misschien maar van één... maar ze werd in elk geval geobsedeerd door de één en was getrouwd met de ander.

'Getrouwd zijn met Billy zou zoiets geweest zijn als getrouwd zijn met Chris,' zei ze met een verdrietige lach.

'En getrouwd zijn met hèm?' vroeg hij met verstikte stem. Hij moest het weten.

'Hij is heel serieus,' zuchtte ze. 'Alles wat hij momenteel doet is voor de vlucht. Ik denk dat hij het voor mij doet. Ik weet niet, Nick... Ik dacht dat het een goede beslissing was. Misschien heb ik een vergissing gemaakt. Ik weet het gewoon niet.'

'Zeg de vlucht af,' drong hij aan. 'Ga van hem scheiden.' Hij was in paniek. Hij zou alles doen. Hij zou met haar trouwen als ze dat wilde. Elke vezel van zijn lichaam vertelde hem dat ze in gevaar was.

'Dat kan ik niet, Nick,' zei ze oprecht. 'Dat zou niet eerlijk zijn. Hij is in goed vertrouwen met me getrouwd. Ik kan hem niet in de steek laten. Ik ben hem te veel verschuldigd. De vlucht is zo belangrijk voor hem en hij heeft er zoveel in geïnvesteerd, niet alleen het vliegtuig...' Ze kon het niet eens overwegen.

'Je bent er niet klaar voor.'

Maar dat was ze wel en dat wist ze. 'Ja, dat ben ik wel.'

'Je bent niet verliefd op hem.' Hij zag er plotseling zo jong en kwetsbaar uit. Ze wenste dat ze op hem gewacht had, maar dat had ze niet gedaan.

'Ik ben niet verliefd op hem. Dat ben ik nooit geweest en dat weet hij. Ik heb hem over jou verteld en hij accepteerde dat. Maar ik hou wel van hem. Ik kan hem nu niet in de steek laten, Nick.'

'En daarna? Wat gebeurt er daarna? Zit je voor altijd aan hem vast?'

'Ik weet het niet, Nick. Er zijn geen eenvoudige antwoorden.'

'Ze zijn zo eenvoudig als je zelf wilt,' zei hij koppig.

'Dat is wat ik twee jaar geleden tegen jou zei, Nick, voor je wegging. En toen wilde jij niet naar mij luisteren.'

'Soms lijken de dingen ingewikkelder dan ze zijn. We maken ze zo ingewikkeld, maar dat hoeft niet,' zei hij verstandig.

'Ik ben met hem getrouwd, Nick, in voor- en tegenspoed. Of ik nu van jou hield of niet. Ik kan niet bij hem weggaan alleen omdat jij dat zegt.'

'Misschien niet,' zei Nick kortaf, 'maar op een dag, als dit voorbij is, zal hij jou verlaten, emotioneel of op een andere manier. Het is allemaal voor de publiciteit. Je zult er nog achter komen, Cass. Ik weet het zeker.'

'Misschien, maar tot die tijd ben ik hem iets verschuldigd. En ik ben niet van plan mijn belofte te breken of hem te verraden. Hij is mijn man. Hij verdient beter dan dat wij hem samen aan het belasteren zijn.

Daar doe ik niet aan mee.'

Hij keek haar lange tijd aan en leek enigszins in elkaar te zakken toen de betekenis van haar woorden tot hem doordrong. 'Je bent een geweldige meid, Cass. Hij is een gelukkig man. En ik ben een idioot geweest. Ik dacht dat ik te oud voor je was... en te arm... en te dom. Ik had in elk geval voor een deel gelijk.' En toen kon hij een goedkope opmerking niet binnenhouden: 'Hoe voelt het om getrouwd te zijn met een van de rijkste mannen ter wereld?'

'Niet anders dan wanneer ik met jou getrouwd zou zijn,' pareerde ze snel. 'Jullie zijn allebei verwende jongetjes die alles op hun manier willen. Misschien zijn alle mannen dat wel, of ze nu rijk of arm zijn,' zei ze en keek hem recht in zijn ogen. Hij lachte. Ze was haar pit nog niet kwijtgeraakt.

'Raak. Ik wou dat ik blij voor je kon zijn, Cass, maar dat ben ik niet.'

'Probeer het. We hebben geen andere keuze.' Ze moest trouw blijven aan de keuze die ze had gemaakt. In het belang van hen allemaal. Ze was een eerbare vrouw. Hij knikte en toen liepen ze langzaam hand in hand onder de door sterren verlichte hemel terug en praatten. Hij besefte meer dan ooit wat een dwaas hij was geweest. Hij had zijn beslissingen voor haar genomen en kijk wat er gebeurd was. Haar vader had gelijk gehad. Hij had haar vrij gelaten en ze was met een ander getrouwd. Maar Desmond Williams... hij haatte alles aan die man. En hij was er ten diepste van overtuigd dat hij Cassie gebruikte. En zij was veel te jong en onschuldig om dat te weten. Hij was veertig jaar en kon Desmond Williams lezen als de voorpagina van de *New York Times*. En de koppen die hij tot nu toe had gelezen, bevielen hem niet.

Op de veranda wenste Cassie hem goedenacht en ze kusten niet meer. En pas nadat ze naar binnen was gegaan, zag Nick zijn oude vriend daar rustig op een stoel zitten kijken.

'Hou je een oogje op me, Ace?' vroeg Nick met een vermoeide grijns en ging in de stoel naast hem zitten.

'Ja. Ik heb Cassie maanden geleden al gezegd dat ze haar huwelijksbelofte trouw moet blijven.'

'Dat zal ze ook doen. Ze is een goed meisje. En ik ben een idioot. Je had gelijk, Pat.'

'Daar was ik al bang voor.' En toen was hij eerlijk tegen zijn oude vriend, de jongen die zijn beschermeling was geweest in een andere oorlog, een kwart eeuw geleden. 'Het ergste voor haar is dat ze nog steeds van jou houdt. Dat kun je zien. Is ze gelukkig met hem?' vroeg Pat op de toon van een samenzweerder.

'Ik denk het niet. Maar ze denkt dat ze hem van alles schuldig is.'

'Dat is ook zo, Nick. Dat kun je niet ontkennen.'

'En als ze gewond raakt?' Nick wilde het woord 'dood' niet tegen haar vader gebruiken. Maar het kon gebeuren en dat wisten ze. 'Wat zijn we hem dan schuldig?'

'Dat is het risico dat we allemaal nemen, Nick. Dat weet je. Ze weet wat ze wil en ze weet wat ze doet. De enige onzekere factor ben jij.'

'Ja, maar ik weet het zelf niet. Ik zou nu nòg niet met haar getrouwd zijn. Ik wilde geen weduwe van haar maken.' Hij lachte schamper. 'Ik dacht dat ik te oud voor haar was, maar hij is verdomme bijna net zo oud als ik.'

'We zijn allemaal van die sufferds. Ik ben tweeëndertig jaar geleden bijna niet met Oona getrouwd. Ik dacht dat ze te goed voor me was en mijn moeder zei dat ik gek was. Zij zei dat ik een ring om haar vinger moest schuiven. Ze is te goed voor me... maar ik hou van haar... tot op de dag van vandaag. Ik heb geen dag spijt gehad van mijn huwelijk.' Het was meer dan hij ooit tegen haar had gezegd en voor Nick kwam de goede raad te laat. Voorlopig tenminste. Maar als Nick gelijk had en Desmond Cassie inderdaad een keer aan de kant zou zetten, zou ze op een dag misschien weer vrij zijn. Daar was nu echter nog niets over te zeggen.

Ze zaten een hele tijd samen op de veranda te praten en toen ze opstonden merkte Nick dat Pat een beetje kortademig was. Dat was hem nooit eerder opgevallen en het beviel hem niet.

'Ben je ziek geweest, Ace?'

'Ach... niets bijzonders... een beetje griep, een beetje gehoest... ik word te dik. Oona kookt te lekker. Soms kom ik een beetje in ademnood. Maar het is niets bijzonders.'

'Doe het een beetje rustig aan,' zei Nick met een bezorgde blik.

'Zeg dat maar tegen jezelf,' lachte Pat, 'de hele dag op moffenjacht. Ik denk dat jij je heel wat meer zorgen zou moeten maken dan ik.'

Nick knikte. Hij was Pat dankbaar voor de dingen die hij over Cassie had gezegd. 'Welterusten, Ace. Tot morgen.'

Nick liep het hele eind terug naar zijn hut. Alles daarbinnen was stoffig. Hij was meer dan een jaar niet thuis geweest, maar het was goed om er te zijn. Alles voelde goed, behalve het feit dat Cassie getrouwd was. Die nacht lag hij in zijn vertrouwde bed en verlangde zo naar haar dat het pijn deed. Hij kon niet geloven dat ze nu aan een ander toebehoorde... dat lieve gezicht... het kleine meisje van wie hij zoveel hield was niet langer de zijne en zou dat ook nooit meer zijn. Ze was nu van Desmond. En toen hij eindelijk in slaap viel, rolden de tranen langzaam uit zijn ogen op zijn kussen.

17

Het weekend thuis bleek voor hen beiden moeilijk te zijn. Cassie deed alles wat ze kon om bij Nick uit de buurt te blijven, maar hun wereld was te klein. Ze bleven elkaar overal tegenkomen, in huis, op het vliegveld en zelfs in de kruidenierswinkel toen ze wat boodschappen voor haar moeder deed. En hij probeerde haar beslissing te respecteren, voor haar, niet voor Desmond, maar het was onmogelijk. De avond voor ze wegging, kwamen ze weer in elkaars armen terecht. Het was de avond van haar tweeëntwintigste verjaardag. Hij had met haar en haar familie gegeten, en tijdens de maaltijd werden ze als magneten naar elkaar toe getrokken. Ze wisten dat het de laatste avond was dat ze elkaar zagen en dat er misschien nooit meer een kans zou komen. Bij de gedachte daaraan raakten ze in paniek.

'Dit kan niet, Nick,' zei ze, nadat ze hem vol verlangen had gekust. 'Ik heb mijn vader beloofd dat ik dit niet zou doen. En ik kan het voor mezelf ook niet... of voor Desmond.' Bovendien werd ze overal door de pers gevolgd en het laatste dat ze kon gebruiken was een schandaal. Ze hadden die dag op het vliegveld van iedereen foto's proberen te maken, maar Nick had zich discreet in zijn hut teruggetrokken tot de fotografen weg waren. Toen was hij weer te voorschijn gekomen en ze was hem dankbaar. Ze wist dat Desmond geschrokken zou zijn als hij Nick op de foto's had gezien. Toen ze hem belde had ze niet verteld dat Nick thuis was.

'Ik weet het, Cassie... Ik weet het.' Nick ging niet tegen haar in. Hij wilde haar geen pijn doen. Ze zaten op de veranda te praten. Haar ouders waren een uur daarvoor naar bed gegaan, maar hadden niets gezegd toen Nick was blijven zitten om met Cassie te praten. Ze zou de volgende dag vertrekken en het was hun laatste kans om samen te zijn.

'Weet je zeker dat je klaar bent voor de vlucht? Volgens Billy is je vliegtuig ontzettend zwaar.'

'Ik kan ermee omgaan.'

Hij sprak haar deze keer niet tegen. 'Is je route veilig?'

'Daar ga ik vanuit. Desmond zit er elke avond tot middernacht aan te werken.'

'Dat moet leuk voor je zijn,' zei hij gevat. Toen glimlachte hij een beetje spijtig en zei: 'Jij, sufferd. Je had met Bobby Strong kunnen trouwen en uien kunnen verkopen. En wat doe je? Je trouwt met de grootste magnaat van Amerika. Kun je dan niets goed doen, Cass?' Hij plaagde haar en ze lachte. Er viel niets te lachen, maar als ze niet zouden lachen, zouden ze huilen. In de paar dagen dat ze nu thuis waren, was hun allebei duidelijk geworden dat ze gedoemd waren om voor altijd van elkaar te houden. Elke keer dat ze elkaar tegenkwamen of elkaar in de ogen keken, bracht de kracht van hun gevoelens hen dichter bij elkaar. Er was geen ontkomen aan. En Cassie realiseerde zich nu dat ook de tijd hier geen verandering in zou brengen. Nick en zij waren een deel van elkaar. Dat zou altijd zo zijn. Ze konden het niet meer ontkennen. Ze had nooit meer van Nick gehouden dan nu en nu moest ze leven met de pijnlijke wetenschap dat ze van Nick hield en Desmond niet wilde verraden.

Maar op die laatste avond wisten ze dat dit hun enige en misschien wel hun laatste kans was om samen te zijn. Hij ging terug naar de oorlog en zou zijn leven weer in de waagschaal stellen en zij zou ook alle mogelijke risico's nemen met haar vlucht over de Grote Oceaan. Het was te laat voor spelletjes en zelfs voor boosheid. Ze moesten accepteren wat ze hadden gedaan. Ze waren allebei dom geweest en dat wisten ze.

'Wat gaan we doen, Cass?' vroeg hij ongelukkig, terwijl ze naar de volle maan keken die aan de met sterren bezaaide hemel stond. Het was een volmaakte avond om verliefd te zijn, maar hun verhaal was niet langer eenvoudig. Ze verlangden allebei terug naar de tijd waarin ze uren op het verlaten vliegveldje hadden doorgebracht. Toen was alles mogelijk geweest. Maar ze hadden zulke domme keuzes gemaakt, hij om weer in een oorlog te gaan vechten en zij om een man te trouwen om wie ze wel gaf, maar van wie ze niet hield. Ze wist maar al te goed dat Nick de enige man was van wie ze hield en ooit zou houden, ondanks haar loyaliteit aan Desmond. Misschien zou dat ooit veranderen, maar dat was nog niet gebeurd en als het al ooit zou gebeuren zou dat nog wel even duren. Ze had zichzelf voor de gek gehouden toen ze met Desmond trouwde. Nu ze Nick weer had ontmoet, wist ze dat.

'Ik wou dat ik met je mee kon gaan naar Engeland,' zei ze verdrietig.

'Ik ook. Ze hebben nog geen vrouwelijke piloten die aan de gevechtsacties meedoen, maar de Britten staan behoorlijk open voor nieuwe dingen.'

'Misschien moet ik maar weglopen en bij de RAF gaan,' zei ze half serieus. Ze wist niet hoe ze nu verder moest leven. Op een bepaalde manier was ze dankbaar dat de vlucht eraan kwam. Dat zou haar in elk
geval bezighouden en uit de buurt van Desmond houden.

'Misschien had ik nooit moeten gaan,' zei hij tot haar grote verrassing. Toen ze hem dat hoorde zeggen, maakte ze zich ook zorgen. Als
hij nu zijn moed kwijt zou raken, zou hij gewond kunnen raken. Ze
had te veel van dat soort verhalen gehoord, over mannen die hun
vriendin of hun vrouw kwijtraakten en vervolgens de dood vonden tijdens gevechtsacties.

'Het is te laat om dat nu te zeggen,' zei ze berispend. 'Je kunt maar
beter goed letten op wat je doet.'

'Moet je horen wie het zegt,' zei hij lachend en dacht aan de dingen
waar zij over nauwelijks meer dan een maand mee geconfronteerd zou
worden. Bij de gedachte aan haar vlucht werd hij ziek van bezorgdheid, en hij stond op en vroeg haar een wandeling met hem te maken.
Langzaam liepen ze van het huis van haar ouders naar het vliegveld,
dat op beiden een magnetische aantrekkingskracht leek te hebben. Hij
vertelde haar over Engeland en zij vertelde over de vlucht en hun route over de Grote Oceaan.

'Het is verdomd jammer dat je door de oorlog geen echte vlucht rond
de wereld kunt maken. Ik zou me dan minder zorgen maken dan met
die lange afstanden over de oceaan.' Maar dat was de plaats waar nu
de eer te behalen viel en dat wisten ze allebei.

Ze waren inmiddels op het vliegveld gekomen en zonder erbij na te
denken, liepen ze naar de oude Jenny. Het was een warme nacht en
de maan was zo helder dat ze alles op het vliegveld konden zien.

'Zin in een tochtje?' vroeg hij aarzelend. Ze had elk recht om tegen
hem te zeggen dat hij naar de duivel kon lopen, maar ze wisten allebei dat ze dat niet wilde. Wat ze wilde was een tijdje met hem alleen zijn en haar andere leven vergeten en het feit dat ze de volgende ochtend weer afscheid moesten nemen. Deze keer misschien voor
altijd.

'Dat wil ik wel,' zei ze zacht. En zonder verder een woord te zeggen,
hielp ze hem het vliegtuig naar buiten te brengen en de grondcontroles te doen. Ze zweefden gemakkelijk de avondhemel in, met alle

bekende geluiden en gevoelens. Maar het was anders om 's nachts te vliegen. Daarboven waren ze in hun eigen wereld, een wereld vol sterren en dromen waar niemand anders hen kon zien of pijn kon doen.

Hij aarzelde slechts even toen ze bij het oude vliegveldje kwamen waar ze elkaar in het verleden zo vaak hadden ontmoet, maar zette het kleine vliegtuig toen moeiteloos in het maanlicht aan de grond. Toen zette hij de motor uit en hielp Cassie uit het vliegtuig. Ze hadden geen idee waar ze heen gingen. Ze wisten alleen dat ze nu bij elkaar moesten zijn, in hun eigen wereld, alleen zij tweeën. En het was zo vredig hier. Zonder erbij na te denken liepen ze allebei naar de plaats waar ze vroeger uren hadden zitten praten. Ze voelde zich nu zoveel ouder, en zoveel verdrietiger. Ze had haar broer verloren en ook elke hoop dat ze ooit met Nick zou trouwen. Op deze plaats had hij haar voor het eerst gekust en haar verteld dat hij van haar hield. Het was de dag geweest waarop hij haar verteld had dat hij zich bij de RAF had aangemeld. Vanaf dat moment hadden ze allebei de verkeerde beslissingen genomen.

'Wens jij ook niet af en toe dat je de klok zou kunnen terugdraaien?' vroeg ze, terwijl ze opkeek naar zijn verdrietige gezicht.

'Wat zou je anders hebben gedaan, Cass? Toen bedoel ik.'

'Ik zou je al heel lang geleden verteld hebben hoeveel ik van je hield. Ik dacht toen dat het je niet zou interesseren omdat ik nog maar een kind was. Ik dacht dat je me uit zou lachen.' Ze zag er zo mooi uit zoals ze daar naast hem stond.

'Ik was bang dat je vader me zou laten arresteren.' Het was vreemd om nu te beseffen dat Pat er niet afkeurend tegenover zou hebben gestaan en om te beseffen dat ze al zo lang van elkaar gehouden hadden. En nu was ze met een ander getrouwd. Het was allemaal zo krankzinnig.

'Misschien laat mijn vader je nu arresteren,' zei ze glimlachend, 'maar toen had hij het niet gedaan, denk ik.' Ze wist echter niet eens zeker of hij er nu bezwaar tegen zou hebben. Ze deden nu precies datgene waarvan hij haar verteld had dat ze het nooit mocht doen, maar hij wist ook hoeveel ze van elkaar hielden. En hij was de laatste jaren veel milder geworden. Hij was nu haar beste vriend. Vooral nu Nick weg was. Haar vader had verrassend veel begrip getoond voor alles wat ze had gedaan. Het verbaasde haar nog steeds.

Ze liepen naar hun oude vertrouwde boomstam. Het gras was vochtig. Nick trok zijn oude vliegeniersjack uit en liet haar daarop plaats nemen. Toen ging hij naast haar zitten, nam haar in zijn armen en kuste haar. Ze wisten allebei waarom ze hier waren gekomen. Ze waren volwassen nu. Ze hadden geen toestemming meer nodig en hoefden geen leugens meer te vertellen. Vanavond in elk geval niet. Ze waren hier omdat ze van elkaar hielden en iets nodig hadden om met zich mee te nemen.

'Ik wil niets doms doen,' zei hij, terwijl ze zich in zijn armen nestelde. Hij maakte zich zorgen om haar. Hij had zich ook zorgen gemaakt toen hij naar Engeland was vertrokken. Maar de dingen waren nu net anders genoeg om het risico te rechtvaardigen en op een vreemde manier hoopte hij bijna dat hij haar zwanger zou achterlaten. Misschien zou ze Desmond dan wel moeten verlaten.

En terwijl ze naast hem lag en zijn sterke armen om haar heen voelde en hij haar kuste, wenste ze hetzelfde. Maar enkele ogenblikken later verbleekte de toekomst en waren ze alleen nog maar in het heden. Terwijl ze elkaar kusten, voelde ze de vlammen van verlangen door zich heen schieten en enkele minuten later glansde haar zilverachtige lichaam naast het zijne in het maanlicht. Het was een nacht die ze nooit zouden vergeten en ze wisten dat ze er jaren en misschien wel de rest van hun leven op zouden moeten teren.

'Cassie… ik hou zoveel van je…' fluisterde hij teder, terwijl hij haar in zijn armen hield en in de warme nachtlucht haar lichaam tegen het zijne voelde. Ze was nog mooier dan hij ooit had gedroomd. Hun kleren lagen om hen heen verspreid in het bedauwde gras. 'Ik ben zo'n stommeling geweest,' zei hij, terwijl hij op zijn zij naar haar lag te kijken en elk moment in zijn geheugen kerfde. Ze zag er in het maanlicht uit als een godin.

'Ik ook,' fluisterde ze slaperig, maar op dit moment maakte het niet uit, zolang ze maar bij hem kon zijn en in zijn armen kon liggen. Dit was alles wat ze wilde. Voor dit korte ogenblik in de tijd was dit het enige dat belangrijk was.

'Misschien worden we een dezer dagen allebei slim… of hebben we een beetje geluk,' zei hij, maar hij betwijfelde het. Het was nu te ingewikkeld. Het enige dat ze hadden was dit moment, deze nacht, in het zilverachtige maanlicht.

Zo bleven ze lange tijd liggen, en net voor de zon opkwam bedreven ze nog een keer de liefde. Ze waren allebei in slaap gevallen en in de zachte ochtend werden ze vol verlangen naar elkaar wakker in elkaars armen. De zon kwam op en keek glimlachend op hen neer, en deze keer zag hij hoe haar sierlijke lichaam niet gekust werd door het zilverkleurige maanlicht maar door het gouden licht van de zon. Daarna lagen ze in elkaars armen en wensten dat ze daar voor altijd konden blijven.

Terwijl ze terugvlogen naar het vliegveld van haar vader, was de lucht een mengeling van roze, gouden en zachtpaarse tinten. Toen ze de Jenny weer in de hangar zetten, zagen ze er allebei rustig uit. Ze keek naar hem met een lange, trage glimlach. Ze had geen spijt van wat er gebeurd was. Dit was hun bestemming.

'Ik hou van je, Nick,' zei ze gelukkig.

'Ik zal altijd van jou houden,' antwoordde hij, en toen liepen ze samen naar het huis van haar ouders. Ze behoorden elkaar nu toe. Ze hadden een band die onverbrekelijk was.

Toen ze bij het huis kwamen, was alles nog rustig. Het was nog vroeg en er was nog niemand op toen Nick haar in zijn armen nam en haar haar streelde, terwijl hij niet aan de toekomst of Desmond Williams probeerde te denken. Ze bleven daar lange tijd staan, niet bij machte elkaar te verlaten, en hij kuste haar weer en zij vertelde hem steeds opnieuw hoeveel ze van hem hield.

Toen ze haar ouders hoorden opstaan en rondlopen, ging hij weg. Ze hadden geen spijt. Ze hadden elkaars kracht nodig om terug te gaan naar hun eigen leven met alle angsten en uitdagingen waarmee ze geconfronteerd zouden worden.

'Ik zie je voor je vertrekt,' beloofde ze hem fluisterend. Toen trok ze hem weer tegen zich aan en kuste hem bijna martelend zacht op zijn lippen. Hij vroeg zich af hoe hij haar ooit weer zou kunnen verlaten of zien vertrekken, vooral nu hij wist dat ze terugging naar haar man.

'Ik kan je niet laten gaan, Cass.'

'Ik weet het,' zei ze ongelukkig, 'maar we moeten.' Ze hadden geen keuze en dat wisten ze.

Toen ging hij weg. Langzaam liep ze de kamer binnen waarin ze als kind had gewoond en ze dacht aan hem en wenste dat de dingen anders waren.

Ze nam een douche, kleedde zich aan en ontbeet met haar ouders. Net als Nick eerder had opgemerkt, zag ze dat haar vader moeite had met ademhalen. Maar hij bleef volhouden dat het niets bijzonders was. Meteen na het ontbijt reed haar vader met Billy en haar naar het vliegveld. Ze beloofde haar moeder dat ze haar voor de vlucht regelmatig zou bellen en dat ze als het kon nog een keer terug zou komen. Maar ze vroeg zich af of Desmond dat goed zou vinden. Omdat haar vader zo bleek zag, had ze het gevoel dat ze dat zou moeten doen.

Toen ze op het vliegveld kwamen, was Nick in het kantoor en bij het afscheid keek hij haar lang en diep in haar ogen. Toen liep hij, kletsend met Billy, met hen naar het vliegtuig. Maar Cassie voelde zijn aanwezigheid, ze voelde zijn satijnen huid op de hare en voelde het genot dat ze hadden ervaren. De echte band die ze hadden was gebaseerd op tijd en liefde en genegenheid, maar met de hartstocht die daaraan toe was gevoegd wist Cassie dat de vlam van haar liefde voor hem voor altijd zou branden.

'Wees voorzichtig, jullie tweeën,' zei Nick waarschuwend. Hij dacht weer aan de vlucht. 'Let op dat ze niet ergens tegen een boom aan vliegt,' zei hij tegen Billy. Hij schudde hem de hand, terwijl Cassie de grondcontroles deed en Nick naar haar keek. Hij kon zijn ogen niet van haar afhouden en zij genoot van zijn nabijheid.

Terwijl Billy zich in het vliegtuig installeerde, nam ze met een kus afscheid van haar vader, en toen was er geen ontkomen meer aan. Het was tijd om afscheid te nemen van Nick. Hun ogen ontmoetten elkaar, hun handen raakten elkaar, en toen trok hij haar in zijn armen en kuste haar zacht in het bijzijn van de anderen. Het maakte hem niet meer uit. Hij wilde alleen maar dat ze wist hoeveel hij van haar hield.

'Pas op jezelf, Cass,' fluisterde hij in haar haar, nadat hij haar gekust had. 'Doe niks geks tijdens die vlucht van je.' Hij wenste nog steeds dat ze niet zou gaan, maar wist dat hij haar niet kon tegenhouden.

'Ik hou van je,' zei ze zacht, met ogen vol tranen die hem vertelden wat ze voor hem voelde en zijn liefde weerspiegelden. 'Laat me af en toe weten hoe het met je gaat.' Hij knikte, en terwijl hij voor de laatste keer haar hand in de zijne hield, stapte ze in de cockpit. Het was deze keer bijna onmogelijk om elkaar te verlaten. Pat keek naar hen en had medelijden met hen, maar er kwam geen afkeurend woord over zijn lippen.

Haar vader en Nick stonden er nog steeds toen ze in het grote vliegtuig van Williams Aircraft, dat ze van Desmond had geleend, over de startbaan taxiede. Eenmaal in de lucht bracht ze een groet met haar vleugels en toen waren ze weg. Nick stond nog lange tijd naar de hemel te staren, nog lang nadat Pat teruggelopen was naar het kantoor en nog lang nadat haar vliegtuig uit het zicht was verdwenen. Hij kon alleen maar denken aan haar lichaam naast hem in het maanlicht. In zekere zin was het een opluchting voor hem dat hij de volgende dag terug zou gaan naar de oorlog. Hij kon het nu niet meer verdragen om hier zonder haar te zijn.

Billy en zij zeiden niet veel tijdens de vlucht naar L.A. Haar moeder had hun een thermosfles koffie meegegeven en wat koude kip. Maar ze waren geen van beiden hongerig. Haar ogen vertelden duizend verhalen, maar de eerste twee uur stelde hij geen vragen. Tenslotte kon hij de stilte niet meer verdragen.

'Hoe voel je je?' Ze wist wat hij haar vroeg en zuchtte voor ze antwoordde.

'Ik weet het niet? Ik ben blij dat ik hem gezien heb. In elk geval weet hij het nu.' Ze was tegelijkertijd zowel vervuld van hoop als van wanhoop. Het was moeilijk aan Billy uit te leggen. Nick was nu in elk geval op de hoogte van Desmond, maar in sommige opzichten had hun tijd samen het alleen maar moeilijker voor haar gemaakt om terug te gaan naar Californië.

'Hoe nam hij het op?'

'Zo goed als hij kon. Hij was furieus toen hij het hoorde. Hij heeft een heleboel dingen gezegd.' Ze aarzelde en keek haar vriend toen grimmig aan. 'Hij denkt dat Desmond alleen met me getrouwd is als publiciteitsstunt, om onze vlucht aantrekkelijker te maken voor het publiek.'

'Denk jij dat ook?' vroeg hij scherp. Ze dacht erover na en aarzelde. Ze wilde dat niet denken. 'Het klinkt alsof hij niet tegen zijn verlies kan. Misschien is het moeilijk voor Nick om toe te geven dat de man echt van je houdt.' Maar was dat zo? Hij behandelde haar nu zo koel. Hij ging helemaal op in de vlucht en had nauwelijks aandacht voor haar. Stel dat Nick gelijk had. Het was moeilijk om te weten, moeilijk om alles helder te zien, vooral na de nacht die ze met Nick op de oude landingsbaan had doorgebracht. Maar ze wist dat ze dat nu uit haar hoofd moest zetten. Ze wilde eerlijk zijn ten opzichte van Desmond. En ze moest zich op de vlucht gaan concentreren. De rest kon wachten tot later.

Maar het denken aan de vlucht herinnerde haar aan wat ze Desmond schuldig was. Nick was niet eerlijk en ze geloofde niet dat Desmond andere vrouwen had. Hij was alleen maar met zijn werk bezig. Hij werd erdoor geobsedeerd. Eigenlijk was dat hun grootste probleem. Dat en Nick Galvin. Maar bij haar terugkeer naar L.A. was ze vastbesloten om het spel eerlijk te spelen. Ze zou Nick niet toestaan om ook maar een schaduw van twijfel over hun huwelijk te werpen.

Vanaf het moment dat ze terug was, deed Desmond echter alles wat Nick had voorspeld. Hij praatte over niets anders dan de pers en de oceaanvlucht. Hij vroeg niet eens naar haar weekend bij haar ouders. Ze kon het niet helpen, maar ze merkte dat ze Desmonds koele houding begon te wantrouwen en ook zijn voortdurende liefdesaffaires met verslaggevers en journalisten. Ze stelde hem vragen over een aantal interviews die hij voor haar had gepland. Toen ze weigerde daar de noodzaak van in te zien, was de spanning tussen hen onmiddellijk voelbaar.

Om middernacht, op de dag nadat ze teruggekeerd was van haar ouders, snauwde hij tegen haar: 'Waar klaag je eigenlijk over?' Ze was uitgeput. Ze had die dag twaalf uur gevlogen en daarna nog vijf uur vergaderd. Hij had de dag vervolgens afgesloten met een gezelschap van verslaggevers en fotografen die haar op de foto moesten zetten.

'Ik ben het gewoon zat om elke keer wanneer ik uit bed kom of uit de badkuip stap over fotografen te struikelen. Ze zitten overal en ik heb er genoeg van. Zorg dat ze verdwijnen,' zei ze kortaf en geërgerd.

'Waar heb je eigenlijk bezwaar tegen?' vroeg hij kwaad. 'Het feit dat je de grootste naam in het nieuws bent of dat je dit jaar twee keer op het omslag van *Life* hebt gestaan? Wat is het probleem eigenlijk?'

'Het probleem is dat ik doodmoe ben en dat ik het zat ben om als een circushond te worden gebruikt.' Ze werd beïnvloed door de waarschuwingen van Nick en ze realiseerde zich dat ze Desmond begon te wantrouwen. Maar ze had echt genoeg van de pers.

Desmond hield er duidelijk niet van wanneer hij tegengesproken werd. Hij was razend op haar. Nadat ze nog een uur zinloos hadden geruzied, vertrok hij naar de kleine logeerkamer naast zijn werkkamer. Met het excuus dat hij het te druk had om weer naar hun slaapkamer te verhuizen, bleef hij daar de rest van de week werken en slapen. Maar ze wist dat hij haar wilde straffen omdat ze geklaagd had. In zekere zin was het echter een opluchting en het gaf haar tijd om haar verwarde gevoelens te ordenen. Haar contact met Nick had de dingen er niet gemakkelijker op gemaakt, maar ze wist dat dat voor een deel haar eigen fout was.

Uiteindelijk werd de situatie tussen Desmond en haar echter weer nor-maler. Door de druk van de vlucht liepen de spanningen hoog op en stonden hun zenuwen op knappen, maar hij verontschuldigde zich te-genover haar voor zijn 'prikkelbaarheid'. Hij legde haar opnieuw uit hoe belangrijk de pers was en ze kwam tot de conclusie dat Nick on-gelijk had gehad. Wat Desmond zei was wel enigszins waar. Publici-teit was een belangrijk onderdeel van de oceaanvlucht want het had inderdaad geen zin om zo'n onderneming in alle stilte te laten verlo-pen.

Desmond was een fatsoenlijk man, dat wist ze. Hij had alleen nogal vaste overtuigingen. En hij wist duidelijk waar hij mee bezig was.

Maar ondanks hun vredesverdrag over de pers, waren er dingen die niet verbeterden. Ze hadden nu al maanden feitelijk geen liefdesleven meer. Ze had zich meer dan eens afgevraagd of er soms iets mis was met hem, of met haar, maar ze zou hem dat nooit durven vragen. Het enige waar hij aan dacht was de oceaanvlucht. De ontluikende harts-tocht van hun huwelijksreis was allang vergeten. Ze wist dat ze daar-door ook kwetsbaarder was geweest voor Nick. Maar ze wist ook dat haar liefde voor Nick iets was waar Desmond geen deel van uitmaakte. Door het ontbreken van een lichamelijke relatie met Desmond vond Cassie het echter moeilijker om een hechte band met hem te voelen, en soms wenste ze dat ze met iemand kon praten. Ze overwoog of ze iets tegen Nancy Firestone zou zeggen, maar sinds haar huwelijk met Desmond had Nancy definitief afstand tussen hen gecreëerd. Het was alsof ze zich ongemakkelijk voelde in Cassies gezelschap omdat ze nu de vrouw van de baas was. Maar door de koele houding van Des-mond en met Billy als enige vriend voelde Cassie zich eenzamer dan ooit.

Ondanks alle spanningen verliep alles volgens schema. De vlucht zou over een week beginnen en ze waren er klaar voor.

Fotografen volgden haar overal om haar laatste week voor de oce-aanvlucht vast te leggen. Ze volgden haar bij elke actie, elke vergade-ring, bij elke stap die ze zette. Ze had het gevoel dat ze niets anders meer deed dan glimlachen en wuiven. Er was geen privacy meer, geen rustig moment met Desmond. Haar hele leven werd nu in beslag ge-nomen door de oceaanvlucht en de eindeloze voorbereidingen.

Ze begonnen het nu ook allemaal heel spannend te vinden. Cassie sliep bijna niet meer. En er waren nog maar vijf dagen te gaan toen Glyn-nis haar op een middag op het vliegveld belde. Cassie was verbaasd over het telefoontje en vroeg zich af of er iets mis was.

'Hallo, Glynn... wat is er aan de hand?'

'Het is papa,' zei ze snel. Voor ze nog een woord kon zeggen begon ze te huilen en Cassie voelde zich alsof er een ijzeren band om haar hart werd geklemd terwijl ze luisterde. 'Hij heeft vanmorgen een hartaanval gehad. Hij is in het Mercy Ziekenhuis. Mam is bij hem.' O god... nee... niet haar vader.

'Komt het weer goed met hem?' vroeg Cassie haar oudste zus snel.

'Dat weten ze nog niet,' zei Glynnis, terwijl ze weer begon te huilen. 'Ik kom zo snel mogelijk. Vanavond. Ik zal Desmond waarschuwen en dan vertrek ik.' Zonder ook maar even te aarzelen, wist Cassie dat ze erheen moest.

'Kan dat wel?' Glynnis klonk bezorgd, maar ze wist dat Cassie gewaarschuwd moest worden. Ze hadden eerst gezegd dat haar vader het niet zou halen, maar in het afgelopen uur was zijn toestand gestabiliseerd en ze hadden nu een klein beetje hoop. 'Wanneer begint de vlucht?'

'Pas over vijf dagen. Ik heb nog tijd, Glynn. Ik kom... Ik hou van je... zeg tegen papa dat ik van hem hou... zeg dat hij moet wachten... alsjeblieft...' Ze begon te snikken.

'Ik hou ook van jou, zusje,' zei Glynnis met de krachtige stem van de oudste zuster. 'Tot straks. Vlieg voorzichtig.'

'Geef mam een kus van me.' Ze huilden allebei toen ze de telefoon neerlegde, en ze ging naar Billy om te vertellen wat er gebeurd was en dat ze naar huis ging om haar vader te bezoeken. Billy aarzelde geen moment en zei dat hij meeging. Ze waren momenteel zo onafscheidelijk als een Siamese tweeling. Tijdens de zes maanden van training waren ze elkaars schaduw geworden. Soms leken ze zelfs van elkaar te weten wat ze dachten.

'Ik zie je over een halfuur. Doe me een plezier. Zorg dat de Phaeton genoeg brandstof heeft. Ik ga het aan Desmond vertellen.' Ze wist dat hij het zou begrijpen. Hij wist hoeveel haar vader voor haar betekende.

Maar toen ze in zijn kantoor was, stond haar een verrassing te wachten.

'Natuurlijk ga je niet,' zei hij op koele toon. 'Je hebt nog vijf dagen voor de laatste trainingen en informatie, en er komen nog twee persconferenties. En we moeten de uiteindelijke koers nog op het weer afstemmen.'

'Ik ben over twee dagen terug,' zei ze rustig. Ze kon niet geloven dat hij het over zoiets belangrijks niet met haar eens was.

'Je gaat niet,' zei hij vastbesloten, terwijl juffrouw Fitzpatrick discreet de kamer uitglipte.

'Desmond, mijn vader heeft een hartaanval gehad. Het is de vraag of hij het overleeft.' Hij begreep het blijkbaar niet, dacht Cassie. Maar hij begreep het uitstekend.

'Laat ik heel duidelijk zijn, Cass. Je gaat niet! Ik verbied je om te gaan.' Hij klonk als een luchtmaarschalk in oorlogstijd. Dit was belachelijk. Hij was haar man. Wat bedoelde hij? Ze keek hem verbaasd aan.

'Je doet wàt?' Hij herhaalde het nog eens en ze stond hem verbijsterd aan te staren. 'Mijn vader gaat misschien dood, Desmond. Ik ga naar hem toe of je dat nou goedvindt of niet.' Terwijl ze het zei kwam er een harde blik in haar ogen.

'Tegen mijn wens, en niet met een van mijn vliegtuigen,' zei hij koud. 'Als het moet steel ik er een,' zei ze woedend. 'Ik kan niet geloven dat je dit allemaal zegt. Je moet wel erg moe zijn of ziek... Wat is er met je aan de hand?' Ze had tranen in haar ogen, maar hij was onvermurwbaar. De vlucht was alles voor hem. Belangrijker dan haar vader. Met wat voor man was ze eigenlijk getrouwd?

'Heb je enig idee hoeveel geld er met deze vlucht gemoeid is? Hou je daar wel rekening mee?' riep hij woedend tegen haar.

'Natuurlijk hou ik daar rekening mee en ik zou ook niets doen wat de vlucht in gevaar zou kunnen brengen, maar we hebben het over mijn vader. Luister, ik ben over twee dagen terug. Dat beloof ik.' Ze probeerde haar kalmte te herwinnen en herinnerde zichzelf eraan dat ze allebei onder grote druk stonden.

'Je gaat niet,' herhaalde hij op kille toon. Dit was belachelijk. Waar was hij mee bezig? Terwijl ze hem aan stond te kijken, begon ze te beven.

Ze verloor haar zelfbeheersing en schreeuwde: 'Je hebt geen keuze! Ik ga! En Billy gaat met me mee.'

'Ik sta het niet toe.'

'Wat wou je ertegen doen?' Ze bekeek hem plotseling met andere ogen. Ze had hem nog nooit zo harteloos gezien. Hij was nooit eerder wreed tegen haar geweest. Dit was een nieuw facet van Desmond. 'Wou je ons ontslaan? Is het niet een beetje te kort voor de tocht of denk je dat je ons kunt vervangen?' Ze kon zijn gedrag absoluut niet waarderen.

'Iedereen is te vervangen, uiteindelijk. En laat me iets goed duidelijk maken, Cass, nu we het er toch over hebben. Als je niet terugkomt, ga ik van je scheiden en krijg je een rechtszaak aan je broek wegens contractbreuk. Is dat duidelijk? Je heb een contract getekend voor deze vlucht en ik ben van plan je daaraan te houden.' Ze kon haar oren niet geloven. Wie was die man? Als hij meende wat hij zei, was hij een monster.

Haar mond viel open terwijl ze naar hem luisterde, maar er kwam geen geluid uit. Nick had gelijk gehad. Het enige dat belangrijk voor hem was, was de vlucht. Hij hield geen enkele rekening met haar en haar gevoelens en met het feit dat haar vader stervende was. Hij zou van haar scheiden als ze de vlucht zou afzeggen. Het was ongelooflijk, maar dat gold voor alles wat hij zojuist had gezegd.

Langzaam liep ze naar zijn bureau en keek hem aan. Ze vroeg zich af of ze hem wel kende. 'Ik doe de vlucht voor je omdat ik dat wil, maar daarna zullen jij en ik eens even ernstig met elkaar praten.' Hij zweeg terwijl ze zich omdraaide en zijn kantoor uitliep. Ze was een bedreiging voor het enige waar hij echt om gaf: zijn kostbare oceaanvlucht. Maar de echte schok was dat die belangrijker voor hem was dan hun huwelijk.

Ze zei geen woord tegen Billy toen ze in het vliegtuig klom en volgens de regels uitboekte. Ze voelde zich plotseling als een lid van het personeel en niets anders. Haar gezicht stond strak van woede terwijl ze opstegen en Billy keek naar haar. Ze had gezegd dat ze wilde vliegen en hij bood dus niet aan het van haar over te nemen. Het hield haar bezig en ze hoopte daardoor niet te veel aan haar vader te hoeven denken, maar hij kon zien dat ze dat toch deed. Ze zag er echter meer kwaad dan bezorgd uit en hij vroeg zich af wat er gebeurd was.

'Wat zei hij…? Over het feit dat we daarheen gaan, bedoel ik…'

'Bedoel je Desmond?' zei ze ijzig, en hij knikte. 'Hij zei dat hij van me zou scheiden als ik de vlucht niet zou doen. En hij zou een rechtszaak aanspannen wegens contractbreuk.' Billy moest dit even verwerken voor hij kon reageren.

'Wàt zei hij? Dat was natuurlijk een grapje.'

'Het was geen grap. Hij was bloedserieus. Als we de zaak af zouden zeggen, procedeert hij ons helemaal kapot. Mij, in elk geval. De vlucht betekent blijkbaar meer voor hem dan ik doorhad. Dit is het grote werk, Billy. Grote investeringen, groot geld, grote belangen, hoge straffen als we het verpesten. Misschien spant hij wel een proces tegen onze families aan als we met zijn vliegtuig verongelukken,' zei ze sarcastisch, terwijl Billy in stomme verbazing luisterde. Ze klonk kwaad en hevig ontdaan.

'Maar je bent zijn vrouw, Cass.' Hij begreep niets van wat ze vertelde.

'Blijkbaar niet,' zei ze ongelukkig. 'Alleen maar een lid van het personeel.' Hij had haar vreselijk teleurgesteld. Maar het familieleven was natuurlijk niet zijn sterke punt. 'Ik heb gezegd dat we over twee dagen terug zijn. Als we ons daar niet aan houden, zitten we dik in de problemen, jongen.' Ze grinnikte tegen hem. Ze zaten er al tot aan hun nek toe in, maar ze waren in elk geval met zijn tweeën. Ze was blij dat hij met haar mee was gegaan. Hij was de enige vriend die ze had.

'We zijn op tijd terug. Met je vader komt het goed, dat zul je zien.' Hij probeerde haar gerust te stellen.

Maar toen ze in het Mercy Ziekenhuis kwamen, bleek het helemaal niet goed te gaan met Pat. Bij zijn bed stonden drie nonnen en een verpleegster, en een priester die hem net het heilig oliesel had toegediend. Oona zat zachtjes te huilen en alle kinderen en kleinkinderen waren er.

Het eerste dat Cassie deed, was de kinderen van haar zusters naar buiten sturen. Ze stuurde Billy mee omdat hij hen heel goed aankon. Hij was als de rattenvanger van Hamelen als het om kinderen ging. Een van haar zwagers bood aan met hem mee te gaan. Toen omhelsde ze haar moeder en praatte rustig met haar zusters. Sinds Glynnis haar had gebeld, was het niet beter gegaan met Pat en hij was ook niet meer bij bewustzijn geweest. Een paar minuten later kwam de dokter met haar praten en zei dat hij betwijfelde of Pat het zou halen.

Cassie kon het niet geloven. Wat was er met hem gebeurd? Ze had hem vier weken daarvoor nog gezien, en hij had er weliswaar niet geweldig uitgezien, maar ze had geen idee gehad dat hij zo ziek was. Blijkbaar had hij al een tijdje last van zijn hart gehad, maar had hij dat ondanks Oona's smeekbeden genegeerd.

Cassie en haar moeder en haar drie zusters bleven de hele nacht bij hem zitten, maar tegen de ochtend was er nog geen verbetering. Pas de volgende dag kwam hij bij bewustzijn en glimlachte even tegen Oona. Het was het eerste hoopvolle teken. Twee uur later opende hij zijn ogen weer, kneep even in Cassies hand en zei dat hij van haar hield. Het enige waar ze aan kon denken was hoeveel ze van hem had gehouden toen ze nog een klein meisje was, hoe goed hij altijd voor haar was geweest en hoe ze genoten had van het vliegen met hem... ze dacht aan duizend verschillende dingen... honderd speciale momenten.

'Komt het goed met hem?' vroeg ze de dokter toen hij die middag langskwam, en hij antwoordde dat het nog te vroeg was om iets te kunnen zeggen. Maar na een tweede slapeloze nacht voor hen allemaal, terwijl de nonnen een stille wake bij hem hielden en hun rozenkrans zaten te bidden, was zijn toestand in de ochtend stabieler en zei de dokter dat hij het zou halen. Het zou lang duren voor hij hersteld zou zijn, hij schreef twee maanden absolute rust voor, waarvan het grootste deel thuis in bed, maar daarna zou hij met een beetje geluk weer zo goed als 'nieuw' zijn. Hij moest echter beter op zichzelf gaan letten. Hij moest minder gaan roken, mocht geen whiskey meer drinken, en ook Oona's zelfgemaakte ijs was taboe. Cassie was nooit van haar leven zo opgelucht geweest, terwijl ze in de gang stond te huilen met haar zusters. Haar moeder was nog bij hem om hem het nieuws van het verboden ijs te vertellen.

'Wie moet het vliegveld nu gaan runnen?' vroeg Megan toen ze in de gang stonden. Pat had de laatste tijd geen assistent gehad. Sinds Nick, Cass en Billy weg waren, was alle verantwoordelijkheid op zijn schouders terechtgekomen. De dokter dacht dat dat waarschijnlijk had bijgedragen aan het probleem. Er was niemand die hem op het vliegveld kon helpen.

'Ken jij iemand?' vroeg ze Billy zacht. Hij had hen geweldig bijgestaan die twee dagen, net als Chris zou hebben gedaan. Hij was nu bijna een zoon. Maar hij kende niemand die zou kunnen helpen. Veel van de rondtrekkende jongere piloten hadden zich nadat Nick dat had gedaan ook bij de RAF aangemeld.

'Ik zou het niet weten,' zei hij. Ze moesten die avond terug zijn in L.A. en zouden over drie dagen aan de oceaanvlucht beginnen. Terwijl Billy haar aankeek, kon hij haar gedachten lezen, of dat meende hij in elk geval, maar hij kon niet geloven dat ze dat zou doen. 'Je denkt toch niet wat ik denk dat je denkt...?'

'Misschien wel.' Ze keek hem ernstig aan. Het was een grote stap. Vooral na wat Desmond gezegd had voor ze wegginngen. Een verschrikkelijk grote stap. Misschien wel een laatste stap. Maar wat haar betreft de enige stap die mogelijk was. En als hij daarom van haar zou scheiden, dan moest dat maar. Het ging om haar vader. 'Maar je hoeft niet bij me te blijven. Jij kan teruggaan, zodat hij niet kwaad wordt op jou.' Er zouden heel wat problemen komen als ze het hem eenmaal verteld had.

'Ik kan niet zonder jou gaan,' zei hij rustig.

'Misschien vindt hij iemand anders.' Dat was naïef, en Billy wist het, ook al wist zij het niet. Na alle publiciteit die ze het afgelopen jaar had gehad en de zorgvuldige organisatie, zou de oceaanvlucht zonder haar nooit zo'n effect hebben, en Desmond wist dat.

'Wat ga je doen?' vroeg Billy bezorgd. Hij wilde niet dat ze schade zou ondervinden van haar beslissing, maar hij wist ook wat haar vader voor haar betekende en waar haar prioriteiten lagen. Er was geen twijfel aan wat ze ging doen, alleen aan de manier waarop ze het ging doen.

'Ik ga hem bellen en zeggen dat hij het uit moet stellen, niet afgelasten, alleen uitstellen. Het enige dat ik wil is twee maanden, maximaal drie, zodat mijn vader kan herstellen terwijl ik hier blijf en de zorg voor het vliegveld voor mijn rekening neem.'

'Ik blijf bij je. Misschien wel voor altijd,' zei hij grinnikend. 'Over tien minuten zitten we misschien zonder baan.' Voor Cassie was het meer dan een baan. Voor Cassie was het een huwelijk. Maar na Desmonds bedreigingen de dag daarvoor wist ze niet zeker of ze nog een huwelijk had en zelfs niet of het ooit een huwelijk was geweest. Misschien had Nick gelijk gehad wat Desmond betrof of misschien had Desmond zich mee laten slepen door de emoties van het moment en had hij inmiddels spijt. Maar sinds ze weg was had hij Cassie niet één keer gebeld, niet thuis en niet in het ziekenhuis. Ze had in die twee dagen niets van hem gehoord. Toen ze hem vijf minuten later vanuit het ziekenhuis belde, kreeg ze juffrouw Fitzpatrick aan de telefoon die haar op ijzige toon mededeelde dat ze hem ging halen.

Ze kreeg hem bijna onmiddellijk aan de lijn. Het gebrek aan privacy in de ziekenhuishal speet haar, maar ze kon er niets aan doen. Ze moest hem zo snel mogelijk op de hoogte stellen van de veranderingen en wilde niet helemaal naar het vliegveld gaan om vanuit haar vaders kantoor te bellen.

'Waar ben je?' waren zijn eerste woorden.

'In het ziekenhuis van Good Hope, bij mijn vader.' Alsof hij zich dat niet zou herinneren. Hij vroeg niet hoe het met zijn schoonvader was of met haar. Voor zover hij wist kon haar vader inmiddels overleden zijn, maar hij informeerde er niet naar. 'Desmond, het spijt me dat ik dit moet doen.'

'Cassie, ik ben niet van plan te luisteren naar wat je me te vertellen hebt,' zei hij op een toon die ijzige woede verraadde. 'Denk aan wat ik gezegd heb toen je wegging en denk eraan dat ik het meende.' Ze zweeg lang genoeg om rustig te worden en zichzelf eraan te herinneren dat dit de man was met wie ze viereneenhalve maand eerder was getrouwd. Ze kon het zich plotseling nauwelijks voorstellen. Hij was precies zoals Nick had gezegd.

'Ik herinner me heel goed wat je hebt gezegd,' schreeuwde ze vanwege de slechte telefoonverbinding. 'En ik meen me te herinneren dat ik met je getrouwd ben. Blijkbaar ben jij dat vergeten. Het leven bestaat nog uit andere dingen dan vluchten rond de wereld. Ik ben geen machine of een piloot in een uniform of een van je personeelsleden. Ik ben een mens met een familie en een vader die twee dagen geleden bijna gestorven is. Ik laat hem niet in de steek. Ik wil dat je de vlucht twee of drie maanden uitstelt. Ik ga in september of oktober. Jij zegt maar wanneer. Zorg maar voor de aanpassingen voor het weer en de route. Ik doe alles wat je wilt. Maar ik ga niet over drie dagen. Ik ben hier nodig. Ik ga niet weg.'

'Jij kreng!' schreeuwde hij tegen haar. 'Jij egoïstisch klein kreng! Je weet wat ik hierin heb gestopt. Niet alleen in geld, maar ook in tijd en liefde en inspanning. Je hebt geen idee wat dit voor mij of voor het land betekent. Het enige dat jou interesseert is je meelijwekkend smakeloze leventje met je platvloerse familie en dat zielige vliegveldje van je vader.' Hij sprak met zo'n minachting over haar en haar familie dat ze niet wist wat ze hoorde. Wat een gevoelloze schoft was hij dat hij zulke dingen tegen haar kon zeggen. Het was bijna niet te geloven. En terwijl ze naar hem luisterde voelde ze een lichamelijke pijn bij het besef dat Desmond Williams en zij nooit een huwelijk hadden gehad. Ze was voor hem alleen maar een middel geweest om te krijgen wat hij wilde.

'Het kan me niet schelen hoe je me noemt, Desmond,' schreeuwde ze door de hal. Het maakte haar niet meer uit wie het hoorde. 'Je kunt de tocht uitstellen of afgelasten. Dat laat ik aan jou over. Maar ik kan nu niet gaan. Ik ben bereid in de herfst alles te doen wat je wilt, maar ik ga niet over drie dagen. Ik blijf bij mijn vader.'

'En Billy?' vroeg hij razend. Hij wilde hen allebei ontslaan, maar wist dat hij dat niet kon.

'Hij blijft hier bij mij en mijn platvloerse familie en ons zielige vlieg-veldje. En ik doe de vlucht niet zonder hem, Desmond. Als je ons wilt, heb je ons. Maar later. Laat me maar weten wat je beslist. Je weet waar ik te bereiken ben.'

'Dit zal ik je nooit vergeven, Cassie.'

'Dat begin ik te begrijpen.' Toen kon ze zich niet beheersen en vroeg: 'Waar ben je eigenlijk zo kwaad om, Desmond? Ik heb tenslotte ge-zegd dat ik bereid ben het later te doen.'

'Ik ben zo kwaad omdat je me in verlegenheid brengt met dat uitstel. Waarom moeten wij maar omgaan met die kinderlijke rotzooi van je?'

'Ik had ook ziek kunnen worden... Ik ben per slot van rekening een mens. Waarom vertel je de pers niet dat ik ziek ben of zo?' Ze liet een zwak lachje horen in de wetenschap dat het op dat moment meer dan onmogelijk was en zei: 'Vertel ze maar dat ik zwanger ben.'

'Ik vind dat niet grappig.'

'Het spijt me dat te horen. Ik vind jou ook niet bepaald grappig. In feite ben ik bijzonder teleurgesteld in je. Bel me als je besloten hebt wat je doet. De komende twee maanden ben ik op het vliegveld te vin-den. Je kunt me daar altijd bereiken,' zei ze met tranen in haar ogen en gooide de hoorn op de haak. Ze had willen zeggen dat het haar speet dat de tocht moest worden uitgesteld, maar hij had haar zo af-schuwelijk behandeld dat ze dat niet over haar lippen had kunnen krij-gen. Het speet haar echt dat de tocht moest worden uitgesteld. Ze wist dat het moeilijk was voor alle betrokkenen, maar ze kon haar vader nu niet in de steek laten. Hij was er altijd voor haar geweest en nu moest ze er voor hem zijn. Maar toen ze ophing, stonden er tranen van woede en verslagenheid in haar ogen en haar handen beefden. Na-dat ze het gesprek beëindigd had, keek ze toevallig naar de oude non die de telefooncentrale bediende. Vanaf haar stoel bij de centrale glim-lachte ze tegen Cassie en maakte een zegevierend gebaar.

'Goed gezegd,' bromde ze. 'De mensen houden van je, Cass. Ze kun-nen nog wel twee of drie maanden wachten. Goed van je om bij je vader te blijven. God zegene je.'

Cassie glimlachte dankbaar naar haar en ging naar Billy om verslag uit te brengen.

'Wat vond hij ervan?' vroeg Billy bezorgd.

'Ik weet het nog niet. Ik heb gezegd dat hij de tocht moet uitstellen en dat we het in september of oktober doen. Hij had nogal wat scheld-woorden voor me klaar. Ik kan wel zeggen dat hij niet bepaald enthousiast was. En ik heb gezegd dat jij hier bij mij blijft en dat ik de tocht niet zonder je doe. We doen het samen of we doen het niet.' Billy floot bewonderend om de moed die ze had getoond en klopte haar op haar schouder. 'Maar luister, als jij terug wilt gaan, begrijp ik het. Als je wilt kun je de vlucht misschien zelf doen.' Ze had nu heel wat om over na te denken. De oceaanvlucht, haar huwelijk, de dingen die Desmond tegen haar had gezegd en de dingen die hij niet had gezegd. Ze had hem nu volledig door. Er waren niet veel illusies over. Na viereneenhalve maand was hun huwelijk voorbij. In werkelijkheid tenminste, in de kranten nog niet.

Waar ze niet op gerekend had, was dat Desmond de volgende dag met zo'n honderd verslaggevers en twee journaalploegen in Good Hope kwam opdagen. Vanaf de trap van het Mercy Ziekenhuis kondigde hij aan dat de oceaanvlucht wegens persoonlijke omstandigheden zou worden uitgesteld tot oktober. Hij legde uit dat zijn schoonvader ernstig ziek was en dat Cassie nu niet bij hem weg kon. Ze zou gedurende twee maanden het vliegveld van haar vader leiden en in september weer gaan trainen voor de vlucht. Voor haar was dit een complete verrassing en het bewijs dat hij precies was zoals Nick had beweerd. Hij was een grote klootzak en een bedrieger. Hij deed ineens alsof hij zich ernstig zorgen maakte over zijn schoonvader.

Hij had haar niet eens laten weten dat hij kwam. Hij was gewoon in het ziekenhuis verschenen en had naar haar gevraagd, en toen ze verbaasd naar de hal kwam om hem te ontmoeten, trof ze hem daar aan in gezelschap van tientallen verslaggevers. Zonder haar ook maar te waarschuwen, had hij een volledige persconferentie op de ziekenhuistrap georganiseerd. Ze zag er onverzorgd en uitgeput uit en dat was precies wat hij wilde. Hij wilde dat Amerika medelijden met haar zou hebben en haar daardoor zou vergeven dat ze de vlucht had moeten uitstellen. Maar daar was ook geen twijfel aan. Het publiek vergaf haar alles. Het was alleen Desmond die dat niet deed. Ze was zo verbijsterd, zo moe, zo emotioneel en zo kwaad op hem dat ze uiteindelijk stond te huilen toen de verslaggevers naar haar vader vroegen. Het ging precies zoals Desmond wilde.

Toen de pers verdwenen was, liep hij met haar naar buiten en legde haar in duidelijke termen uit wat hij van haar verwachtte. Ze had precies twee maanden 'verlof', zoals hij het noemde. Op 1 september moest ze terug zijn in L.A. om aan de trainingen te beginnen en bij de vergaderingen aanwezig te zijn en op 4 oktober zouden ze aan dezelfde route beginnen, met wat kleine wijzigingen in verband met het weer. Als ze zich niet aan dat plan zou houden, zou hij een proces aanspannen. En om te zorgen dat hierover geen misverstanden zouden kunnen bestaan, had hij contracten meegebracht die Billy en zij moesten ondertekenen. Verder kondigde hij nog aan dat hij terug zou gaan in het vliegtuig waarmee ze was gekomen.

'Verder nog iets? Wil je mijn ondergoed of mijn schoenen? Ik denk dat jij ze betaald hebt. Ik heb mijn verlovingsring in L.A. gelaten, dus ga je gang, hij is van jou. Je kunt mijn trouwring ook krijgen.' Ze schoof hem van haar bevende hand en hield hem met trillende vingers voor zijn neus. Het was alsof ze de afgelopen paar dagen in een nachtmerrie had geleefd. En hij keek haar nu volkomen emotieloos aan. Hij was een man die niets voor mensen voelde, ook niet voor het meisje waarmee hij getrouwd was.

'Om te voorkomen dat er geruchten op gang komen, stel ik voor dat je die tot na de vlucht blijft dragen. Als je wilt kun je hem daarna rustig wegdoen. Dat is jouw zaak,' zei hij volkomen onbewogen.

'Dat was het enige waar het om ging, niet? Het was alleen maar een publiciteitsstunt voor de vlucht. Amerika's lieveling en de grote magnaat. Wat kan het jou verder schelen? En wat is er met je gebeurd? Waarom laat je het nu zo duidelijk blijken? Alleen omdat ik de tocht heb uitgesteld? Is dat zo'n misdaad? Ik weet dat het lastig is en dat het duur is om de plannen te veranderen, maar stel dat we een probleem met het vliegtuig hadden gehad... of dat ik ziek was geworden... Stel dat ik in verwachting was geraakt.'

'Dat gevaar is er nooit geweest. Ik kan geen kinderen krijgen.' Zelfs dat had hij haar niet verteld. Hij had haar in de waan gelaten dat het een mogelijkheid was, dat ze ooit kinderen zouden nemen als zij eraan toe was. Ze kon niet geloven dat hij haar zo had misleid en ook niet dat hij nu zo bereid was dat toe te geven. Hij had haar precies laten zien hoe hij was en het maakte hem niets uit. Het enige dat hij van haar wilde was de vlucht. Hij wist dat hij haar voor het gerecht kon slepen en publiekelijk kapot kon maken als ze de vlucht niet zou doen. Het rare was dat het haar niet meer uitmaakte wat hij deed. Het enige waar ze aan kon denken was dat hij tegen haar had gelogen. Hij had haar gevraagd met hem te trouwen. Hij had haar verteld dat hij van haar hield. Hij had gedaan alsof hij om haar gaf. Maar het enige dat belangrijk voor hem was, was de vlucht en de vliegtuigen die hij daardoor zou kunnen verkopen. Het enige dat hem daarnaast interesseerde was de publiciteit die hij kreeg door de organisatie van de vlucht.

'Wat wil je van me?' vroeg ze verdrietig.

'Ik wil dat je vliegt. Dat is alles wat ik ooit van je heb gewild. Ik wil dat je vliegt en ik wil dat iedereen verliefd op je is. Of ik dat ooit ben geweest, is niet belangrijk.'

'Het was belangrijk voor mij,' zei ze met tranen in haar ogen. Ze had hem echt geloofd.

'Je bent nog erg jong, Cassie,' zei hij rustig. 'Op een dag zul je blij zijn dat je dit hebt gedaan.'

'Je hoefde niet met me te trouwen om me de oceaanvlucht te laten doen. Ik had het toch wel gedaan.'

'Het zou niet hetzelfde effect op het publiek hebben gehad,' zei hij zonder een spoor van schaamte. Zijn huwelijk met haar was volledig berekend geweest. Ze vroeg zich af of hij ooit ook maar een moment werkelijk om haar gegeven had. Ze voelde zich nu ontzettend stom, onnozel en gebruikt. Het was gênant om aan hun lichamelijke relatie te denken. Zelfs hun huwelijksreis was waarschijnlijk alleen maar een grote schijnvertoning geweest. En daarna was hun relatie alleen maar zakelijk geweest. Hij had niet veel tijd verspild aan romantische onzin.

'Je hebt de vlucht nooit serieus genomen. Het uitstel van nu bewijst dat wel. Ik had waarschijnlijk iemand anders moeten nemen, maar je leek zo volmaakt.' Hij keek haar aan alsof ze hem bedrogen had en ze staarde verbijsterd terug.

'Had je maar iemand anders genomen,' zei ze en ze meende het.

'Het is nu te laat. Voor ons allebei. We moeten er mee doorgaan. We zijn al te ver gegaan.'

'Inderdaad,' zei ze scherp. Dat gold in elk geval voor hem.

Hij had verder niets tegen haar te zeggen, geen verontschuldiging, geen blijk van spijt, geen geruststellende woorden. Hij zei alleen nog dat ze op 1 september in L.A. moest zijn en liet Billy en haar hun contract tekenen. Toen reed hij terug naar het vliegveld en een uur later was hij vertrokken. Hij had datgene gekregen waarvoor hij gekomen was: hun belofte en een nieuwe publiciteitsronde, waarvoor hij Cassie weer had gebruikt. De week daarna was het hele land op de hoogte van haar vaders hartaanval. Iedereen had haar tranen gezien en voelde met haar mee. Het maakte de vlucht alleen maar spannender.

En in het Mercy Ziekenhuis werd haar vader bedolven onder de bloemen en cadeaus en beterschapskaarten. Het was zo overweldigend veel dat ze de bloemen eerst aan andere patiënten begonnen uit te delen en vervolgens in vrachtwagens naar andere ziekenhuizen en naar kerken brachten. Zo'n reactie had Cassie niet verwacht. Maar Desmond wel. Zoals gewoonlijk had hij precies geweten wat hij deed.

Hij bleef de pers maar verhalen vertellen en gaf interviews in L.A. om te laten weten hoe hard Cassie werkte en hoeveel voortgang ze hadden geboekt met haar vliegtuig. Maar in augustus ontdekte een van de technici een mogelijke fout in een van de motoren. Ze deden proeven met windtunnels in het Technologisch Instituut van Californië toen de motor in brand vloog. Dit veroorzaakte grote schade aan haar vliegtuig. De pers kreeg te horen dat het allemaal gerepareerd kon worden, maar dat het een geluk was dat de vlucht was uitgesteld omdat ze bij haar vader had moeten blijven. Cassie hoorde er niets over tot Billy en zij het in de krant lazen, en Billy floot.

'Aardig, niet? Hoe had je het gevonden om boven de Grote Oceaan je hoofdmotor te moeten uitplassen?' zei ze met opgetrokken wenkbrauwen.

'Geef me genoeg bier en ik kan grootse dingen verrichten, mevrouw de gezagvoerder,' zei hij grinnikend, en ze moest lachen. Maar ze maakten zich allebei zorgen en spraken er een paar keer met de technici over. Ze kregen de verzekering dat het probleem was opgelost.

Het was een zware zomer voor haar. Ze was nog steeds geschokt door alles wat ze met Desmond had meegemaakt. Ze moest veel aan Nick denken, en wilde hem schrijven, maar ze wist niet goed wat ze hem nu moest vertellen. Op de een of andere vreemde manier vond ze het moeilijk om toe te geven dat Desmond net zo slecht was als Nick had gedacht. Het maakte haar zo meelijkwekkend. Uiteindelijk schreef ze alleen over haar vader en vertelde daarbij dat de vlucht was uitgesteld en dat ze altijd van hem zou houden. Ze besloot hem de rest later te vertellen, de volgende keer dat ze hem zag. Ze dacht erover om ook als vrijwilliger voor de RAF te gaan vliegen, maar wilde er niet echt serieus over nadenken voor de oceaanvlucht voorbij was. Misschien zou ze daarna, in november, naar hem toe kunnen vliegen. Ze hadden al twee maanden niets van hem gehoord, maar dat was niet ongewoon. De oorlog in Europa ging maar door en ze konden alleen maar aannemen dat hij veilig was omdat ze niets anders hadden gehoord. Ze miste hem voortdurend en las alles wat ze te pakken kon krijgen over de luchtgevechten boven Engeland.

Het plezier dat ze in de vlucht had gehad, was grotendeels verdwenen. Het maakte nogal verschil of ze het onder de druk van dreigementen deed of uit liefde en als een gezamenlijk project. Ze wist echter dat het in elk geval interessant zou zijn, en het enige dat ze nog wilde was de vlucht doen en de hele zaak verder achter zich laten. Daarna zou ze haar eigen leven weer kunnen leiden.

Haar vader was thuisgekomen en ging langzaam vooruit. Hij had wat gewicht verloren, was gestopt met roken, dronk nog maar zelden en zag er dag na dag wat gezonder en sterker uit. En eind augustus kwam hij terug naar het vliegveld. Hij zag er beter uit dan ooit. Hij was verbaasd over alles wat Cassie en Billy hadden gedaan en was Billy dankbaar dat hij bij haar was gebleven. Maar het was vooral zijn dochter die meer dan ooit zijn hart had gewonnen. Hij vertelde iedereen hoe bijzonder en geweldig ze was omdat ze de oceaanvlucht alleen voor hem had uitgesteld, alsof ze dat nog niet wisten. Ze had hem niets verteld over haar problemen met Desmond. Maar hij had allang gevoeld dat ze ergens mee zat en vroeg zich af of het Nick was of iets anders. Pas op de avond voor ze vertrok vertelde ze het hem.

'Ik merk dat je ergens mee zit, Cass. Is het Nick?' Hij wist dat ze geobsedeerd werd door hem en had met bezorgdheid gezien hoe intens hun relatie nog was toen hij de laatste keer met verlof was geweest. Hij vond het jammer voor hen dat de dingen zo gelopen waren. Maar ze had ook niet eindeloos op Nick kunnen wachten nadat hij haar gezegd had dat ze dat niet moest doen. Pat had Nick proberen duidelijk te maken dat het fout was om haar zo vrij te laten, maar jonge mensen luisterden nooit. Niet dat Nick nog zo jong was. Hij was oud genoeg om iets wijzer te zijn. Maar net als de meeste mannen was hij een tamelijke sufferd als het om vrouwen ging. 'Je kunt niet naar hem blijven verlangen, Cassie. Je bent getrouwd met een ander.' Ze knikte. Ze haatte het om hem de waarheid te moeten vertellen. Ze schaamde zich zo voor haar vergissing. Desmond had haar volledig voor de gek gehouden.

'Je verzwijgt iets voor me, Cassandra Maureen,' zei haar vader, en uiteindelijk vertelde ze het hem. Hij was verbijsterd over wat ze zei. Het was precies wat Nick had voorspeld en waarvoor hij hun had gewaarschuwd.

'Hij had gelijk, pap. Hij had helemaal gelijk.'

'Wat ga je nu doen?' Hij kon die man wel vermoorden. Wat een rotstreek had hij uitgehaald, om een meisje als zij zo te misbruiken, alleen ter meerdere eer en glorie van zichzelf.

'Ik weet het niet. Eerst de vlucht natuurlijk. Dat ben ik hem echt wel verschuldigd. Ik zou hem nooit in de steek laten, hoewel hij dat denk ik niet beseft. Ik doe het, en dan,' zei ze terwijl ze diep ademhaalde, want veel keuze had ze immers niet, 'zullen we gaan scheiden, denk ik. Ik weet wel zeker dat hij het eruit zal laten zien alsof ik iets vreselijks heb gedaan. Hij zal de pers op de een of andere manier in zijn voordeel weten te manipuleren. Hij is heel wat gecompliceerder dan ik dacht, en ook veel gemener.'

'Denk je dat hij je iets geeft?' vroeg haar vader. Hij was een bijzonder rijk man en zou haar als genoegdoening geld kunnen geven.

'Ik betwijfel het. Ik krijg natuurlijk mijn beloning voor de vlucht. Hij zei dat hij die wilde verlagen vanwege het uitstel, maar dat heeft hij niet gedaan. Hij beschouwt het als een grote beloning. Ik heb niet meer nodig. Ik wil niets van hem. Hij is royaal genoeg geweest.' Op basis van de carrière die ze met zijn hulp had opgebouwd, zou ze jaren verder kunnen, dat was beloning genoeg. Ze wilde verder niets van Desmond.

'Het spijt me voor je, Cassie. Het spijt me verschrikkelijk.' Hij was echt van streek door wat ze hem had verteld en ze besloten samen dat haar moeder het nog maar niet moest horen.

'Zorg goed voor jezelf tijdens de vlucht. Dat is het enige dat nu belangrijk is. De rest kun je later wel uitzoeken.'

'Misschien ga ik wel bommenwerpers naar Engeland vliegen als ik terug ben, net als Jackie Cochran.' In juni had zij als co-piloot een Lockheed Hudson naar Engeland gevlogen en daarmee voor eens en altijd bewezen dat vrouwen zware vliegtuigen konden vliegen.

'O, hou toch op jij,' kreunde haar vader. 'Bommenwerpers naar Engeland vliegen. Je bezorgt me nog een tweede hartaanval. Ik zweer je, ik zal de dag waarop ik jou voor het eerst meenam in een vliegtuig nog eens betreuren. Kun je niet eens een tijdje iets gewoons doen, zoals ergens de telefoon aannemen of koken of je moeder helpen met het huishouden?' Maar hij plaagde alleen maar en dat wist ze. Hij wist dat er geen enkele kans was dat ze het luchtruim nog op zou geven.

'Ik wens je een veilige vlucht, Cass,' zei hij voor ze vertrok. 'Wees voorzichtig. Zorg dat je overal op let, met al je zintuigen.' Hij wist dat ze daar goed in was. Hij had nooit een betere piloot gezien.

Toen ze de volgende ochtend vertrok, moesten ze allemaal huilen omdat ze wegging en omdat ze wisten hoe gevaarlijk de oceaanvlucht zou zijn. En Cassie en Billy huilden een potje mee. Pat vloog hen samen met een andere piloot naar Chicago, waar Billy en Cassie een lijn-vlucht namen naar Californië. Het was ook wel plezierig eigenlijk. De *skygirls* maakten een hele toestand van het feit dat ze haar aan boord hadden en Billy en zij praatten over de maand van training die hun te wachten stond. Het was heerlijk geweest om de hele zomer samen op het vliegveld bezig te zijn. Het was net als vroeger geweest, maar dan beter. Ze waren nu ouder en hadden een interessante tijd voor de boeg. En ondanks de toestand met Desmond begon Cassie zin te krij-gen in de oceaanvlucht.

'Waar ga je wonen wanneer je terug bent in Newport Beach?' vroeg Billy haar tijdens de vlucht.

'Ik heb er nog niet over nagedacht. Ik weet niet... Ik kan niet naar een hotel gaan, denk ik.' Ze vermoedde dat Desmond dat niet goed zou vinden, vanwege het schandaal. Maar ze kon zich niet voorstel-len dat ze in zijn huis zou blijven wonen na alles wat er gebeurd was. Hij had haar in de afgelopen twee maanden niet één keer gebeld en de enige brieven die ze gekregen had, waren van zijn advocaten of zijn kantoor geweest.

'Als je wilt kun je bij mij logeren. Als ze erachter komen kunnen we zeggen dat het vanwege de training is. Wat vind je daarvan?' zei Bil-ly.

'Dat lijkt me wel prettig,' zei ze oprecht. Ze kon nergens anders heen. Die avond ging ze mee naar zijn huis. Ze had wat kleren meegebracht uit Illinois en ze had een paar vliegoveralls. En de volgende ochtend reden ze in zijn ouwe brik naar hun werk. Hoewel Billy genoeg geld verdiende, had hij nog steeds geen fatsoenlijke auto gekocht en was dat ook niet van plan. Hij hield van zijn oude Model A, ondanks het feit dat het ding de helft van de tijd niet wilde starten.

'Hoe kan een vent die in de beste vliegtuigen van de wereld vliegt in een auto als deze rijden?' vroeg ze om halfvier in de ochtend.

'Dat is nogal eenvoudig,' grinnikte hij. 'Ik hou van hem.'

Toen de zon opkwam, waren ze al hard aan het werk en ze gingen door tot laat in de avond. Als oefening stond er ook een nachtvlucht op het programma. Cassie zag Desmond pas op de tweede dag, en toen alleen doordat ze hem per ongeluk tegenkwam in een hangar in de buurt van zijn kantoor. Ze was verbaasd hem daar aan te treffen, maar hij gaf iemand een rondleiding en kwam daarna naar haar toe. Hij wilde er zeker van zijn dat ze niets ongepasts tegen de pers zou zeggen. En hij was niet aardiger tegen haar dan hij tijdens hun laatste ontmoeting was geweest.

'Waar logeer je precies?' Hij had niet verwacht dat ze bij hem terug zou komen, en het maakte hem ook niet uit zolang het maar niet bekend werd. Hij had al haar spullen laten inpakken en in dozen in een van de hangars laten opslaan. Het enige dat hij niet wilde was dat ze een schandaal zou laten ontstaan. Maar hij kende haar goed genoeg om te weten dat ze dat niet zou doen. Ze was te integer en te trots. Ze wilde de oceaanvlucht voor hem doen en dat wilde ze goed doen. Ze was niet van plan ook maar iets te doen wat negatief voor hem kon zijn.

'Ik logeer bij Billy,' zei ze waardig. Ze droeg een van haar oude vliegpakken.

'Als je maar discreet bent,' zei hij op koude toon. Maar hij wist beter dan wie ook dat zelfs een melding van onenigheid in de pers nu niet meer echt schadelijk voor hen was.

'Natuurlijk. Ik denk niet dat iemand ook maar vermoedt dat ik bij Billy logeer.' Ze had er eerst nog over gedacht om Nancy Firestone te bellen, maar Cassie had zich geschaamd om haar te vragen of ze bij haar en Jane zou kunnen logeren. Ze gingen niet meer vriendschappelijk met elkaar om, en Billy had haar uitgenodigd om bij hem te blijven. Het enige dat ze niet had kunnen doen was naar een hotel gaan. Dat zou onmiddellijk de kranten hebben gehaald, tenzij ze daar met Desmond zou zijn geweest, wat natuurlijk niet het geval was.

Vreemd genoeg kwam ze die dag ook Nancy Firestone tegen, vlak nadat ze Desmond had ontmoet. Nancy was klaar met werken en Cassie was bezig om iets te eten te halen voor Billy en haarzelf, voordat ze terug moesten voor een avond van vergaderen.

'Het komt dichtbij, niet?' zei Nancy glimlachend. Iedereen bij Williams Aircraft was nu bezig de dagen en de minuten af te tellen. Cassie zag er vermoeid en gespannen uit toen ze glimlachte en knikte. De ontmoeting met Desmond aan het eind van een lange dag had haar niet vrolijker gemaakt. Hij was zo onvriendelijk tegen haar, zo koud, dat ze zich onmogelijk kon voorstellen dat hun relatie ooit meer dan zakelijk was geweest. Maar Nancy was in elk geval aardiger tegen haar dan ze lange tijd was geweest, en het was goed haar te zien.

'Het komt heel dichtbij,' zei Cassie glimlachend. 'Hoe is het met Jane? Ik mis haar. Ik heb haar in geen tijden gezien.'

'Het gaat goed met haar.' De twee vrouwen stonden elkaar even aan te kijken en plotseling realiseerde Cassie zich dat Nancy een vreemde blik in haar ogen had. Ze keek alsof ze iets tegen haar wilde zeggen, maar het niet aandurfde. Even vroeg Cassie zich af of ze ooit iets gedaan had waar Nancy boos om kon zijn, of dat de reden was waarom Nancy zo koel tegen haar was geweest nadat ze met Desmond was getrouwd. Maar misschien had ze gewoon moeite gehad met Cassies nieuwe positie. Bij de gedachte daaraan moest Cassie bijna glimlachen. Als dat haar had dwarsgezeten, kon ze zich nu weer ontspannen.

In een poging vriendelijk te zijn en ter ere van vroeger tijden zei Cassie warm: 'We zouden eens iets moeten afspreken.' Het was tenslotte Nancy geweest die haar het gevoel had gegeven dat ze thuis was toen ze net in Los Angeles was en zich eenzaam had gevoeld.

Maar Nancy keek haar aan alsof ze niet kon geloven wat Cassie zei. 'Je snapt het nog steeds niet, hè, Cass?'

'Wàt snap ik niet?' Cassie voelde zich tamelijk stom, maar ze had te veel aan haar hoofd om raadspelletjes met Nancy te gaan spelen.

'Hij is niet zoals je gedacht had. Er zijn maar weinig mensen die hem echt kennen.' Cassie verstijfde bij de indirecte verwijzing naar Desmond. Ze liet zich niet verleiden om met Nancy over hem te praten. Voor zover iedereen wist, was hij nog steeds haar man.

'Ik weet niet wat je bedoelt,' zei Cassie koel, terwijl ze de andere vrouw bekeek. En plotseling realiseerde ze zich dat hier heel wat meer aan de hand was dan ze ooit had gemerkt. Er was woede en jaloezie en afgunst. Was Nancy soms verliefd op hem? Was ze jaloers op Cassie? Cassie besefte ineens hoe naïef ze was geweest, niet alleen ten aanzien van Desmond, maar van hen allemaal.

'Ik denk niet dat we over Desmond moeten praten,' zei Cassie rustig. 'Tenzij je het rechtstreeks met hem wilt bespreken.'

'Dat is een mogelijkheid,' zei Nancy met een hooghartige glimlach. 'Ik wist wel dat hij niet lang bij je zou blijven. Het was allemaal voor de show. Jammer dat je dat niet doorhad, Cass.' Maar wat wist ze ervan? Wat had Desmond haar verteld?

Cassie kreeg een kleur en haalde haar schouders op. 'Het is een beetje ingewikkeld, denk ik. Waar ik vandaan kom trouwen mensen meestal om andere redenen.'

'Ik weet wel zeker dat hij je leuk vond. En als je het goed had gespeeld had je hem nog wel even kunnen vasthouden, maar hij houdt er niet van om met kinderen te spelen. Ik denk dat je hem vooral verveelde, Cass.' En toen, terwijl Cassie naar haar stond te kijken, begreep ze wat Nancy bedoelde. Ze begreep het allemaal en ze begreep hoe gemeen ze tegen haar waren geweest, hoe verdorven het was.

'En jij verveelt hem niet, Nancy, is dat het?'

'Het lijkt er niet op, maar ja, ik ben ook wat volwassener. Ik speel het spel beter dan jij.'

'En welk spel is dat?' Cassie wilde het nu weten.

'Het is een spel waarbij je precies doet wat hij wil, precies zoals hij het wil en precies wanneer hij het wil.' Voor Cassie klonk het meer als een dienstverlening dan een huwelijk.

'Is dat je contract met hem? Is dat de manier waarop je je huis hebt gekregen en de opleiding voor Janie? Ik dacht altijd dat hij zo royaal was. Maar zo te horen is er meer aan de hand dan wat we zien.' Dit was precies wat Nick had bedoeld. Desmond Williams had maîtresses die hij flink betaalde om altijd voor hem klaar te staan en precies te doen wat hij wilde. Voor Nancy had dat betekend dat ze als chaperonne moest optreden voor Cassie. En plotseling besefte Cassie hoe Nancy zich geërgerd moest hebben. Als het niet zo walgelijk was geweest, had ze het bijna grappig kunnen vinden.

'Desmond behandelt mij heel goed, maar ik maak me geen illusies,' zei Nancy koeltjes. Ze keek Cassie recht in haar ogen en zei: 'Hij zal nooit met me trouwen. Hij zal nooit in het openbaar met me omgaan. Maar hij weet dat ik er voor hem ben en hij is goed voor me. Het is een goede regeling, voor ons allebei.' En plotseling, terwijl ze naar de koude eenvoud ervan luisterde, de berekenende leegte die blijkbaar aan zijn behoeften beantwoordde, had Cassie een geweldige behoefte om haar te slaan.

'Kwam hij ook bij jou toen hij met mij getrouwd was?' vroeg Cassie met verstikte stem. Ze vond het gesprek afschuwelijk.

'Natuurlijk. Waar denk je dat hij 's avonds heen ging als hij niet aan het werk was? En waarom denk je dat hij niet met jou sliep? Ik zei het al, Cassie, hij houdt er niet van om met kinderen te spelen. En hij is niet zo slecht als je denkt. Hij wilde gewoon niet vaker met je slapen of je meer om de tuin leiden dan nodig was. Het was allemaal voor de vlucht. In sommige opzichten is Desmond een perfectionist.'

'De klootzak!' De woorden ontsnapten aan haar mond zonder dat ze erbij nadacht. Maar toen ze naar Nancy keek, haatte ze haar ineens. En hem. Het was allemaal een spel geweest. Voor hen allebei. Het maakte allemaal deel uit van de oceaanvlucht, van het grotere geheel. Het was allemaal bedoeld om vliegtuigen te verkopen.

Trouwen met haar was gewoon een onderdeeltje van het plan geweest, voor de publiciteit, en al die tijd was hij met Nancy blijven slapen. Geen wonder dat Nancy zo koel had gedaan toen ze gingen trouwen. Misschien had Nancy zich ook wel even zorgen gemaakt. Ze was tien jaar ouder dan Cassie en lang niet zo opwindend en ook niet zo mooi.

'Was je niet een klein beetje bang dat hij echt voor mij zou vallen?' vroeg Cassie en ze lette goed op haar reactie. Ze zag met veel plezier hoe de oudere vrouw in elkaar kromp bij de vraag.

'Niet echt. We hebben erover gepraat. Je bent echt zijn type niet, Cass.'

'Afgaande op alles wat ik weet, zou ik zeggen dat dat een compliment is,' zei Cassie beheerst. Toen besloot ze de tegenstander een kleine klap uit te delen. 'Je bent niet alleen, weet je. Je bent niet de enige die een regeling heeft met Desmond.' Ze zei het bijzonder zelfbewust en het was gemakkelijk te zien dat ze Nancy meer dan een beetje nerveus had gemaakt. Haar levensonderhoud en haar toekomst hingen af van haar 'regeling' met Desmond.

'Wat moet dat betekenen?'

'O, er zijn anderen zoals jij... met huizen... met contracten... met regelingen... Desmond is geen man die tevreden is met één vrouw.' Cassie werd beloond met een blik van paniek.

'Dat is belachelijk. Wie heeft je dat verteld?'

'Iemand die het weet. Hij vertelde me dat er nogal wat anderen zijn. Een beetje competitie, snap je.'

'Ik geloof je niet.' Maar haar woorden klonken niet bepaald overtuigend.

'Ik geloofde het ook niet, Nancy. Maar nu wel. Leuk je gezien te hebben,' zei ze glimlachend. 'Doe de groeten aan Desmond.' En na dat gezegd te hebben, haastte ze zich terug naar het gebouw. Eten hoefde niet meer. Nancy Firestone had haar eetlust bedorven. Ze voelde zich misselijk toen ze terugging naar Billy in de hangar.

'Waar is mijn eten?' vroeg hij. Ze moesten in minder dan een halfuur naar een vergadering en hij viel om van de honger.

'Ik heb het onderweg opgegeten,' grapte ze, maar ze zag doodsbleek. Hij merkte het onmiddellijk en maakte zich zorgen.

'Gaat het wel, Cass? Je ziet eruit alsof je een spook hebt gezien. Heb je een telefoontje gekregen over je vader?'

'Nee, het gaat goed met hem. Ik heb vanmorgen nog met mijn moeder gepraat.'

'Wat is er dan gebeurd?' Ze aarzelde even, maar ging toen op een stoel zitten en vertelde hem over Nancy Firestone en alles wat ze haar had verteld.

'De vuile klootzak,' zei hij met opeengeknepen lippen. 'Hij weet zijn spelletjes wel te spelen, niet? Jammer dat hij daarbij het leven van anderen kapot moet maken. Het zou aardig zijn als hij bij zijn eigen soort bleef.'

'Dat doet hij denk ik ook, ten minste een groot deel van de tijd.' Nancy Firestone was in elk geval niet de vriendin geweest waar Cassie haar voor gehouden had. 'Het enige dat ik na de vlucht wil, is weg uit L.A. en een tijdje naar huis. Ik denk dat ik het hier wel gehad heb. Dit is een beetje te pittig voor mij.' Ze zag er volkomen uitgeput uit toen ze naar hem opkeek, en hij knikte. Hij had medelijden met haar. Ze had dit niet verdiend.

Voor Cassie verklaarde dit waarom hij na de huwelijksreis niet meer met haar naar bed was geweest en geen echte belangstelling meer voor haar had gehad. Hij was gewoon doorgegaan met zijn bezoekjes aan Nancy en God mocht weten aan wie nog meer. Misschien was het maar een geluk dat hij niet meer de moeite had genomen om met haar te slapen. Misschien zou ze zich nu nog ellendiger voelen als ze dat wel hadden gedaan. Waarschijnlijk wel. Nu voelde ze zich verraden en meer dan een beetje dom. Het ergste was dat ze hem echt had geloofd, de schoft.

'En wat doen we nu?' vroeg Billy bezorgd. Hij bleef zich afvragen of ze, nu ze van Desmonds bedrog wist, de handdoek in de ring zou gooien, contract of geen contract. Maar zo was ze niet. Ze zou afmaken waar ze aan begonnen was, en Billy bewonderde haar daarom.

'We gaan die tocht maken, joh. Daar zijn we tenslotte voor gekomen. De rest was toch maar versiersel.' En voor Cassie was de lol van die versierselen er al een tijdje af. Maar niemand zou kunnen zeggen dat Cassie O'Malley geen doorzetter was.

'Goed zo,' zei Billy en drukte haar even tegen zich aan. Toen nam hij haar mee om snel iets te gaan eten. Maar ze raakte haar eten nauwelijks aan.

Daarna was er elke week een persconferentie en Desmond zorgde ervoor dat hij in het openbaar heel aardig tegen haar deed. Hij plaagde haar, vertelde grappige verhaaltjes en zorgde voor veel vertoon van genegenheid. Als je niet wist wat er echt gaande was, was het allemaal heel ontroerend. En voor iedereen die hen niet kende, was het verrassend geloofwaardig.

Cassie leek wat ernstiger dan voorheen, maar dat was gemakkelijk te verklaren met de druk van de komende vlucht. Er lag een belangrijke taak voor haar. Ze oefende hard en Desmond bleef de pers eraan herinneren dat ze de hele zomer voor haar vader had gezorgd.

'Hoe is het met je vader, Cass?' vroeg een van de verslaggevers.

'Het gaat heel goed met hem.' En toen bedankte ze Amerika voor alle geschenken en kaarten en brieven. 'Dat heeft hem echt geholpen. Hij vliegt nu weer met een co-piloot,' zei ze trots. Ze verslonden het, zoals ze alles verslonden wat Desmond ze voorhield. Ze kende het spel nu. En Billy zat bewonderend naar haar te kijken.

'Alles goed?' vroeg hij op gedempte toon na een van hun persconferenties. Desmond had bijzonder aardig tegen haar gedaan, maar hij kon merken dat ze daarna echt van streek was.

'Ja, het gaat wel,' zei ze, maar hij wist hoe gekwetst ze was en hoe verraden ze zich voelde. Ze haatte de hypocrisie en het bedrog. Ze had last van nachtmerries en hij had haar een keer 's nachts, vanuit zijn kamer, horen huilen.

Ze zag Desmond niet meer alleen tot de avond voor het begin van de vlucht. Die middag was er een grote persconferentie geweest en daarna waren Billy en zij naar haar favoriete Mexicaanse restaurant gegaan voor een rustig etentje.

Toen ze terugkwamen, zat Desmond op hen te wachten. Hij zat in zijn auto en toen hij uitstapte, zei hij tegen Billy dat hij met Cassie wilde praten.

'Ik wil je alleen geluk wensen voor morgen. Ik zie je daar natuurlijk voor het vertrek, maar ik wilde je laten weten dat ik… het spijt me dat de dingen niet zijn gegaan zoals we gepland hadden.' Hij probeerde grootmoedig te zijn, maar de manier waarop maakte Cassie woedend.

'Wat was het precies dat je gepland had? Mijn plan was een leven en een man en kinderen.' Zijn plan was een vlucht rond de wereld en een maîtresse en een papieren vrouw die hij te voorschijn kon halen voor de pers.

'Dan had je met iemand anders moeten trouwen, denk ik. Ik wilde alleen een partner en niet veel meer. Het was zakelijk, maar is dat niet waar het bij een huwelijk om gaat, Cassie?' Hij probeerde het te laten klinken alsof de dingen gewoon een beetje misgelopen waren, en niet alsof hij over alles tegen haar had gelogen, zelfs over het feit dat hij steriel was. Als hij eerlijk tegen haar was geweest, had ze daarmee kunnen leven en met nog veel meer dingen. Maar ze wisten allebei dat hij nooit eerlijk was geweest.

'Ik denk niet dat je enig idee hebt van wat een huwelijk inhoudt, Desmond.'

'Misschien niet,' zei hij zonder enige schaamte. 'Eerlijk gezegd is het niet iets wat ik ooit echt heb gewild.'

'Waarom deed je het dan? Ik had toch wel voor je gevlogen, ook zonder al die onzin, de leugens... de bruiloft. Zo ver had je echt niet hoeven gaan. Je hebt me gebruikt,' zei ze, opgelucht dat ze eindelijk de kans had om het te zeggen.

'We hebben elkaar gebruikt. Over twee maanden ben je de grootste ster die de luchtvaart ooit heeft gehad. En ik heb daarvoor gezorgd, met een van mijn vliegtuigen. Het is een eerlijke ruil, Cass. We staan nu quitte.' Hij leek tevreden over zichzelf. Hij had alles wat hij wilde. Ze betekende niets voor hem. Dat was ook nooit zo geweest, en dat was het pijnlijkst.

'Gefeliciteerd. Ik hoop dat je er net zo van geniet als je verwacht.'

'Reken er maar op.' Hij was er zeker van. 'En dat geldt ook voor jou en voor Billy. We winnen hier allemaal bij.'

'Als alles goed gaat. Er is wel heel veel waar je gewoon maar vanuit gaat,' zei ze voorzichtig.

'Dat recht heb ik ook. Je vliegt in een fantastisch vliegtuig en je bent een geweldige pilote. Meer is er niet nodig. Behalve een beetje geluk en wat goed weer.' Hij keek haar lang en hard aan en probeerde haar zover te krijgen dat ze alles zou doen wat goed voor hem was, terwijl hij haar niets anders aanbood dan roem en geld. Liefde hoorde in het grote geheel niet thuis. Hij had het niet in zich. 'Veel geluk, Cass,' zei hij rustig.

'Dank je,' zei ze en liep de trap op naar Billy's appartement.

'Wat wilde hij?' vroeg Billy achterdochtig. Hij was bang dat hij weer iets zou hebben gezegd dat haar van streek had gemaakt.

'Hij wilde ons gewoon geluk wensen, denk ik. Op zijn manier. Er is niemand daarbinnen... Dat heb ik eindelijk begrepen... De man is volkomen leeg.' Ze had veel meer gelijk dan ze besefte. Desmond Williams had geen ziel. Er was alleen maar hebzucht en berekening en een eeuwige passie voor vliegtuigen, maar niet voor mensen. Voor hem was ze niet meer dan een stuk gereedschap, zoals een moersleutel om de motor af te stellen. Ze was een voertuig naar succes, een radertje in een van zijn machines, en dan nog een heel miniem radertje. Hij was de poppenspeler, de ontwerper, de drijvende kracht. In zijn ogen was ze niets.

18

Op de ochtend van 4 oktober steeg de *Poolster* precies volgens schema op. Er stonden honderden mensen te kijken. Het vliegtuig werd voor vertrek gezegend door de kardinaal van Los Angeles. Er was champagne voor iedereen en het vliegtuig verdween aan de horizon en was begonnen aan een route die uitgestippeld was om afstandsrecords te breken en rekening te houden met de grillen van de wereldpolitiek van dat moment.

Ze vlogen eerst naar Guatemala Stad, waarbij in één keer en zonder bij te tanken 3500 kilometer werd afgelegd. Toen ze daar gearriveerd waren controleerden ze hun kaarten, bestudeerden het weer, bekeken het gebied en praatten met de plaatselijke bevolking. De mensen werden gefascineerd door het vliegtuig en groepten samen bij het vliegveld om hen te zien. Desmond had zijn huiswerk goed gedaan. Over de hele wereld waren mensen op de hoogte van Cassies reis.

Op het vliegveld van Guatemala Stad werden ze opgewacht door de pers, door ambassadeurs, gezanten, diplomaten en politici. Er speelde een marimba-band en Cassie en Billy poseerden voor foto's. Sinds Charles Lindbergh had niemand meer zoveel aandacht gekregen.

'Geen slecht leven, hè,' zei Cassie plagend tegen Billy toen ze de volgende dag vertrokken naar San Christóbal op de Galápagos Eilanden, een etappe van niet meer dan zo'n 1750 kilometer, die ze in het fantastische vliegtuig dat Williams Aircraft voor hen had gebouwd in ruim drie uur aflegden. Desmond had nu zijn eerste wens in vervulling zien gaan, want ze hadden zojuist een record gevestigd voor snelheid en afstand.

'Misschien moeten we onderweg maar ergens stoppen voor een vakantie,' stelde Billy voor, en ze grinnikte terwijl ze verwelkomd werden door Ecuadoriaanse ambtenaren, Amerikaanse militairen en de plaatselijke bevolking. Er waren nu nog meer fotografen en de gouverneur van de eilanden nodigde hen uit voor het diner.

De tocht verliep voorspoedig en ze bleven daar een extra dag om het vliegtuig, de kaarten en het weer te controleren. De vooruitzichten konden niet beter zijn.

Vanaf de Galápagoseilanden vlogen ze in precies zeven uur naar Paaseiland, een afstand van ruim 3800 kilometer. Deze keer kregen ze echter met onverwachte wind te maken en lukte het net niet om het record te breken.

'De volgende keer beter, meid,' grapte Billy, terwijl ze over de landingsbaan van Paaseiland taxieden. 'Die echtgenoot van jou is in staat onze huizen plat te branden als we hem niet wat meer records geven.' Ze wisten dat Desmond de Japanners in de gaten hield, die het afgelopen jaar aan een vliegtuig hadden gewerkt dat non-stop van Tokio naar New York zou moeten vliegen. Dat was een afstand van zo'n 11 000 kilometer, maar tot op dat moment hadden ze alleen maar met problemen te maken gekregen en waren ze nog niet eens tot aan Alaska gekomen. Hun eerste testvlucht zou over een jaar moeten plaatsvinden. Omdat Desmond absoluut van plan was ze te verslaan, waren deze lange vluchten over de Grote Oceaan bijzonder interessant voor hem.

Ze vonden Paaseiland, waar het vliegtuig weer vol werd getankt, een bijzonder fascinerende plaats. Ze zagen prachtige, onschuldige mensen en de raadselachtige voorouderbeelden. Er waren verhalen die teruggingen op de prehistorische mens en mysteries die Cassie graag had willen onderzoeken als ze tijd had gehad om te blijven.

Ze bleven slechts één nacht op Paaseiland en bereidden zich voor op de lange etappe van de volgende dag naar Papeete op Tahiti. En deze keer slaagden ze er net in het record te verbeteren. Zonder enig probleem legden ze de 4300 kilometer af in zeven uur en veertien minuten.

Bij de landing op Tahiti was het alsof ze in het paradijs arriveerden, en toen Billy de meisjes zag die in hun sarongs en met hun bloemenslingers om langs de landingsbaan stonden opgesteld, liet hij een kreet van verrukking horen die Cassie in lachen deed uitbarsten.

'Lieve god, Cass, worden we hiervoor betaald? Het is toch niet te geloven!'

'Gedraag je. Als je zo naar buiten stapt gooien ze ons in de gevangenis.' Hij zat zo ongeveer te hijgen en te kwijlen. Hij had iets van een groot, grappig kind en ze vond het heerlijk om met hem te vliegen. Maar het belangrijkst was dat hij een uitstekend navigator en een briljant monteur was.

Wat dat betreft, hij had kort nadat ze opgestegen waren van Paaseiland een geluid gehoord dat hem niet beviel. En nadat hij de inheemse meisjes op een passende manier had begroet, wilde hij teruggaan om het te onderzoeken. Toen ze die avond een telegram naar huis stuurden, noemden ze het wel, maar gaven daarbij de verzekering dat het geen ernstig probleem was. Ze gaven dagelijks rapporten door en waren opgelucht om te kunnen melden dat ze zojuist een nieuw record hadden gevestigd.

In Papeete sprak vrijwel iedereen Frans, en Billy beheerste die taal net voldoende om zich te kunnen redden. De Franse ambassadeur had een diner voor hen georganiseerd en Cassie verontschuldigde zich voor het feit dat ze niets anders bij zich had om aan te trekken dan haar vliegenierspak. Maar toen Billy haar naar het diner begeleidde, was ze gekleed in een prachtige geleende sarong en droeg ze een grote roze bloem in haar haar.

'Je lijkt bepaald niet op Lindy,' zei hij bewonderend, terwijl ze samen van hun hotel naar de ambassade liepen en hij een arm om haar heen sloeg. Maar hun relatie was strikt die van een broer en zus. Toen ze daarna langs het strand liepen en over de tocht praatten, zei Cassie bedroefd dat ze wenste dat Nick daar was. Papeete was een betoverd oord en de mensen waren prachtig. Het was de mooiste plaats die ze ooit had gezien en ze verzette zich tegen elke vergelijking met haar huwelijksreis in Mexico. Dat was een herinnering die ze liever uit haar hoofd wilde zetten.

Die avond zaten Billy en zij nog lang op het strand te praten over de mensen die ze hadden ontmoet en de dingen die ze hadden gezien. Het diner op de ambassade was indrukwekkend beschaafd geweest. Zelfs in haar sarong had ze zich nog een beetje misplaatst gevoeld, maar minder dan wanneer ze daar in haar gekreukelde vliegenierspak had gezeten.

'Soms ben ik nog steeds stomverbaasd over alles wat we doen,' zei Cassie glimlachend, terwijl ze zacht over de bloem streek die ze die avond in haar haar had gedragen. 'Ik bedoel, waarom hebben we zo'n geluk gehad? Kijk naar het vliegtuig waarin we over de hele wereld vliegen... de mensen die we ontmoeten... de plaatsen waar we komen... het is alsof het het leven van iemand anders is... hoe ben ik hier terechtgekomen? Heb jij dat gevoel wel eens, Billy?' Soms voelde ze zich zo jong, en op andere momenten zo oud. Ze was nu tweeëntwintig en had het gevoel dat ze heel wat geluk had gehad en niet veel pech, alles in aanmerking genomen. Dat was nu eenmaal de manier waarop ze de dingen zag.

'Ik vind dat je een hoge prijs voor deze tocht hebt betaald, Cass, hoger dan ik,' zei hij ernstig terwijl hij aan haar huwelijk dacht, 'maar... ja, ik heb dat gevoel ook. Ik blijf maar verwachten dat iemand me in mijn kraag pakt en zegt: "Hé, wat doet dat joch hier? Die hoort hier niet thuis!"'

'Jij hoort hier,' zei ze warm. 'Je bent geweldig. Zonder jou had ik dit niet gedaan.' De enige met wie ze anders had willen vliegen was Nick. Misschien op een dag...

'Het is te snel voorbij, Cass, dat weet jij ook. Ik moest daaraan denken toen we hier kwamen. Paf... het is gebeurd... voorbij... een heel jaar van planning en oefening en zweet en dan... floep... tien dagen... voorbij.' Ze waren al bijna op de helft en die gedachte stemde ook Cassie een beetje droevig. Ze wilde niet dat de tocht zo snel voorbij zou zijn.

Ze liepen langzaam terug naar hun hotel en toen zei ze iets tegen Billy dat hem verraste. 'Ik denk dat ik Desmond hier dankbaar voor moet zijn... en dat ben ik ook... maar op een vreemde manier lijkt het niet meer alsof het zijn tocht is. Hij heeft al die leugens verteld en zijn plannetjes gesmeed, maar het is onze tocht. Wij zijn degenen die het doen. Wij zijn degenen die hier zijn. Hij niet. Op de een of andere manier lijkt hij ineens niet meer zo belangrijk.' Het was een opluchting voor haar en Billy was blij dat ze zichzelf niet meer kwelde met de gedachten aan wat haar echtgenoot haar had aangedaan.

'Vergeet hem, Cass. Als we terug zijn is dat allemaal verleden tijd. Jij zult alle eer krijgen.'

'Ik geloof niet dat het mij ooit om de eer is gegaan,' zei ze oprecht. 'Ik wilde de ervaring. Ik wilde weten dat ik het kon.' Maar niet zo erg dat daarvoor haar leven kapot moest worden gemaakt.

'Ja, dat geldt ook voor mij,' zei hij, maar hij was realistisch genoeg ten aanzien van de toestanden die ze konden verwachten. 'Maar de eer is ook niet zo gek,' zei hij met een jongensachtige grijns, en ze lachte. Toen keek ze hem ernstig aan.

'Ik wilde voor we vertrokken de scheiding aanvragen, maar omdat ik bang was dat een of andere nieuwsgierige verslaggever er lucht van zou krijgen heb ik besloten tot na de tocht te wachten. Ik wilde de zaak niet verpesten door te snel in actie te komen. Maar alle papieren liggen klaar, getekend en wel.' Ze zuchtte bij de herinnering aan het advocatenkantoor. Het was pijnlijk geweest om daar te moeten vertellen wat er was gebeurd.

'Op welke gronden ga je van hem scheiden?' vroeg Billy geïnteresseerd. Hij kon wel een stuk of vijf dingen bedenken, geen van alle plezierig, te beginnen met overspel en eindigend met het breken van Cassies hart, als dat nu een officiële grond voor scheiding zou zijn.

'Om te beginnen bedrog, denk ik. Het klinkt vreselijk, maar de advocaat zegt dat we er gronden voor hebben.' En dan was Nancy er natuurlijk nog. 'Ik denk dat we proberen om het rustig te houden en tot wederzijdse overeenstemming te komen. Misschien een scheiding in Reno, als hij daarmee instemt. Dan zou het in elk geval snel voorbij zijn.'

'Dat doet hij vast wel,' zei Billy wijs. Toen verlieten ze elkaar voor de nacht en ontmoetten elkaar de volgende ochtend weer voor het ontbijt op het terras.

'Wat vind je van het idee om tegen hen te zeggen dat ze hun vliegtuig terug mogen hebben en gewoon hier te blijven?' Hij glimlachte gelukkig tegen haar, terwijl hij zijn omelet met croissants zat te eten en een grote kop sterke Franse koffie zat te drinken, allemaal geserveerd door een zestienjarig inheems meisje met een adembenemend figuur in een *pareu*.

'Je bent niet bang dat je je gaat vervelen?' zei ze glimlachend, terwijl ze naast hem ging zitten. Ze vond het hier ook heerlijk, maar ze had zin om verder te gaan, naar Pago Pago en dan Howland Island.

'Ik zou me nooit gaan vervelen,' zei hij, terwijl hij tegen het meisje glimlachte en toen met een gelukkige blik naar Cassie keek. 'Ik denk dat ik mijn leven wel op een eiland wil eindigen. En jij?'

'Misschien,' zei ze weinig overtuigd. Toen glimlachte ze over haar koffie tegen hem en zei: 'Ik denk dat mijn leven zal eindigen zoals het begonnen is, onder de romp van een vliegtuig. Misschien kunnen ze een speciale rolstoel voor me bouwen.'

'Klinkt geweldig. Dat doe ik wel voor je.'

'Misschien moet je eerst maar eens naar de *Poolster* gaan kijken.'

'Wou je zeggen dat ik niet de hele dag op het strand kan gaan liggen?' Hij deed alsof hij diep teleurgesteld was, maar een halfuur later waren ze samen bezig met een nauwkeurige controle van het hele vliegtuig. Er werden geen grappen meer gemaakt. En zoals te verwachten was, kwamen de fotografen en bezoekers kijken.

De *Poolster* was grotendeels geladen met brandstof en vervoerde weinig anders behalve een nooduitrusting, een radio, zwemvesten en een reddingsboot. Ze hadden alles wat ze nodig hadden. Bij elke stop waren ze in de verleiding souvenirs mee te nemen, maar ze hadden geen ruimte en wilden het vliegtuig niet zwaarder belasten met ook maar een ons van iets wat niet absoluut noodzakelijk was.

Die avond gebruikten ze een rustig diner in het hotel, keken naar een bijna buitensporig mooie zonsondergang, maakten een wandeling over het strand en gingen vroeg naar bed. De volgende ochtend vertrokken ze naar Pago Pago.

De etappe nam viereneenhalf uur in beslag en ze vestigden deze keer geen records. Maar alles verliep vlekkeloos, behalve dat Billy een zacht geluid in een van hun motoren meende te horen. Het was hetzelfde geluid als hij de dag daarvoor had gehoord en het was merkwaardig hardnekkig.

Pago Pago was een fascinerende plaats, maar ze brachten er maar één nacht door en het grootste deel daarvan op het vliegveld. Billy wilde de oorzaak van het geluid vinden en rond middernacht meende hij die gevonden te hebben. Het geluid zat hem dwars, maar hij was er nog steeds van overtuigd dat het geen groot probleem zou zijn. Ze telegrafeerden weer naar huis, zoals ze bij elke stop deden, en vertrokken in de ochtend naar Howland Island. Ze hadden al meer dan 14 000 kilometer afgelegd en voor Cassies gevoel waren ze er bijna, hoewel er nog meer dan 4500 kilometer tussen hen en Honolulu lag. Maar ze hadden al meer dan de helft van de tocht afgelegd, en de wetenschap dat ze Howland naderden, waar Earhart volgens de meeste mensen verongelukt was, gaf haar een nostalgisch gevoel.

'Wat ga je doen als dit allemaal voorbij is?' vroeg ze terwijl ze twee uur voor ze Howland zouden bereiken een broodje aten. De vrouw van het hotel waar ze overnacht hadden was bijzonder aardig geweest en had erop gestaan hun een mand met vruchten en broodjes mee te geven, die heerlijk bleken te zijn.

'Ik?' Billy dacht erover na. 'Ik weet niet... mijn geld investeren, misschien zoals je vader heeft gedaan. Ik zou wel een charterdienst willen beginnen. Misschien wel op een rare plaats als Tahiti.' Hij had Papeete echt geweldig gevonden. 'En jij, Cass?' Ze hadden genoeg tijd te doden, terwijl ze van hun mand met voedsel genoten en over de schitterende oceaan vlogen.

'Ik weet het niet. Ik vind het wel eens verwarrend. Soms denk ik dat dit het voor me is... vliegtuigen... testvluchten... vliegvelden... dat het alles is wat ik wil... Maar er zijn momenten waarop ik me afvraag of ik ook andere dingen wil, zoals trouwen en kinderen krijgen.' Even zat ze verdrietig naar de horizon te staren. 'Ik dacht dat ik het met Desmond allemaal op een rijtje had gezet, maar dat was dus niet zo. Ik weet het niet,' zei ze en haalde haar schouders op. 'Ik moet de zaken maar eens ordenen als we naar huis gaan. Dat deel van mijn leven is niet bepaald een succes.'

'Ik denk dat het idee goed was maar de man niet. Dat kan wel eens gebeuren. Hoe zit het met Nick?'

'Met Nick?' Ze had nog steeds geen antwoorden. Hij had in het verleden zo duidelijk gezegd dat hij niet met haar zou trouwen, maar nu, na Desmond, zou het misschien anders zijn. Ze had het hem nog niet verteld. En ze wist niet wanneer ze hem weer zou zien. Ze wist helemaal niets, behalve wat ze op dit moment aan het doen waren. Op dit moment was het leven heel eenvoudig.

De stop op Howland was bijzonder emotioneel voor haar vanwege Amelia Earhart. Billy en zij hadden een krans bij zich, die ze vlak voor ze het eiland bereikten uit het vliegtuig zouden gooien.

Vlak voor ze gingen landen, opende Billy een raam voor haar. Met een stil gebed voor de vrouw die ze nooit had ontmoet, maar haar hele leven had bewonderd, liet ze de krans vallen. Ze bedankte haar omdat ze een voorbeeld was geweest en hoopte dat ze een gemakkelijke dood had gehad en een leven dat de moeite waard was geweest. Als je naar levens als dat van haar keek, was het moeilijk om te weten wat mensen voelden en wie ze echt waren. Nu Cassie verslonden was door de pers wist ze dat het meeste ervan niets voorstelde. Maar toen Billy en zij rustig landden, na een etappe van ruim 1900 kilometer, voelde ze een vreemde verwantschap met haar. Het was zo eenvoudig voor hen. Het was zo gemakkelijk gegaan. Waarom had het voor Amelia Earhart niet zo kunnen zijn?

Toen het vliegtuig tot stilstand was gekomen, klopte Billy haar op haar knie. Hij wist waar ze aan dacht en hield van haar om die gedachten.

Op Howland stonden in opdracht van Desmond Williams fotografen op hen te wachten. En natuurlijk werden de verwachte parallellen getrokken tussen Cassie en Amelia Earhart.

Het was de bedoeling dat ze hier één nacht zouden doorbrengen voor ze aan de bijna 3200 kilometer lange etappe naar Honolulu zouden beginnen. En daar had Desmond allerlei dingen gepland, zoals ceremonies en gebeurtenissen, prijzen en eerbewijzen, persconferenties en films, en zelfs een demonstratie van de *Poolster* voor het leger op het vliegveld Hickam. Ze vonden het allebei reuze spannend, maar ook een beetje eng. Hier was alles zoveel eenvoudiger. In sommige opzichten zou het de laatste rustige avond zijn die ze voorlopig zouden hebben. En Cassie haatte het vooruitzicht dat ze Desmond weer zou ontmoeten. Alleen al de gedachte eraan was deprimerend.

Tijdens het eten die avond was ze stil, wat Billy niet verbaasde. Ze hadden heel wat voor de boeg en bovendien hield de gedachte aan Earhart haar nog bezig.

'Het is best eng om weer terug te gaan naar al dat gedoe, vind je niet?' zei ze, toen ze na het eten een kop koffie dronken.

'Ja... en spannend.' Voor hem was het minder gecompliceerd. Hij had niet te maken met de spanningen van haar geschiedenis met Desmond. 'Het zal zo voorbij zijn, als een geweldig flitslicht,' zei hij stralend. 'Zoals een vuurwerk op Onafhankelijkheidsdag... nu zie je het... dan weer niet... vang de vallende ster. We zijn een minuut beroemd, en dan is het gebeurd,' zei hij profetisch, 'dan komt er iemand die sneller en verder vliegt.' Maar ze zouden nog lang in de herinnering blijven. Hun roem zou niet zo snel verdwenen zijn als hij dacht. In sommige dingen had Desmond gelijk, en wat zij deden was inderdaad belangrijk.

'Morgenavond om deze tijd zijn we in Honolulu, juffrouw O'Malley,' zei hij en hief zijn kleine glas wijn om te toosten. Hij dronk niet veel omdat hij de volgende dag weer moest vliegen. 'Denk maar aan de fanfare, aan alle spannende dingen.' Zijn ogen dansten en er speelde een flauwe glimlach om zijn mond.

'Liever niet. Ik krijg het benauwd wanneer ik eraan denk. Misschien moeten we ze maar verrassen en gewoon dezelfde weg terugnemen als we gekomen zijn. Stel je voor.' Ze lachte bij het idee en hij schudde geamuseerd zijn hoofd. Ze hadden altijd plezier als ze samen waren.

'Het spijt me, mijnheer Williams, mijn piloot was wat in de war. Ach, u weet hoe het is... ze is maar een meisje... meisjes kunnen niet echt vliegen, dat weet iedereen... eerlijk gezegd had ze de kaart op zijn kop...' Ze moesten allebei lachen om hun eigen grap, maar toen ze de volgende dag opstegen, zou een deel van wat ze had gezegd profetisch blijken te zijn.

Toen ze driehonderd kilometer hadden afgelegd, kwamen ze onverwacht in een onweersbui terecht, en nadat ze de situatie en de wind hadden beoordeeld, besloten ze terug te gaan naar Howland Island. Toen ze probeerden te landen had de bui echter de vorm gekregen van een tropische storm van verrassende afmetingen en Cassie vroeg zich af of ook Noonan en Earhart met zoiets te maken hadden gekregen. Maar ze had haar handen vol aan het aan de grond brengen van het vliegtuig in de razende windstoten die hen bijna van het eiland bliezen. Uiteindelijk landden ze hard en snel in een zijwind en misten bijna de landingsbaan. Ze had al haar ervaring nodig om de *Poolster* aan de grond te brengen en toen ze stopten waren ze centimeters verwijderd van een landing in het water.

'Mag ik je eraan herinneren,' zei Billy terloops, terwijl ze vocht om het vliegtuig te draaien, 'dat we ernstige problemen zullen krijgen met de heer Williams als je dit vliegtuig in de plomp laat eindigen.'

Ze moest lachen om zijn opmerking en vond het eigenlijk niet zo erg om nog een nacht op Howland Island door te brengen. Het was niet bepaald een opwindende plaats, maar ze had in elk geval nog een dag rust. Misschien voor het laatst. Ze kon zich niet voorstellen hoe hun leven er na Honolulu uit zou zien.

Laat die avond ging de storm liggen, maar de volgende ochtend vroeg ontdekten ze dat hun richtingzoeker beschadigd was en niet meer gerepareerd kon worden. Billy en zij vonden allebei dat ze desondanks veilig konden vliegen, maar ze stuurden bericht naar Honolulu dat ze bij aankomst een nieuwe nodig zouden hebben. Toen ze aan hun bijna 3000 kilometer lange vlucht naar Honolulu begonnen was het zonnig en helder weer. Maar na 400 kilometer gevlogen te hebben, kregen ze te maken met een nieuw probleem. Er leek iets mis te zijn met een van hun motoren. Billy controleerde of het een olielek betrof en zij controleerde de meetinstrumenten.

'Wil je terug?' vroeg ze kalm, terwijl ze haar blik op de instrumenten gericht hield.

'Ik weet het niet,' zei hij. Hij begreep nog niet wat er aan de hand was.

Hij speelde nog wat met een van de motoren, luisterde en paste wat dingen aan, en toen ze ongeveer 150 kilometer verder waren, verzekerde hij haar dat alles onder controle was. Ze knikte en bleef op de instrumenten letten. Ze wilde er zeker van zijn dat ze het met hem eens was.

Cassie was zo goed omdat ze niets aan het toeval overliet. Billy leek de dingen misschien wat luchtiger op te nemen, maar ook hij was bijzonder zorgvuldig. Bovendien had hij een zesde zintuig als het om vliegen ging. Dat was de reden waarom ze zo graag met hem vloog. Ze vormden een perfect team.

Op een gegeven moment veranderde ze een beetje van koers om wat zware wolken en ruw weer te omzeilen. Het was aan het begin van de middag toen hij naar de herfstlucht keek en daarna naar het kompas en zei: 'Weet je zeker dat we de juiste koers hebben? Voor mijn gevoel zitten we er wat naast.'

'Vertrouw op je kompas,' zei ze. Ze klonk als een instructeur en glimlachte tegen hem. Het was het enige instrument dat ze altijd vertrouwde en de enige betrouwbare informatie die ze hadden omdat zowel de richtingzoeker als de sextant het in de storm begeven hadden.

'Vertrouw op je ogen… je neus… je gevoel… en dan je kompas.' Hij bleek gelijk te hebben. Door de harde wind waren ze iets uit koers geraakt, maar niet zo erg dat ze zich zorgen maakten. Toen ze de instrumenten weer gecontroleerd had en opkeek, zag ze echter rook uit hun tweede motor komen en achter de eerste motor dunne straaltjes brandstof lopen.

'Verdomme,' mompelde ze, en wees Billy erop, terwijl ze de tweede motor uitschakelde en de propeller in vaanstand zette. Ze waren al een heel eind van Howland verwijderd. 'We kunnen beter teruggaan.' Ze waren al twee uur in de lucht en hadden geen radiocontact meer.

'Is er niets dat dichterbij is?' Hij keek op de kaart en zag een klein eiland. 'Wat is dit?'

'Ik weet het niet.' Ze keek ernaar en zei: 'Het ziet eruit als vogelpoep.'

'Heel grappig. Geef me een koers, waar zijn we?' Ze gaf hem de stand van het kompas, terwijl hij naar de motor keek. Hij was bepaald niet blij met wat hij zag en ook niet met de wetenschap dat ze 1800 liter brandstof aan boord hadden.

Ze vlogen nog een paar minuten door en besloten het kleine eiland te proberen dat ze op de kaart hadden gezien. Maar Cassie maakte zich zorgen over de landing daar. Als het eiland te klein was voor het vliegtuig, zouden ze het niet redden. Ze besloten om eventueel op het strand te landen. Ze waren buiten het bereik van de radio. Billy controleerde de motor weer, maar had geen goed nieuws. Toen zette hij de koptelefoon op en probeerde noodsignalen te seinen naar eventuele schepen in de buurt.

Maar toen ze uit het raam keken, zagen ze dat de motor in brand stond.

'Gefeliciteerd, Cass, maar dat is geen verjaardagstaart.'

'Verdorie!'

'Precies. Hoever zijn we nog van Vogelpoepeiland?'

'Nog zo'n 75 kilometer.'

'Geweldig. Net wat we nodig hebben. Nog 15 minuten met zo'n 1800 liter brandstof onder onze oksels. Heerlijk.'

'Ga maar een liedje zingen of zoiets,' zei ze kalm.

'Je komt ook met de schandelijkste ideeën,' zei hij, terwijl hij wat handels overhaalde en de andere motor controleerde. 'Geen wonder dat je geen fatsoenlijke baan kunt krijgen.' Ze maakten grappen, maar waren niet geamuseerd. De *Poolster* was in moeilijkheden.

Tien minuten later kwam het eiland in zicht en ze bekeken het. Geen vlakke gedeelten. Alleen maar bomen en iets wat op een berg leek.

'Hoe goed kun je zwemmen?' vroeg hij op conversatietoon en overhandigde haar als routine een zwemvest. Hij wist dat ze uitstekend kon zwemmen. 'Het ziet ernaar uit dat we naar het strand gaan, hè, schatje?'

'Misschien wel, cowboy... misschien wel...' Ze concentreerde zich op het vliegtuig. Het begon sterk te trekken en de andere motor begon nu ook te roken. 'Wat denk jij dat er gebeurt?' Ze begrepen niet wat er aan de hand kon zijn, maar daar konden ze pas achter komen als ze op de grond waren. En zover zou het nu snel zijn. Billy dacht eerst dat de brandstofleidingen verstopt waren geraakt, maar dat was het niet. Er was iets kapot.

'Te veel aanstekervloeistof misschien?'

'Ik zou nu maar geen Lucky opsteken,' waarschuwde ze hem. Ze was klaar om te landen. Ze cirkelde twee keer over het eiland, scheerde één keer over het strand en trok toen weer op terwijl beide motoren in brand stonden. Ze wist dat ze brandstof moest dumpen, maar er was geen tijd meer voor.

'Wil je New York proberen?' vroeg hij kalm, terwijl hij toekeek hoe ze het zware vliegtuig over het kleine eiland manoeuvreerde.

'Tokio misschien,' zei ze, terwijl ze haar ogen geen moment afwendde van waar ze mee bezig was. 'Tachikawa zal een fortuin willen betalen voor de testvlucht.'

'Geweldig idee. Laten we het proberen. We hebben Desmond Williams niet nodig.'

'Oké, daar gaan we weer,' zei Cassie, zich op elk detail concentrerend.

'Jezus, dat strand is kort, verdomme...' De vlammen sloegen uit de motoren.

'Ik vind het vervelend om te moeten zeggen, schat,' zei Billy kalm, terwijl hij zijn eigen zwemvest aantrok, 'maar als je niet snel beneden komt, zullen we een bijzonder schandelijke explosie op dit eiland ver-oorzaken. Dat zou een slechte indruk maken op de inboorlingen.'

'Ik doe mijn best,' zei ze met opeengeklemde tanden.

'Wil je hulp?'

'Van zo'n jochie als jij? Wat dacht je!' Ze kwam zo laag mogelijk aan-vliegen en gebruikte al haar kracht voor de stuurknuppel. Toen ze bij-na aan de grond waren, was het vliegtuig net over het strand heen en raakten ze het water. Het vliegtuig kwam tot stilstand en zonk lang-zaam omlaag in een meter water terwijl ze de knoppen omzette. Ze hoopte dat het niet zou ontploffen, maar kon dat niet garanderen.

'Fraaie landing, en nu wegwezen. Snel!' Hij pakte haar vast om haar uit het vliegtuig te duwen voor ze iets mee zou kunnen nemen. Ze greep instinctief naar hun nooduitrusting, terwijl hij de deur probeer-de open te krijgen. Beide motoren stonden in brand en de hitte was in de cockpit te voelen. Hij had inmiddels de deur open en schreeuw-de: 'Spring!' Voor ze wist wat er gebeurde had hij haar al naar bui-ten geduwd. Hij had het logboek en een kleine rugzak in zijn hand waar hun geld in zat. Dat was alles. Ze waadden zo snel ze konden door het water naar het strand. Toen renden ze nog vijftien meter naar het eind van het strand, en net toen ze daar kwamen, klonk er een enorme explosie. Ze draaiden zich om en zagen hoe het hele vliegtuig in brand stond. De stukken vlogen de bomen en het water in. Boven het vliegtuig ontstond een geweldige vuurkolom van de brandstof. Het brandde nog uren, terwijl ze geschokt maar geboeid toekeken.

'Tot ziens, *Poolster*,' zei Billy toen de laatste brokstukken in het wa-ter verdwenen. Het enige dat restte was een geraamte. Al die mannen en al dat werk, al die maanden en uren en berekeningen waren in een oogwenk verdwenen. Ze hadden 17 500 kilometer van hun tocht af-gelegd en nu was het voorbij. Maar ze leefden. Ze hadden het over-leefd en dat was alles dat belangrijk was. 'Daar staan we dan,' zei Bil-ly luchtig, terwijl hij haar een stuk chocola uit de rugzak gaf, 'op Vogelpoepeiland. Ik wens u een fijne vakantie.' Ze keek naar hem en lachte. Ze was te moe en te verbijsterd om te huilen of te schreeuwen. Ze kon alleen maar hopen dat iemand op het idee zou komen dat er iets mis was gegaan wanneer ze niet in Honolulu kwamen opdagen en dat ze de troepen op pad zouden sturen om hen te zoeken. Ze wist hoe grondig er vier jaar daarvoor naar Earhart was gezocht. Maar ze herinnerde zich ook hoe hard er geprotesteerd was tegen de kosten. Ze was er echter van overtuigd dat Desmond alles op alles zou zetten om hen te vinden, al zou het alleen maar vanwege de publiciteit zijn en om het vliegtuig te vinden. Als het moest, zou hij Roosevelt zelf bellen. Hij had zwaar op het feit gespeeld dat ze Amerika's lieveling was en dat mensen van haar hielden. Ze moesten haar wel vinden. 'Zo, juffrouw O'Malley, wat vindt u ervan? Zullen we room-service bellen en een drankje bestellen?' Ze waren daar nu bijna vier uur en hadden met het vliegtuig hun hoop op vertrek zien verschrompelen. Nu zouden ze gered moeten worden. 'Als dit niet gebeurd was, zou het niet echt een recordbrekende tocht zijn geweest,' zei hij vol vertrouwen. Hij was er zeker van dat ze binnen een dag of zo gered zouden worden en het zou het verhaal alleen maar spannender maken.

'Desmond zal denken dat ik dit gedaan heb om wraak op hem te nemen,' grinnikte ze. Het had ook wel iets grappigs, maar niet veel. Als ze het zichzelf zouden toestaan, zouden ze zich ernstige zorgen kunnen maken. Ze vroeg zich af of het zo geweest was voor Noonan en Earhart, of dat het dramatischer en sneller was geweest. Misschien waren ze op slag dood geweest. Of misschien zaten ze nog steeds op een eilandje als dit. Het was een intrigerende gedachte, maar niet erg waarschijnlijk. En ook niet erg hoopvol.

'Ik dacht wel dat het een wraakactie was,' zei Billy. 'Ik kan het je niet kwalijk nemen. Ik wou alleen dat je het wat dichter bij Tahiti had gedaan. Dat dienstertje zag er fantastisch uit.'

'Dat gold voor elk meisje sinds L.A.' Ze was minder opgewekt dan hij, maar was dankbaar voor zijn gevoel voor humor.

'Ja, maar hier niet. Hier beslist niet.' Het eiland was totaal verlaten. Ze gingen op verkenning en vonden een klein stroompje en veel bessestruiken. Zoals dat voor onbewoonde eilanden meestal geldt, leek het redelijk comfortabel en alles te bieden wat ze nodig hadden. Er waren wat vruchten die ze niet kenden, maar die heerlijk bleken te zijn toen ze ze die avond probeerden. Het was vreemd om daar te zijn, maar het leek niet zo verschrikkelijk, zolang het maar niet voor altijd zou zijn. Die gedachte was behoorlijk beangstigend, maar Cassie stond zichzelf niet toe daaraan te denken toen ze naast elkaar in een grot lagen die ze die avond ontdekt hadden.

Ze lagen allebei nog lang wakker en tenslotte besloot ze Billy de vraag te stellen. 'Billy?'

'Ja?'

'Stel dat ze ons niet vinden?'

'Ze vinden ons.'

'Maar als ze ons niet vinden?'

'Ze moeten.'

'Waarom?' Haar ogen waren enorm in de duisternis en hij pakte zachtjes haar hand. 'Waarom moeten ze ons vinden?'

'Omdat Desmond je een proces zal willen aandoen voor het vliegtuig. Je denkt toch niet dat hij het erbij laat zitten?' Hij grinnikte in het donker en ze lachte.

'O, hou op.'

'Begrijp je wat ik bedoel? Je moet je geen zorgen maken.' Hij rolde op zijn zij en hield haar stevig tegen zich aan, maar vertelde haar niet dat hij ook bang was. Hij was nog nooit van zijn leven zo bang geweest, en hij kon niets anders voor haar doen dan haar vasthouden.

19

Desmond werd midden in de nacht opgebeld, precies tweeëntwintig uur nadat ze van hun laatste bestemming waren vertrokken. De plaatselijke autoriteiten waren er op dat moment absoluut zeker van dat de *Poolster* verdwenen was en waarschijnlijk verongelukt was boven de Grote Oceaan. Maar er was geen enkel teken geweest, geen enkel signaal. En niemand had enig idee van wat er gebeurd kon zijn.

'Verdomme.' Hij liet iedereen komen om te helpen. Er was een noodplan dat uitgevoerd moest worden. De marine, de buitenlandse autoriteiten en het Pentagon werden gebeld. De vlucht van de *Poolster* was wereldnieuws, en iedereen die van het vliegtuig had gehoord en zelfs sommigen die dat niet hadden, wilden het vinden.

In de buurt van de plek waarvan ze dachten dat het vliegtuig zou zijn neergestort, bevond zich een vliegdekschip. Het stelde eenenveertig vliegtuigen ter beschikking en er werden twee torpedojagers bij geroepen. Het verschilde niet zoveel van de zoektocht die vier jaar daarvoor was gehouden, maar ze waren nu beter getraind en beter uitgerust. Ze deden alles wat mogelijk was en zetten elke man in die ze konden missen. De president zelf belde Desmond en daarna de O'-Malley's in Illinois. Ze waren diep geschokt toen ze het hoorden. Ze konden niet geloven dat ze Cassie kwijt zouden zijn. Oona was vooral bezorgd om Pat, vanwege zijn hart, maar hij leek het vrij kalm op te nemen. Hij maakte zich grote zorgen om zijn dochter, maar had veel vertrouwen in de hulptroepen. Hij wenste alleen dat Nick er zou zijn om hen te helpen.

Er werd dagenlang gezocht in een gebied van honderden vierkante kilometers en al die tijd probeerden Billy en Cass de moed erin te houden en aten ze bessen. Cassie had een hevige aanval van dysenterie en Billy had ernstige schaafwonden aan zijn been opgelopen toen hij de ochtend na hun noodlanding over een koraalrif was gezwommen. Maar behalve dat waren ze behoorlijk in vorm. Ze hadden vruchten en genoeg water. Maar er was geen teken van een reddingsactie. Geen vliegtuig. Geen schip. Niets dat ook maar in de buurt was gekomen. Doordat Cassie kort voor het misging licht van koers was veranderd en doordat de wind hen nog verder uit koers had gebracht, vond de zoektocht ongeveer 700 kilometer in de verkeerde richting plaats. Ze hadden kort voor de noodlanding radiocontact verloren en daarna was de radio vernietigd door de explosie. Het was dus onmogelijk om iemand hun locatie door te geven. Bovendien was er geen schip in de buurt geweest dat hen had kunnen horen. Ze wisten niet eens precies waar ze waren. Maar zelfs als ze het geweten hadden, hadden ze het toch aan niemand kunnen vertellen.

In L.A. stelde Desmond alles in het werk om het zoeken te laten doorgaan. Maar de pers begon vragen te stellen bij de hoge kosten van de zoektocht en zich tegen Desmond te keren. Er werd vooral gewezen op de onzinnigheid van een zoektocht en de grote kans dat ze bij het ongeluk waren omgekomen en anders inmiddels toch wel dood zouden zijn. Gedurende veertien dagen werd er met man en macht gezocht en daarna vonden er nog een week wat willekeurige acties plaats. Twee dagen daarna, op de dag af een maand nadat ze uit Los Angeles waren vertrokken, werd de zoektocht afgelast. Het was voorbij.

'Ik weet dat ze nog in leven is,' bleef Desmond tegen iedereen zeggen, maar niemand geloofde hem. 'Ze is te goed getraind. Ik kan het niet geloven.' Deskundigen gingen ervan uit dat er iets mis was gegaan met het vliegtuig. Dat het een onbekend en fataal defect had gehad. Niemand twijfelde aan Cassies vaardigheden, maar er was altijd het element van het noodlot, of geluk.

Haar ouders waren kapot toen ze hoorden dat de zoektocht was stopgezet zonder dat Cassie en Billy waren gevonden. Het leek onvoorstelbaar dat ze nog een kind verloren hadden en op zo'n wrede manier. Nacht na nacht lag haar moeder wakker en vroeg zich af of Cassie nog ergens in leven was, of ze haar gewoon niet gevonden hadden. Maar haar vader vond dat niet waarschijnlijk.

Op Thanksgiving waren Cassie en Billy al zes weken zoek. Het was dat jaar voor iedereen een sombere dag. Ze vierden het nauwelijks en hadden alleen een rustig etentje in de keuken.

'Ik kan niet geloven dat ze er niet meer is,' snikte haar moeder in Megans armen. Het was een vreselijke tijd voor hen.

Voor Desmond was het het einde van een levenslange droom. Hij martelde zichzelf voortdurend met de vraag wat er gebeurd kon zijn. Als ze dat maar wisten... als ze maar iets konden vinden... maar er was niets gevonden, geen bewijs, geen stukken van het vliegtuig of van hun kleding. Daardoor hoopte hij dat ze nog in leven waren. En hij zat voortdurend achter het Pentagon aan, maar wat hen betreft was de zoektocht voorbij. Ze waren ervan overtuigd dat de *Poolster* spoorloos verdwenen was en dat er geen overlevenden waren.

Foto's van Cassie bleven in kranten en tijdschriften verschijnen. Zelfs zes weken na hun verdwijning leek ze nog net zo levend te zijn als vroeger. De pers had van Cassie gehouden. En Desmond liet zich natuurlijk portretteren als de bedroefde weduwnaar. Hij vierde dat jaar geen Thanksgiving, en dat gold ook voor Nick in Engeland. Ongeveer een week na de verdwijning van het vliegtuig had hij over het verdwijnen van Cassie gehoord. Het was zo'n belangrijke gebeurtenis dat het in Engeland de voorpagina's had gehaald. Toen hij het nieuws hoorde, kon hij het niet geloven. Hij had zich vrijwillig voor de gevaarlijkste missies gemeld, tot iemand de situatie aan zijn commandant had uitgelegd. Ze hadden hem drie dagen verlof gegeven en hem gevraagd wat tijd vrij te nemen. Het was voor iedereen duidelijk dat hij ergens mee zat en te veel risico nam. Nick had geprotesteerd, maar ze hadden niet geluisterd. Hij overwoog een paar dagen naar huis te gaan, maar wist dat hij het nog niet zou kunnen verdragen om Pat te zien. Wat een blinde idioot was hij geweest. Wat een lafaard. Hij wist dat hij zichzelf nooit zou kunnen vergeven dat hij niet met haar getrouwd was en haar niet bij Desmond Williams uit de buurt had gehouden. Het kwam niet in hem op dat hij dat misschien niet had gekund of dat ze niets liever had gewild dan de vlucht doen. Het was ook haar beslissing geweest en ze was bijzonder onafhankelijk.

Maar hij nam aan dat Pat hem ook niet zou vergeven. Als hij met haar getrouwd was, was alles misschien heel anders gelopen.

Hij had een foto gezien waarop Desmond stond nadat hij naar een herdenkingsdienst voor Cassie was geweest. Zijn gezicht had grimmig gestaan en hij droeg een slappe vilthoed. Hij haatte Desmond omdat hij Cassie de kans had gegeven zichzelf te doden en het vliegtuig om dat te doen. En hij wist beter dan wie dan ook dat Williams haar waarschijnlijk onder druk had gezet om het te doen, allemaal voor zijn eigen eer. Ze had beter verdiend dan ieder van hen, daarvan was hij nu meer overtuigd dan ooit.

En op het naamloze eiland vierden Cassie en Billy Thanksgiving met wat bessen, een banaan en een beetje water. Ze leefden nu al meer dan een maand op hetzelfde dieet, en het regende maar af en toe, maar ze waren nog steeds in leven. Billy had door de schaafwond aan zijn been

een infectie opgelopen en daardoor hevige koorts gekregen. Ze hadden een paar aspirines in hun nooduitrusting gehad, maar die waren allang gebruikt. Zelf had ze wat last van een spinnebeet, maar behalve wat zonnebrand waren ze in een behoorlijke conditie, op Billy's regelmatige koortsaanvallen na.

Ze waren erin geslaagd na hun noodlanding de dagen bij te houden en wisten dat het Thanksgiving was. Ze praatten over kalkoen, pompoentaart, naar de kerk gaan en bij hun familie en vrienden zijn. Billy maakte zich zorgen over zijn vader, die alleen was. En Cassie bleef maar denken aan haar ouders en zusters en hun echtgenoten en kinderen en aan hoe erg ze hen miste. Ze praatte over Annabelle en Humphrey, de twee kinderen uit Engeland, en daardoor dacht ze weer aan Nick. Ze dacht nu veel aan hem. Eigenlijk voortdurend.

'Wat zullen ze denken dat er met ons gebeurd is?' vroeg ze, terwijl ze een banaan deelde met Billy. Ze merkte dat hij er weer koortsig uitzag, en dat zijn ogen erg intens leken te staan en een beetje diep lagen.

'Ze denken waarschijnlijk dat we dood zijn,' zei hij eerlijk. Hij had de laatste tijd niet zoveel grappen meer gemaakt. Ze konden niets anders doen dan wachten en steeds maar dezelfde bessen eten. Er was niets anders te eten op het eiland en ze hadden tot nu toe geen vis kunnen vangen. Maar ze gingen niet dood van de honger.

Twee dagen later was er een hevige regenbui en daarna leek het wat koeler te worden. Ze droeg nog steeds haar vliegenierspak, maar het was gescheurd en niet erg schoon, en Billy had alleen een korte broek en een T-shirt. De ochtend na de eerste koelte, merkte Cassie dat Billy rilde, zelfs in de zon.

'Gaat het wel?' vroeg ze, terwijl ze haar best deed er niet zo bezorgd uit te zien als ze zich voelde.

'Het gaat wel,' zei hij dapper. 'Ik ga wat bananen halen.' Hij moest in een boom klimmen om ze te krijgen, maar kon deze keer niet van de grond komen. Zijn been was sterk gezwollen en er kwam pus uit de wond. Hij kwam hinkend terug met één banaan die gevallen was. Ze wist niet meer wat ze voor hem moest doen. De toestand van het been verslechterde steeds meer en ze kon zien dat de koorts toenam. Ze baadde het been in zout water, maar dat hielp helemaal niet. Ze had niets meer wat ze hem kon geven. Hij doezelde die middag veel, en toen hij wakker werd stonden zijn ogen nog glaziger dan tevoren. Ze legde zijn hoofd op haar schoot en streelde zijn voorhoofd, en toen

322

de zon onderging begon hij te bibberen van de kou, dus ging ze naast hem liggen en probeerde hem met haar lichaam warm te houden.

'Dank je, Cass,' fluisterde hij die avond in het donker van hun grot, en ze hield hem in haar armen en bad dat iemand hen zou vinden, maar het leek bijna onmogelijk nu. Ze vroeg zich af of ze daar nog jaren zouden blijven of er gewoon zouden sterven. Het leek niet waarschijnlijk dat ze ooit van het eiland af zouden komen. Ze wist maar al te goed dat de zoektocht inmiddels moest zijn gestaakt. Men nam aan dat ze dood waren, zoals dat bij anderen voor hen was gebeurd. De hele nacht door klapperden zijn tanden. De volgende ochtend ijlde hij en ze bette zijn hoofd met koud water. Het regende die dag weer en ze dronk te veel van het regenwater, waardoor ze weer last kreeg van dysenterie. Door de bessen en het water en de bladeren die ze aten, had ze er nu voortdurend last van. Ze kon aan haar vliegenierspak zien dat ze heel wat magerder was geworden sinds ze op het eiland waren gekomen.

Billy kwam die dag niet meer bij bewustzijn en die nacht hield ze hem in haar armen en huilde zacht. Ze had zich nog nooit zo alleen gevoeld, en om de zaak nog erger te maken had ze nu zelf ook koorts. Ze vroeg zich af of ze een tropische ziekte had opgelopen. Billy had een infectie van het koraal opgelopen, maar ze waren allebei erg ziek. De volgende ochtend leek het met Billy iets beter te gaan. Hij was een stuk helderder. Hij ging rechtop zitten, keek haar aan en zei dat hij ging zwemmen. Het was koud buiten, maar hij bleef volhouden dat het heet was en hij werd plotseling een beetje ruziezoekerig en was ineens heel sterk. Ze kon hem niet tegenhouden. Hij liep het water in bij de verbrande romp van hun vliegtuig. Zelfs de stormen hadden de romp niet verplaatst en hij lag daar als een verwijt, als een herinnering aan alles wat ze gehad en verloren hadden. Voor Cassie was de romp de laatste herinnering aan Desmond.

Ze keek toe hoe Billy langs het vliegtuig zwom en toen weer terug, en toen hij uit het water kwam zag ze dat hij zijn andere been had geschaafd, maar hij leek het niet te voelen. Hij hield vol dat het niets was, en ze zag hoe hij in een boom klom en een banaan at. Hij leek ongewoon veel energie te hebben, maar geestelijk niet normaal te zijn. Door de dingen die hij zei en de manier waarop hij naar haar keek, wist ze dat hij zichzelf niet was. Hij was erg nerveus en zijn ogen stonden wild, en toen de avond viel lag hij bibberend in hun grot en praatte met iemand die ze niet kende over een auto en een kaars en een kleine jongen. Ze had geen idee waar hij het over had. Later die avond keek hij haar met een vreemde blik aan en ze vroeg zich af of hij haar nu herkende.

'Cass?'

'Ja, Billy?' Ze lag dicht tegen hem aan. Ze voelde zijn beenderen en voelde de koortsrillingen door zijn lichaam gaan.

'Ik ben moe.'

'Dat is niet erg. Ga maar slapen.' Ze hadden niets anders te doen en het was heel donker.

'Is het goed?'

'Ja, het is goed... doe je ogen maar dicht...'

'Ze zijn al dicht,' zei hij, maar ze kon zien dat ze open waren.

'Het is erg donker hier. Doe je ogen toch maar dicht. Dan voel je je morgen beter.' Maar ze vroeg zich af of ze zich ooit nog beter zouden voelen. Ze voelde haar eigen koorts ook weer hoger worden en rilde nu bijna net zo erg als hij.

Na een tijdje zei hij zachtjes: 'Ik hou van je, Cassie.' Hij klonk als een kind, en ze moest denken aan haar neefjes en nichtjes en hoe lief ze waren en hoe gelukkig haar zusters waren dat ze hun kinderen hadden.

'Ik hou ook van jou, Billy,' zei ze zacht.

Toen ze de volgende ochtend wakker werd, lag hij nog steeds in haar armen. Haar hoofd deed pijn en haar nek was stijf en ze wist dat ze geleidelijk aan net zo ziek werd als hij. Ze dacht dat Billy al wakker was. Hij lag heel stil en keek haar aan, maar plotseling gilde ze zacht toen ze besefte dat zijn ogen open waren en dat hij niet ademde. Hij was die nacht in haar armen gestorven. Ze was nu alleen.

Ze zat een hele tijd in elkaar gedoken naar hem te kijken. Ze wilde niet dat hij haar alleen zou laten en wist niet wat ze moest doen. Met haar armen om haar knieën geslagen zat ze te huilen en heen en weer te wiegen. Ze wist dat ze iets met hem moest doen, dat ze hem weg moest brengen of begraven, maar ze kon de gedachte niet verdragen dat ze hem niet meer zou zien.

Die middag sleepte ze hem langzaam naar buiten en groef met haar handen een ondiep graf in het dikkere zand bij de rotsen. Daar legde ze hem in. En terwijl ze ermee bezig was, moest ze steeds denken aan de opmerking die hij nog niet zo lang geleden had gemaakt, dat hij zijn leven op een eiland wilde eindigen. Dat had hij dus gedaan. Maar het leek ook allemaal zo lang geleden. Het maakte deel uit van een ander leven, van een plaats die ze nooit meer zou zien. Ze wist dat nu. Ze wist dat ze op dezelfde manier ging sterven als Billy.

'Ik hou van je, Billy,' zei ze net als de avond daarvoor. Maar deze keer kwam er geen antwoord, en ze bedekte hem zachtjes met zand en liep weg.

Die avond zat ze alleen in de grot. Ze was hongerig en koud en ze beefde. Ze had de hele dag niet gegeten. Ze was te ziek om te eten en te bedroefd om Billy. Ook had ze geen water gedronken. De volgende ochtend voelde ze zich zwak en verward. Ze bleef maar denken dat haar moeder haar riep. Wat ze ook had, ze zou eraan sterven, net als Billy eraan gestorven was. Ze vroeg zich af hoe lang het zou duren en zelfs of het iets zou uitmaken. Er was niets meer om voor te leven. Chris was weg. Billy was weg. Ze had Nick verloren... haar huwelijk was voorbij... ze had Desmonds vliegtuig laten verongelukken... ze had iedereen teleurgesteld... ze was mislukt.

Ze strompelde naar het strand en viel een paar keer. Ze was te zwak om de rotsen te beklimmen en water te halen. Het maakte ook niet meer uit. Het kostte te veel moeite om in leven te blijven. En ze hoorde nu zoveel mensen tegen zich praten. Ze zag de zon opkomen en ze hoorde hen, en toen ze weer opstond zag ze een schip aan de horizon. Het was een heel groot schip en het kwam dichterbij. Maar het maakte niet uit. Ze zouden haar toch niet zien.

De *Lexington* was in het gebied voor oefeningen. Het schip voer regelmatig langs deze eilanden, maar was er al enige tijd niet geweest omdat het op andere plaatsen was ingezet. Maar Cassie lette er niet op. Ze ging terug naar haar grot en ging liggen. Het was te koud buiten... te koud... en er waren zoveel stemmen...

De *Lexington* zette zijn koers langs de eilanden voort. Er waren twee kleinere schepen bij. Het was de wacht van het kleinere schip die, op een halve kilometer van het eiland, de verbrande romp van de *Poolster* uit het water zag steken.

'Wat is dat, mijnheer?' vroeg hij aan een officier die naast hem stond. Deze glimlachte en zei: 'Het lijkt wel een vogelverschrikker.' Dat was ook zo, vanuit die hoek en op die afstand. Een deel ervan was gezonken, maar er was zo weinig van over dat het geraamte was blijven drijven, en nadat de officier er nog een blik op had geworpen, deelde hij snel een serie bevelen uit.

'Zou het het vliegtuig van O'Malley en Nolan kunnen zijn, mijnheer?' vroeg de jongere officier opgewonden.

'Ik denk het niet. Dat moet ongeveer 700 kilometer hiervandaan zijn gebeurd. Ik weet niet wat dat is. Laten we maar eens gaan kijken.'

Ze voeren er langzaam op af en verschillende andere bemanningsleden richtten hun verrekijker erop, maar toen ze er waren, ontschoot het geraamte hun en bleef het maar in het water op en neer bewegen. Het was echter duidelijk een deel van een vliegtuig. De halve cockpit was er nog en een van de vleugels was eraf geblazen. De andere was tot op het geraamte verbrand en gesmolten.

'Kun je iets lezen?' schreeuwde een van de mannen tegen een ander. 'Laat een paar man te water gaan,' beval een officier. 'Ik wil dat het aan boord wordt gebracht.' Een halfuur later lagen de overblijfselen van Cassies vliegtuig verspreid over het dek om hen heen. Er was niet veel van over, maar er was een stuk dat het hele verhaal vertelde. Het was lichtgroen en geel geschilderd. Dat waren haar kleuren geweest, dat wisten ze allemaal, en er was nog *ster* op te lezen. Ze riepen de kapitein naar beneden om naar hun vondst te komen kijken. Hij twijfelde er geen moment aan dat ze de resten van de *Poolster* hadden gevonden. Er was duidelijk een explosie aan boord geweest en het vliegtuig was volledig verbrand. Maar er was geen enkel teken van leven op te zien of van menselijke resten. Ze onderzochten het zorgvuldig, maar vonden geen spoor van Cassie of Billy.

Via de radio meldden ze het nieuws aan de begeleidende schepen en aan andere schepen in de buurt, en aan het eind van de middag werd het hele gebied afgezocht naar lichamen in zwemvesten. Ze hadden het bericht ook naar de kust doorgegeven, en er was een nieuwsuitzending in L.A. die Desmond hoorde voor iemand hem had kunnen bellen. Er waren stukken van het vliegtuig gevonden, maar er was nog geen teken van leven gezien. Cassie en Billy waren nu al zeven weken zoek en het was niet waarschijnlijk, maar ook niet onmogelijk dat ze nog in leven waren. De zoektocht naar O'Malley en Nolan was heropend. Er werden landingsdivisies georganiseerd die alle omringende eilanden afzochten. Er waren er drie, twee daarvan waren van redelijke afmetingen en het derde was zo klein dat het onwaarschijnlijk was dat ze daar zouden zijn. Er was niet genoeg begroeiing om iemand een week in leven te houden, laat staan een maand. Maar de officier die de leiding had, gaf opdracht dit eiland toch te onderzoeken. Ze zagen echter niets, geen teken van leven, geen resten van kleding of gebruiksvoorwerpen.

Cassie luisterde. Ze hoorde weer geluiden en toen nog meer stemmen.

Ze vroeg zich af of Billy hetzelfde had gehoord voor hij stierf. Ze had er niet aan gedacht hem dat te vragen. Ze hoorde fluiten en bellen en mensen die riepen en ze was ervan overtuigd dat ze op het punt stond te sterven toen er een fel licht in haar gezicht scheen. Ze hoorde weer stemmen en mensen die riepen en dat licht scheen recht in haar ogen. Terwijl ze in het licht keek, viel ze weer in slaap. Het kostte te veel moeite om nog naar ze te luisteren. Toen voelde ze dat ze werd opgepakt. Ze werd ergens heen gedragen, net zoals zij Billy had gedragen...

'Mijnheer! Mijnheer!' Het scherpe geluid van de fluit klonk drie keer achter elkaar als teken dat er hulp werd gevraagd. Vier mannen renden in de richting van het geluid. Er was een kleine grot en een van de mannen stond daar te kijken terwijl de tranen over zijn wangen liepen.

'Ik heb haar gevonden, mijnheer! Ik heb haar gevonden...' Ze was nauwelijks bij bewustzijn en praatte onsamenhangend. Ze bleef Billy's naam maar noemen. Ze was broodmager en doodsbleek, maar ze herkenden het rode haar en haar vliegenierspak.

'Lieve god,' zei een van de officieren. Ze was vuil en stonk en ze konden zien dat ze doodziek was, maar ze leefde nog. Haar polsslag was nauwelijks voelbaar en haar ademhaling was oppervlakkig. Hij wist niet of ze het zou halen. Hij gaf de jonge officier bevel om hulp te seinen. Ze legden haar snel in de boot en lieten drie mannen achter om het eiland verder af te zoeken. Ze wilden haar zo snel mogelijk naar het schip brengen.

Er werd geroepen en er werden bevelen geschreeuwd en ze werd in een draaglus op het schip gehesen. Ze riepen het medisch personeel op de *Lexington* erbij om hulp te verlenen. Ze droeg een naamplaatje om haar hals dat haar inderdaad identificeerde als Cassie O'Malley Williams. En binnen enkele minuten had het Pentagon het nieuws dat ze gevonden was, dat ze nauwelijks nog in leven was en dat er geen spoor was gevonden van Billy Nolan.

Maar het kostte de mannen die op het eiland waren achtergebleven nog geen halfuur om hem te vinden. Ze brachten hem naar het schip. Cassie was inmiddels al op de *Lexington*, hoewel ze zich daar niet van bewust was. Een team van twee artsen en drie assistenten deed al het mogelijke om haar te helpen. Ze was uitgedroogd, had een onbeheersbare koorts en ijlde.

'Hoe is het met haar?' vroeg de kapitein die avond aan een van de artsen.

'We weten het nog niet,' zei de dokter rustig, 'maar zolang er leven is, is er hoop.'

Haar ouders waren net gebeld door de marine en kort daarna was Desmond gebeld. Die avond werd het gemeld in het nieuws. Het was een wonder. De gebeden van het land waren verhoord. Cassie O'-Malley was gevonden in een grot op een eiland in de Grote Oceaan, maar ze was er slecht aan toe. Men wist nog niet of ze in leven zou blijven. Wel was bekend dat Billy Nolan het niet had overleefd. Zijn vader was inmiddels op de hoogte gebracht en had verslagen op het nieuws gereageerd. Billy was op zesentwintigjarige leeftijd een held geworden, maar was niet meer in leven. Men vermoedde dat hij slechts een dag of twee voor hij gevonden was gestorven was, maar juffrouw O'Malley had nog niets kunnen vertellen omdat ze nog buiten bewustzijn was.

In het huis van de O'Malley's was het doodstil. Oona en Pat zaten elkaar aan te kijken. Ze konden niet geloven wat ze te horen hadden gekregen. Cassie was nog in leven en de *Lexington* was met haar onderweg naar Hawaii.

'O, Pat… Het lijkt op een tweede kans,' zei Oona met ingehouden adem. 'Het lijkt een wonder…' Ze glimlachte door haar tranen heen, terwijl ze zachtjes zat te bidden en de kralen van de rozenkrans door haar vingers liet glijden. Pat klopte haar zachtjes op haar hand.

'Je moet niet al te veel verwachten. We hebben haar al een keer verloren. Het is mogelijk dat ze het niet haalt, Oonie. Ze is heel lang op dat eiland geweest en we weten niet in wat voor toestand ze was nadat het vliegtuig was neergestort. Ze is daarbij misschien wel gewond geraakt en dat is al meer dan een maand geleden.' Sinds het vliegtuig was neergestort was ze al zeven weken op het eiland geweest. Dat was een lange tijd om op regenwater en bessen te leven.

Ze hadden verder nog geen gegevens en het kostte zelfs Desmond moeite om iets van het Pentagon los te krijgen. Ze wisten gewoon nog niet genoeg om hem te kunnen geruststellen.

Maar het nieuws dat de volgende ochtend van de *Lexington* kwam, was niet erg hoopvol. Ze was nog steeds buiten bewustzijn, de koorts wilde niet zakken en er waren complicaties.

'Wat betekent dat?' schreeuwde Desmond tegen hen. 'Wat voor complicaties?'

'Dat is mij niet verteld, mijnheer,' antwoordde de vrouw aan de telefoon beleefd.

Cassie reageerde niet op de koortsverlagende medicijnen en ze was zo uitgedroogd dat ze op het punt stond te sterven. Ze ijlde nog steeds, had een hevige dysenterie en was begonnen bloed af te scheiden, wat volgens de artsen een teken was dat het op zijn eind liep.

'Arme meid,' zei een van de adelborsten. 'Ze is net zo oud als mijn zuster en die kan nog niet eens een auto besturen.'

'Het ziet ernaar uit dat Cassie ook niet zo'n geweldige bestuurster was,' grapte een van de mannen, maar hij had de tranen in zijn ogen staan toen hij het zei. Het hele schip praatte over haar en bad voor haar, en dat gold ook voor het hele land en zelfs de wereld.

In Hornchurch was Nick naar het kantoor van zijn commandant geroepen. Uiteindelijk was bekend geworden dat hij een nauwe band met Cassie O'Malley had, hoewel niemand precies wist hoe het zat. Bovendien was het sinds haar verdwijning, in oktober, niet zo goed met hem gegaan. Ze hadden hem tenslotte maar weer gevechtsmissies laten vliegen, maar hij was moeilijk geweest voor zijn mannen en al te lang bereid gevaarlijke risico's te nemen.

'Ik zou nog niet te veel verwachten, majoor Galvin, maar ik vond wel dat ik u op de hoogte moest stellen. We hebben net gehoord dat ze gevonden is.'

'Gevonden, wie?' zei Nick, niet-begrijpend. Hij had liggen slapen, nadat hij achter elkaar twee nachtvluchten boven Duitsland had gemaakt, toen hem verteld werd dat hij bij de commandant moest komen.

'Ik geloof dat mevrouw O'Malley een vriendin van u is, klopt dat?' De geruchtenmachine was sterk in het leger en ging tot aan het kantoor van de commandant.

'Cassie?' Nick zag eruit alsof hij een elektrische schok had gekregen toen hij zich realiseerde wat de commandant hem vertelde. 'Cassie leeft nog? Hebben ze haar gevonden?'

'Ze hebben haar gevonden. Ze is er zeer ernstig aan toe en bevindt zich op een van uw oorlogsschepen op de Grote Oceaan. Afgaande op wat ik tot nu toe heb gehoord, is het de vraag of ze het redt. Maar als u dat wilt, zullen we u op de hoogte houden van de ontwikkelingen.'

'Dat zou ik zeer op prijs stellen,' zei Nick. Hij zag bleek en de commandant keek hem aan.

'U ziet eruit alsof u verlof zou kunnen gebruiken, majoor. Dit zou misschien een goed moment kunnen zijn, afhankelijk van wat er gebeurt.'

'Ik zou niet weten wat ik ermee zou moeten doen, mijnheer,' zei Nick oprecht. Hij durfde nu niet naar huis te gaan. Er was niets om voor naar huis te gaan. Cassie zou bij Desmond zijn, als ze het zou overleven... en, o god, hij hoopte het zo... hij zou zijn eigen leven geven om dat mogelijk te maken. Hij had er alles voor over als ze maar bleef leven... Hij was zelfs bereid haar voor de rest van haar leven bij Desmond Williams te zien. Alles was beter dan weten dat ze gestorven was, of daar bang voor zijn, zoals hij de laatste zeven weken was geweest. De laatste maand had hij de hoop opgegeven. Het leek onmogelijk dat ze daar ergens in de Grote Oceaan nog in leven waren. 'Is er iets bekend over haar navigator?'

De commandant knikte. Ze waren inmiddels allemaal gewend geraakt aan het verliezen van vrienden, maar dit was een afschuwelijke manier. 'Hij heeft het niet gered. Ze hebben hem bij haar op het eiland gevonden. Ik ben bang dat ik er verder geen informatie over heb.'

'Dank u, mijnheer.' Nick stond op om weg te gaan. Hij zag er uitgeput, maar ook hoopvol uit. 'Wilt u het mij laten weten als u iets meer hoort?'

'Zodra we iets horen, majoor. We zullen u onmiddellijk op de hoogte brengen.'

'Dank u, mijnheer.' Ze salueerden en Nick liep langzaam terug naar zijn barak. Zijn gedachten waren bij Cassie. Het enige waaraan hij kon denken, zoals hij sinds mei al duizenden keren had gedaan, was de nacht die ze samen op het vliegveldje hadden doorgebracht. Had hij haar maar bij zich gehouden... had hij maar kunnen voorkomen dat ze die tocht ging maken... als ze maar bleef leven... en voor het eerst in twintig jaar kwamen er gebeden in hem op, terwijl hij met tranen in zijn ogen terugliep naar zijn barak.

20

Drie dagen nadat Cassie in de grot was gevonden, voer de *Lexington* Pearl Harbor binnen. Ze was één keer bijgekomen, maar daarna weer buiten bewustzijn geraakt. Ze werd per ambulance overgebracht naar het marinehospitaal. Toen ze daar arriveerde, zat Desmond op haar te wachten. Hij had het vliegtuig vanuit L.A. genomen en de verslaggevers die op Cassies aankomst in L.A. wachtten aan Nancy Firestone overgelaten.

Na een eerste onderzoek gaven de artsen Desmond een verslag en hij legde aan de verslaggevers uit wat er gebeurd was. Maar Cassie had nog steeds niets kunnen vertellen.

'Komt het goed met haar?' vroegen ze met tranen in hun ogen, en ook Desmond had de tranen in zijn ogen staan. De toestand van zijn vrouw greep hem duidelijk aan.

'Dat weten we nog niet.'

Kort daarna ging hij kijken naar de overblijfselen van het vliegtuig, die ook met de *Lexington* meegekomen waren, en terwijl fotografen hen op de foto zetten, bedankte Desmond de kapitein omdat hij haar veilig had teruggebracht.

'Hadden we haar maar eerder gevonden. Ze is een geweldige meid. We duimen allemaal voor haar. Vertel haar dat maar zodra ze u kan horen.'

'Dat zal ik doen,' zei Desmond, terwijl hij opnieuw met de kapitein op de foto werd gezet. Daarna ging Desmond terug naar het ziekenhuis om op nieuws te wachten, en na ongeveer twee uur mocht hij eindelijk bij haar. Door alles wat ze had meegemaakt, zag ze er verschrikkelijk uit en ze had in beide armen een infuus, een om haar medicijnen en een om haar glucose toe te dienen. Maar ze bewoog zich niet en hij raakte haar niet aan. Hij stond daar maar naar haar te kijken en de verpleegsters hadden geen idee van wat er in zijn hoofd omging.

Desmond had ervoor gezorgd dat het lichaam van Billy Nolan die dag werd overgebracht naar San Francisco. De begrafenis zou twee dagen later plaatsvinden. En overal in de kerken werd voor Cassie gebeden. Het was inmiddels vier december en de mensen begonnen aan Kerstmis te denken, maar het enige waar de O'Malley's aan konden denken was Cassie die in coma in een ziekenhuis op Hawaii lag. Ze belden elke ochtend en elke avond voor nieuws over Cassies toestand. Pat wilde erheen vliegen, maar zijn dokter raadde het af. Hij dacht er zelfs over om die ellendeling van een echtgenoot van haar te vragen of hij een vliegtuig wilde sturen, maar hij had gehoord dat hij al in Honolulu was. Desmond probeerde weer alle publiciteit uit de situatie te halen die maar mogelijk was. Op 5 december kregen ze weer een telefoontje van de dokter van het ziekenhuis. Oona was bang voor een telefoontje en verlangde er tegelijkertijd naar. Ze verlangde zo naar nieuws over Cassie.

'Mevrouw O'Malley?'

'Ja.' Ze herkende onmiddellijk de krakerige verbinding die veroorzaakt werd door de grote afstand. 'Ik heb hier iemand die u graag wil spreken.' Ze dacht dat het Desmond zou zijn en wilde eigenlijk niet met hem praten, maar aan de andere kant had hij misschien nieuws. En toen hoorde ze Cassie. Haar stem was zo zwak dat ze nauwelijks te verstaan was, maar het was Cassie. Oona moest zo verschrikkelijk huilen dat ze Pat niet eens kon vertellen wat er gebeurde.

'Mama?' zei Cassie zacht, en haar moeder knikte, maar dwong zichzelf toen door haar tranen heen te praten, terwijl Pat het langzaam begon te begrijpen en ook begon te huilen.

'Cassie? O, kindje... o, meisje... we houden zoveel van je... we waren zo bezorgd om je...'

'Het gaat goed met me,' zei ze, en toen was het ook ongeveer gebeurd. De dokter nam de telefoon uit haar hand en de verpleegster legde uit dat juffrouw O'Malley nog erg zwak was, maar dat het steeds beter ging. Toen wilde Cassie de telefoon weer terug hebben om haar moeder te vertellen dat ze van haar hield. '... en zeg tegen papa...' zei ze fluisterend, maar Pat kon haar zelf horen omdat Oona en hij samen aan de telefoon stonden, en hij huilde openlijk terwijl hij luisterde '... dat ik ook van hem hou...' Ze wilde nog over Billy vertellen, maar ze had de kracht niet meer en de verpleegster nam de telefoon weg. Kort daarna mocht ze Desmond zien. De verpleegster bleef bij hen omdat Cassie voortdurend bewaakt moest worden. Ze was zo zwak dat ze af en toe moeite had met ademhalen.

Desmond stond naast haar bed en keek ongelukkig op haar neer. Hij

wist niet wat hij moest zeggen, behalve dat hij blij was dat ze het overleefd had. Het was een gênant moment voor hen. Door hun omstandigheden was alles wat hij gevoeld of gezegd kon hebben verkeerd,
maar hij was opgelucht dat ze nog leefde. En hij kon er niets aan doen,
maar vroeg zich ook af of ze onzorgvuldig met het vliegtuig was omgegaan. Of was er een fataal gebrek geweest waar ze niet van op de
hoogte waren geweest voor ze vertrok? Uiteindelijk zou hij haar dat
moeten vragen, maar dit was niet het juiste moment.
'... Het spijt me... van het vliegtuig...' zei ze met grote inspanning,
en hij knikte.
'Op een dag doe je het over,' zei hij vol zelfvertrouwen, maar ze schudde haar hoofd. Ze had het uiteindelijk zelfs deze keer niet willen doen.
Ze had het voor hem gedaan omdat ze het gevoel had dat ze het moest
doen. Het was altijd zijn idee, zijn droom, zijn project geweest. En uiteindelijk had zij het gevoel gehad dat ze het hem verschuldigd was.
Ze zou het nooit meer doen, niet voor hem, niet voor iemand anders
en niet zonder Billy. 'Wat is er gebeurd?' vroeg hij, wat hem onmiddellijk een afkeurende blik van de verpleegster opleverde. Ze had heel
veel rust nodig en niemand mocht haar van streek maken, vooral haar
man niet. Het was de verpleegster opgevallen dat hij haar niet eens
gekust had. En terwijl hij daar met haar stond te praten, raakte hij
haar niet één keer aan en kwam zelfs niet dichtbij.
Maar Cassie deed haar uiterste best om zijn vraag te beantwoorden.
'... eerst rook, toen brand in motor nummer twee...' legde ze met veel
pijn uit, '... toen... brand... in nummer één... te ver van land... te
veel brandstof... geland waar ik kon... klein eiland... raakte het
strand... nadat we eruit waren... geweldige explosie...'
Hij knikte en wenste dat hij wist wat de brand in de motor had veroorzaakt, maar dat kon ze hem niet vertellen. Toen zei de verpleegster tegen hem dat Cassie zich genoeg had ingespannen en moest rusten. Hij kon later terugkomen. Hij gedroeg zich uiterst correct tegen
iedereen en was uitstekend opgevoed en heel beleefd, maar hij was ijskoud en had geen vriendelijk woord tegen Cassie gezegd. Het was
moeilijk te geloven dat hij haar man was. Toen ze hem weg zag gaan,
vroeg Cassie zich af of het gemakkelijker voor hem was geweest als
ze gestorven was. Nu zou hij geconfronteerd worden met de reacties
op hun scheiding.
De volgende ochtend kon Cassie rechtop in bed zitten en ze belde haar
ouders weer. Ze was nog steeds erg zwak, maar voelde zich een stuk

beter. Ze had een of andere tropische ziekte opgelopen, maar had vooral geleden onder de gevolgen van uitdroging, ondervoeding en blootstelling aan de zon en de kou. Ze had in de eerste plaats tijd nodig om te genezen. Ze was zo zwak dat ze niet zonder hulp rechtop kon gaan zitten. Die middag verscheen Desmond met een paar fotografen, maar de verpleegster weigerde hen bij Cassie binnen te laten. Hij dreigde een klacht in te dienen bij haar superieuren en ze antwoordde dat hij dat dan maar moest doen. De dokter had gezegd dat ze geen bezoek mocht hebben, behalve van haar directe familie, en dat waren dan ook de enigen die ze bij mevrouw Williams zou toelaten.

Hij was woedend en ging vrijwel meteen weer weg, en Cassie barstte in lachen uit. 'Dank u, luitenant Clarke. U blijft op uw strepen staan.' 'Ik denk niet dat je al aan de pers toe bent.' Cassie zag er nog steeds erg mager, bleek en gehavend uit. Die middag mocht ze in bad; ze waste haar haar en voelde zich daarna weer een beetje mens. Gelukkig kwam Desmond haar niet meer bezoeken. Hij had zich heel correct gedragen, maar het was duidelijk dat hij alleen in haar herstel geïnteresseerd was omdat hij daarmee in de kranten kon komen. Hij had de pers zelfs verteld over de bloemenslinger die de bemanning van de *Lexington* haar had gebracht voordat het schip die ochtend weer was uitgevaren. Het nieuws dat ze het overleefd had was over de hele wereld in de kranten gekomen en in Hornchurch had Nick gehuild toen zijn commandant het hem vertelde.

Op zaterdag probeerde Desmond de pers weer in Cassies kamer te krijgen, maar de onverzettelijke luitenant Clarke wist hem weer buiten te houden. Het begon een spel te worden en Cassie genoot ervan. 'Hij lijkt absoluut van plan te zijn de pers hier binnen te krijgen,' zei luitenant Clarke voorzichtig. Ze vroeg zich af wat Cassie in hem zag, maar durfde het niet aan haar te vragen. Hij zag er goed uit en droeg dure kleding, maar leek een hart van steen te hebben. Het enige waar hij warm voor liep was de pers en niet Cassie. Maar voor Cassie was dat geen nieuws. Ze vond het alleen heerlijk dat haar verpleegster hem zo goed wist dwars te zitten. Ze wilde nog niemand zien, behalve haar ouders, en nu het zoveel beter ging, hadden zij besloten te wachten tot ze thuis zou komen.

Die middag nam luitenant Clarke haar mee voor een wandeling door de gang en de dokter verwachtte dat Desmond haar aan het eind van de week naar huis kon brengen. Ze moest nog wat meer op krachten komen en ze wilden er zeker van zijn dat de koorts niet meer terug zou komen. Maar tot nu toe was dat niet gebeurd en ze voelde zich veel beter.

Toen ze moeizaam door de hal liep, doordat ze nog zo zwak was, werd ze herkend door een paar mannen die haar vervolgens gelukwensten met het feit dat ze het overleefd had. Alleen al het feit dat ze nog in leven was, maakte haar tot een heldin, en ze wenste meer dan ooit dat Billy nog in leven was. Ze had een telegram naar zijn vader in San Francisco gestuurd om hem te condoleren met zijn verlies.

In de gangen zeiden mensen tegen haar: 'We hebben allemaal voor je gebeden, Cassie,' en ze bedankte hen allemaal. Ook kwamen er brieven en telegrammen binnen. Ze was zelfs gebeld door de president en mevrouw Roosevelt, maar Cassie vond het niet eerlijk dat Billy het niet gered had en zij wel. Ze voelde zich daar verschrikkelijk schuldig en ongelukkig door en moest steeds huilen wanneer iemand zijn naam noemde. Door alles wat er gebeurd was, was ze emotioneel nog steeds uitgeput. Ze bracht het grootste deel van haar tijd in haar kamer door en was dan diep in gedachten, en de verpleegsters wilden haar niet storen. Ze konden zien dat ze uitgeput was en haar beproevingen nog moest verwerken. Ze wisten dat haar co-piloot het niet had overleefd, maar verder wisten ze niets. En Cassie praatte er met niemand over. Ze dacht veel na en sliep regelmatig. En ze merkte dat ze aan Nick moest denken en zich afvroeg waar hij was. Ze was nooit in de gelegenheid geweest om hem te vertellen dat hij gelijk had gehad met zijn opmerkingen over Desmond. Maar dat maakte misschien niets meer uit. Ze moesten hun eigen leven leiden. Hij wilde zijn eigen leven en zij had tijd nodig om te bekomen van alles wat er gebeurd was. Maar als ze zich beter voelde, wilde ze Jackie Cochran opzoeken en met haar praten over de vliegtuigen die ze naar Engeland had gevlogen.

Die avond belde Cassie haar ouders weer en vertelde dat ze gauw thuis zou zijn, waarschijnlijk met een week, en dat ze ook Kerstmis thuis zou doorbrengen. Ze had geen enkele reden meer om naar L.A. terug te gaan. Ze wilde niet meer voor Desmond vliegen en dacht dat hij het er wel mee eens zou zijn dat ze haar verplichtingen naar beste vermogen had vervuld. Het was allemaal voorbij.

Haar ouders vertelden haar over de telefoon dat ze net een telegram van Nick hadden gekregen waarin hij liet weten hoe blij hij was dat ze het overleefd had. Hij had haar echter niets gestuurd, waarschijnlijk vanwege Desmond.

'Staat er ook in wanneer hij naar huis komt?' vroeg ze zo nonchalant mogelijk, en haar vader lachte.

'Je bent te slim voor je eigen bestwil, Cassie O'Malley.'

'Waarschijnlijk is hij intussen getrouwd,' zei ze luchtig, maar ze hoopte van niet.

'Geen enkele vrouw met een beetje verstand wil hem hebben.'

'Dat hoop ik dan maar.' Ze lachte. Ze was nu veel vrolijker. En nadat ze nog even gepraat hadden, ging ze vroeg naar bed. Ze had geen idee wat Desmond in Honolulu uitvoerde. Hij kwam haar nooit opzoeken. Ze was ervan overtuigd dat hij bezig was de pers te vriend te houden en interviews aan het organiseren was voor als ze zich beter zou voelen. Maar dan stond hem nog een verrassing te wachten. Ze zou één laatste persconferentie voor hem doen om de verslaggevers alles te vertellen wat ze wilden weten. En dan was de show over en ging ze naar huis. Het had te veel gekost, Billy, en bijna haar eigen leven. Ze wist nog niet wat ze wilde gaan doen, maar het zou in elk geval van wat menselijker afmetingen zijn dan waar Desmond haar het laatste jaar toe gedwongen had. Ze had veel geld verdiend, maar ze had een dierbare vriend verloren en bijna haar eigen leven. Deze keer hadden de risico's een te hoge prijs gevraagd en ze had tijd nodig om te herstellen.

Om zeven uur de volgende ochtend kwam luitenant Clarke binnen en wekte Cassie toen ze de gordijnen en de jaloezieën opendeed. Het was een prachtige dag en Cassie had zin om op te staan en rond te gaan lopen. Ze wilde zelfs gaan douchen en zich aankleden, maar luitenant Clarke wilde niet dat ze het zou overdrijven.

Om kwart over zeven gebruikte ze een ontbijt bestaande uit gepocheerde eieren en drie reepjes spek. Het was heel iets anders dan hun eilanddieet van bananen en bessen. Die twee dingen wilde ze de rest van haar leven niet meer zien. Toen ze ontbeten had, wierp ze een blik op de ochtendkrant.

Ze zag onmiddellijk dat Desmond weer bezig was geweest. In de *Honolulu Star Bulletin* stond een interview met hem waarin hij alles over haar toestand vertelde. Hij vertelde echter niet te veel over de gebeurtenissen op het kleine eiland. Ze vermoedde dat hij dat wilde bewaren voor een grote persconferentie met haar. Hij dacht aan alles, behalve aan haar welzijn. Het ging bij hem alleen maar om zaken en publiciteit en vliegtuigen en winst. Nick had het niet nauwkeuriger kunnen zien en voorspellen.

Ze zat nog steeds de krant te lezen toen ze het eerste vliegtuig hoorde overvliegen. Ze dacht dat het een oefening was van de marine. Het ziekenhuis stond vrij dicht bij het vliegveld. Maar terwijl ze luisterde hoorde ze een explosie in de verte. En toen meer explosies. Ze stond nieuwsgierig op en liep naar het raam. En toen zag ze ze, de ene na de andere golf van bommenwerpers. Ze realiseerde zich verbaasd dat ze werden aangevallen. Het was vijf minuten voor acht op 7 december.

De lucht was zwart van de vliegtuigen en ze leken eindeloos voort te dreunen terwijl ze over de haven vlogen en systematisch elk schip bombardeerden dat ze onder zich zagen. Tegelijkertijd beschoten ze het vliegveld en vernietigden alles wat ze daar zagen.

Luitenant Clarke kwam binnenrennen en Cassie vertelde haar snel wat ze zag. Zonder er verder over na te denken, rende ze naar de kast en vond de kleren die Desmond voor haar had meegebracht. Het was niet veel. Maar ze vond een blouse en een rok en een paar schoenen en ze trok gehaast haar ochtendjas en haar nachthemd uit en kleedde zich aan, voor het eerst sinds ze in het ziekenhuis was gekomen.

In het ziekenhuis verzamelden de mensen zich in de gangen en liepen doelloos rond. De verpleegsters en broeders probeerden de patiënten kalm te houden en Cassie sloot zich bijna instinctief bij hen aan. De aanval ging bijna een uur door, en inmiddels stond de *Arizona* in brand, samen met een aantal kleinere schepen en grote delen van de haven. Er kwamen al snel meldingen binnen, waarvan de meeste niet klopten. Toen hoorden ze op de radio dat ze werden aangevallen door de Japanners en vlak daarna begonnen ambulances de gewonden binnen te brengen. Er waren mannen met verschrikkelijke brandwonden en mannen bedekt met olie. Anderen hadden hoofdwonden of waren geraakt door de kogels uit de machinegeweren, en velen verkeerden in shock. Het verplegend personeel liep rond te rennen en patiënten als Cassie stonden hun bedden af aan mannen die uit de haven werden binnengebracht.

Cassie hielp luitenant Clarke. Ze scheurde verband van schone stukken stof. Ze hield gewonde mannen in haar armen en hielp hen op de bedden tillen. Ze deed alles wat ze kon om te helpen, maar voor ze de helft van de gewonden hadden behandeld, vielen de Japanners opnieuw aan. En deze keer kregen ze de *Nevada* te pakken.

Plotseling waren er duizenden gewonde en halfdode mannen die aan alle kanten bloedden. Ze kwamen het ziekenhuis binnenstromen of werden naar het hospitaalschip *Solace* gebracht.

Rebecca Clarke keek één keer vol bewondering en bezorgdheid naar Cassie, die onvermoeibaar bezig was de gewonden te helpen. Ze was een geweldige meid. Geen wonder dat het land van haar hield.

'Gaat het?' vroeg de verpleegster haar kortaf, nadat Cassie een bijzonder ernstig geval van verbranding naar de behandelkamer had gebracht. De man gilde en de lappen vlees hingen erbij, waardoor zelfs wat op Cassie was achtergebleven.

'Ik hou het wel vol,' zei Cassie koel. Ze herinnerde zich hoe ze haar broer uit het brandende vliegtuig had getrokken. Ze had nog steeds een litteken op haar arm veroorzaakt door de vlammen van zijn brandende lichaam. 'Zeg maar wat ik moet doen.'

'Je doet precies wat je moet doen,' zei luitenant Clarke. 'Ga er gewoon mee door, tenzij je je ziek voelt, en als dat zo is moet je het tegen me zeggen.'

'Dat gebeurt niet,' zei Cassie. Ze dwong zichzelf om het vol te houden en bleef de gewonde mannen en een aantal vrouwen helpen. Ook burgers begonnen nu het ziekenhuis binnen te komen. Er waren overal gewonden, en na een tijdje was er geen plaats meer om ze neer te leggen. Het tweede bombardement duurde tot iets na tien uur, en toen waren ze weg en lieten niet alleen het eiland, maar het hele land geschokt achter.

Cassie werkte de hele middag nog koortsachtig door en deed wat ze kon. Toen ze om vier uur 's middags eindelijk ging zitten, voelde ze zich slap in haar knieën. Ze had sinds het ontbijt niet meer gegeten en aan één stuk door gewerkt. Luitenant Clarke bracht haar een kopje thee en ze gingen samen naar de hal om te kijken of er nog meer gewonden waren. De laatste waren een uur daarvoor naar de *Solace* overgebracht. Het ziekenhuis kon er niemand meer bij hebben.

Op dat moment was er voor haar niets anders meer te doen dan troost bieden waar ze kon, en terwijl ze daarmee bezig was verscheen Desmond met een eenzame fotograaf. Alle andere fotografen waren naar de haven gegaan om de schade daar te bekijken, maar hij had de jonge verslaggever een foto van Cassie O'Malley beloofd als hij meeging. Hij beende met grote passen door de hal op haar af, terwijl luitenant Clarke een zwangere vrouw in een stoel hielp. Ze was gekomen om informatie te krijgen over haar man en luitenant Clarke had beloofd naar hem op zoek te gaan.

'Daar is ze,' riep Desmond met een dramatisch gebaar, 'lieveling, is alles goed met je?' Hij bekeek haar met een tedere blik, terwijl de fotograaf een foto van haar nam in haar rok en blouse die bedekt waren met het bloed van anderen. Cassie keek vol walging naar Desmond en de fotograaf.

'O, in godsnaam, Desmond,' zei Cassie minachtend, 'flikker toch op. Waarom ga je niet iets nuttigs doen in plaats van de mooie meneer spelen voor de pers. En jij,' zei ze en zwaaide met haar vinger naar de camera en naar de man daarachter die te geschrokken was om iets te zeggen, 'waarom ga je niet iemand helpen in plaats van dat je hier rondhangt om foto's van mij te maken. We zijn gebombardeerd, idioot. Leg die camera weg en ga aan het werk.' En dat gezegd hebbende liep ze met luitenant Clarke de hal uit en liet de twee mannen met open mond staan. Die dag won ze voor altijd het hart van Rebecca Clarke. Ze wist dat ze die jonge vrouw met haar rode haar, die onvermoeibaar geholpen had bij het verzorgen van gewonde mannen en het behandelen van brandwonden, haar leven lang niet meer zou vergeten. Ze had haar eigen kamer aan vier mannen afgestaan en had de bedden zelf naar binnen gereden en opgemaakt met de lakens die ze kon vinden of van andere bedden had gehaald.

Die middag kwam de directeur van het ziekenhuis haar persoonlijk bedanken. En ze vonden een vouwbed voor haar, dat ze in een kast uitzette om wat te kunnen slapen. Ze moesten nu zorgen voor mensen die zieker waren dan zij, mensen die hen meer nodig hadden, en ze voelde zich schuldig dat zij hun aandacht nog in beslag nam. Ze bleef de volgende dag nog helpen, en op maandag hoorden ze dat de president de oorlog aan Japan had verklaard, wat geen verrassing was. Toen ze de aankondiging hoorden, ging er gejuich op in het ziekenhuis. Op dinsdag nam ze een kamer in het Royal Hawaiian Hotel en belde haar ouders. Ze had ze al een keer gebeld om te laten weten dat alles goed met haar was, maar nu wilde ze vertellen dat ze zo snel mogelijk naar huis zou komen.

Het hotel beloofde dat ze zouden proberen een hut voor haar te regelen op de *Mariposa*, die op kerstavond zou vertrekken. Het was het eerste schip dat ze kon krijgen, en het enige dat ze zeker wilde weten was dat Desmond niet aan boord zou zijn.

Ze vond dat hij zich afschuwelijk had gedragen en voelde geen enkele sympathie meer voor hem. Het enige dat hem interesseerde was haar verhaal nog een keer uitmelken. Het was walgelijk.

Hij kwam haar die middag opzoeken en vertelde dat het Pentagon

hem een plaats had beloofd in een militair vliegtuig dat binnen enkele dagen naar San Francisco zou gaan. Hij zei dat hij het ook voor
haar zou kunnen regelen omdat ze nu zo ongeveer een nationale heldin was, maar ze zei dat ze nergens met hem heen wilde.
'Wat maakt dat nou uit?' zei hij geërgerd omdat ze zo moeilijk deed.
Het zou er voor de pers veel beter uitzien als ze samen gingen, hoewel hij het ook nog wel kon uitleggen als dat niet zou gebeuren. Hij
kon het op haar gezondheid afschuiven of zelfs zeggen dat ze ineens
niet meer durfde te vliegen. Maar ze was absoluut niet ontvankelijk
voor zijn excuses.
'Ik heb slecht nieuws voor je, Desmond. De wereld kijkt niet meer
naar jou, of mij, maar wordt volledig in beslag genomen door de oorlog waar we bij betrokken zijn geraakt, hoewel je dat misschien niet
gemerkt hebt.'
'Denk dan aan wat je kunt doen voor de oorlogsinspanning,' zei hij
hoopvol, denkend aan de publicitaire mogelijkheden voor hem en zijn
vliegtuigen. Maar wat haar betreft was ze daar die drie dagen in het
marinehospitaal al mee bezig geweest, niet dat hij dat begreep, hoewel admiraal Kimmel haar persoonlijk had bedankt.
'Ik ga precies doen wat ik wil doen,' zei ze onvriendelijk, 'en je gaat
het niet adverteren, aankondigen, verhandelen, gebruiken of misbruiken. Heb je dat goed begrepen? Wij hebben onze zaken beëindigd. Ik
heb aan mijn contract voldaan.'
'Dat heb je beslist niet,' zei hij gladjes, en ze staarde hem ongelovig
aan.
'Is dit een grap? Ik ben bijna doodgegaan voor jou.'
'Dat heb je voor jezelf gedaan, voor je eigen eer en glorie,' corrigeerde hij.
'Ik heb het gedaan omdat ik van vliegen hou en het gevoel had dat
ik het jou verschuldigd was. Ik vond dat ik verplicht was om de vlucht
voor je te doen. Bovendien dreigde je me anders een proces aan te
doen en ik ging ervan uit dat mijn ouders die ellende beter bespaard
kon worden.'
'En nu wel dan? Wat is er veranderd?' Nick had helemaal gelijk gehad. Desmond was kwaadaardig.
'Ik heb ruim 17 000 kilometer voor je gevlogen. Ik heb alles gedaan
wat ik kon. Ik ben neergestort doordat dat rotvliegtuig van jou niet
in orde was, ik heb het vijfenveertig dagen volgehouden op een eiland
zo groot als een etensbord en ik heb mijn beste vriend in mijn armen

zien sterven. Is dat niet genoeg? Ik vind van wel en ik wed dat elke rechter het met me eens zal zijn.'

'Een contract is een contract,' zei hij ijskoud. 'En volgens jouw contract moest je 25 000 kilometer in mijn vliegtuig over de oceaan afleggen.'

'Jouw vliegtuig vloog in brand alsof het een doosje lucifers was.'

'Ik heb er nog meer. En volgens je contract moet je onbeperkt meewerken aan publiciteit en promotie.'

'Het is oorlog, Desmond. Het interesseert niemand meer. En bovendien doe ik het niet meer, of er nu belangstelling voor was of niet. Stap maar naar de rechter.'

'Dat zou best eens kunnen gebeuren. Maar misschien wil je er op de terugreis nog over nadenken.'

'Ik ben niet van plan mijn tijd daaraan te verspillen. Als ik terug ben, neem ik contact op met mijn advocaat… om verschillende redenen,' zei ze scherp.

'Dat zullen we moeten bespreken. Ik heb overigens een vraag. Je had het kort geleden in nogal roerende termen over Billy… Was hij nou je bèste vriend of je vriendje? Ik weet niet of ik je goed begrepen heb.'

'Je hebt me uitstekend begrepen, klootzak. En als je het over overspel wilt hebben, bespreek dat dan maar met Nancy Firestone. Ze maakt er geen enkel geheim van dat ze je maîtresse is. Ik heb dat al met mijn advocaat besproken.'

Hij verschoot van kleur, en ze was blij dat ze hem eens een keer te pakken had.

'Ik heb geen idee waar je het over hebt.' Hij was woedend op Nancy omdat ze met Cassie had gepraat.

'Vraag maar aan Nancy. Ik ben ervan overtuigd dat zij het je wel kan uitleggen. Ze was heel duidelijk tegen mij.'

Ze zag in zijn ogen dat hij haar haatte, maar dat kon haar niet schelen. Na Honolulu wilde ze hem nooit meer zien.

De volgende tweeëneenhalve week hielp ze als vrijwilligster in het marinehospitaal en op het hospitaalschip *Solace*. De verwoestingen in de haven waren verschrikkelijk om te zien. De Japanners hadden de *Arizona*, de *Curtiss*, de *West Virginia*, de *Oklahoma*, de *Chew* en de *Oglala* geraakt, waarbij 2898 mensen waren gedood en 1178 gewond waren geraakt. Het was een vreselijke situatie, en nu was het land in een oorlog verwikkeld. Ze vroeg zich af wat het voor Nick zou betekenen. Zou hij bij de RAF blijven of bij het Amerikaanse leger gaan vechten?

Het was allemaal heel verwarrend.

En toen de *Mariposa*, de *Monterey* en de *Lurline* tenslotte op kerst-avond vertrokken, was ze verbaasd en ontroerd toen Rebecca Clarke verscheen om afscheid van haar te nemen en haar te bedanken voor al haar hulp sinds de bombardementen. Sinds de Japanners Pearl Harbor gebombardeerd hadden, had Cassie niets anders gedaan dan voor de gewonden zorgen.

'Het was een eer om je te leren kennen,' zei Rebecca Clarke oprecht, 'en ik hoop dat je veilig thuiskomt.'

'Ik ook,' zei Cassie. Ze verlangde ernaar om terug te zijn in Illinois en haar ouders te zien. Bovendien wilde ze snel naar een advocaat om uit te zoeken hoe ze onder al haar verplichtingen aan Desmond uit kon komen.

Ze merkte opgelucht dat er geen verslaggevers aanwezig waren. Dat kwam waarschijnlijk doordat Desmond een week daarvoor met een militair vliegtuig naar San Francisco was vertrokken. Ze was blij dat ze niet met hem mee gevlogen was, ook al zou de reis nu langer duren en riskanter zijn. Om veiligheidsredenen zouden de schepen in konvooi varen.

Luitenant Clarke liet Cassie op het schip achter en ze vertrokken een uur later. Veel mensen maakten zich zorgen over de reis omdat ze bang waren dat de Japanners terug zouden komen en de schepen tot zinken zouden brengen. De schepen waren elke avond volledig ver-duisterd en iedereen moest dag en nacht een zwemvest dragen, wat tot grote spanningen leidde. Doordat er veel kinderen op het schip wa-ren, was het lawaaiig en druk voor de andere passagiers, maar gezin-nen die familie op het vasteland hadden, wilden zo snel mogelijk weg van Hawaii. Het was daar nu te gevaarlijk. Iedereen was ervan over-tuigd dat er binnenkort weer een aanval zou komen. De *Mariposa*, de *Monterey* en de *Lurline* voeren rustig voort. Ze hadden een escorte van torpedojagers, dat hen tot halverwege Californië begeleidde. Toen voeren ze terug naar Hawaii en moesten de schepen de reis alleen voortzetten.

De schepen waren heel stil, terwijl ze zigzaggend over de oceaan voe-ren om onderzeeboten te mijden. Er waren 's avonds geen feesten, nie-mand was in de stemming. De passagiers wilden alleen maar veilig in San Francisco arriveren. Cassie was verbaasd over de duur van de reis. Nadat ze haar hele leven gevlogen had, vond ze het reizen per schip eindeloos lang duren en ongelooflijk saai. Ze hoopte dat ze het nooit meer zou hoeven doen. Toen het schip vijf dagen later de Golden Gate passeerde en de haven van San Francisco binnenvoer, juichten alle passagiers.

Toen ze met haar kleine tas de loopplank afstapte, zag ze tot haar grote verbazing haar vader staan. Ze had onder de naam Cassandra Williams gereisd en er waren maar weinig mensen geweest die zich gerealiseerd hadden wie ze was en met haar hadden gepraat. De rest van de tijd had zich afgezonderd en zich nergens mee bemoeid. Ze had nog heel wat dingen om over na te denken en rouwde nog steeds om Billy. Maar toen ze haar vader zag, veranderde haar opluchting in grote opwinding, vooral toen ze haar moeder achter hem zag staan.

'Wat doen jullie hier?' vroeg ze met grote ogen, die zich onmiddellijk met tranen vulden. Ze omhelsden elkaar en moesten allemaal huilen, haar moeder het meest, maar Cassie en haar vader ook. Het was de hereniging waaraan ze op het eiland duizenden keren had gedacht. En toen, terwijl ze elkaar omarmden en met elkaar stonden te praten, zag ze plotseling vanuit haar ooghoek Desmond staan. Hij had een uitgebreide persconferentie georganiseerd om haar te verwelkomen. Er waren minstens tachtig verslaggevers en fotografen om haar te begroeten en vragen te stellen. Maar terwijl Cassie hen opmerkte, zag ze hoe haar vaders mond verstrakte. Hij wilde hier niets mee te maken hebben. Desmond Williams was ver genoeg gegaan en het was nu mooi geweest.

'Welkom thuis, Cassie!' riep een groep verslaggevers tegen haar, terwijl haar vader haar stevig bij de arm pakte en haar dwars door de menigte loodste. Oona liep vlak achter hen en Pat was op weg naar de auto met chauffeur die hij had gehuurd om haar op te halen. En voor de verslaggevers ook maar één vraag konden stellen, werd Cassie in de auto geduwd en was Desmond op hen af gelopen.

'Jullie zijn bijzonder aardig,' zei haar vader vriendelijk, 'maar mijn dochter is nog herstellende. Ze is ziek geweest en heeft bij de bombardementen op Pearl Harbor een traumatische ervaring in het ziekenhuis opgedaan. Ik wil jullie allemaal hartelijk bedanken.' Hij zwaaide met zijn hoed naar de verslaggevers, schoof zijn vrouw achter zijn dochter aan de auto in en stapte er zelf achteraan. Toen vroeg hij de chauffeur zo snel mogelijk weg te rijden. Toen ze wegreden, moest Cassie lachen om de uitdrukking op Desmonds gezicht. Ze hadden hem volledig verslagen.

'Houdt die man nooit eens op?' zei haar vader geërgerd. 'Heeft hij dan helemaal geen gevoel?'

'Absoluut niet,' verzekerde Cassie hem.

'Ik begrijp niet waarom je met hem bent getrouwd.'

'Ik ook niet,' zuchtte ze, 'maar hij was toen erg overtuigend. Pas daarna vond hij het niet meer nodig om zijn echte ik te verbergen.' Ze vertelde hem over zijn dreigementen dat hij haar een proces aan zou doen.

'Je bent hem niets meer verschuldigd!' riep Pat, woedend om wat Desmond had gezegd.

'Denk aan je hart, lieverd,' zei Oona waarschuwend, maar het was sinds de zomer heel goed met hem gegaan. Zelfs tijdens de beproevingen van Cassie had hij zich bijzonder goed gehouden. Nu was hij alleen maar kwaad.

'Hij kan maar beter aan mijn vuist denken en niet aan mijn hart,' zei Pat kortaf, terwijl ze terugreden naar Fairmont. Haar ouders hadden voor hen drieën een suite gehuurd, waar ze twee dagen doorbrachten om de veilige terugkeer van Cassie te vieren. Voor ze teruggingen naar huis wilde Cassie een bezoek brengen aan de vader van Billy Nolan. Het was een droevig en moeilijk bezoek. Ze vertelde zijn vader dat Billy vredig in haar armen was gestorven en niet geleden had. Maar ondanks dat was het bijna onmogelijk om hem te troosten.

Haar vader was met de Vega gekomen en had een co-piloot meegebracht. Halverwege de reis naar Illinois, vroeg hij Cassie of ze wilde vliegen en gaf de besturing aan haar over. Tot zijn grote verbazing, en die van haarzelf, aarzelde ze, maar hij deed alsof hij het niet merkte.

'Het is natuurlijk niet zulk mooi spul als waar je nu aan gewend bent, Cass, maar het zal je goed doen om weer te vliegen.' De Vega was een plezierig vliegtuig en hij had gelijk. Ze vond het heerlijk om weer te vliegen. Sinds ze met de *Poolster* was neergestort, nu tweeëneenhalve maand geleden, had ze niet meer in een vliegtuig gezeten. Het was vreemd om weer te vliegen, maar ze genoot. Het zat haar in het bloed, net als haar vader.

Onderweg naar huis vertelde ze haar vader wat er gebeurd was en praatte met hem over de mogelijke oorzaak van de brand in de motoren, maar ze konden er alleen maar naar raden. Desmond had de overblijfselen van het vliegtuig mee teruggenomen in de hoop iets te weten te komen over de oorzaak. Maar de explosie was zo krachtig geweest dat ze waarschijnlijk niet veel zouden vinden.

'Je hebt verdomd veel geluk gehad,' zei haar vader hoofdschuddend, terwijl zij zijn vliegtuig voor hem bestuurde. 'Je had tijdens de landing gedood kunnen worden, je had bij de ontploffing in stukken gereten kunnen worden en je had de pech kunnen hebben dat er geen eiland in de buurt was.'

'Ik weet het,' zei ze bedroefd. Het had Billy niet geholpen. Ze kon dat nog steeds niet verwerken. Ze wist dat ze hem nooit zou vergeten. Toen ze haar vader hielp het vliegtuig in de hangar te zetten, bood hij haar een baan op het vliegveld aan. Hij zei dat hij wel wat hulp kon gebruiken bij de vracht- en postvluchten, vooral nu alle jonge piloten zich bij het leger zouden aanmelden. Hoewel de meeste van zijn piloten wat ouder waren, was er genoeg ruimte voor haar, en met een verlegen glimlach zei hij dat hij het heerlijk zou vinden als ze bij hem zou werken. 'Tenzij je reclame gaat maken voor tandpoeder en auto's natuurlijk.' Ze moesten allebei lachen.

'Ik denk het niet, pap. Ik denk dat ik daar voor de rest van mijn leven genoeg van heb.' Ze wist niet eens zeker of ze ooit nog vliegshows wilde doen nu Chris daarbij verongelukt was. Ze wilde gewoon vliegen, heerlijke gemakkelijke vluchten en zelfs lange vluchten.

'Nou, ik wil je heel graag hebben. Denk er maar over na, Cass.'

'Dat zal ik doen, papa. Ik vind het een eer dat je me vraagt.'

Daarna reden ze in zijn truck naar huis, waar haar zusters en hun gezinnen op haar zaten te wachten. Het was oudejaarsavond en ze had ze nog nooit met zoveel plezier begroet. Iedereen huilde en omhelsde elkaar en de kinderen renden als gekken rond. Ze leken allemaal groter te zijn geworden, en Annabelle en Humphrey zagen er nog leuker uit dan vroeger. Het was een gebeurtenis die ze niet verwacht had ooit nog mee te maken, en ze stortte in en snikte terwijl haar zusters haar vasthielden. Ze wenste alleen dat Chris erbij had kunnen zijn... en Billy... en Nick. Er ontbraken te veel mensen, maar zij was er. En die avond dankten ze God voor haar behouden terugkeer.

21

De week na nieuwjaar begon Cassie weer op haar vaders vliegveld te werken. Maar voor ze begon, nam haar vader haar mee naar een advocaat in Chicago. Het was een dure advocaat met een uitstekende reputatie, maar haar vader zei dat ze zich een iets minder goede niet kon veroorloven als ze het op wilde nemen tegen Desmond Williams. Ze legde haar situatie aan hem uit en hij zei dat ze zich geen zorgen hoefde te maken. Er zouden geen rechter en geen jury ter wereld zijn die zouden vinden dat ze haar contractuele verplichtingen niet in goed vertrouwen, met risico en persoonlijke inzet, was nagekomen. 'Er zal niemand zijn die je wil laten betalen of in de gevangenis wil laten zetten of die je wil dwingen om weer voor hem te vliegen. De man komt over als een monster.'

'En dan komen we bij het volgende punt,' zei haar vader op scherpe toon. De scheiding. Dat was ingewikkelder, maar beslist niet onmogelijk. Het zou tijd kosten, maar ze konden eenvoudigweg stellen dat hun huwelijk haar traumatische ervaringen niet had overleefd, en er zou waarschijnlijk niemand zijn die dat zou willen bestrijden. Het zou nog gemakkelijker zijn als ze hem zouden beschuldigen van overspel en bedrog. En de advocaat was van plan die argumenten te gebruiken. Hij was ervan overtuigd dat Desmond op die manier zijn volledige medewerking zou willen verlenen.

Hij zei haar dat ze naar huis kon gaan en zich geen zorgen hoefde te maken, en drie weken later kwamen er wat papieren die ze moest tekenen om de zaak in beweging te zetten. Kort daarna kreeg ze een telefoontje van Desmond.

'Hoe voel je je, Cass?'

'Hoezo?'

'Het is een volkomen normale vraag.' Hij klonk vriendelijk, maar ze kende hem intussen wel beter. Hij wilde iets. Ze vroeg zich af of hij het niet eens zou zijn met de scheiding, maar kon zich niet voorstellen waarom dat zo zou zijn. Hij wilde net zomin met haar getrouwd zijn als zij met hem. En ze vroeg niet om geld. Tot haar verbazing had hij haar het totale bedrag betaald voor de oceaanvlucht, ook al had ze die niet volledig gevlogen. Dit was gebeurd nadat haar advocaat hem had gebeld en hem had verteld dat het een bijzonder slechte indruk op het Amerikaanse publiek zou maken als hij haar nòg zou afzetten ook na alles wat ze had meegemaakt. Desmond was furieus geweest, maar het bedrag van honderdvijftigduizend dollar stond veilig op haar bankrekening. Haar vader was hier heel tevreden over, want ze had het meer dan verdiend.

'O, ik dacht dat je misschien wel een kleine persconferentie zou willen geven... begrijp je... de wereld vertellen wat er gebeurd is.' Ze was dat in het begin ook van plan geweest, één keer, maar had inmiddels besloten het niet te doen. Haar dagen als filmster waren voorbij.

'Ze hebben alles al van de marine gehoord nadat die mij gered had. Ik heb daar niets aan toe te voegen. Denk je echt dat de mensen willen horen hoe Billy in mijn armen stierf of verhalen over mijn dysenterie? Ik denk het niet.'

'Die dingen kun je weglaten.'

'Nee, dat kan ik niet. En ik heb niets te vertellen. Ik heb het gedaan. We zijn neergestort. Ik heb het geluk gehad dat ik terug ben gekomen, in tegenstelling tot Billy, tot Noonan, tot Earhart, in tegenstelling tot een heleboel van die idioten als wij. Ik ben nu hier en wil er niet meer over praten. Het is voorbij, Desmond. Het is verleden tijd. Zoek maar iemand anders die je tot een filmster kunt kneden. Nancy bijvoorbeeld.'

'Je was er goed in,' zei hij spijtig. 'Je was de beste.'

'Ik gaf om je,' zei ze verdrietig. 'Ik hield van je,' zei ze heel zacht, maar er was niets in hem om van te houden.

'Het spijt me als je teleurgesteld bent,' zei hij scherp. Ze waren weer vreemden. De cirkel was gesloten. Toen realiseerde hij zich dat het geen zin had haar onder druk te zetten. 'Als je van gedachten verandert, laat je het me maar weten. Er wacht je een grote carrière als je dit serieus aanpakt,' zei hij. Ze glimlachte. Het was zo serieus geworden als het maar kon en ze had het op een wonderlijke manier overleefd.

'Reken er maar niet op.' Ze wist dat hij mensen als zij haatte. In zijn ogen was ze iemand die het opgaf. Maar wat hij dacht was niet meer belangrijk.

'Tot ziens, Cassie.' Het was het eind van een carrière, het eind van een huwelijk, het eind van een nachtmerrie.

Ze hingen op en hij heeft haar nooit meer gebeld. Haar advocaat vertelde dat de heer Williams had toegestemd in de echtscheiding en dat hij haar zelfs een kleine schikking aanbood als ze naar Reno zou gaan. Het geld accepteerde ze niet – ze had genoeg verdiend toen ze voor hem vloog – maar in maart ging ze voor zes weken naar Reno, en toen ze terugkwam was ze weer vrij. En zoals te verwachten was, kwam Desmond met een verklaring voor de pers waarin gesteld werd dat haar ervaringen op de Grote Oceaan zo traumatisch waren geweest dat een voortzetting van hun huwelijk voor haar onmogelijk was geworden en dat ze nu 'in afzondering bij haar ouders' woonde.

'Het klinkt alsof ik gestoord ben,' klaagde ze.

'En wat dan nog?' zei haar vader. 'Je bent voor altijd van hem af. Opgeruimd staat netjes.' Ze had daarna nog een paar keer een telefoontje van verslaggevers gehad, maar altijd geweigerd hen te woord te staan. Ze hadden met sympathie over haar geschreven, maar achtervolgden haar niet lang. Hoe gek ze voor de vlucht ook op haar geweest waren, ze hadden alweer andere interessante onderwerpen.

De pers of Desmond miste ze niet, maar ze miste haar vrienden wel. Nu Billy er niet meer was, was het vliegveld een erg rustige plaats voor haar. Ze was er zo aan gewend geraakt om met hem te vliegen dat het nu vreemd was om daar zonder hem te zijn. En toen ze in april terugkwam uit Reno waren alle jonge mannen die ze kende verplicht of vrijwillig in het leger gegaan. Dit gold zelfs voor twee van haar zwagers. Alleen Colleens man was niet gegaan omdat hij platvoeten had en slechte ogen. Maar haar twee oudste zusters waren nu een groot deel van de tijd samen met hun kinderen bij haar moeder. In het voorjaar kwam het bericht dat de ouders van Annabelle en Humphrey waren omgekomen bij een bombardement op Londen. Colleen en haar man besloten de kinderen te adopteren, en toen Cassie erover nadacht wenste ze bijna dat zij ze kon nemen.

Ze kregen af en toe bericht van Nick, maar dit gebeurde niet vaak. Hij deed nu voortdurend mee aan gevechtsacties en doodde zoveel Duitsers als hij maar uit de lucht kon schieten, 'net als in die goeie ouwe tijd'. Hij was nu eenenveertig en oud voor dat soort spelletjes, maar nu Amerika bij de oorlog betrokken was had hij een volledige militaire status in het Amerikaanse leger. Hij kreeg geen verlof meer om naar huis te gaan. Niet in oorlogstijd. Cassie wist dat hij nog steeds in Hornchurch gelegerd was. Hij schreef nooit naar haar, alleen naar haar vader. Ze had hem nooit geschreven over het verraad van Desmond en over haar scheiding. Ze wist nog steeds niet goed wat ze hem moest vertellen en of het hem interesseerde. Ze wist niet of haar vader er iets over geschreven had, maar betwijfelde dat. Pat was niet iemand om brieven te schrijven of de zaken van anderen te bespreken. Zoals alle mannen hadden ze het alleen over de gebeurtenissen in de wereld en over politiek. Maar ze vond dat ze Nick binnenkort zelf moest vertellen wat er gebeurd was. De vraag was wanneer en hoe. Ze moest inmiddels aannemen dat Nick haar wel geschreven zou hebben als hij nog in haar geïnteresseerd was geweest. Ze had hem al bijna een jaar niet gezien en God mocht weten wat hij dacht.

Ze maakte geen afspraakjes en ging alleen uit met vriendinnen of haar zusters. En ze werkte hard voor haar vader op het vliegveld. Het was een leven waar ze bijna tevreden mee was, hoewel ze moest toegeven dat ze af en toe de spanning miste van het exotische vliegen in Desmonds vliegtuigen. Maar je kon niet alles hebben en haar leven beviel haar zo wel. De pers begon haar te vergeten. Nu Desmond er niet meer achteraan zat, kreeg ze nog maar zelden telefoontjes. Ze kreeg nog wel eens verzoeken voor promotiewerk maar wees die altijd af. Het was een rustig leven, en haar vader maakte zich wel eens zorgen over haar en zei dat ook tegen Oona.

'Ze heeft zoveel meegemaakt,' zei hij. Dat gold voor hen allemaal.

'Ze is een sterk meisje,' zei haar moeder liefdevol. 'Het komt wel goed met haar.' Het kwam ook goed met haar. Ze was alleen af en toe wat stil en wat eenzaam zonder de mensen met wie ze was opgegroeid. Haar broer, Nick, Bobby en zelfs Billy, die wat later was gekomen. Maar ze miste hen allemaal en de kameraadschap die er was geweest. Nu was ze gewoon een van de vele piloten en vloog ze naar Chicago en Cleveland, maar het voelde goed om weer bij haar familie te zijn. Het gaf haar veel rust en troost.

In augustus kreeg ze een telefoontje dat haar verbaasde. Haar vader nam de telefoon aan en overhandigde hem toen met een uitdrukkingsloos gezicht aan haar. Hij had de naam niet eens herkend en ze kon wel tegen hem gillen. Sommige dingen veranderden ook nooit. Het was Jackie Cochran.

'Meen je dat?' Ze dacht eerst dat hij een grapje maakte. Ze was net terug van een vlucht naar Las Vegas en het was bloedheet, maar toen ze aan de telefoon kwam zei Jackie Cochran dat ze haar graag wilde ontmoeten. Ze zei tegen Cassie dat ze haar altijd had bewonderd en vroeg of ze tijd had om naar New York te komen voor een gesprek.

'Natuurlijk,' zei Cassie en noteerde de benodigde gegevens. Ze had afgesproken dat ze er twee dagen later heen zou vliegen. Het was haar vrije dag en ze had geen andere plannen. Misschien kon ze ook wat gaan winkelen. Ze had tenslotte al dat geld van de vlucht nog op de bank staan. Ze had er nog geen cent van uitgegeven. De grap was dat ze Jackie Cochran al tijden had willen ontmoeten, maar eenmaal thuis was ze lui geworden en had ze er niets meer aan gedaan.

Ze overwoog haar moeder uit te nodigen om mee te gaan naar New York, maar besloot toen toch alleen te gaan. Ze had geen idee wat Jackie Cochran zou willen, maar het zou iets kunnen zijn wat haar moeder zou afkeuren.

Ze bleek een idee te hebben dat Cassie geweldig vond. Ze had al snel toegegeven dat ze zich thuis verveelde en wel aan wat spannender vliegwerk toe was. Acht maanden na haar redding op de Grote Oceaan was ze klaar om haar vleugels weer uit te slaan en iets opwindenders te doen. En wat Jackie Cochran in gedachten had, paste precies in haar straatje.

Jackie wilde dat Cassie de taak op zich zou nemen van het vormen van een kleine groep ervaren piloten die onder de luchtmacht zou vallen en vliegtuigen zou overbrengen naar alle plaatsen waar ze tijdens de oorlog nodig waren. De betreffende vrouwen zouden als burgerpiloten vliegen, maar wel een uniform en een eretitel krijgen. Cassie zou beginnen als kapitein. Er was nog een ander vrouwelijk luchtmachtkorps – het WAFS, het Women's Auxiliary Flying Squadron – als ze daar de voorkeur aan gaf, dat de taak had in eigen land vliegtuigen over te brengen en opgezet was door Nancy Harkness Love, een andere buitengewoon goede piloot. Maar het idee vliegtuigen zo langs de Duitsers naar Engeland over te brengen, beviel Cassie wel. Ze wist dat haar ouders het erg zouden vinden als ze weer wegging, maar dit was iets waarin ze geloofde. Dit had een doel. Het was niet frivool of uit eigenbelang, zoals de oceaanvlucht, die alleen maar bedoeld was geweest om winst te maken voor een aantal hebzuchtige mensen. Dit was iets dat ze voor haar land kon doen, en als ze daarbij de dood zou vinden... was ze bereid dat te accepteren. Dat had Chris gedaan... dat had Billy gedaan... dat had Bobby Strong inmiddels gedaan. Zes weken nadat hij in dienst was gegaan, had hij de dood gevonden. Peggy was opnieuw weduwe, deze keer met vier kinderen. Het leven was nooit eenvoudig.

In september zou het WAFS acht weken naar New Jersey gaan voor een training, maar Cassie kon nauwelijks wachten. Het was tijd voor een nieuwe uitdaging en ze zou voor het eerst met andere vrouwen vliegen. Daar had ze niet eerder de kans voor gehad.

Die avond nam Jackie Cochran haar mee voor een etentje in de '21' en ze praatten over hun plannen. Cassie kon zich niets herinneren waar ze met zoveel plezier naar uit had gekeken, zelfs de vlucht rond de wereld niet toen Desmond haar dat voor het eerst had voorgesteld. Dit was zo anders.

Het was precies wat ze gewild had en waarop ze gewacht had. Het was tijd voor Cassie om weer verder te gaan. Toen ze de volgende dag naar huis vloog en erover nadacht, glimlachte ze nog steeds.

Toen ze binnenkwam, was haar vader op het vliegveld. Hij zong in zichzelf en borg wat papieren op. Omdat ze het vreselijk vond om zijn goede stemming te verpesten, besloot ze het hem pas na het eten te vertellen.

'Hoe was New York?'

'Prachtig,' zei ze stralend.

'O, o. Bespeur ik iets romantisch?' Hij bespeurde geluk, maar geen romance. Vliegtuigen, maar geen jongens. Ze was weer terug bij haar beginpunt. Ze was weer verliefd op vliegen.

'Nee. Geen romance.' Ze glimlachte geheimzinnig. Ze was drieëntwintig jaar en gescheiden, en voelde zich vrij en onafhankelijk. En ze stond op het punt precies te gaan doen wat ze wilde.

Ze kon het nieuws die avond nauwelijks voor zich houden en toen ze het na het eten aan haar ouders vertelde, staarden ze haar ongelovig aan.

'Daar gaan we weer.' Pat was al kwaad voor ze het had uitgelegd. 'Wat wil je nu weer gaan doen?' Ze was haar hele leven al tegen de stroom in gezwommen. Het was niets nieuws voor hen, of voor Cassie.

'Ik wil bij... Ik ben bij het trainingcommando van de luchtmacht gegaan,' zei ze gelukkig, en toen legde ze het uit.

'Wacht even. Je gaat bommenwerpers naar Engeland vliegen? Weet je hoe zwaar die zijn, hoe moeilijk ze te hanteren zijn?'

'Dat weet ik, papa,' zei ze glimlachend. Toen ze voor Williams Aircraft vloog, had zo zo ongeveer alle moeilijke vliegtuigen gevlogen die er waren. 'Ik ga met een co-piloot.' Ze wist dat hij het dan iets minder erg zou vinden.

'Een andere vrouw zeker.'

'Soms.'

'Je bent gek,' zei hij kortaf, 'vaderlandslievend, maar gek.'

Ze keek hem toen gespannen aan. Hij moest het begrijpen. Ze was volwassen en had het recht dit te doen. Maar ze hadden door haar ook heel wat meegemaakt, vooral het laatste jaar, en ze wilde hen geen pijn doen. Ze wilde het graag met hun instemming doen, maar haar moeder zat al te huilen.

'Jij en dat ellendige vliegen van je,' zei Oona ongelukkig tegen haar echtgenoot, en hij klopte haar verontschuldigend op haar hand.

'Kom op, Oonie... het heeft ons een plezierig leven bezorgd.' En het had Cassie een klein fortuin gebracht, maar tegen welke prijs...

Ze legde nog een keer uit wat het Vliegcommando inhield en ze zeiden dat ze erover zouden nadenken. Toen herinnerde ze hen eraan dat ze de papieren al getekend had. Pat en Oona keken elkaar aan. Er zat niets anders op dan Cassie weer te steunen. Ze had hen weer voor het blok gezet. Elke keer weer nam ze risico's, waarbij ze ook heel ver ging.

'Wanneer willen ze je hebben, Cass?' vroeg haar vader wat onthutst. Hij vond het vreselijk dat zij ook weg zou gaan. Ze was een geweldige hulp voor hem op het vliegveld.

'Ik begin over twee weken, op één september, in New Jersey.' Toen voegde ze er wat overbodig aan toe: 'Als ik een man was, was ik opgeroepen.'

'Maar dat ben je niet, godzijdank. En dat word je ook niet. Het is al erg genoeg dat onze schoonzoons daar zijn. En Nick.' Hij was als een zoon voor hen.

'Jij zou daar zijn als je kon,' zei ze tegen haar vader, en hij keek haar met een vreemde blik in zijn ogen aan. Ze had gelijk. En Nick had zich al lang geleden als vrijwilliger aangemeld, terwijl hij niet had hoeven gaan.

'Waarom zou ik het dan niet moeten doen? Waarom kan ik niet een keer iets voor mijn land doen? Vliegen is het enige dat ik kan en ik kan het goed. Waarom zou ik dat niet in dienst stellen van mijn land? Jij zou het doen. Waarom zou ik dat als vrouw niet mogen doen?'

'O god,' zei haar vader en sloeg zijn ogen ten hemel. 'We zijn weer terug bij de emancipatie. Waar heb je dit toch van? Je moeder en zusters hebben het nooit over die onzin. Die blijven gewoon thuis, waar ze horen.'

'Ik hoor daar niet. Ik ben een vliegenier. Net als jij. Dat is het verschil.' Het was moeilijk om met haar te redetwisten. Ze was slim en ze had gelijk. Bovendien had ze lef en dat vond hij geweldig aan haar. Ze had hem in de loop der jaren heel wat geleerd en dat had zijn liefde voor haar alleen maar groter gemaakt.

'Het is gevaarlijk, Cass. En ik neem aan dat je Lockheed Hudsons gaat vliegen. Dat zijn zware vliegtuigen. En stel dat je weer neerstort?'

'Stel dat jij morgen boven Cleveland neerstort? Wat is het verschil?'

'Misschien is er geen verschil. Ik zal erover nadenken.' Hij wist dat ze geen zin meer had in postvluchten, dat ze zich verveelde na al dat prachtige vliegwerk dat ze had gedaan. Maar ze was tenminste veilig hier.

Hij dacht er dagen over na, maar uiteindelijk had hij, net als vroeger, niet het gevoel dat hij haar mocht tegenhouden. En in september vertrok ze naar New Jersey. Oona was ook trots op haar en haar ouders vlogen met haar mee naar New Jersey.

'Doe het kalm aan, papa,' zei ze toen hij wegging. Ze gaf haar ouders een afscheidszoen en haar vader stond glimlachend naar haar te kijken.

'Zorg dat je er geen rotzooitje van maakt,' zei hij gemaakt somber, en ze lachte tegen hem.

'Hou je staart omhoog.'

'Let maar op die van jezelf!' Hij groette haar en was weg. En de volgende keer dat hij haar zag, was hij zo trots als een pauw. Ze droeg haar uniform en een glanzend paar zilveren vleugels, als vliegersinsigne, en ze zag er ouder en volwassener uit dan hij haar ooit had gezien. Ze droeg haar lange rode haar in een nette knot en zag er met haar lange, slanke figuur geweldig uit in haar uniform.

Haar ouders waren naar New York gekomen omdat ze dat weekend naar Engeland zou vertrekken, maar ze zouden maar kort blijven. Ze zou voortdurend op en neer gaan met vliegtuigen, wanneer ze maar ergens anders nodig zouden zijn. Maar als eerste opdracht moest ze een bommenwerper naar Hornchurch brengen.

De avond voor ze vertrok ging ze met haar ouders uit eten. Ze nam hen mee naar een klein Italiaans restaurant waar ze altijd met de andere pilotes heen ging wanneer ze in New York was. Ze stelde een aantal van de anderen aan haar ouders voor en ze konden zien dat ze nooit gelukkiger was geweest dan nu. Ondanks het feit dat de training zwaar was geweest, leek het voor Cassie meestal op een soort zomerkamp. Ze mocht de vrouwen met wie ze vloog en de uitdaging van het vliegen van bommenwerpers door gevaarlijk gebied beviel haar uitstekend. Ze hield van vliegwerk dat niet zo gemakkelijk was en van het feit dat ze al haar concentratie nodig zou hebben. Voor deze eerste vlucht was haar een mannelijke co-piloot toegewezen en ze zouden via Groenland gaan.

'Kijk of je Nick ook ziet,' zei haar vader toen hij bij de barak afscheid van haar nam, en ze beloofde hun vanuit Engeland te zullen schrijven. Ze dacht niet dat ze daar lang zou zijn, maar ze wist het nog niet. Ze zou daar wat moeten vliegen en moeten wachten op een nieuwe opdracht. Het kon zijn dat ze er maar twee weken zou blijven, maar het konden ook drie maanden worden. Ze wist het gewoon niet. Maar wat ze wel wist, was dat ze door haar hele training heen aan niets anders had gedacht dan aan Nick Galvin.

Ze had veel nagedacht en een aantal beslissingen genomen.

Ze had haar hele leven moeten wachten tot anderen beslissingen hadden genomen over haar leven en ze was niet bereid dat ooit nog te laten gebeuren. Ze had haar eigen broer moeten betalen om voor haar te liegen en met haar te gaan vliegen. Ze had moeten wachten tot Nick merkte hoe wanhopig graag ze wilde leren vliegen en bereid was haar les te geven zonder dat haar vader het zou weten. Ze had jaren moeten wachten voor haar vader eindelijk toegaf dat ze kon vliegen en haar toestemming gaf vanaf zijn vliegveld te vliegen.

Ze had moeten wachten tot Nick haar eindelijk vertelde dat hij van haar hield om hem vervolgens naar de RAF te zien vertrekken. En ze had moeten wachten tot Desmond haar in zijn vliegtuigen liet vliegen, terwijl hij tegen haar loog en haar gebruikte, en eindelijk eerlijk was en haar vertelde hoe weinig hij om haar gaf. Ze had haar hele leven moeten wachten op beslissingen en manipulaties van anderen. En dat gold zelfs nu nog, want Nick wist waar ze was en wat ze voor hem voelde, maar hij schreef haar nooit. Het enige dat hij waarschijnlijk niet wist, want het was dank zij Desmonds uitstekende relaties met de pers toch nooit gepubliceerd, was dat ze Desmond verlaten had.

Maar ze zou niet meer wachten. Ze liet het niet meer aan anderen over. Het was haar beurt. En vanaf het moment dat ze ontdekt had wat een smeerlap Desmond was, had ze naar Engeland gewild. Ze had geen idee wat er zou gebeuren als ze daar was of wat Nick tegen haar zou zeggen. En het kon haar niet schelen hoe oud of hoe jong ze waren en hoeveel geld hij wel of niet had. Ze wist alleen dat ze daarheen moest. Ze had het recht om te weten wat hij voor haar voelde. Ze had recht op een heleboel dingen, had ze besloten, en het was tijd om die te krijgen. De vlucht was er één van. Het was precies wat ze op dat moment wilde doen.

Ze vertrokken de volgende ochtend om vijf uur en ze vond het vliegen een uitdaging, maar soms ook een beetje saai. Ze praatte wat met haar co-piloot en hij was onder de indruk toen hij zich realiseerde wie ze was.

'Ik heb je een keer tijdens een vliegshow gezien. Je haalde toen alles binnen. Drie eerste prijzen en een tweede prijs, meen ik me te herinneren.' Het was haar laatste vliegshow geweest en hij wist het nog goed.

'Ik heb het al een tijdje niet meer gedaan.'

'Het raakt verouderd.'

'Bij de vliegshow van het jaar daarna is mijn broer verongelukt en daarna was het leuke er een beetje af.'

'Dat wil ik wel geloven.' En toen herinnerde hij zich bewonderend de truc die ze toen had gedaan. 'Het ging bijna mis die keer.'

'Nee, dat leek maar zo,' zei ze bescheiden, en hij lachte.

'Koelbloedige meiden. Jullie zijn allemaal hetzelfde. Veel lef en geen hersenen.' Hij lachte en ze grinnikte tegen hem. Het was bijna een compliment voor haar. Vooral die opmerking over lef beviel haar wel.

'Goh, dank je.' Ze glimlachte tegen hem en even herinnerde hij haar aan Billy.

'Graag gedaan.'

Tegen de tijd dat ze Engeland naderden, waren ze vrienden geworden. Ze hoopte dat ze nog eens met hem zou vliegen. Hij kwam uit Texas en had zoals de meeste van hen gevlogen sinds hij oud genoeg was geweest om in de cockpit te klimmen. Hij beloofde haar te komen opzoeken als hij weer in New Jersey was.

Ze hadden die nacht geluk gehad, want ze waren geen Duitse vliegtuigen tegengekomen. Hij was al een paar keer in een luchtgevecht terechtgekomen en was blij dat dat op haar eerste vlucht niet was gebeurd. 'Het was niet zo erg hoor,' zei hij geruststellend. En tot haar plezier liet hij haar het vliegtuig aan de grond zetten en ondanks haar vaders waarschuwingen had ze er geen enkel probleem mee. Het was heerlijk om als gelijke te worden behandeld.

Ze ging met haar papierwerk naar het kantoor waar ze zich moest melden.

Ze bedankten haar beleefd en gaven haar een vel papier met haar inkwartieringsbevel. Toen ze weer naar buiten kwam, nodigde de piloot met wie ze gevlogen had haar uit voor het ontbijt. Maar ze vertelde hem dat ze andere plannen had. Die had ze ook, maar ze wist niet goed waar ze moest beginnen. Ze had zijn adres, maar dat zei haar niets. Nog niet, in elk geval. Ze haalde het vel papier waarop ze het genoteerd had uit haar zak en stond er vechtend tegen de uitputting van de vlucht naar te kijken toen iemand tegen haar aanbotste. Ze keek op, eerst geïrriteerd en toen stomverbaasd.

Dit was belachelijk. Zo gingen de dingen niet. Het was te gemakkelijk. Hij stond daar naar haar te staren en zag eruit alsof hij een geest had gezien. Niemand had hem gewaarschuwd dat ze zou komen. En daar stond Cassie, in uniform, in de verbijsterde ogen van majoor Nick Galvin te kijken.

'Wat doe jíj hier?' Hij zei het alsof hij de baas was daar, en ze lachte tegen hem, met haar rode haar dat wapperend in de herfstbries haar gezicht omlijstte.

'Hetzelfde als jij.' Min of meer, alleen was zijn taak een stuk gevaarlijker dan de hare. Maar ze hadden allebei hun werk en hun opdrachten. En er waren al verschillende piloten die zoals zij vliegtuigen overbrachten, gedood door de Duitsers. 'Bedankt, trouwens, voor al die prachtige brieven. Ik heb er echt van genoten.' Ze probeerde het luchtig te zeggen, ondanks de pijn die zijn stilzwijgen haar had bezorgd.

Hij grinnikte jongensachtig om de opmerking. Hij was zo overweldigd doordat hij haar zag, dat hij nauwelijks in staat was naar haar te luisteren. De laatste keer dat hij haar gezien had, was de ochtend geweest nadat ze samen de nacht op hun geheime vliegveldje hadden doorgebracht.

'Het was ook een plezier om ze te schrijven,' pareerde hij, maar het enige dat hij wilde was zijn armen uitstrekken en haar aanraken. Hij kon zijn ogen niet van haar losmaken, zijn handen, zijn armen, zijn hart, zijn vingers, en onwillekeurig raakte hij met zijn vingers haar haar aan. Het voelde nog steeds aan als zijde en zag eruit als vuur. 'Hoe is het met je, Cass?' zei hij zacht, terwijl mensen in uniform om hen heen liepen. Hornchurch was een drukke legerplaats, maar ze leken het geen van beiden te merken. Ze konden hun ogen niet van elkaar afhouden. Ondanks de beproevingen die ze allebei hadden doorstaan, leek er niets tussen hen veranderd te zijn.

'Goed,' zei ze, en hij leidde haar naar een rustige plek waar ze even op een stenen muurtje konden zitten en praten. Er was zoveel te vertellen, zoveel in te halen. En plotseling voelde hij zich schuldig omdat hij niet geschreven had.

'Ik was ziek van bezorgdheid toen je neergestort was,' zei hij, en ze keek van hem weg omdat ze aan Billy moest denken.

'Het was niet bepaald leuk,' zei ze eerlijk. 'Het was behoorlijk zwaar en...' Ze had moeite met de woorden en zonder erbij na te denken pakte hij haar hand en hield hem in de zijne. '... het was afschuwelijk toen Billy...'

'Ik weet het.' Ze hoefde de woorden niet uit te spreken. Hij begreep het allemaal. 'Je kunt jezelf niet de schuld geven, Cass. Dat heb ik al lang geleden tegen je gezegd. We doen allemaal wat we moeten doen. We nemen risico's. Billy wist waar hij aan begon. Hij wilde de vlucht met je doen, voor zichzelf, niet alleen voor jou.' Ze knikte. Ze wist dat hij gelijk had, maar het was een schrale troost.

'Het heeft nooit goed gevoeld dat ik het overleefd heb en hij niet.' Het was voor het eerst dat ze dat tegen iemand zei. Ze had het tegen niemand anders kunnen zeggen dan tegen Nick. Ze had hem altijd verteld wat ze voelde.

'Zo is het leven. Het is niet jouw beslissing, maar de Zijne.' Hij wees naar de hemel en ze knikte.

'Waarom heb je niet een keer gebeld toen ik terug was?' vroeg ze verdrietig. Ze hadden het weer onmiddellijk over de belangrijke dingen. Zo ging het altijd bij hen. Zo was hij.

'Ik heb er vaak aan gedacht... Ik heb een paar keer op het punt gestaan je te bellen,' zei hij glimlachend, 'wanneer ik een slok of twee achter de kiezen had, zoals ze hier zeggen, maar ik ging ervan uit dat je echtgenoot dat niet op prijs zou stellen. Waar is hij eigenlijk?' Zijn vraag bevestigde haar vermoeden en ze glimlachte tegen hem. Het was raar om hier met Nick te zitten praten alsof hij op haar komst had zitten wachten. Het was plotseling allemaal zo eenvoudig. Daar zaten ze, zo'n 7000 kilometer van huis, op een stenen muurtje in de najaarszon te praten.

'Hij is in Los Angeles.' Met Nancy Firestone, of iemand zoals zij.

'Ik ben verbaasd dat hij je dit laat doen... of eigenlijk ben ik dat niet,' zei Nick, en hij klonk wat bitter. Het had bijna zijn hart gebroken toen hij dacht dat ze voor altijd verdwenen was, terwijl die hufter haar leven op het spel had gezet om zijn vliegtuigen te kunnen verkopen. Hij had Desmond willen bellen om hem te vertellen wat een ongelooflijke klootzak hij was. Maar hij had het niet gedaan. 'Ik neem aan dat dit hem wel goed leek voor de publiciteit. Vaderlandslievend en zo. Een van de jongens. Was het zijn idee of het jouwe?' Hij wilde dat het idee van haar was geweest, want hij wilde haar daarom kunnen respecteren.

'Het was mijn idee. Nick. Ik heb het al sinds de vlucht willen doen. Maar toen ik terug was, leek het me niet goed om mijn vader weer alleen te laten. Hij heeft het er zelfs nu nog moeilijk mee. Hij heeft niemand die hem kan helpen. Het is zelfs niet onmogelijk dat hij eindelijk een paar vrouwen moet inhuren, hoewel de meesten bij de WAFS zitten of bij het Trainingcommmando, zoals ik.'

'Hoe bedoel je, je vader alleen laten? Heb je bij je ouders gelogeerd sinds je terug was?' De schoft had niet eens het fatsoen kunnen opbrengen om voor haar te zorgen, en ze moest behoorlijk ziek zijn geweest na zeven weken hongeren op een onbewoond eilandje.

'Ja, ik ben teruggegaan naar mijn ouders,' zei ze rustig, terwijl ze hem aankeek en aan die ene nacht van geluk dacht die ze samen in het maanlicht hadden beleefd. 'Ik heb Desmond verlaten, Nick. Ik heb dat gedaan toen mijn vader zijn hartaanval had gehad.' Het was dus al een jaar geleden voorbij geweest, en Nick was verbijsterd dat hij dat niet had gehoord.

'Toen ik terugging naar L.A., na de laatste keer dat we elkaar hebben gezien, was alles precies zoals jij gezegd had. Hij bleef me maar onder druk zetten, persconferenties, testvluchten, interviews, journaalopnamen. Het ging precies zoals jij voorspeld had, maar hij liet zijn ware aard pas zien toen papa ziek werd. Hij gaf me "bevel" de vlucht volgens schema te doen en "verbood" me om mijn vader te gaan opzoeken.'

'Maar je bent toch gegaan, niet?' Hij wist dat de tocht was uitgesteld en had een bioscoopjournaal over haar in het ziekenhuis gezien, zoveel wist hij ervan.

'Ja, ik ben toch gegaan en Billy ging mee. Desmond zei dat hij ons voor de rechter zou slepen als we de vlucht niet zouden uitvoeren en liet ons een contract tekenen waarin we beloofden dat we het in oktober zouden doen, wat er dan ook aan de hand mocht zijn.'

'Aardige vent.'

'Ja, ik weet het. Ik ben nooit meer naar hem teruggegaan. Hij heeft me zelfs nooit gebeld. Het enige dat hij van mij wilde was dat ik het uit de pers zou houden tot ik terug was. Bovendien had je gelijk over de vrouwen. Nancy Firestone was zijn maîtresse. Hij is alleen met me getrouwd omdat het een mooie publiciteitsstunt was, precies zoals je gezegd had. Hij zei dat de vlucht anders niet "hetzelfde effect op het publiek" zou hebben gehad. Het huwelijk was gewoon bedrog. En daarna, toen ik gered was, vertelde hij me op Hawaii dat ik nog steeds voor hem werkte en dat hij me een proces zou aandoen als ik me niet aan mijn contract zou houden. Volgens het contract moest ik 25 000 kilometer afleggen in de *Poolster* en ik had er maar 17 500 gedaan voor het vliegtuig neerstortte. Hij dacht dat hij me zelfs toen nog voor de publiciteit kon gebruiken, maar het was allemaal voorbij. Papa heeft me meegenomen naar een advocaat in Chicago en ik ben van hem gescheiden.'

Nick was verbijsterd door wat ze allemaal vertelde, hoewel het feit dat Williams een ongelooflijke klootzak was geen nieuws was, in elk geval niet voor Nick. Maar hij was nog veel erger dan Nick had vermoed.

'Hoe heb je dat allemaal stil kunnen houden voor je vertrok?'

'O, daar is hij heel goed in. Hij doet niet anders dan de pers bespelen. Toen ik terugging naar L.A., voor de oceaanvlucht, heb ik bij Billy gelogeerd. Niemand wist er iets van. Het duurde niet lang want we vertrokken een paar weken nadat ik terug was uit Good Hope en Desmond heeft het allemaal mooi verhuld. Hij is een echte slang, Nick. Je had volkomen gelijk. Ik heb je dat steeds willen vertellen, maar ik wist niet goed wat ik moest zeggen of hoe ik het moest zeggen. In het begin voelde ik me vernederd en schaamde ik me om toe te geven dat het één grote farce was geweest. En toen dacht ik dat het je misschien toch niet interesseerde. Je maakte zo duidelijk dat je me niet wilde. Ik weet niet... ik dacht dat ik het beter een tijdje kon laten rusten. Ik bleef maar hopen dat je thuis zou komen en dat we dan konden praten, maar ik neem aan dat dat na Pearl Harbor niet meer kon.'

'We krijgen geen verlof meer, Cass. En wat bedoel je dat ik zo "duidelijk maakte dat ik je niet wilde"? Herinner je je die nacht nog?' Hij voelde zich gekwetst door haar woorden.

'Daar herinner ik me elke minuut van. Het was soms het enige dat me op het eiland in leven hield... de gedachte aan jou... de herinnering... dat heeft me door een heleboel dingen heen geholpen... zoals weggaan bij Desmond. Hij was zo kwaadaardig.'

'Maar waarom heb je me dat niet geschreven?'

Ze zuchtte, dacht erover na en zei toen oprecht: 'Ik was denk ik bang dat ik alleen maar weer te horen zou krijgen dat je te oud was en te arm en dat ik een jongen als Billy moest zoeken.' Hij glimlachte om de waarheid van haar woorden. Hij had inderdaad stom genoeg kunnen zijn om dat te doen. Maar dat was voordat ze bijna dood was geweest, voordat hij eindelijk tot bezinning was gekomen. Gewoon door daar te zitten en te praten besefte hij wat een volslagen idioot hij was geweest toen hij bij haar wegging.

'En is het je gelukt? Een jongen als Billy vinden, bedoel ik?' Hij zag er zo bezorgd uit dat ze even wenste dat ze het lef had om hem jaloers te maken.

'Ik zou tegen je moeten zeggen dat ik uit ben gegaan met elke man uit zeven districten.'

'Ik weet niet of ik dat zou geloven.' Hij glimlachte, stak een sigaret op en leunde achterover tegen de muur. Hij genoot ervan naar haar te kijken. Het was zo goed haar weer te zien. Dit was het kleine meisje van wie hij altijd gehouden had, en ze was helemaal volwassen nu.

'Waarom niet? Vind je dat ik te lelijk ben om door elke man mee uit genomen te worden?' zei ze plagend.

'Niet lelijk. Gewoon moeilijk. Er is een man van een bepaalde leeftijd en met een bepaalde ervaring voor nodig om met een meisje als jij te kunnen omgaan, Cass. Er zijn niet zoveel mannen in McDonough County die daar geschikt voor zijn.'

'Je vindt dat blijkbaar belangrijk. Betekent dat dat je tegenwoordig de juiste leeftijd hebt of ben je nog steeds te oud voor me?' vroeg ze hem scherp. Ze wilde weten waar ze aan toe was.

'Dat was ik, maar het was vooral stommiteit,' zei hij eerlijk. 'Ze moesten me bijna uit actieve dienst ontslaan, Cass, nadat je verongelukt was. Ik kon alleen maar aan jou denken en ik dacht dat ik gek zou worden. Het ging een tijdje niet zo goed met me. Ik had gewoon naar huis moeten vliegen toen ik het gehoord had. Dan had ik in elk geval in Honolulu kunnen zijn toen je daar aankwam.'

'Dat zou heerlijk zijn geweest,' zei ze glimlachend, maar ze verweet hem niets. Ze wilde alleen weten hoe het er nu voor stond.

'Ik neem aan dat Desmond er was met verslaggevers,' zei hij met een geërgerde blik.

'Natuurlijk. Maar ik had een fantastische verpleegster die ze voortdurend mijn kamer uit gooide voor ze ook maar een voet tussen de deur hadden. Ze kon Desmond niet luchten of zien. Dat was toen hij met een proces dreigde omdat ik me niet aan mijn contract had gehouden. Ik denk dat hij ervan overtuigd is dat ik zijn vliegtuig met opzet heb laten ontploffen. Het was ongelooflijk, Nick,' zei ze ernstig. 'Allebei de motoren vlogen in brand. Ik denk niet dat ze al weten hoe

dat mogelijk was en ik vraag me af of ze er ooit achter zullen komen.'
Terwijl ze het zei was ze ver weg met haar gedachten en hij trok haar
dichter naar zich toe.

'Zet het uit je hoofd, Cass. Het is voorbij.' Dat gold voor heel veel
dingen. Er lag een hele periode van haar leven achter haar en het was
nu tijd voor een nieuw begin. Hij keek met een trage glimlach op haar
neer. Hij voelde de warmte van haar lichaam naast het zijne en herinnerde zich de zomernacht van bijna twee jaar geleden, die hem sinds
die tijd op de been had gehouden. 'Vertel eens, hoe lang blijf je hier?'
'Donderdag krijg ik mijn orders,' zei ze rustig. Ze vroeg zich af wat
hun nu weer te wachten stond, wat hij van haar wilde, en of hij hetzelfde spel zou blijven spelen of eindelijk volwassen was geworden. 'Ik
blijf hier een tijdje, dat kan variëren van twee weken tot twee of drie
maanden, maar ik zal vrij vaak terugkomen. Ik zit in het overzeese
transportsquadron, een soort taxidienst tussen New Jersey en Hornchurch.'

'Dat is behoorlijk tam voor je, Cass. Het grootste deel van de tijd tenminste.' Hij was opgelucht dat ze geen gevaarlijker taak had gevonden. Dat was net iets voor haar geweest. Ze had voor Desmond gevechtsvliegtuigen getest die aangepast moesten worden voor het leger.
Maar dat was nu voorbij.

'Voorlopig vind ik het wel goed zo. Hoe zit het met jou? Waar ben je
nu?' vroeg ze, met een blik die in zijn ziel doordrong. Hij kon haar
vraag niet ontwijken.

Eerst begreep hij de vraag niet, maar toen lachte hij en keek haar aan.
Hij begreep het uitstekend. Het was geen toeval dat ze hier was. Het
enige toeval was dat hij haar zo snel was tegengekomen.

'Wat bedoel je, Cass?'

'Hoe moedig ben je? Wat heb je hier geleerd, terwijl je je leven op het
spel zet in gevechten met de Duitsers?'

'Ik weet meer dan vroeger, als je dat bedoelt. Ik ben weer iets ouder…
en nog net zo arm…' Hij herinnerde zich zijn eigen woorden en wist
hoe dom hij was geweest toen hij ze uitsprak. 'Hoe moedig ben jij,
kleine Cassie? Hoe dwaas? Is dat wat je wilt? Is dat wat je nog steeds
wilt, na alles wat je in de afgelopen twee jaar hebt gedaan en bent geweest en hebt gehad? De oude Jenny en mij? Dat is alles wat ik heb,
weet je. Dat en de Bellanca. Het zal nooit luxe worden.' Maar ze wisten allebei dat ze dat had gehad en dat het niet was wat ze wilde. Ze
wilde hem en alles wat hij voor haar betekende. Dat was alles.

'Als ik luxe wilde, was ik nu in L.A.'

'Nee, daar zou je niet zijn,' zei hij rustig, met de koppige uitdrukking die ze zo goed kende.

'Waarom niet?'

'Omdat ik je niet zou laten gaan. Ik had je nooit terug laten gaan. Ik had je nooit moeten laten gaan.' Ze hadden allebei een paar dure lessen geleerd. Maar ze waren wijzer geworden. Ze hadden flink moeten betalen voor de keuzes die ze hadden gemaakt en waren een heel eind verder gekomen. 'Ik hou van je, Cass, en dat heb ik altijd gedaan,' zei hij zacht terwijl hij haar dicht tegen zich aan trok, en ze keek naar hem op en glimlachte. Het was het gezicht dat ze zo goed kende en waarvan ze altijd had gehouden, al sinds ze een kind was. Dezelfde lijntjes rond de ogen van het dichtknijpen tegen de zon, het gezicht waarmee ze was opgegroeid. Het was een knap gezicht, met karakter en wilskracht en zachtheid, het enige gezicht waarnaar ze de rest van haar leven wilde kijken. Ze was hierheen gekomen om hem terug te vinden. En ze had hem gevonden. Met Nick had ze alles wat ze wilde.

'Ik hou ook van jou, Nick,' zei ze rustig, en hij hield haar dicht tegen zich aan en voelde haar warmte, de nabijheid waar hij zo vaak naar had verlangd. Het was een hel geweest om bij haar weg te zijn, een hel die hij voor zichzelf had gemaakt en bitter had betreurd, maar hij had niet geweten hoe hij eruit moest ontsnappen. Daar was Cass voor nodig geweest, die gekomen was en hem gevonden had.

'En als een van ons dit niet overleeft?' vroeg hij eerlijk. 'Wat dan?' Hij wilde nog steeds haar leven niet kapotmaken door haar aan zich te binden en dan dood te gaan. Dat was de prijs die soms betaald moest worden als je van een vliegenier hield.

'Dat is een risico dat we allebei lopen, elke dag. Dat is altijd zo geweest. Je hebt het me zelf geleerd. Als dit is wat we willen, moeten we ook het lef hebben om daarmee te leven en de ander te laten doen wat hij of zij moet doen.' Het was een hoge prijs voor de liefde, maar ze waren altijd bereid geweest die te betalen.

'En daarna?' Hij maakte zich daar nog steeds zorgen om, maar zij had al die problemen al lang geleden achter zich gelaten, en het had haar toch niets uitgemaakt, al bezat hij helemaal niets.

'Daarna gaan we naar huis. Mijn vader zal een keer met pensioen gaan en ons het vliegveld geven. En als we in een hut moeten wonen omdat jij niet meer hebt, dan moet dat maar. Het maakt mij niet uit, en we kunnen er altijd nog dingen aan veranderen.' Deze keer ging hij niet tegen haar in. Deze keer wist hij dat het genoeg was voor hen beiden. Ze hadden in hun leven meer en minder gehad en het maakte niet uit. Ze hadden niets anders nodig dan elkaar en een luchtruim om in te vliegen.

Hij kuste haar zacht, en daarna keek ze omhoog naar de herfsthemel en glimlachte. Ze dacht aan de uren die ze in de oude Jenny hadden doorgebracht. Ze herinnerde hem aan haar eerste loopings en spins en hij lachte.

'Je joeg me de stuipen op het lijf.'

'Moet je hem horen… Jij zei dat ik een natuurtalent was.' Ze deed alsof ze beledigd was, terwijl ze opstonden en hij haar langzaam naar haar barak begeleidde. Ze hadden die ochtend heel wat dingen opgelost.

'Dat zei ik alleen maar omdat ik verliefd op je was.' Hij voelde zich jongensachtig blij en lachte gelukkig. Zij had dat effect op hem, dat had ze altijd gehad.

'Nee, dat is niet waar. Je was toen niet verliefd op me,' zei ze met een brede glimlach, en vroeg zich af of het zo was geweest.

'Ja, dat was ik wel.' Hij zag er gelukkig, ontspannen en jong uit. En hij voelde zich ongelooflijk trots terwijl hij daar met haar liep.

'Echt waar?'

Ze lachten en praatten en plaagden elkaar als kinderen. Plotseling was het leven zo eenvoudig. Ze had de dingen gedaan waarvoor ze gekomen was. Ze had hem teruggevonden, en daarmee alles wat hij altijd voor haar betekend had. Ze was eindelijk thuis. Dat waren ze allebei.

Kinderpsychiater Maxine Williams heeft alles voor elkaar: een succesvolle carrière als arts, drie prachtige kinderen en een lieve vriend. Het enige wat haar geluk in de weg staat, is haar onweerstaanbare exman, Blake. Blake bezit alle karaktereigenschappen van een "foute", maar daardoor ook zeer aantrekkelijke, man. Hij is knap, charismatisch, rijk en slim. Maar haar huwelijk met Blake had ook een keerzijde: hij reisde liever de wereld rond om plezier te maken dan dat hij bij zijn gezin was.

Inmiddels zijn ze al vijf jaar gescheiden en heeft Maxine een nieuwe liefde gevonden: Charles. Maar door een wending van het lot doet Blake ineens weer een beroep op Maxine. Zal ze haar hart weer aan hem verliezen of trouwt ze uiteindelijk toch met ideale schoonzoon Charles?

Danielle Steel – *De casanova*
Poema Pocket – € 6,98

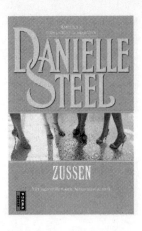

Vier zussen leiden elk hun eigen succesvolle leven. Candy werkt als internationaal supermodel, Tammy is producer van een beroemde televisieshow, Sabrina is een ambitieuze advocate en Annie een kunstenares in Florence.

Een familiedrama brengt de zussen samen in een appartement in New York. Ze zetten alles opzij om elkaar te steunen. Maar het verdriet houdt hun ook een spiegel voor waardoor ze gedwongen worden ook hun eigen leven onder ogen te zien.

Het zal een jaar worden waarin het woord geluk voor de zussen een nieuwe betekenis krijgt.

Danielle Steel – *Zussen*
Poema Pocket – € 6,98

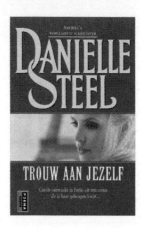

role Barber is een succesvolle en wereldberoemde actrice. Na het
erlijden van haar man Sean besluit ze een punt te zetten achter haar
ncarrière. Carole wil een roman gaan schrijven en besluit naar Pa-
te gaan om haar gedachten over haar boek op een rijtje te zetten.

Parijs wordt Carole omhuld door de luxe van het Ritz en ze voelt
h gelijk thuis in de romantische stad. Maar dan slaat het noodlot
. Claire raakt zwaargewond door een autobom en raakt in een co-
. Haar familie komt meteen naar haar toe, maar ze zijn niet de eni-
: buiten houden de paparazzi haar in de gaten. En wie is die mys-
ieuze man die haar stiekem bezoekt?

nielle Steel – *Trouw aan jezelf*
ema Pocket – € 6,98

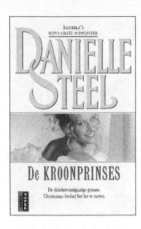

Christianna is een moderne jonge vrouw als ieder ander, met als verschil dat zij kroonprinses is van een Europees vorstendom. Haar toekomst lijkt dan ook uitgestippeld te zijn.
Maar Christianna heeft heel andere dromen. Ze wil zich graag inzetten om armoede en ellende in de wereld te bestrijden en besluit naar een Afrikaans vluchtelingenkamp te vertrekken.

In Afrika houdt ze haar ware identiteit angstvallig geheim. Ook de aantrekkelijke jonge arts met wie ze samenwerkt, Parker Williams, weet niets van haar koninklijke afkomst. Maar dan slaat het noodlot toe en verandert het leven van Christianna zoals ze nooit had kunnen voorzien.

Danielle Steel – *De kroonprinses*
Poema Pocket – € 5,–

Carole Barber is een succesvolle en wereldberoemde actrice. Na het overlijden van haar man Sean besluit ze een punt te zetten achter haar filmcarrière. Carole wil een roman gaan schrijven en besluit naar Parijs te gaan om haar gedachten over haar boek op een rijtje te zetten.

In Parijs wordt Carole omhuld door de luxe van het Ritz en ze voelt zich gelijk thuis in de romantische stad. Maar dan slaat het noodlot toe. Claire raakt zwaargewond door een autobom en raakt in een coma. Haar familie komt meteen naar haar toe, maar ze zijn niet de enigen: buiten houden de paparazzi haar in de gaten. En wie is die mysterieuze man die haar stiekem bezoekt?

Danielle Steel – *Trouw aan jezelf*
Poema Pocket – € 6,98

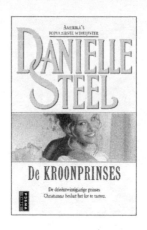

AMERIKA'S
POPULAIRSTE SCHRIJFSTER

DANIELLE
STEEL

De KROONPRINSES

De drieëntwintigjarige prinses
Christianna besluit het lot te tarten.

Christianna is een moderne jonge vrouw als ieder ander, met als verschil dat zij kroonprinses is van een Europees vorstendom. Haar toekomst lijkt dan ook uitgestippeld te zijn.
Maar Christianna heeft heel andere dromen. Ze wil zich graag inzetten om armoede en ellende in de wereld te bestrijden en besluit naar
een Afrikaans vluchtelingenkamp te vertrekken.

In Afrika houdt ze haar ware identiteit angstvallig geheim. Ook de
aantrekkelijke jonge arts met wie ze samenwerkt, Parker Williams, weet
niets van haar koninklijke afkomst. Maar dan slaat het noodlot toe
en verandert het leven van Christianna zoals ze nooit had kunnen
voorzien.

Danielle Steel – *De kroonprinses*
Poema Pocket – € 5,–